LA PASSE-MIROIR
LIVRE 4

Christelle Dabos

LA PASSE-MIROIR
LIVRE 4

LA TEMPÊTE
DES ÉCHOS

GALLIMARD JEUNESSE

SOUVENIRS DU LIVRE 3

LA MÉMOIRE DE BABEL

Après presque trois ans à se morfondre, Ophélie retrouve la trace de Thorn sur Babel, une arche cosmopolite et joyau de modernité. Elle s'y rend avec le concours de Gaëlle, Renard et Archibald, qui traquent Arc-en-Terre depuis des mois à l'aide des Roses des Vents.

Dès son arrivée sur l'arche des jumeaux Pollux et Hélène, Ophélie rejoint l'académie de la Bonne Famille sous un faux nom afin de mener son enquête sur la véritable identité de Dieu. Elle se confronte alors à la toute-puissance des Lords de LUX, et à la loi du silence qui semble paradoxalement régir ce haut lieu de l'information. Dans le sillage de ses recherches, d'étranges morts se produisent : des gens figés dans une expression de terreur pure...

Les études acharnées d'Ophélie lui permettent enfin de retrouver Thorn au cœur du Mémorial de Babel, une bibliothèque immense se voulant la « mémoire du monde » où il s'est réfugié pour tenter de retrouver la trace de Dieu. Mais contre toute attente, c'est dans des livres pour enfants que se cache

son identité : Eulalie Dilleux, auteure de son état. La déforma-
tion du nom l'a peu à peu instituée au rang de Dieu.

Mais si Dieu est Eulalie, alors qui est l'Autre, cet alter ego
qu'Ophélie perçoit dans le miroir et qui provoquera l'effondrement définitif des arches ? Et que sont les échos que Lazarus,
l'un des alliés de Dieu, considère comme « la clef de tout » ?

PERSONNAGES

OPHÉLIE

Ophélie, née sur l'arche d'Anima, a refusé deux demandes en mariage avant de se voir contrainte d'épouser Thorn, du Pôle. La variation de son pouvoir familial lui permet de *lire* le passé des objets et de se déplacer en traversant les miroirs. D'un accident de miroir, dans sa jeunesse, elle a gardé une maladresse hors norme, une élocution fluette et une propension désarmante à faire surgir les ennuis. Petite, elle abrite sa timidité derrière ses lunettes aux verres rectangulaires, dont la couleur reflète son humeur, ainsi que derrière sa vieille écharpe tricolore, contaminée par son animisme et dont elle ne se sépare jamais. Sa famille se lamente de ses robes austères et passées de mode, et ses gants de *liseuse*, si précieux soient-ils, se décousent à force d'être rongés par la nervosité de leur propriétaire. Néanmoins, pour passer inaperçue sur l'arche de Babel, elle sacrifiera ses épaisses boucles brunes pour une coupe courte mais parfaitement indomptable et cachera son manteau et son écharpe pour adopter l'uniforme bleu nuit de la compagnie des avant-coureurs.

Sous ses abords discrets, Ophélie cache une détermination et une résilience à toute épreuve : d'abord désemparée face à la cruauté du Pôle, elle n'en reste pas moins animée d'un sens profond de la justice et de la vérité, et refuse de se plier à la volonté des autres lorsque celle-ci va à l'encontre de la sienne propre. Entêtée et volontaire, elle a passé plus de deux ans à traquer la moindre trace de Thorn, son mari disparu, et traversé les arches pour pouvoir enfin lui avouer ses sentiments et faire de lui son meilleur allié. Elle se révèle toujours plus intrépide et plus ingénieuse dans sa quête pour découvrir l'identité de « Dieu » et l'origine du cataclysme qui a divisé l'ancien monde en multiples arches.

THORN

Thorn, l'intendant du Pôle, n'est en apparence qu'un comptable abrupt et maussade, aussi grand et aussi acéré qu'Ophélie est petite et affable. Descendant bâtard du clan des Dragons et placé sous la protection de sa tante Berenilde, il a également hérité de sa mère le pouvoir des Chroniqueurs, un clan déchu doté d'une mémoire exceptionnelle. La silhouette de Thorn est à l'image de son caractère : réservé et froid comme la glace qui recouvre son arche ; profondément misanthrope, il ne respecte que les chiffres et ne supporte pas le désordre. Chaque action se voit chronométrée par l'aiguille de la montre à gousset qu'il porte en permanence ; et le poids d'une enfance difficile semble tirer son sourire vers le bas. Néanmoins, il dévoile peu à peu une réelle répulsion pour la violence, une volonté féroce de protéger ceux qui lui sont chers et un sens du devoir inflexible. Obsédé par le désir de réhabiliter sa famille, il comptait sur les pouvoirs de *liseuse* d'Ophélie pour découvrir les secrets du Livre de Farouk, l'esprit de famille du Pôle. Hélas ! les choses ont échappé à son contrôle : l'horrible complot dans lequel il a plongé sa fiancée, sa tante et ses proches manque plus d'une fois de les conduire tous à la mort.

Résolu à ne plus impliquer Ophélie contre son gré, Thorn choisit de disparaître pour mener l'enquête sur l'identité de « Dieu » et sur cette force implacable qui semble régir en secret la vie sur les arches. Pourtant, c'est lorsqu'il fait équipe avec Ophélie que chacun révèle le meilleur de lui-même, comme si leurs failles et leurs insécurités se voyaient guéries par les yeux de l'autre. Le corps couturé de cicatrices et désormais estropié de Thorn se dessine comme le contre-pied de son esprit brillant, et comme le témoignage de son vœu ultime de faire le bien, le mieux, pour les siens et pour le monde dans lequel il vit.

ARCHIBALD

Membre du clan de la Toile, doté d'une variation des pouvoirs familiaux du Pôle relevant de la télépathie, Archibald est l'ambassadeur du Pôle, sans que l'on sache exactement de quoi relèvent ses fonctions, car l'on attendrait d'un ambassadeur un certain sens... diplomatique. Or, il se dévoue corps et âme à faire exactement le contraire : débraillé, désinvolte et coureur de jupons, il a également pour habitude de ne jamais mentir et ne se soucie pas toujours des sentiments de son interlocuteur. Paradoxalement, il est à la fois extrêmement respecté et méprisé pour ses frasques. Peut-être, du fait de sa beauté séraphique, est-on plus prompt à lui pardonner ses errements, à moins que sa position à la cour et la crainte pleine de déférence qu'inspire sa famille ne lui confèrent un prestige dont il s'échine à démériter. Nonobstant, l'irrévérence d'Archibald cache en réalité une vive intelligence et une profonde mélancolie. Sous ses dehors insouciants, l'ambassadeur est un redoutable stratège politique, et il a l'art et la manière de faire croire qu'il ne sert que ses propres intérêts, quand la plupart de ses actions permettent à Ophélie, Berenilde et même Thorn de survivre face à leurs ennemis. Depuis qu'il a été enlevé au cœur de son domaine du Clairdelune, réputé être l'endroit le plus sûr de la Citacielle, la Toile a coupé son lien avec lui. Archibald, détaché de tout ce qui constituait ses repères, est désormais un électron libre, capable de trouver des passages entre les Roses des Vents, ces portes qui permettent de voyager d'un bout à l'autre du monde...

ROSELINE

La tante Roseline n'avait rien demandé à personne quand elle fut envoyée au Pôle commakek chaperon d'Ophélie. Bougonne et raide comme un gond de porte mal huilé, elle se distingue par son inébranlable sens des réalités.

Sous son chignon austère se cachent en effet un farouche instinct de protection et une morale incorruptible, même en milieu hostile. Sa variation de pouvoir lui confère une affinité toute particulière avec le papier, et il n'est donc pas rare de voir la tante Roseline tromper son ennui ou sa nervosité en réparant tous les livres ou les tapisseries qui peuvent lui tomber entre les doigts. Elle déteste le froid glacial du Pôle, mais elle aime vraiment sa filleule, Ophélie, et elle adore Berenilde, avec qui elle a tissé des liens d'amitié forts et sincères. Lorsqu'elle est contrainte de revenir sur Anima, son devoir de chaperon accompli, le Pôle et Berenilde lui manquent terriblement, même si elle préférerait avaler ses précieux papiers plutôt que de l'avouer. Aussi, dès que l'occasion se présente, la tante Roseline saute sans hésitation aucune dans la première Rose des Vents venue pour rejoindre sa famille d'adoption et la soutenir dans l'adversité.

Berenilde et Victoire

Belle et impitoyable, tels sont les premiers mots qui viennent à l'esprit pour décrire l'éblouissante Berenilde, unique survivante du clan des Dragons et tante de Thorn. Favorite de Farouk, elle est adorée pour sa beauté et redoutée pour ses manigances au sein de la Citacielle. Les dissensions claniques et les intrigues de cour lui ont arraché la vie de son mari, Nicolas, et de ses trois enfants : Thomas, Marion et Pierre. Nourrie par la rage, la douleur et le besoin d'être mère à nouveau, Berenilde ne recule devant rien pour asseoir sa position à la cour. Ses humeurs capricieuses plongent souvent Ophélie dans une situation délicate mais, sous ses abords parfois rudes, Berenilde est profondément attachée à cette dernière.

Sa grossesse la placera dans une position bien particulière puisqu'elle donnera naissance à la première descendante directe d'un esprit de famille depuis des siècles. Bien qu'elle le méprise en apparence, elle accorde une foi aveugle à la loyauté et à la bonté d'Archibald, qu'elle nommera parrain de sa fille, Victoire. On raconte que Berenilde et Victoire sont les deux seules personnes dont Farouk se préoccupe réellement. Heureusement, car le nouveau pouvoir développé par Victoire lui confère la capacité de se dédoubler, envoyant errer un double astral que seul « Dieu » et Farouk semblent être capables de repérer... Mais pour sauver le dernier enfant qu'il lui reste, Berenilde n'hésitera pas à sortir ses griffes...

GAËLLE ET RENARD

Renard, de son vrai nom Renold, est domestique au Clair-delune, au service de dame Clothilde, la grand-mère d'Archibald. C'est un colosse roux, au caractère aussi flamboyant que sa chevelure. Lorsque Ophélie arrive au Clairdelune sous une fausse identité, celle de Mime, valet de Berenilde, Renard la prend sous son aile et accepte de l'initier aux arcanes de la cour en échange de ses dix premiers sabliers verts. Lorsqu'il est victime d'un vice de forme à la suite de la mort de sa maîtresse, Ophélie le prend à son service comme conseiller. Renard est un ami fidèle, un guide loyal et une épaule solide sur laquelle on peut s'appuyer. Il nourrit depuis des années une affection mâtinée d'admiration pour Gaëlle, la mécanicienne du Clairdelune.

Protégée de la Mère Hildegarde, Gaëlle est la dernière survivante du clan des Nihilistes, un clan qui possédait le pouvoir d'annuler celui des autres. Pour dissimuler son ascendance, elle teint ses courts cheveux couleur nuit, et porte un monocle noir devant ce qu'elle désigne comme son « mauvais œil ». Plus réservée que Renard, elle partage néanmoins ses sentiments sans jamais les lui avouer vraiment. Fondamentalement honnête, Gaëlle déteste les intrigues de cour et apporte à Ophélie son soutien indéfectible.

ELIZABETH ET OCTAVIO

Elizabeth, aspirante virtuose, est à la tête de la division des apprentis avant-coureurs qu'intègre Ophélie sur Babel. Grande, élancée, le visage constellé de taches de rousseur, Elizabeth maîtrise très mal les arcanes de l'humour mais très bien ceux de l'information. Elle est d'ailleurs spécialisée dans les bases de données. Filleule d'Hélène, elle est issue des sans-pouvoirs mais se montre l'une des rares alliées d'Ophélie au sein des avant-coureurs.

Octavio, quant à lui, descend de Pollux. Il se rattache à la branche familiale des Visionnaires : comme sa mère, Lady Septima, professeure au sein de la Bonne Famille, il est doté d'une acuité visuelle inégalable. Il étudie pour devenir aspirant virtuose au sein de la compagnie des avant-coureurs. Tandis que sa mère entend bien faire de lui le meilleur de sa division, Octavio tient à mériter sa place par lui-même. Totalement étranger aux manigances de Lady Septima, il se prend d'amitié pour Ophélie et s'acharne alors à lui prouver qu'il est «quelqu'un de bien», quitte à se retrouver entraîné dans des situations périlleuses qui le dépassent.

AMBROISE ET LAZARUS

Lazarus voyage d'arche en arche, comme l'explorateur réputé qu'il est. Il raconte qu'un jour il a tenté de sauter en scaphandre du bord du monde, mais qu'il a dû être remonté avant de pouvoir apercevoir autre chose que des nuages. Quand il ne baroude pas à travers le monde, il se consacre à ses inventions : c'est grâce à lui que Babel se dote de multiples automates pour lutter contre «la domestication de l'homme par l'homme». Malheureusement, son apparence enjouée et amicale cache sa loyauté envers «Dieu». Ses intentions ne sont peut-être pas aussi pures qu'il semble le prétendre.

A contrario, son fils, Ambroise, est l'innocence et la bonté incarnées. Handicapé de naissance, il a le bras gauche à la place du droit et ses jambes sont pareillement inversées. Aussi se déplace-t-il en fauteuil et nourrit-il l'ambition de devenir tacsi, afin de pouvoir acheminer les gens à travers Babel. Il est le premier à accueillir et aider Ophélie lors de son arrivée sur cette arche inconnue. Néanmoins, il a connaissance de l'existence de «Dieu» et de l'implication de son père dans ce vaste complot qui régit l'ordre du monde. Alors qu'Ophélie entre à la Bonne Famille et lui envoie des messages désespérés, les télégrammes du jeune homme se font rares et laconiques. Elle croira alors qu'il l'a abandonnée, tandis que de son côté Ambroise, embrigadé par son père, pensera qu'elle est «l'Autre», cet être mystérieux à l'origine de l'effondrement des arches.

Esprits de famille

On ne sait pas vraiment comment sont nés les esprits de famille, ni quelle catastrophe leur a coûté la mémoire. Ils sont là depuis des siècles, immortels et tout-puissants, avec pour seul repère leurs Livres, vieux ouvrages faits d'une matière semblable à de la peau humaine : inquiétants, mystérieux, écrits dans une langue que plus personne ne comprend, recelant des secrets que même les plus compétents *liseurs* d'Anima ne sont pas parvenus à percer. Ils ont transmis leurs pouvoirs à leurs descendants humains, et règnent, chacun à leur manière, sur leurs arches respectives qu'ils ne quittent jamais.

Artémis, la géante rousse qui veille sur Anima, s'est réfugiée dans les étoiles qu'elle étudie avec fascination. Elle n'a que peu de contacts avec ses descendants, mais elle s'érige en esprit bienveillant pour eux. Elle semble se désintéresser fortement de tout ce qui touche au passé.

Farouk, l'esprit du Pôle, est capricieux et colérique comme un enfant. Il possède une mémoire si défaillante qu'il consigne toutes ses pensées et décisions dans un carnet tenu par un aide-mémoire, mais la puissance de ses pouvoirs psychiques est immense. Il ne s'est jamais vraiment préoccupé de les maîtriser et, souvent, les ondes mentales qu'il dégage provoquent de vives migraines à son entourage. Farouk, comme tous les esprits de famille, est incroyablement beau, mais d'une beauté si froide qu'on le croirait taillé dans le marbre. Il se tient souvent avachi, dans une attitude parfaitement indifférente à tout. Il n'a qu'une idée fixe : percer les secrets de son Livre et de son passé.

Sur Babel, les jumeaux Pollux et Hélène forment un duo complémentaire. Pollux est la beauté, Hélène l'intelligence. Contrairement aux autres esprits de famille, Hélène montre un physique disgracieux, disproportionné, et se meut à l'aide d'une crinoline à roulettes ou de membres automatisés. Comme elle ne peut avoir de descendance, elle se voue à la protection des sans-pouvoirs, appelés les Filleuls d'Hélène. Pollux, lui, témoigne d'un intérêt presque paternel pour ses descendants, que l'on appelle les Fils de Pollux. Tous deux amoureux du savoir, Hélène et Pollux dirigent l'établissement de la Bonne Famille, qui forme l'élite de la nation, et supervisent la gestion du Mémorial, l'immense bibliothèque recensant tous les livres et le savoir accumulés depuis la Déchirure du monde. Ils règnent sur l'arche la plus cosmopolite, mais également la plus militariste qu'Ophélie ait explorée.

Si la vie sur Anima est légère, celle du Pôle constituée d'intrigues et de débauche, la vie sur Babel est soumise à un respect des lois implacable et à la recherche de la connaissance. Néanmoins, les Lords de LUX semblent tirer les ficelles dans l'ombre, et gare à ceux qui s'en mêleraient d'un peu trop près !

Dieu

Il peut reproduire l'apparence et le pouvoir de tous les humains qu'il approche d'assez près.

Il veut obtenir le dernier pouvoir qu'il lui manque, la maîtrise de l'espace des Arcadiens.

Il est à l'origine une petite romancière de Babel.

Son véritable nom est Eulalie Dilleux.

Il n'a pas de reflet.

Il cherche l'Autre.

L'Autre

Personne, à part Dieu, ne sait qui il est vraiment et à quoi il ressemble.

Ophélie l'a libéré pendant son premier passage de miroir.

Il a presque entièrement détruit l'ancien monde.

Et aujourd'hui, il recommence.

LA PASSE-MIROIR
LIVRE 4

La Tempête des Échos

À toi, maman.
Ton courage inspire le mien.
C. D.

– Tu es impossible.

– *Impossible?*

– Peu probable, si tu préfères.

– …

– Tu es toujours là?

– *Toujours là.*

– Tant mieux. Je me sens un peu seule.

– *Un peu?*

– Beaucoup, en fait. Mes serpillières… supérieurs… ils ne descendent pas souvent me voir. Je ne leur ai pas encore parlé de toi.

– *De toi?*

– Non, pas de moi. De toi.

– *De moi.*

– Voilà. Je ne sais pas s'ils te pondraient quand… s'ils te comprendraient. Même moi, je ne suis pas bien sûre de te comprendre. J'ai déjà du mal à me comprendre.

– …

– Tu ne m'as pas encore dit ton nom.

– *Pas encore.*

– Je pense pourtant que nous semonçons… commençons à bien nous connaître. Moi, je suis Eulalie.

– *Je suis moi.*

– C'est une réponse intéressante. D'où est-ce que tu émets?

– …

– D'accord, ma question était un peu compliquée. Où es-tu, là, maintenant?

– *Ici.*

– Où, ici?

– *Derrière.*

– Derrière? Mais derrière quoi?

– *Derrière derrière.*

RECTO

EN COULISSES

Il regarde la glace; il n'a pas de reflet. Aucune importance, seule compte la glace. Elle est toute simple, pas très grande, pas bien droite non plus sur son mur. Elle ressemble à Ophélie.

Son doigt glisse sur la surface réfléchissante sans y laisser de trace. C'est ici que tout a commencé ou, selon le point de vue, que tout s'est terminé. En tout cas, c'est ici que les choses sont vraiment devenues intéressantes. Il se souvient comme si c'était hier du premier passage de miroir d'Ophélie, lors de cette nuit mémorable.

Il effectue quelques pas dans la chambre, jette un coup d'œil d'habitué aux vieux jouets qui s'agitent sur les étagères et s'arrête devant le lit superposé. Ophélie l'a partagé avec sa grande sœur d'abord, son petit frère ensuite, avant de quitter précipitamment Anima. Il est bien placé pour le savoir; voilà des années qu'il l'observe avec attention des coulisses. Elle a toujours préféré le lit du bas. Sa famille a laissé en l'état les draps défaits et l'oreiller creusé, comme s'ils s'attendaient tous à ce qu'elle rentre à la maison d'un instant à l'autre.

Il se penche et examine, amusé, les cartes des vingt et une arches majeures punaisées sous le lit du haut. Piégée ici à cause des Doyennes, Ophélie y a longuement cherché son mari perdu.

Il descend l'escalier, puis traverse la salle à manger où refroidissent les assiettes. Il n'y a personne. Ils sont tous sortis au milieu du souper – à cause du trou, évidemment. Dans ces pièces vides, il a presque l'impression d'être présent, d'être réellement là. La maison elle-même semble ressentir son intrusion : les lustres grelottent sur son passage, les meubles grincent, la pendule sonne un grand coup interrogatif. C'est ce qu'il trouve divertissant chez les Animistes. On finit par ne plus savoir qui, de l'objet ou du propriétaire, est celui qui appartient réellement à l'autre.

Une fois dehors, il remonte nonchalamment la rue. Il n'est pas pressé. Curieux, oui, mais jamais pressé. Pourtant, le temps est compté désormais ; pour tout le monde, lui inclus.

Il rejoint le rassemblement de voisins autour de ce qu'ils appellent «le trou» en s'échangeant des coups d'œil inquiets. Ça évoque une bouche d'égout au milieu du trottoir, sauf que, quand ils approchent leurs lanternes, aucune lumière ne pénètre. Pour en sonder le fond, quelqu'un déroule une bobine qui sera bientôt à court de fil. Le trou n'était pas là pendant la journée, c'est une Doyenne qui a lancé l'alerte après avoir failli tomber dedans.

Il ne peut s'empêcher de sourire. Ceci, madame, n'est que le début.

Il remarque dans la foule la mère et le père d'Ophélie ; eux, comme toujours, ne le remarquent pas. Il brille dans leurs yeux écarquillés la même interrogation muette. Ils ignorent où se cache leur fille – ils ne savent pas davantage que c'est sa faute, en partie, s'il y a ce gouffre dans le trottoir –, mais il est facile de deviner que ce soir ils pensent à elle plus fort que jamais. C'est avec cette même force qu'ils étreignent leurs autres enfants sans pouvoir répondre à leurs questions. De beaux et grands enfants, pleins de santé. Les lampadaires font pétiller à l'unisson leurs cheveux dorés.

Il ne se lasse jamais de constater à quel point Ophélie est différente d'eux, et pour cause.

Il poursuit sa promenade. Deux pas et le voici à l'autre bout du monde, au Pôle, quelque part entre les étages supérieurs et les bas-fonds de la Citacielle, dans le manoir de Berenilde, sur le seuil de l'entrée. Ce domaine, plongé dans un automne perpétuel, lui est aussi familier que la maison d'Anima. Partout où Ophélie est allée, il est allé aussi. Quand elle a servi de valet à Berenilde, il était là. Quand elle est devenue la vice-conteuse de Farouk, il était là. Quand elle a enquêté sur les disparus du Clair-delune, il était là. Il a assisté au spectacle de ses mésaventures avec une curiosité croissante, sans jamais quitter les coulisses.

Il se plaît à revenir régulièrement sur les hauts lieux de l'histoire, la grande histoire, leur histoire à tous. Que serait-il advenu d'Ophélie si, parmi toutes les *liseuses* d'Anima, Berenilde ne l'avait pas choisie pour la fiancer à son neveu? N'aurait-elle donc jamais croisé la route de ce qu'ils appellent «Dieu»? Bien sûr que si. L'histoire aurait simplement emprunté une autre voie. Chacun doit jouer son rôle comme il jouera le sien.

Alors qu'il longe le vestibule, une voix lui parvient du salon rouge. Il regarde par les vantaux entrebâillés. Dans cet étroit champ de vision, il aperçoit la tante d'Ophélie qui va et vient sur le tapis exotique, aussi illusoire que les tableaux de chasse et les vases de porcelaine. Elle croise et décroise les bras, agite un télégramme durci sous l'effet de son animisme, parle d'un lac drainé comme un bidet, traite Farouk de «bac à linge», Archibald de «savonnette», Ophélie de «pendule à coucou», et l'ensemble de la corporation médicale de «latrines publiques». Assise sur une bergère, Berenilde ne l'écoute pas. Elle fredonne en brossant les longs cheveux blancs de sa fille, dont le petit corps est avachi mollement contre le sien. Rien à ses oreilles ne paraît exister, hormis ce souffle ténu entre ses mains.

Il détourne aussitôt les yeux. Il les détourne chaque fois que les choses deviennent trop personnelles. Il a toujours été curieux, jamais voyeur.

Il remarque alors seulement l'homme à côté de lui, assis à même le sol dans la pénombre du couloir, dos au mur, occupé à briquer rageusement le canon d'un fusil de chasse. Il semblerait que ces dames se soient trouvé un garde du corps.

Il poursuit sa promenade. D'une enjambée, il quitte le vestibule, le manoir, la Citacielle, le Pôle, pour un autre bout du monde. Le voilà maintenant à Babel. Ah, Babel! Son terrain d'étude préféré. L'arche où l'histoire et le temps arriveront à leur terme, le point de toutes les convergences.

C'était le soir sur Anima, c'est le matin ici. Une pluie épaisse tombe sur les toits.

Il arpente les promenoirs de la Bonne Famille, comme Ophélie les a arpentés durant son apprentissage d'avant-coureuse. Elle a été à un cheveu d'obtenir ses ailes et de devenir une citoyenne de Babel, une situation qui lui aurait ouvert bien des portes pour sa prochaine enquête. Elle a échoué, fort heureusement selon lui. Cela n'a rendu son observation depuis les coulisses que plus stimulante encore.

Il grimpe l'escalier en colimaçon d'une tour de guet. De là-haut, en dépit de la pluie, il distingue au loin les arches mineures du voisinage. Le Mémorial en face, l'observatoire des Déviations derrière. Les deux auront un rôle essentiel à jouer dans l'histoire.

À cette heure, les apprentis virtuoses de la Bonne Famille devraient déjà être en uniforme, un casque de leçon radiophonique sur la tête, Fils de Pollux d'un côté, Filleuls d'Hélène de l'autre. Au lieu de cela, ils se sont tous mélangés sur les murailles de l'arche mineure. Leurs pyjamas sont trempés par la pluie. Ils poussent des cris horrifiés, se montrent la cité du doigt, au-delà de la mer de nuages. La directrice elle-même, Hélène en personne, le seul esprit de famille à n'avoir jamais eu de descendance, s'est jointe à eux sous un énorme parapluie, posant sur l'anomalie une attention perçante.

Depuis son poste d'observation privilégié, il les regarde tous. Ou plutôt, il essaie de regarder à travers leurs yeux effrayés, de voir comme eux ce vide qui, aujourd'hui, a gagné du terrain.

À nouveau, il ne peut retenir un sourire. Il a suffisamment profité des coulisses, c'est le moment d'entrer en scène.

Le vide

Ophélie conservait des jardins botaniques de Pollux un souvenir flamboyant. C'était le premier endroit qu'elle avait visité à Babel. Elle revoyait les imposantes terrasses en étages et les innombrables marches d'escalier qu'il lui avait fallu gravir pour s'extraire de la jungle.

Elle se rappelait les odeurs. Les couleurs. Les bruits.

Il ne restait plus rien.

Un glissement de terrain avait emporté dans le vide jusqu'au dernier brin d'herbe. Il avait aussi avalé un pont entier, la moitié du marché voisin et plusieurs arches mineures. Ainsi que toutes les vies qui s'y trouvaient.

Ophélie aurait dû être horrifiée. Elle ne ressentait que de la stupeur. Elle contemplait l'abîme à travers la grille qui avait été improvisée au bord de la nouvelle frontière entre terre et ciel. Elle essayait, du moins. La pluie avait cessé, mais la mer de nuages s'était mise à déborder sur la cité entière. Cette marée bouillante, en plus de rendre la visibilité aléatoire, recouvrait ses lunettes de buée.

– L'Autre existe bel et bien, constata-t-elle. Jusque-là, c'était une notion abstraite. On a eu beau me répéter que j'avais commis une bêtise en le libérant, qu'il allait provoquer l'effondrement des arches à cause de moi, que j'étais liée à lui que je le veuille ou non, je ne me suis pas vraiment sentie concernée. Comment aurais-je pu sortir une créature apocalyptique du miroir de ma propre chambre et ne pas être capable de m'en souvenir correctement ? Je ne sais même pas à quoi il ressemble, comment il s'y prend et pourquoi il fait ça.

Le brouillard était si dense autour d'Ophélie qu'elle avait l'impression de n'être qu'une voix désincarnée au milieu du néant. Elle se cramponna à la grille lorsqu'une trouée dévoila un fragment de ciel parmi les nuages, là où se dressait auparavant le quartier nord-ouest de la cité.

– Il n'y a plus rien. Et si Anima... peut-être même le Pôle...

Elle laissa sa phrase en suspens. Des hommes, des femmes et des enfants étaient tombés dans le vide qui lui faisait face, mais ses pensées allaient d'abord vers sa propre famille.

Un tourbillon d'oiseaux déboussolés cherchait les arbres disparus. Où finissaient les choses qui passaient par-dessus bord ? Toutes les arches, majeures et mineures, gravitaient autour d'un gigantesque océan de nuages où aucune forme de vie ne s'aventurait. L'on racontait que le noyau du monde n'était qu'une concentration d'orages perpétuels. Lazarus luimême, le célèbre explorateur, n'était jamais allé jusque-là.

Ophélie espérait que personne n'avait souffert.

La veille encore, elle s'était sentie si apaisée. Si complète. Elle avait découvert la véritable identité du Dieu aux mille faces qui contrôlait leurs existences. *Eulalie Dilleux.* De connaître enfin son nom, de savoir que c'était à l'origine une petite romancière idéaliste, de comprendre que cette femme n'avait jamais eu aucune légitimité de décider ce qui était bien et ce qui était mal : tout cela avait libéré Ophélie d'un tel poids ! Sauf que l'ennemi le plus redoutable n'était peut-être pas celui qu'elle croyait.

« Tu me mèneras à lui. »

– L'Autre s'est servi de moi pour échapper au contrôle d'Eulalie Dilleux et aujourd'hui Eulalie Dilleux se sert de moi pour retrouver l'Autre. Puisque ces deux-là me mêlent à leurs crimes, j'en fais une affaire personnelle.

– Nous.

Ophélie tourna la tête vers Thorn sans le voir. Dans ce brouillard, il n'était lui-même qu'un murmure lointain, un peu sinistre, et pourtant sa voix lui parut plus tangible que le sol sous ses sandales. D'un seul mot, il l'avait fait se sentir mieux.

– S'il s'avère que cet Autre est à la fois lié à la Déchirure de l'ancien monde, aux effondrements des arches et à la transformation d'une simple humaine en tout-puissant, poursuivit Thorn sur le ton du bilan comptable, alors il devient une composante essentielle de l'équation à laquelle je m'attaque depuis des années.

Il y eut un déclic de métal. C'était le son caractéristique que produisait la montre à gousset quand elle ouvrait et refermait son couvercle pour rappeler l'heure. Depuis qu'elle s'était animée, elle avait adopté les manies de son propriétaire.

– Le compte à rebours se poursuit, dit Thorn. Pour le commun des mortels, un effondrement comme celui-ci est une catastrophe naturelle. Nous, nous savons désormais que non seulement il n'en est rien, mais qu'en plus cela va continuer. Nous ne pouvons en parler à personne tant que nous ignorons à qui nous fier et sur quelle preuve nous appuyer. Nous devons donc établir la nature précise de la relation qui unit Eulalie Dilleux à l'Autre, comprendre ce qu'ils veulent, ce qu'ils sont, où ils sont, comment et pourquoi ils font ce qu'ils font, puis nous servir de toutes ces connaissances contre eux. Et nous devons faire cela vite, de préférence.

Ophélie plissa les paupières. La marée de nuages venait de se disperser autour d'eux sous l'effet du vent et, sans aucune transition, la lumière tomba sur eux en une cascade brûlante.

Elle voyait Thorn très distinctement, à présent. Il se tenait comme elle face à la grille, montre en main, le regard perdu dans l'infini du ciel, extrêmement droit, excessivement grand. Les dorures de son uniforme étaient aveuglantes au soleil, mais elles ne purent convaincre Ophélie de se détourner. Elle ouvrit davantage les yeux, au contraire, pour laisser tout cet éclat entrer en elle. Il se dégageait de Thorn une détermination aussi communicative qu'un courant électrique.

Ophélie réalisait de tout son corps ce qu'il était devenu pour elle, ce qu'elle était devenue pour lui, et rien ne lui paraissait plus solide au monde.

Elle se garda bien de s'approcher de lui, cependant. Il n'y avait personne à la ronde – les lieux avaient été évacués par les autorités –, mais ils maintenaient entre eux la distance protocolaire qu'ils observaient toujours en public. Ils se situaient chacun à une extrémité de la stratification sociale. Depuis qu'elle avait échoué au conservatoire de la Bonne Famille, Ophélie ne valait plus grand-chose à Babel. Thorn, à l'inverse, était «Sir Henry», un respectable Lord de LUX.

– Eulalie Dilleux a des milliers d'identités différentes, l'Autre n'en a aucune, ajouta-t-il. Nous ignorons à quoi ces deux-là ressembleront lorsque nos routes se croiseront, mais nous devons être prêts à les affronter avant de les trouver. Ou d'être trouvés par eux.

Thorn remarqua soudain l'insistance avec laquelle Ophélie le dévisageait. Il se racla la gorge.

– Il m'est impossible de t'arracher à eux, mais je peux les arracher à toi.

C'était presque mot pour mot ce qu'il lui avait déjà dit au Secretarium du Mémorial – le vouvoiement en moins. Ce qui inquiétait Ophélie, c'était qu'elle le croyait sur parole. Thorn avait sacrifié son nom et son libre arbitre pour la délivrer définitivement de cette surveillance à laquelle elle avait eu tant de mal à se soustraire et sous laquelle elle pouvait retomber au premier pas de travers. Oui, elle savait Thorn capable de renoncer à tout si cela lui permettait de parvenir à cette seule fin. Il avait même accepté l'idée qu'Ophélie pût se mettre en danger à ses côtés, du moment que c'était *son* choix.

– Nous ne sommes pas seuls, Thorn. Face à eux, je veux dire. Au moment où nous parlons, Archibald, Gaëlle et Renard sont en train de chercher Arc-en-Terre. Peut-être l'ont-ils déjà trouvée. S'ils parviennent à convaincre les Arcadiens de rallier notre camp, ça pourrait faire toute la différence.

Thorn eut un froncement de sourcils sceptique. Ophélie et lui avaient déjà abordé le sujet la veille, avant d'être arrachés du lit par les sirènes d'alarme, mais le seul nom d'Archibald déclenchait invariablement la même réaction.

– Il est la dernière personne au monde en qui je place ma confiance.

La parenthèse de soleil se referma ; la marée de nuages les happa à nouveau.

– Je pars devant, annonça Thorn alors que sa montre cliquetait d'impatience. J'ai un nouvel entretien avec les Généalogistes. Les connaissant, la prochaine mission qu'ils vont me confier sera en rapport direct avec l'affaire qui nous concerne. Rendez-vous ce soir.

Un grincement mécanique indiqua à Ophélie qu'il s'était mis en marche. L'exosquelette l'empêchait de boiter, mais c'était le seul bienfait que les Généalogistes avaient apporté dans sa vie. Thorn espérait se rapprocher des secrets d'Eulalie

Dilleux à travers eux, puisqu'ils avaient en commun le désir de mettre fin à son règne. Mais travailler pour les Généalogistes, c'était jongler avec des bâtons de dynamite. Ils avaient doté Thorn d'une fausse identité, ils pouvaient la lui reprendre à tout instant et, sans la façade de Sir Henry, il redevenait un fugitif.

– Sois prudent.

Le pas de Thorn se suspendit et Ophélie put deviner les contours anguleux de sa silhouette.

– Toi aussi. Un peu plus que cela, même.

Il s'éloigna jusqu'à ce que le brouillard eût tout absorbé de lui. Ophélie avait saisi l'allusion. Elle fouilla ses poches de toge. Il y avait là les clefs du domicile de Lazarus que lui avait confiées Ambroise et la petite note que lui avait adressée Hélène, son ancienne directrice d'apprentissage – *Passez me voir à l'occasion, vos mains et vous.*

Ophélie trouva enfin ce qu'elle cherchait : une plaque d'aluminium. Y étaient gravées les mêmes arabesques que celles qui composaient les Livres des esprits de famille, un code inventé par Eulalie Dilleux et indéchiffré à ce jour. Cette plaque, perforée en son centre par une balle de fusil, était tout ce qu'il restait du vieux balayeur du Mémorial. Ophélie avait la nausée rien qu'en pensant à lui. Il s'était révélé être un esprit de famille complètement à part, le gardien du passé d'Eulalie Dilleux, et il avait bien failli l'épouvanter jusqu'à ce que mort s'ensuive. Le fils du Sans-Peur-Et-Presque-Sans-Reproche l'avait sauvée en voulant venger son père. Heureusement pour elle, il avait visé la tête où était boulonnée la plaque. À peine le code avait-il été brisé que le vieux balayeur s'était dissipé comme un cauchemar. Une vie qui ne tenait qu'à quelques lignes... Thorn n'avait franchement pas apprécié cette histoire quand Ophélie la lui avait racontée.

Elle jeta la plaque à travers les barreaux de la grille. L'aluminium étincela une dernière fois avant de se perdre sous les nuages et de rejoindre les malheureux qui étaient tombés dans le vide.

Elle eut une pensée brûlante pour ses faux papiers. *Eulalie.* Elle s'était choisi, sans le vouloir, le même prénom que son ennemie. Ça allait même plus loin : elle était parfois assaillie de souvenirs étrangers. Où commençait la mémoire d'Eulalie et où finissait la sienne ? Comment se construire au présent si son passé était un puzzle ? Comment penser à l'avenir si le monde s'écroulait ? Et comment se sentir libre si sa route était destinée à recroiser celle de l'Autre ? Elle l'avait libéré, elle se sentait le devoir d'en prendre la responsabilité, mais elle leur en voulait à tous les deux – Eulalie Dilleux et cet Autre – de la déposséder de ce qu'elle aurait pu être sans eux.

Ophélie souffla sur le brouillard pour l'éloigner d'elle. Elle exploiterait chaque piste que cette deuxième mémoire lui offrirait, afin de découvrir leurs points faibles. C'était à Babel que l'histoire d'Eulalie, de l'Autre, des esprits de famille et du nouveau monde avait commencé. Effondrement ou non, Ophélie ne partirait pas de cette arche avant d'avoir arraché jusqu'à son dernier secret.

Elle pivota sur ses talons pour laisser le vide en arrière.

Quelqu'un se tenait juste à côté d'elle. Une ombre indéterminée à cause du brouillard.

Le quartier était interdit au public. Depuis quand cette personne était-elle là ? Avait-elle épié ce que Thorn et Ophélie s'étaient dit un peu plus tôt ? Ou bien se recueillait-elle innocemment sur le lieu de la catastrophe ?

– Bonjour ?

L'ombre ne répondit pas, mais elle s'éloigna à pas lents dans le brouillard. Ophélie lui laissa prendre de l'avance, puis elle décida de la suivre entre les silhouettes des tentes à l'abandon. Peut-être se faisait-elle des idées, mais si ce curieux – ou cette curieuse – les avait délibérément écoutés, elle voulait au moins connaître son visage.

Il régnait dans le marché embrumé, coupé en deux par l'effondrement, une atmosphère de fin des temps. Faute d'avoir été remonté, un automate destiné à distribuer les journaux s'était figé comme une statue au milieu de la place, un exemplaire de la veille brandi en l'air. Ce qui était troublant dans ce silence, c'étaient les bruits minuscules qu'Ophélie n'aurait pas remarqués en temps normal. Les gargouillis de l'eau le long du caniveau. Le bourdonnement des mouches autour des marchandises laissées sur place. Le son de sa propre respiration. En revanche, elle n'entendait rien de l'ombre qu'elle était en train de perdre de vue.

Elle accéléra le pas.

Alors qu'un coup de vent dissipait le brouillard, Ophélie sursauta face à son propre reflet. Encore un peu et elle s'assommait contre la devanture d'une boutique.

VITRERIE - MIROITERIE

Ophélie eut beau tourner les lunettes dans tous les sens, il n'y avait plus personne à la ronde. L'ombre l'avait semée ; tant pis.

Elle s'approcha de l'entrée de la vitrerie-miroiterie. Le commerçant, effrayé par l'effondrement, était parti sans seulement fermer sa porte. De l'intérieur émanait le murmure d'un poste radiophonique encore allumé :

– … est avec nous au *Journal officiel*. Citoyen, vous faites partie des rares témoins de la tragédie… tragédie qui a endeuillé Babel hier matin. Racontez-nous.

– J'arrive pas encore à y croire et pourtant, je l'ai *really* vu. Ou plutôt, non, je l'ai pas vu. C'est compliqué.

– Dites-nous simplement ce qui s'est passé, citoyen.

– J'étais à mon emplacement. J'avais monté ma tente. Il pleuvait comme jamais. Un torrent venu du ciel… du ciel. On se demandait si on allait pas remballer les marchandises. Et là, j'ai senti comme un hoquet.

– Un hoquet ?

– Un tout petit sursaut. J'ai pas vu, pas entendu, mais ça, oui, je l'ai senti.

– Et après, citoyen ?

– Après, j'ai compris que les autres aussi l'avaient senti, le hoquet. On est tous sortis des tentes… tentes. Quel choc ! L'étal voisin : il avait disparu. Il en restait rien, juste des nuages. Ça aurait pu être moi.

– Merci, citoyen. Chers auditeurs… auditeurs, vous écoutez la fréquence du *Journal officiel*. Les Lords de LUX ont interdit le secteur nord-ouest à la circulation, pour votre sécurité. Ils vous recommandent de ne surtout pas lire les tracts prohibés qui troublent l'ordre public. Nous rappelons aussi qu'un recensement… recensement est actuellement organisé au Mémorial.

Ophélie renonça à écouter la suite ; les échos la perturbaient. Ce phénomène, rare autrefois, occasionnel l'avant-veille encore, affectait maintenant toutes les transmissions. Avant de s'envoler pour un nouveau voyage, Lazarus avait affirmé que les échos étaient «la clef de tout». Cela étant, il avait également dit à Ophélie qu'elle était une *inversée*, qu'il en était un lui-même, qu'il explorait les arches pour le compte de Dieu et qu'il avait créé les automates afin de contribuer à rendre son monde plus parfait encore. Bref, Lazarus disait tout et n'importe quoi, mais il disposait d'une belle demeure au centre-ville où Thorn et elle avaient établi leurs quartiers.

Ophélie soutint son propre regard dans le miroir de la vitrine. La dernière fois qu'elle en avait traversé un, elle avait effectué un énorme bond dans l'espace, comme si son pouvoir familial avait mûri en même temps qu'elle. Passer les miroirs l'avait sortie de bien des impasses, mais le monde se serait mieux porté si elle s'était abstenue dès la toute première fois. Si seulement elle pouvait se remémorer ce qui s'était précisément produit dans la glace de sa chambre d'enfance! De sa rencontre avec l'Autre, elle ne conservait que des miettes. Une présence sous son reflet. Un appel qui l'avait réveillée au milieu de la nuit.

Libère-moi.

Elle l'avait libéré, soit, mais par où était-il ressorti et sous quelle forme? Personne à sa connaissance, ni sur Anima ni ailleurs, n'avait signalé le débarquement d'une créature apocalyptique.

Ophélie écarquilla les yeux. Quelque chose ne tournait pas rond dans le miroir de la vitrine. Elle se voyait avec son écharpe, alors qu'elle était absolument certaine de l'avoir laissée au domicile de Lazarus. Le code vestimentaire de Babel lui interdisait de porter des couleurs en public et elle n'avait pas voulu attirer l'attention. Elle s'aperçut alors que ce n'était pas la seule anomalie dans ce miroir. Sa toge était en sang, ses lunettes en morceaux. Elle mourait. Eulalie Dilleux et l'Autre étaient là aussi, sans forme précise, et partout, partout autour d'eux, il n'y avait que le vide.

– Vos pièces d'identité, *please.*

Ophélie se détourna de la vision, le cœur en feu. Un garde tendait vers elle une main autoritaire.

– Le secteur est interdit aux civils.

Tandis qu'il examinait les faux papiers, Ophélie eut un nouveau coup d'œil pour le miroir de la vitrine. Son image était revenue à la normale. Plus d'écharpe, plus de sang, plus de vide. Il lui était déjà arrivé, à l'époque où elle vivait au Pôle, d'être abusée par des illusions. Une ombre d'abord, son reflet ensuite : avait-elle été victime d'une hallucination ? Ou pire, d'une manipulation ?

– Animiste au huitième degré, commenta le garde en lui rendant ses documents. Vous n'êtes pas native de la cité, Miss Eulalie.

Patrouiller si près de l'effondrement ne le mettait pas à l'aise. Ses longues oreilles se tournaient et se retournaient sans cesse comme celles d'un chat agité. Chaque descendant de Pollux, l'esprit de famille de Babel, possédait un sens surdéveloppé. Ce garde était un Acoustique.

– Mais je dispose d'un logement, répondit Ophélie. Je peux y aller ?

Le garde eut un regard prononcé pour son front, comme s'il cherchait quelque chose qui aurait dû y être.

– Non. Vous n'êtes pas en règle. Vous n'avez pas entendu les annonces ? Vous devez vous rendre au Mémorial pour le recensement. *Now.*

LA SIGNATURE

Le tramoiseaux était comble. Ophélie y fut pourtant introduite de force par le garde avant la fermeture des portières. Elle ne pouvait changer de position sans écraser une babouche. L'air était bouillant et l'odeur de transpiration surpassait celle, pourtant féroce, des volatiles géants sur le toit. Quelque part, un bébé hurlait. Autour d'Ophélie, tout le monde paraissait plongé dans la même confusion. Pourquoi les conduisait-on au Mémorial ? À quoi rimait ce soudain recensement ? Était-ce en rapport avec le glissement de terrain ? Malgré l'inquiétude, personne n'osait hausser la voix. Si Ophélie se fiait au code vestimentaire, étaient entassés ici des Totémistes, des Florins, des Devins, des Héliopolitains, des Métamorphoseurs, des Nécromanciens et des Fantômes, des hommes et des femmes issus des quatre coins des arches comme on en croisait tant à Babel. Chaque invention de la cité était le fruit de leurs savoir-faire familiaux conjugués, à commencer par ce tramoiseaux dans lequel ils étaient en train de suffoquer et qui tardait à décoller.

Ils se sentaient nerveux, mais Ophélie l'était bien davantage. Elle n'avait aucune envie d'être recensée, pas avec des faux papiers en poche et une apocalypse à empêcher. Le reflet dans ce miroir de boutique, qu'elle l'eût imaginé ou non, l'avait remuée.

Plaquée contre la vitre de la portière, elle contempla la foule au-dehors. Un marchand encordait ses tapis dans un chariot, une vieille dame manœuvrait une fourgonnette chargée d'enfants et un zébu empêchait tout le monde de circuler au milieu de la rue. Ce n'était pas seulement le quartier touché par l'effondrement que l'on fuyait : c'était le bord, c'était le vide. Les gens avaient peur. Ophélie ne les en blâmait pas ; l'Autre aurait pu être n'importe lequel d'entre eux… Elle était prétendument liée à lui, mais elle ne l'aurait pas reconnu sur un trottoir.

Un automate surgit au guidon d'une bicyclette. Ce fut un spectacle singulier de voir ce mannequin sans yeux, sans nez et sans bouche pédaler droit devant lui pendant qu'une voix éraillée de tourne-disque lui jaillissait du ventre :

– J'ARRACHE VOS MAUVAISES HERBES, J'ASTIQUE VOS CUIVRES, JE RACCOMMODE VOS BABOUCHES… BABOUCHES… ET JE NE ME FATIGUE JAMAIS. ENGAGEZ-MOI POUR METTRE UN TERME À LA DOMESTICATION DE L'HOMME PAR L'HOMME.

Les yeux d'Ophélie croisèrent à travers la vitre ceux d'un monsieur, assis sur une malle trop lourde pour lui. Il avait l'expression hagarde de celui qui ignore où il passera la prochaine nuit. Il cria à Ophélie, ainsi qu'à tous les passagers à bord du tramoiseaux :

– Cherchez-vous une autre arche ! Laissez Babel à ses vrais citoyens !

Le tramoiseaux quitta enfin le quai. Ophélie se sentait ébranlée, et pas uniquement par les secousses du vol. Tout au long du trajet, elle s'efforça de ne pas regarder le vide par-dessous la mer de nuages. Elle respira mieux lorsque les portières s'ouvrirent sur le parvis du Mémorial.

Elle leva les lunettes aussi haut que possible pour embrasser cette folie architecturale qui tenait à la fois du phare et de la bibliothèque, si colossale qu'elle dévorait toute l'arche mineure – à quelques mimosas près. Ophélie avait passé des jours entre ses murs, des nuits parfois, à catalographier, expertiser, classifier, perforer.

Ici, elle était un peu chez elle.

La garde familiale de Pollux distribua des ordres. «Descendez, *please*! Avancez, *please*! Patientez, *please*!» À peine les passagers eurent-ils fini de débarquer qu'un flot de civils, déjà recensés, prit leur place à bord du tramoiseaux pour être reconduits en ville. Ils portaient tous une trace étrange sur le front.

Ophélie fut prise au piège d'une interminable file d'attente, en plein soleil. Elle enviait le vieux Sourcier derrière elle qui se promenait avec un petit nuage de pluie au-dessus du crâne.

Elle stationna longtemps devant la statue du soldat sans tête, aussi ancienne que le reste des lieux. Le Mémorial existait déjà à l'époque de l'ancien monde. C'était ici même qu'Eulalie Dilleux avait élevé les esprits de famille. Était-ce ici aussi qu'elle avait rencontré l'Autre? Ici qu'ils avaient déclenché ensemble la Déchirure? Le Mémorial en portait la marque. Sa moitié s'était écroulée dans le vide et avait été, depuis, ambitieusement reconstruite au-dessus de la mer de nuages. Chaque fois qu'Ophélie contemplait l'édifice, elle se demandait comment il faisait pour ne pas pencher.

Soudain, elle ne vit plus rien. Un coup de vent avait plaqué un tract orange sur ses lunettes.

NOUS ALLONS BOIRE. NOUS ALLONS FUMER.

NOUS ALLONS TRANSGRESSER TOUS LES INTERDITS.

ET VOUS, COMMENT FÊTEREZ-VOUS LA FIN DU MONDE?

Ophélie retourna le tract. Une seule ligne était imprimée de l'autre côté :

REJOIGNEZ LES SALES GOSSES DE BABEL!

Le Sans-Peur-Et-Presque-Sans-Reproche était mort, mais ses adeptes sortaient le grand jeu.

Un garde arracha le tract des mains d'Ophélie.

– Entrez, *please*!

Elle franchit enfin les portes du Mémorial. Comme à chaque fois, elle se sentit d'abord diminuée par le gigantisme des lieux, par l'immense atrium, par les hauts étages en anneaux, par les couloirs verticaux des transcendium, par les salons de lecture aménagés sur les plafonds, par le globe terrestre du Secretarium qui flottait sous la coupole et, peut-être plus encore que tout le reste, par la foule de bibliothèques qui débordaient de savoir. Puis, passé cette première impression écrasante, Ophélie se sentit agrandie par l'unisson de toutes ces pages, toutes ces voix silencieuses qui semblaient lui murmurer qu'elle avait aussi le droit de faire entendre la sienne.

La file d'attente se subdivisa en plusieurs branches qui se poursuivaient jusqu'au fond de l'atrium. Les rares mémorialistes qu'Ophélie surprenait aux étages marchaient d'un pas furtif, le regard dérobé, comme s'ils étaient embarrassés par ce recensement qu'on pratiquait chez eux. Ophélie chercha le visage familier de Blasius parmi eux, mais elle sut vite qu'il n'y était pas : le pauvre commis était affligé d'une malchance telle qu'il ne passait jamais inaperçu. Il y avait en revanche beaucoup d'automates qui allaient et venaient avec des machines à écrire portatives.

Elle laissa échapper un «oh, non» quand, au bout d'une éternité, elle vit enfin le comptoir vers lequel menait sa file. Il était tenu par une avant-coureuse longue et mince, dont les cheveux fauves étaient négligemment attachés en queue-de-cheval.

Elizabeth.

Cette jeune femme avait été sa responsable de division. Ophélie appréciait sa singularité et admirait son intelligence, mais elle était exaspérée par sa loyauté aveugle envers la classe dirigeante de la cité. Si ses faux papiers posaient bel et bien problème, Elizabeth ne ferait pas dans le sentiment.

– Encore toi? dit celle-ci en guise de bonjour quand ce fut au tour d'Ophélie de se présenter. Bienvenue au guichet des non-natifs de Babel.

Elle ne souriait guère, conformément à ses habitudes. Ses paupières, épaisses et grises, lui tombaient au milieu des yeux comme des abat-jour. Ses taches de rousseur ne réussissaient pas à égayer sa pâleur. Ophélie, à force de prendre le soleil, ressemblait plus à une Babélienne qu'elle.

– Tu n'es pas très présentable, dit Elizabeth en désignant de son stylographe son nez dégoulinant de sueur.

– Tu n'as pas très bonne mine non plus, rétorqua Ophélie.

C'était un peu facile ; Elizabeth n'avait jamais bonne mine. Cette dernière haussa légèrement les sourcils, sans doute étonnée de se faire tutoyer, mais elle dut se rappeler qu'elle n'était plus sa supérieure hiérarchique car elle se dérida.

– Le maquillage nous est interdit. Nous avons le devoir d'afficher une complète transparence pendant l'exercice de nos fonctions. Passe-moi donc tes pièces d'identité pour que je vérifie ta propre transparence, Eulalie.

– Que se passe-t-il? Pourquoi nous avoir tous convoqués ici?

– Hmm? fit Elizabeth sans relever les yeux des papiers dont elle prenait connaissance. Les Lords de LUX ont décidé de lancer une procédure de recensement obligatoire pour celles et ceux qui sont arrivés à Babel il y a moins de dix ans. Et je te prie de croire que ça fait un paquet de monde, assura-t-elle avec un geste flegmatique vers les files d'attente dont les lignes se perdaient au loin. Je me suis portée volontaire pour aider. C'est évidemment provisoire, je devrais bientôt connaître mon prochain lieu de transfert. J'ai déjà reçu plusieurs propositions.

À cet instant, Ophélie se faisait moins de souci pour l'avenir d'Elizabeth que pour le sien. Ses faux papiers avaient été confectionnés à la diable par Archibald. Il suffisait d'un cachet au mauvais endroit pour révéler son imposture.

– Mais pourquoi? insista-t-elle. Pourquoi les Lords nous recensent-ils?

– Pourquoi ne le feraient-ils pas?

Ophélie s'en doutait; même après avoir décroché son dernier grade, Elizabeth n'avait rien d'une initiée. Comme tous les Babéliens, elle ignorait que les Lords de LUX étaient au service secret d'Eulalie Dilleux. S'ils avaient organisé une procédure d'une telle ampleur au lendemain d'un effondrement, Ophélie ne pouvait pas croire que ce fût une coïncidence. Il se tramait quelque chose.

– Elizabeth, murmura Ophélie en se penchant sur le comptoir, sais-tu s'il y a eu des glissements de terrain ailleurs qu'à Babel?

– Hmm? Pourquoi saurais-je une chose pareille?

– Parce que tu es une avant-coureuse.

Face à son expression impassible, Ophélie se sentit excédée. Il lui fallait une meilleure source de renseignements. Elle tourna la tête vers les comptoirs voisins.

– Octavio est là, lui aussi?

Ce n'était pas seulement le fils de Lady Septima, elle-même membre de la caste de LUX, qu'Ophélie souhaitait voir. C'était surtout une personne en qui elle avait confiance – ce qui était assez ironique quand on savait qu'Octavio et elle se méfiaient cordialement l'un de l'autre durant leur apprentissage commun à la Bonne Famille.

– Il vient de commencer un contrat à mi-temps au *Journal officiel*, répondit Elizabeth. Et ce n'est pas à nous de te communiquer des informations. Je vais te poser une série de questions pour compléter ton dossier ; tu réponds avec le moins de mots possibles.

Ophélie dut subir un interrogatoire comme jamais elle n'en avait connu. Quand était-elle arrivée à Babel ? Pour quelle raison s'y était-elle installée ? De quelle arche venait-elle ? Quel était son pouvoir familial ? Était-elle actuellement sous contrat ? Avait-elle des antécédents judiciaires ? Un membre de sa famille présentait-il une déficience physique ou psychologique ? Sur une échelle de un à dix, quel était son degré d'attachement à la cité ? Quelle était sa marque de friandises préférée ?

Ophélie avait beau s'être préparée à être un jour questionnée sur ses fausses origines, il lui fallut tout son sang-froid pour répondre. Elle eut néanmoins du mal à le conserver en voyant approcher un couple qui, par sa seule apparition, propagea un silence respectueux le long de chaque file d'attente : les gens avaient brusquement cessé de chuchoter, de s'impatienter, de bâiller, de tousser. Ophélie n'avait vu les Généalogistes que de loin, à l'occasion de la cérémonie de remise des grades qui s'était déroulée ici même, au Mémorial, mais elle les reconnut sans la moindre difficulté : ils étaient tout d'or vêtus. Même leurs cheveux et leurs visages étaient teints. Ils flânaient en souriant, l'un contre l'autre, doigts entrelacés, comme s'il leur était habituel de se promener au milieu des formalités administratives plutôt que dans un parc.

Thorn était supposé avoir rendez-vous avec eux, mais il n'était pas auprès d'eux, ce qui ne manqua pas d'inquiéter Ophélie. L'attendait-il comme prévu au domicile de Lazarus ? Elle espérait qu'il avait eu moins d'ennuis qu'elle. Les Généalogistes étaient escortés par une jeune Pharaonne qui sursautait d'un air effarouché dès que l'un d'eux lui effleurait le bras ou lui glissait un mot à l'oreille.

Ophélie se raidit quand ils vinrent dans sa direction. Pourquoi, de tous les guichets du Mémorial, s'intéressaient-ils précisément à celui où elle se trouvait ?

Les Généalogistes se penchèrent tous deux de part et d'autre d'Elizabeth.

– Que fait la détentrice du prix d'excellence à un poste aussi indigne d'elle ? déplora l'homme.

– Vous avez révolutionné la base de données du Mémorial à vous seule, enchaîna la femme. Vos compétences sont bien mal employées ici, citoyenne !

Si peu expressive fût-elle, Elizabeth était visiblement déconcertée de faire ainsi l'objet de leur attention. Elle se leva pour se mettre au garde-à-vous et leur adresser le salut obligatoire – « La connaissance sert la paix ! » – mais ils l'invitèrent à se rasseoir en posant leurs mains sur ses épaules.

– Ne vous dérangez pas pour nous, jeune *lady*. Faites-nous simplement savoir si vous avez réfléchi à notre proposition.

– C'est que je n'ai pas eu le temps de...

– Un simple « oui » suffit, dit la femme.

– C'est pile dans vos cordes, dit l'homme.

– Et vous rendriez un grand service à la cité ! conclurent-ils en chœur.

Ophélie ignorait de quoi ils parlaient, mais elle s'estima heureuse de ne pas être à la place d'Elizabeth, dont les joues avaient brusquement pris des couleurs. À présent qu'elle pouvait observer les Généalogistes de près, elle remarqua le grain étrange de leur peau sous la poudre d'or dont ils la recouvraient, comme s'ils subissaient les effets d'une chair de poule permanente. Des Tactiles. Elle ne connaissait rien de cette variante du pouvoir familial de Pollux.

– *In fact*, mon premier choix était le poste d'assistante personnelle de Lady Hélène, leur expliqua respectueusement

Elizabeth. Sans elle, je serais à la rue, je lui dois chacun de mes galons.

Les Généalogistes échangèrent un regard complice.

– C'est une histoire *very* émouvante, citoyenne, mais votre travail à l'observatoire concernera aussi Lady Hélène. Vous ne pourriez lui être plus utile qu'en acceptant cette offre !

Le masque imperturbable d'Elizabeth se fissura. Ophélie eut un coup de lunettes pour la jeune Pharaonne qui faisait semblant de rester en dehors de la conversation, les yeux rivés sur ses babouches. Il lui était facile de deviner son rôle dans cet entretien surprise. Le charme des Pharaons leur permettait de moduler les émotions des autres en douceur, de façon à les mettre en confiance. Ils travaillaient en général dans le milieu médical pour apaiser les patients et ce n'était manifestement pas la fonction de celle-ci.

– Tu ne devrais pas décider maintenant.

Ophélie n'avait pu refréner cet avertissement en voyant Elizabeth se perdre en hésitations, mais elle le regretta aussitôt. Les Généalogistes, qui ne lui avaient pas accordé un seul regard jusqu'à présent, venaient de se tourner vers elle dans un même mouvement fluide. Leurs cils aussi étaient teints en or.

– Avez-vous quelque chose à dire, *miss* ? demanda l'homme en consultant ses faux papiers.

– Une modification à apporter à votre dossier, peut-être ? suggéra la femme avec une caresse pour le formulaire.

Ils inspirèrent à Ophélie une antipathie si viscérale qu'elle se recula. Depuis son mariage avec Thorn, au cours duquel ils avaient partagé leurs pouvoirs familiaux, elle avait hérité des griffes des Dragons. Si les siennes n'étaient pas dangereuses, elles lui jouaient des tours quand elle se mettait en colère. Les Généalogistes ne la connaissaient pas mais, elle, elle les connaissait. Ils ne désiraient pas le bien de la cité, ils voulaient devenir ce qu'Eulalie Dilleux était elle-même devenue. Ophélie devait rester pour eux une petite étrangère insignifiante, sans quoi elle causerait des ennuis à Thorn autant qu'à elle-même.

Elle ravala sa salive, sa fierté, ses griffes.

– Non.

– Alors ? insistèrent les Généalogistes en revenant à Elizabeth. Vous acceptez notre offre, citoyenne ?

– *Milady*, milord, je… J'en serai honorée.

La femme sortit de son décolleté un contrat qu'elle déroula sur le comptoir. L'homme tendit un stylo-plume à Elizabeth.

Elle signa.

– *Good girl.*

Sur ces mots, qu'ils avaient chacun susurrés à une oreille d'Elizabeth, les Généalogistes s'éloignèrent main dans la main, leurs capes d'or flottant derrière eux, suivis à bonne distance par la jeune Pharaonne. Ophélie se rendit compte que sa bouche s'était asséchée en leur présence.

Elizabeth épongea son front où ses cheveux s'étaient collés.

– J'ai… j'ai peut-être signé un peu vite.

– C'était quoi, cette offre ? lui demanda Ophélie.

Il y eut aussitôt un concert de protestations. À présent que les Généalogistes étaient loin, toutes les personnes de sa file d'attente perdaient patience. Le vieux Sourcier menaça de déclencher un orage ; Elizabeth était, elle, encore tout hébétée.

– C'est confidentiel, je ne peux pas en parler. J'ai signé vraiment trop vite.

Elle battait des paupières d'un air si désorienté qu'Ophélie eut pitié d'elle.

– Cette Pharaonne y a veillé.

– J'espère pour toi que tu n'insinues pas qu'il y ait eu une quelconque manipulation, l'avertit Elizabeth en lui rendant ses papiers avec sévérité. Nous parlons des Lords de LUX. C'est une accusation extrêmement grave, en particulier venant d'une personne dont le dossier n'est pas conforme. Tu vas devoir comparaître devant un tribunal.

Sans laisser le temps à Ophélie de réagir, l'avant-coureuse se pencha sur le comptoir et lui administra un coup de tampon au milieu du front.

– Je plaisante. Tout est en règle pour le moment. Il te reste une visite médicale et tu pourras rentrer chez toi.

LA MAISON

– Vous, au moins, vous n'êtes pas banale.

Assise sur un tabouret, Ophélie considéra le visage flou du docteur en face d'elle. Elle avait dû ôter ses lunettes pour l'auscultation, aussi ne voyait-elle clairement de lui que deux prunelles qui étincelaient dans la pénombre. Plusieurs cabinets médicaux avaient été improvisés dans les locaux de reprographie, au premier étage du Mémorial. Ophélie était en sous-vêtements au milieu des miméographes, des cyclostyles et des ronéos. Sans ses gants de *liseuse*, posés sur le plateau d'un automate avec le reste de ses affaires, elle se sentait vulnérable.

Elizabeth lui avait dit qu'elle était en règle pour le moment. C'était «pour le moment» qui l'inquiétait. Que se passerait-il si l'on décidait qu'elle n'était pas conforme aux desiderata de l'administration babélienne? Le jour déclinait derrière les fenêtres et Ophélie commençait sérieusement à se demander si elle verrait le bout de ce recensement. Elle voulait retrouver Thorn pour commencer leurs recherches ensemble.

– Est-ce que je peux partir? Je suis attendue ailleurs.

Le docteur se rapprocha. Ses yeux de Visionnaire, lumineux comme des ampoules, valaient tous les appareils d'imagerie médicale. Il n'avait pas touché Ophélie une seule fois depuis qu'elle était entrée, pas même pour prendre son pouls, mais il y avait quelque chose de dérangeant dans son regard.

– Avez-vous été victime d'un accident, Miss Eulalie ? demanda-t-il en parcourant son dossier.

Il avait prononcé le mot « accident » avec une intonation spéciale qui n'était pas uniquement liée à l'accent de Babel.

Ophélie sourcilla. Faisait-il allusion aux traces de coupures dont son corps était parsemé depuis que des Devins avaient versé du verre brisé pendant qu'elle prenait sa douche ? À la cicatrice sur sa joue, plus ancienne, qu'elle devait à la demi-sœur de Thorn ? À ses os qui avaient subi de multiples fractures ces dernières années ?

Elle comprit qu'il était dans son intérêt de ne pas passer pour une personne à la santé fragile. Elle portait sur le front le coup de tampon d'Elizabeth, mais elle ne se sentirait vraiment tirée d'affaire qu'une fois dehors.

– Quelques-uns, répondit-elle évasivement. Ça ne m'a jamais empêchée de faire ce que j'avais à faire.

Le docteur hocha la tête. Ophélie s'aperçut alors que c'était le bas de son ventre qu'il examinait avec le moins de discrétion.

– J'avais à l'esprit un accident d'un genre... particulier, articula-t-il en choisissant prudemment ses mots. Miss Eulalie, d'après votre dossier, vous n'êtes pas engagée d'un point de vue matrimonial. Vous me le confirmez ?

– C'est ma vie privée.

Elle n'appréciait pas du tout la tournure que prenait cette conversation. En fait, elle n'appréciait rien de ce qu'on lui faisait subir depuis qu'elle avait été conduite de force au Mémorial. L'administration de Babel s'aventurait de plus en plus profondément dans son intimité et l'attitude intrusive de ce docteur lui était insupportable.

– Je vais me rhabiller.

– Vous souffrez d'une malformation, *miss*.

Ophélie, qui s'était levée du tabouret pour arracher ses affaires à l'automate, se rassit lentement. Elle enfila ses gants, puis mit ses lunettes comme si ça pouvait lui permettre d'entendre mieux.

Les yeux du docteur brillèrent d'un éclat plus intense, tandis qu'ils la sondaient non sans une certaine fascination.

– J'ai déjà observé quelques curiosités, mais jamais rien de comparable. C'est un peu comme si toutes les particules de votre corps s'étaient... *I don't know*... retournées sur elles-mêmes. Je ne sais vraiment pas quelle sorte d'accident peut provoquer cela.

«Un accident de miroir», répondit Ophélie en pensée. Le tout premier. Celui qui avait libéré l'Autre.

– J'ignore également comment vous parvenez à coordonner vos mouvements, poursuivit le docteur dont les yeux s'éteignirent comme des lampes. Vous deviez être jeune quand ça vous est arrivé, votre organisme a pu se réparer presque *completely*. Presque, souligna-t-il avec une bienveillance toute paternelle. Est-ce que vous voyez où je veux en venir, chère petite?

– Je suis une inversée. Je sais, on me l'a déjà...

– Vous ne pourrez jamais avoir d'enfants, l'interrompit-il. Cela vous est physiquement impossible.

Ophélie regarda le docteur compléter son dossier. Elle comprenait les mots qu'il venait d'employer, mais ils n'avaient aucun sens pour elle. Elle ne trouva rien d'autre à répondre que :

– Je peux m'en aller?

– Vous devriez consulter à l'observatoire des Déviations. Ils ne pourront rien faire pour vous, mais cela les intéresserait sans doute de vous étudier de près. Ils se spécialisent dans les cas comme le vôtre. Rhabillez-vous, ajouta-t-il avec un geste désinvolte. Nous en avons terminé.

Ophélie dut s'y prendre à plusieurs reprises pour attacher ses sandales, comme si ses mains n'étaient plus capables de se mettre d'accord sur rien. Elle sortit afin de céder sa place à la personne suivante. Le premier étage du Mémorial était submergé d'hommes et de femmes qui attendaient leur tour. La vue de tous ces fronts marqués d'un coup de tampon donnait à Ophélie la sensation d'être dans un abattoir. La garde familiale rassemblait les personnes qui avaient passé leur visite médicale pour les acheminer vers la sortie. Ophélie n'avait aucune intention de se laisser enfermer dans un nouveau tramoiseaux.

Elle devait s'isoler. Maintenant.

Il n'y avait ni escalier ni ascenseur au Mémorial, mais elle était habituée à la gravité artificielle de ses transcendium. Elle emprunta discrètement un couloir vertical qui l'éloigna de la foule, puis se réfugia dans les toilettes. Hormis un singe qui lapait l'eau d'un lavabo, elle était enfin seule.

Ophélie se dévisagea crûment dans l'une des glaces. Elle n'avait plus peur d'y voir quelque chose qui n'existait pas, comme cela lui était arrivé ce matin à la vitrerie-miroiterie. Elle avait peur de ce qu'elle ne voyait pas et qui existait vraiment.

Elle posa une main sur son ventre avec précaution, comme si elle risquait de se casser davantage en appuyant trop fort. L'Autre ne s'était pas contenté de déchirer le monde. Il lui avait aussi déchiré le corps. Alors pourquoi n'éprouvait-elle plus rien, tout à coup ? Il n'y avait aucun cri de révolte en elle, juste du silence.

– Je ne me suis jamais imaginée en mère de famille et Thorn déteste les enfants, murmura-t-elle en regardant son reflet bien en face. Il n'y a donc pas de problème.

Elle escalada maladroitement le lavabo, pensa «maison» et se plongea dans son reflet.

Ophélie était déroutée. Littéralement. En entrant dans le miroir du Mémorial, elle s'était préparée à ressortir par celui du domicile de Lazarus. Au lieu de cela, elle eut une sensation de chute, vertigineuse, incompréhensible, comme si elle tombait de bas en haut.

Tout était devenu flou.

Les images.

Les sons.

Ses pensées.

Ophélie se rendit compte soudain que quelqu'un lui tenait fermement la main. Elle se sentait entraînée un pas après l'autre à travers un décor indéfinissable. Elle essaya de se concentrer sur chaque fragment de réalité capté par ses sens. Il y avait une statue. La statue du soldat sans tête. La statue du soldat sans tête quand il avait encore sa tête. Elle se trouvait donc à nouveau sur le parvis du Mémorial, à l'époque où ce n'était pas encore le Mémorial.

L'école militaire.

D'associer des mots aux objets leur dessinait des contours plus précis. La bâtisse vers laquelle elle se dirigeait n'avait pas encore l'allure majestueuse que les architectes de Babel lui conféreraient plus tard, bien plus tard, mais elle en imposait déjà. Tout ce bleu et tout cet or, alentour, c'étaient l'océan et les mimosas. Une île. Ophélie pouvait presque sentir ce parfum étourdissant, moitié sel, moitié sucre. Presque. Son nez était congestionné, elle peinait à respirer.

Des marches. La femme qui tenait sa main lui faisait à présent monter le perron de l'entrée. Une femme ? Oui, cette voix qui lui murmurait de se dépêcher appartenait bien à une femme. Elle lui parlait dans une langue qui n'était pas la sienne, mais qu'Ophélie aurait pu comprendre si tout n'avait été à ce point brouillé par le flou ambiant.

La femme la fit asseoir dans ce qu'elle supposa être un hall; le décor était trop trouble pour qu'Ophélie en fût certaine. Elle avait la sensation d'évoluer dans une aquarelle sur laquelle on aurait renversé un verre d'eau. Elle fut un tantinet choquée quand elle s'aperçut que ses propres pieds ne touchaient plus le sol. Avait-elle rapetissé? Et où était passée la femme? Ophélie ne sentait plus sa main agrippée à la sienne, mais sa voix lui parvenait de loin. Ce n'était plus à elle qu'elle s'adressait à présent. En y mettant beaucoup de bonne volonté, Ophélie réussit enfin à traduire en mots compréhensibles la conversation qu'elle entendait :

– Et puis j'ai déjà tous mes enfants à m'occuper, comment que je peux en nourrir un autre? Et puis mon mari est parti à la guerre, comment que je fais, moi, sans argent? Et puis, faut pas croire, elle est travailleuse, polie, intelligente avec ça! Très intelligente. Oui, oui, elle parle parfaitement la langue. Plusieurs, même. Son passe-temps favori, c'est d'en créer des nouvelles, figurez-vous! Et puis qu'elle vous tape tout ça à la machine comme une adulte. Elle a parfois des sautes d'humeur, ça, je ne dis pas, mais la pauvre petite... Elle a perdu ses parents, ses frères, ses sœurs, ses oncles, ses tantes, ses cousins : tous déportés! Une famille d'imprimeurs, que je crois. Ils ont dû imprimer ce qu'il fallait pas, même que ça rigole pas par là-bas. Un miracle qu'elle ait pu en réchapper. Comment? Dilleux. Non, non, pas Dieu! *Dilleux*, avec deux « l » au milieu. Oui, c'est un nom de par chez elle, tout le monde ici qu'on fait la faute. Alors je sais que vous cherchez des enfants avec... comment que vous dites, déjà? Des enfants avec un *fort potentiel*, voilà. Je m'y connais pas comme vous autres, mais la petite, là, elle a de la ressource et elle demande qu'à participer à l'effort de guerre.

Ophélie leva la tête quand quelqu'un s'approcha d'elle. Ce n'était plus la femme, mais un homme. Même si Ophélie le distinguait mal, il dégageait quelque chose de familier. Elle comprit d'instinct qu'elle devait aller avec lui et le suivit à travers des dédales d'escaliers aussi flous que le reste. L'homme marchait d'un pas militaire, portait un turban, grommelait bizarrement. Ophélie le connaissait, elle en était certaine. À force de centrer son attention sur lui et de la décentrer d'elle-même, ainsi qu'elle l'aurait fait au cours d'une *lecture*, elle vit sa silhouette gagner en précision. L'étoffe de son turban essayait de dissimuler, sans y parvenir vraiment, le bas de son visage, où une horrible blessure, visiblement récente, mal cicatrisée, avait emporté une partie de sa mâchoire. Le vieux concierge. Le vieux concierge qui n'était pas encore vieux.

Ophélie fut alors introduite dans un endroit, au tout dernier étage, qui lui procura un sentiment aigre-doux. Elle allait passer de nombreuses, très nombreuses nuits ici.

Maison.

Des garçons et des filles de tout âge s'attroupèrent autour d'elle, curieux et méfiants à la fois. Des orphelins, comme Ophélie. Elle ne voyait aucun de leurs visages, mais elle pouvait entendre leurs questions.

– C'est quoi, ton nom?
– De quel pays tu viens?
– T'es une espionne?
– T'as vu la guerre?

Ophélie s'entendit leur répondre très sérieusement, d'une voix qui était la sienne sans être la sienne :

– Je m'appelle Eulalie et je vais sauver le monde.

Les orphelins disparurent tous dans un nuage de poussière. Ophélie toussa encore et encore, avalant des toiles d'araignée dès qu'elle essayait de prendre une inspiration. Elle s'était écroulée sur un parquet dont les échardes lui mordaient la chair.

Elle eut un regard hébété pour le miroir duquel elle était tombée. La vision qu'elle venait d'avoir s'estompait déjà. La mère de famille, le concierge, les orphelins : ils avaient tous été inclus dans une minuscule fraction de seconde, le temps d'un simple passage.

Cela n'avait rien eu d'une hallucination, cette fois. Elle avait assisté à une scène qui s'était réellement déroulée, plusieurs siècles auparavant.

Ophélie se remit debout. Le miroir, suspendu dans les airs, était l'unique élément du mobilier de la pièce où elle se trouvait. Pas de porte, pas de fenêtre : seul un petit orifice au plafond laissait pénétrer un filet de lumière. Elle connaissait les lieux. C'était une chambre secrète, entièrement contenue dans un globe en flottaison au cœur du Secretarium, lui-même en flottaison au cœur du Mémorial de Babel.

Elle s'approcha du miroir suspendu qui renvoya d'elle une image poussiéreuse. Comme lors de sa première venue, elle pouvait deviner les contours fantomatiques du mur auquel il avait été autrefois accroché. Ophélie savait, pour avoir déjà *lu* ce miroir, qu'Eulalie Dilleux avait vécu ici à l'époque où elle n'était pas encore devenue Dieu. Elle revoyait cette petite femme, qui lui ressemblait tant tout en étant si différente, en train de taper ses histoires pour enfants à la machine. Ophélie comprenait à présent que cette chambre représentait beaucoup plus qu'un atelier d'écriture pour Eulalie Dilleux. Avant d'être l'école de la paix où elle avait élevé les esprits de famille, le Mémorial avait d'abord été l'orphelinat militaire où elle avait passé son enfance.

Maison.

C'était le souhait qu'Ophélie avait formulé avant de franchir le miroir des toilettes. Et il l'avait ramenée ici, réveillant en elle cette autre mémoire qui n'était pas la sienne.

– Ce n'est pas chez moi, reprocha Ophélie à son propre reflet, comme s'ils ne se comprenaient plus. Je ne suis pas elle.

L'évidence la frappa au moment même où elle prononça ces mots. Lors de sa première venue ici, elle avait vu Eulalie faire face à son reflet dans le miroir; un reflet auquel Eulalie s'était directement adressée; un reflet qu'Eulalie ne possédait plus aujourd'hui.

Que lui avait-elle dit, déjà?

– « Bientôt, mais pas aujourd'hui », récita Ophélie.

Elle comprit alors quelque chose de très simple et de complètement fou; elle devait en parler à Thorn.

Elle se replongea dans le miroir, le plus attentivement et le moins intentionnellement possible. Elle s'efforça de s'ouvrir à toutes les destinations sans en choisir aucune en particulier. Elle se sentit basculer dans un espace qu'il était difficile de retranscrire avec des mots; les formes et les couleurs y fluctuaient, à la façon de celles qu'on peut observer quand on appuie très fort sur ses paupières.

L'entre-deux. L'interstice entre les miroirs. La prison de l'Autre, comprenait-elle à présent, celle dont elle l'avait libéré.

Elle avait accidentellement visité cette « bidimension » quand elle s'était retrouvée consignée à l'isoloir de la Bonne Famille. À présent, elle commençait à comprendre instinctivement comment s'y glisser. Il lui semblait presque possible de percevoir d'ici la résonance de tous les miroirs du monde, quelle que fût leur distance.

Ophélie en choisit un sans la moindre hésitation : celui

qui se trouvait dans l'atrium de Lazarus. Pourtant, lorsqu'elle émergea au-dessus d'un buffet, posant maladroitement ses sandales entre les encensoirs, elle se demanda si elle ne s'était pas encore trompée quelque part.

Elle trouva Thorn en tête à tête avec une poupée.

LA MESSAGÈRE

– Vous voilà enfin, *miss*!

Ambroise avait joyeusement surgi dans son fauteuil méca-nique en entendant Ophélie dégringoler du buffet. Ses yeux, ombrés de longs cils d'antilope, brillaient sur la nuit de sa peau. L'écharpe était roulée en boule sur ses genoux.

– Nous avons appris pour le recensement. Ils ne vous ont pas fait trop de difficultés?

Secourable, Ambroise tendit à Ophélie ses deux mains – une main gauche qui se trouvait à droite et une main droite qui se trouvait à gauche. L'adolescent souffrait d'une sévère inversion lui aussi, mais la sienne était impossible à ne pas remarquer.

Celle d'Ophélie était invisible, souterraine. Vicieuse.

– Mes faux papiers ont bien joué leur rôle, répondit-elle. Je n'ai pas saisi l'utilité de toutes ces formalités.

– C'était tout sauf inutile.

Thorn avait prononcé ces mots d'une voix profonde. Il se tenait assis au bord de l'impluvium, rempli à ras bord par les dernières averses, et fixait hypnotiquement la poupée installée sur la banquette en face de lui.

– En tout cas, articula-t-il avec lenteur, ce ne sera certaine-ment pas inutilisé. Les Lords ont un plan.

– Lequel ?

– Je l'ignore. Je ne porte de LUX que l'habit.

Ophélie eut un geste pour récupérer l'écharpe, mais celle-ci serpenta aussitôt autour d'Ambroise jusqu'à s'enrouler sur sa tête en un turban tricolore. De voir un autre la porter lui procura un sentiment inconfortable. Depuis qu'elles avaient été séparées, par sa faute, leur relation avait changé.

Ambroise offrit à Ophélie un bol de riz avec une expression coupable.

– Vous devez être affamée ; j'ai demandé à notre automate de cuisine de vous préparer à manger. *Sorry*, soupira-t-il en la voyant larmoyer dès la première bouchée, il a la main lourde sur les épices. Qu'est-il arrivé à votre front ?

– Le Mémorial était à court de papier, ironisa Ophélie.

Elle frotta la marque de tampon en se penchant vers le miroir qu'elle venait de franchir. Non seulement elle ne parvint pas à l'effacer, mais en plus elle y associa une traînée jaune de curry.

– C'est de l'encre d'Alchimiste, *miss*, lui expliqua Ambroise. Elle ne s'effacera qu'à la date et à l'heure prévues par l'administration de Babel. Soyez patiente.

Ce garçon était la douceur incarnée. Il ne ressemblait pas à Lazarus, ce père farfelu et boute-en-train qui avait choisi de devenir le pion d'un dieu plutôt que de s'occuper de son unique enfant. Ophélie n'avait le cœur de reprocher à Ambroise ni leur lien de parenté ni les faveurs de l'écharpe. Elle lui rendit son sourire.

Il montra Thorn qui n'avait pas détaché ses yeux d'acier de ceux, en verre, de la poupée.

– Votre mari est arrivé avec cette nouvelle invitée. Je suis *extremely* curieux d'en savoir davantage, mais il n'a pas souhaité se confier à moi. J'ai occupé le temps en échafaudant trente-quatre théories capables d'expliquer ce qu'un homme aussi sérieux pouvait envisager de faire avec ce jouet.

Thorn eut un reniflement excédé.

– Il les a toutes échafaudées à voix haute.

Ophélie avala son riz avec un brutal appétit, mesurant soudain combien elle avait faim. Le poids qui lui pesait sur l'estomac venait de s'alléger. *Maison*, c'était ici.

– Puis-je ?

Thorn reporta sur Ophélie le regard scrutateur qu'il destinait jusqu'alors à la poupée. Il acquiesça, même s'il savait qu'elle ne lui demandait pas réellement la permission de s'asseoir près de lui.

C'était un accord entre eux. Ophélie ne devait rien faire qui pût le prendre par surprise.

Elle s'installa au bord de l'impluvium et observa la poupée à son tour sur la banquette de pierre. Avec sa belle frange noire, son visage de porcelaine et ses traits orientaux, elle lui rappelait un peu Zen, son ancienne camarade de division chez les avant-coureurs.

– C'est un cadeau des Généalogistes ?

– Leur messagère, dit Thorn. Ils ne s'adressent jamais directement à moi pour me donner leurs instructions. Ils ont un sens de l'humour contestable.

– Je n'étais pas si éloigné de la vérité avec ma dix-neuvième théorie, fit remarquer Ambroise qui vint vers eux, un plateau à thé posé sur ses cuisses.

À Babel, plus il faisait chaud, plus l'on buvait chaud. Ophélie souffla sur la tasse qu'elle venait de saisir. L'odeur de son thé à la menthe fut vite éclipsée par celle, puissamment camphrée, du désinfectant que dégageait Thorn à côté d'elle. Même l'eau de pluie qui emplissait le bassin de nénuphars derrière eux possédait un parfum moins prégnant. Ophélie était habituée à ses manies, mais celle-ci avait pris des proportions préoccupantes depuis qu'il était devenu Sir Henry.

– Que disait le message ?

Thorn déplia son bras pour attraper la poupée sur la banquette. Il mit au jour un mécanisme dissimulé sous le petit kimono, dans le dos en porcelaine.

– Je ne sais pas. C'est un enregistrement vocal qui ne peut être déclenché qu'une seule fois. J'attendais ton retour pour en prendre connaissance.

Se voir invitée à écouter une poupée ne figurait pas parmi les situations conjugales qu'Ophélie aurait imaginé vivre un jour. Plus que l'objet en lui-même, elle contempla les longues mains osseuses qui le tenaient. Les manches retroussées dévoilaient quelques-unes des cinquante-six cicatrices qui scarifiaient le corps de Thorn.

Ophélie avait vu chacune d'elles. Elle s'en sentait encore impressionnée. Et privilégiée.

Dès qu'il intercepta son regard, Thorn eut un raclement de gorge. Il plaqua vers l'arrière l'unique mèche qui menaçait de quitter les rangs serrés de ses cheveux et ajouta d'une voix plus guindée encore qu'à l'ordinaire :

– Ensemble.

Ophélie hocha la tête.

– Ensemble.

Les yeux d'Ambroise allèrent de l'un à l'autre, puis il fit faire marche arrière à son fauteuil.

– Je… *well*… je vous laisse entre vous. Appelez-moi si vous avez besoin de quoi que ce soit.

– Mieux vaut se méfier, avertit Thorn quand le bruit des roues se fut éloigné entre les colonnades. Ce n'est pas parce que ce gamin est initié à la plupart de nos secrets ni parce qu'il nous ouvre la porte de sa demeure qu'il est notre allié. Je ne serais pas étonné que son père lui ait demandé de garder un œil sur nous en son absence.

Il avait recouvré le dur accent du Nord. Non qu'Ambroise ignorât ses véritables origines, mais Thorn ne retirait entièrement son masque de Sir Henry qu'en privé. Ophélie eut un coup d'œil pour la veste d'uniforme qu'il avait méticuleusement pliée dans un coin ; il s'en était défait comme de la peau d'un autre. Épinglé sur le tissu blanc et or, l'insigne de LUX en forme de soleil étincelait à la lumière des lampes électriques.

La nuit était tombée à la vitesse d'un rideau de théâtre. Levant la tête vers le toit ouvert, Ophélie ne put distinguer aucune étoile. Une nouvelle marée de nuages était montée sur la ville et son brouillard s'infiltrait jusque dans l'atrium.

– Écoutons le message, proposa-t-elle en débarrassant sa tasse.

Thorn tourna longuement le remontoir qui se trouvait au dos de la poupée. Dès qu'il le relâcha, un son suraigu fit résonner la porcelaine :

– Salutations, *dear friend*.

Ophélie remonta ses lunettes sur son nez. Si c'était la voix de l'un des Généalogistes, elle avait été déformée par l'enregistrement jusqu'à devenir méconnaissable.

– Vous voilà promu grand inspecteur familial, enchaîna la poupée. Demain, à l'aube, vous serez accueilli à l'observatoire des Déviations qui vous hébergera dans ses murs… ses murs pour les semaines à venir. Officiellement, vous y êtes mandaté afin de vous assurer que les généreuses subventions attribuées par les mécènes de LUX sont bien employées. Vos connaissances approfondies en comptabilité font de vous un agent tout désigné pour cette inspection. C'est une procédure *very* longue qui vous laissera le temps de mener une autre enquête… enquête en parallèle.

« L'observatoire des Déviations a été fondé pour étudier et corriger certaines pathologies, mais nous savons que ce n'est qu'une façade, savamment construite, presque impossible à percer. Malgré toute notre influence… influence, nous nous sommes vu refuser l'accès à ses coulisses sous couvert du *secret médical*. Voilà longtemps que nous soupçonnons l'observatoire de mener des activités souterraines. L'un de nos informateurs a réussi à infiltrer les lieux. Dans son dernier rapport, il a porté à notre connaissance un programme mené secrètement par l'observatoire.

« Il a été baptisé PROJET CORNUCOPIANISME.

« L'informateur n'a pas eu l'occasion de nous en révéler plus ; il a depuis disparu sans laisser de trace. Nous avons toutes les raisons de penser… penser que les réponses à nos questions, aux vôtres également, sont liées à ce projet.

« Vous avez rempli votre première mission en nous livrant un nom, *dear friend*. Nous avons effectué de petites recherches dans de très anciennes archives interdites au public. L'observatoire des Déviations a été jadis une base militaire, bien avant que ces mots-là soient réprouvés par notre Index. Cette base militaire travaillait elle aussi sur un projet d'étude hautement… hautement confidentiel.

« Devinez quel nom figure sur cet ancien registre.

« Oui. Celui-là même.

« Vous comprenez, *dear friend* ? Le secret qui a fait de cette femme ce que nous savons – le pouvoir d'avoir tous les pouvoirs, y compris celui de déjouer la mort… mort et de sauver notre monde du grand effondrement : ce secret se trouve à l'observatoire des Déviations.

« Ceux qui sont réellement aux commandes de l'observatoire ont une longueur d'avance sur nous. À vous, *dear friend*, d'inverser la tendance. Toutes vos affaires sont déjà prêtes, elles vous attendent sur place. Nous ne vous ferons pas l'insulte de vous expliquer ce qu'il adviendrait... adviendrait de ce bon vieux Sir Henry en cas d'échec.

Sur un dernier gargouillis sonore, qui indiqua que le mécanisme vocal venait de se briser, la poupée se tut.

Ophélie prit sur elle pour ne pas montrer l'émotion violente qui l'avait envahie à l'écoute du message, même si l'obscurcissement de ses lunettes la trahissait. Elle mesura à quel point elle haïssait les Généalogistes. Ils avaient beau ouvrir des portes à Thorn qui lui seraient autrement restées fermées, ils manifestaient un tel plaisir à se servir de lui, à s'amuser avec lui, comme s'il était la véritable poupée, qu'elle en était révulsée.

Thorn ne parut y accorder aucune importance. Dans ses yeux, étrécis par la concentration, luisait au contraire une certaine satisfaction. Il remit la poupée à sa place sur la banquette et sortit aussitôt d'une poche son flacon d'alcool pharmaceutique pour se désinfecter les mains.

– L'observatoire des Déviations, répéta-t-il. Si les Généalogistes ont raison, si c'est là-bas qu'Eulalie Dilleux est devenue Dieu, alors nous tenons une piste des plus significatives.

Ophélie se plongea dans les yeux en amande, troublants de réalisme, du visage en porcelaine de la poupée. Décidément, encore cet observatoire! Elle repensa à ce que lui avait dit le docteur, au Mémorial, à propos de sa malformation. «Ils ne pourront rien faire pour vous, mais cela les intéresserait sans doute de vous étudier de près.» Cette seule évocation lui provoqua un spasme dans le ventre. C'était un sujet qu'il lui fallait aborder avec Thorn.

– Je me suis déjà rendue à l'observatoire des Déviations, dit-elle à la place.

Elle n'était pas allée plus loin que la verrière des visiteurs. Mediana, sa rivale la plus redoutable pendant son apprentissage d'avant-coureuse, avait été internée après avoir été épouvantée par le vieux balayeur du Mémorial. Ophélie avait voulu l'interroger, mais elle n'avait presque rien pu en tirer, tant son traumatisme était fort.

– C'est un établissement de belle envergure, il occupe une arche mineure à lui seul. Je dois admettre qu'ils sont plutôt énigmatiques là-bas. Ils m'ont dit avoir un dossier à mon nom, mais ils n'ont répondu à aucune de mes questions. Oh, laissa-t-elle échapper, soudain frappée par une pensée. C'est donc là qu'ils veulent envoyer Elizabeth ? Les Généalogistes avaient parlé d'un observatoire, mais je n'avais pas fait le rapprochement.

– Les Généalogistes ?

Thorn fronçait les sourcils en permanence, mais il avait une certaine capacité à moduler leur enfoncement selon son degré de contrariété.

– Je les ai croisés au Mémorial.

– Du moment qu'il n'y a eu aucune interaction entre vous.

Ophélie observa un silence prudent qui accentua plus encore les sourcils de Thorn, rapprochant les deux segments de sa balafre au point de ne former qu'une seule et même cicatrice.

– Je n'ai déclenché aucune catastrophe, lui assura-t-elle. En fait, ils s'intéressaient uniquement à Elizabeth. Ce n'est pas comme s'ils m'avaient nommée vice-conteuse.

– Pourquoi s'intéressaient-ils à elle ?

– Ils souhaitaient qu'elle accepte une offre d'emploi à l'observatoire. Ils lui ont dit qu'elle rendrait ainsi service non seulement à la cité, mais aussi à Lady Hélène. Je n'ai rien compris.

Thorn planta à nouveau ses coudes dans ses genoux et cala son menton contre ses doigts entrecroisés. Il suivit des yeux le tracé des figures géométriques du dallage devant lui.

– Ils placent des pions.

– Ça s'est mal terminé pour l'un d'eux, rappela Ophélie. L'informateur des Généalogistes a tout de même disparu en enquêtant sur ce projet Carno… Copra…

– Cornucopianisme, rectifia Thorn. C'est en référence à la «Corne d'abondance».

Ophélie était déconcertée. La Corne d'abondance? Sa spécialité portait sur l'histoire plus que sur la mythologie, mais elle avait évidemment entendu parler de cet objet légendaire qui produisait de la nourriture à volonté. Les versions variaient en fonction des arches. Sur Anima, où prédominait le sens pratique, elle était représentée sous la forme d'un sac à provisions inépuisable. Quel était le rapport avec Eulalie Dilleux et l'Autre? Aucun des deux n'avait répandu l'abondance autour d'eux. Ils avaient sacrifié des terres, des mers et des vies.

Elle aurait voulu pouvoir réécouter le message des Généalogistes. Les échos intempestifs l'avaient déconcentrée et elle ne possédait pas la mémoire de Thorn.

– «Le pouvoir d'avoir tous les pouvoirs», récita-t-elle en manipulant la poupée avec précaution, à la recherche d'un autre mécanisme vocal. Quelque chose d'aussi important peut-il être étudié dans un observatoire renommé sans que ça se sache?

Ophélie tressaillit en surprenant un moustique sur le poignet de Thorn : à peine l'insecte s'y était-il posé qu'une lamelle invisible le découpa en deux avec une précision chirurgicale. Concentré sur la trame du dallage, plongé dans une intense réflexion, Thorn ne s'en était même pas rendu compte. Ses griffes attaquaient sans distinction tout ce qui se tenait dans l'angle mort de sa conscience, que la menace fût réelle ou non. Un instinct de chasse primitif, incontrôlable, dont il avait honte. Ophélie ne comprenait pas bien ce qui avait pu provoquer chez lui un tel dérèglement.

– Eulalie Dilleux a créé vingt et un esprits de famille immortels, déclara Thorn. Elle a décrit le fonctionnement de chacun d'eux dans un Livre qui ne s'altère pas avec le temps. Elle a, directement ou indirectement, provoqué la Déchirure du monde. Elle a propagé les pouvoirs familiaux à travers toutes les arches. Et enfin, conclut-il avec un mépris qui altéra soudain le timbre soutenu de sa voix, elle s'est elle-même élevée au rang d'une divinité qui a aujourd'hui la mainmise sur toutes les familles. Cependant, qui connaît son nom ? Pour la postérité, elle n'est restée qu'une auteure anonyme de romans pour enfants – médiocres avec ça. Si une humaine aussi insignifiante a été en mesure d'accomplir autant de prodiges, il n'est pas déraisonnable de penser que d'autres le peuvent aussi aujourd'hui.

Il crispa ses doigts entrelacés au point de s'enfoncer tous les ongles dans la chair. Ophélie comprit sa réaction en remarquant un défaut sur le dallage de l'atrium qui rompait la continuité parfaite de l'ensemble. Thorn avait un besoin pathologique de symétrie. Son regard s'affûta, comme s'il cherchait à rectifier la dalle problématique par la seule force de sa volonté.

– Les Généalogistes ont laissé entendre que l'observatoire renfermait les réponses à mes questions, dit-il en détachant chaque syllabe. J'en ai un nombre considérable. Comment Eulalie Dilleux est-elle devenue Dieu ? Quelle est sa vraie part de responsabilité dans la Déchirure ? Pourquoi avoir d'abord doté les esprits de famille d'un libre arbitre et d'une mémoire si c'était pour les leur ôter après ? Pourquoi possède-t-elle aujourd'hui tous les pouvoirs familiaux sauf celui des habitants d'Arc-en-Terre ? Si elle a bel et bien créé les esprits de famille de sa propre main, pourquoi ne détiendrait-elle pas déjà l'intégralité de leurs capacités ? Et de quel droit se fait-elle passer pour Dieu ? Comment ose-t-elle prétendre se soucier du bien de l'humanité alors qu'elle a perdu l'essence de tout ce qui constituait la sienne ?

Sa voix s'était progressivement épaissie, vibrant de colère contenue, et Ophélie put sentir sa propre peau crépiter sous l'effet galvanique des griffes. Elle espérait ne pas finir comme le moustique. Chaque fois que Thorn prononçait «Dieu», il le faisait du bout des lèvres, d'un son à peine audible, mais elle promena malgré tout un regard circulaire sur l'atrium pour s'assurer qu'ils étaient bien seuls. Les automates de Lazarus avaient été conçus pour se transformer en une prison de lames quand ce mot était évoqué chez lui. Il y avait tellement de machines au milieu du décorum antique qu'il était difficile de déterminer lesquelles pouvaient être des pièges. Ce grapho-scope, sur le bureau de marbre, était-il aussi innocent qu'il y paraissait ? Et cette théière chronométrique ? Et la statue-fontaine, au milieu de l'impluvium, qui donnait un coup de cymbales toutes les heures ?

Thorn ferma les yeux pour ne plus voir le défaut du dallage.

– J'ai les contradictions en horreur. Je dois pourtant composer avec depuis que ma mère m'a inoculé les souvenirs de Farouk. Il n'y a pas d'«Autre» dans ces bribes mémorielles, mais j'ai la conviction... Farouk avait la conviction, corrigea-t-il, qu'Eulalie Dilleux a été punie le jour de la Déchirure. Il me semble parfois que je pourrais presque me rappeler ce qu'il s'est réellement produit à ce moment-là. Farouk en a été le seul témoin : de cela, je suis certain. C'est pour cette raison qu'Eulalie ne voulait pas qu'on *lise* son Livre.

Ophélie l'écoutait en s'abstenant d'intervenir pour le moment. Thorn était un homme économe de ses phrases, à un point que ça le rendait parfois difficile à cerner, mais ce soir il tenait à donner consistance à ses pensées. Les yeux clos, il semblait assister à une scène qui se jouait à l'intérieur de ses paupières.

– Lorsque la Déchirure s'est produite, Eulalie était enfermée dans une pièce. Elle avait interdit à Farouk d'entrer, mais il a fini par ouvrir la porte.

Le grand front migraineux de Thorn se plissa sous l'effort, luisant de sueur, comme s'il essayait de faire remonter à la surface les débris d'une mémoire engloutie.

– D'un côté le parquet, de l'autre le ciel. La pièce a été coupée en plein milieu. Il ne demeure plus rien. Rien, à l'exception d'Eulalie et… et de quoi? se demanda-t-il d'un ton mécontent tandis que le souvenir se dérobait à nouveau.

– D'un miroir suspendu.

Thorn rouvrit les paupières avec un redressement des épaules.

– En effet, finit-il par admettre. Il y avait un miroir suspendu.

– Il y en a toujours un, dit Ophélie. Je l'ai visité par accident. Il se trouve au Mémorial, dans le Secretarium, à l'intérieur du globe en lévitation.

– Au centre exact de la circonférence du bâtiment, acheva Thorn avec un éclair de compréhension dans les yeux. À l'endroit où la moitié de l'édifice a été emportée par la Déchirure. Ça ne me surprendrait pas qu'Eulalie Dilleux ait ordonné aux architectes de Babel d'emmurer cette salle au moment de la reconstruction. Lorsque nous découvrirons ce qu'il s'est réellement passé, d'abord à l'observatoire des Déviations, ensuite dans la chambre secrète du Mémorial, nous aurons résolu toute l'équation.

Ophélie eut une pensée brutale pour sa vision à la vitrerie-miroiterie; le sang, le vide, les terribles retrouvailles avec Eulalie et l'Autre sur fond de fin du monde. N'étaient-ce pas finalement ses propres peurs qu'elle avait projetées dans la glace ? Elle observa son ombre et celle de Thorn, exagérées par les lampes, qui se distendaient à leurs pieds et se superposaient l'une à l'autre.

– Moi aussi, je me pose beaucoup de questions. Je me suis souvent demandé pour quelle raison je lui ressemblais à ce point. À Eulalie, précisa-t-elle comme Thorn l'interrogeait du regard. J'ai beaucoup plus en commun avec elle qu'avec mes propres sœurs. Je partage même certains de ses souvenirs, des souvenirs qui ne m'ont pas été inoculés comme les tiens.

Elle se tut un instant. Autour d'eux, la demeure de Lazarus était plongée dans le calme, à peine troublé par le bruissement des moustiquaires, agitées par la brise, et l'activité lointaine des automates. Du quartier, aucun bruit ne leur parvenait. Les nuits de Babel ne connaissaient ni les musiques de fête, ni les voisins bruyants, ni les klaxons de la route.

– Je crois avoir enfin compris pourquoi, poursuivit Ophélie. Cet Autre que j'ai libéré du miroir de ma chambre, avec lequel je me suis *mélangée*, dit-elle en insistant sur ce dernier terme. C'est le reflet d'Eulalie Dilleux.

Cette affirmation aurait eu de quoi faire ricaner Thorn, si tant est qu'il en fût capable, mais il se mit à y réfléchir avec application au contraire.

Ophélie leva alors lentement sa main gauche et regarda son ombre l'imiter de la main droite.

– Un reflet qu'Eulalie aurait perdu en même temps que son humanité, murmura-t-elle d'une voix trouble. Une partie de moi adhère à cette théorie, certainement depuis plus long-temps que je ne veux bien l'admettre, et une autre la rejette. Je sais que nous vivons dans un monde où les miracles sont devenus la norme, mais… un reflet capable de s'échapper d'un miroir ? capable d'agir et de penser par lui-même ? capable d'anéantir des arches entières? Il n'existerait donc aucune limite à la réalité acceptable qui puisse être transgressée? Et puis quel serait le rapport avec le projet de l'observatoire? Eulalie Dilleux s'est-elle servie de cette Corne d'abondance pour avoir une multitude de visages et de pouvoirs? Est-ce à cause de cela qu'elle est entrée en conflit avec son reflet dans le miroir? Est-ce à cause de ce conflit que l'Autre est apparu et que la Déchirure s'est produite?

Thorn consulta sa montre à gousset qui pendait à la chaîne de sa chemise; elle ouvrit et referma d'elle-même son couvercle pour lui donner l'heure.

– Nous devrons trouver toutes les réponses par nous-mêmes, déclara-t-il avec pragmatisme. Si Eulalie Dilleux a travaillé sur un projet qui a fait d'elle et de l'Autre ce qu'ils sont aujourd'hui, alors il faut comprendre ce projet de l'intérieur. Ce qui a été fait peut être défait, il suffit juste de savoir comment. Je pars dès l'aube enquêter à l'observatoire.

Ophélie froissa sa toge de ses poings. Elle devait vraiment le lui dire, à présent. Thorn avait le droit de connaître toutes les implications de cet accident de miroir. «Je ne peux pas avoir d'enfants.» Ce n'étaient jamais que quelques mots, ils n'avaient même pas grande importance au fond, alors pourquoi refusaient-ils de sortir?

Ophélie décida que ce n'était sans doute pas le meilleur moment.

– J'y vais avec toi.

Thorn se contracta, mais il n'y eut aucune désapprobation dans sa voix :

– Je ne peux pas t'emmener.

– Je le sais. Sir Henry ne doit pas s'afficher en compagnie d'une étrangère qui porte ceci au milieu du front. (Avec un sourire en coin, Ophélie tapota son coup de tampon.) Nous éveillerions les soupçons de tout le monde. J'irai par mes propres moyens. Après tout, Lazarus a affirmé que j'étais intéressante pour cet observatoire, en tant qu'inversée. Je pourrais me porter volontaire.

Elle s'abstint d'ajouter que le docteur de la visite médicale le lui avait suggéré également.

– Personne ne se porte volontaire dans ce genre d'institut sans avoir une excellente motivation, l'avertit Thorn. L'espion des Généalogistes a peut-être disparu pour avoir manqué de prudence. S'il a été démasqué, ils vont redoubler de vigilance à l'observatoire et se méfier des nouveaux venus.

– Je me renseignerai dès demain sur la meilleure stratégie à adopter. J'ai moi aussi des informateurs.

Fidèle à lui-même, Thorn ne rendit pas son sourire à Ophélie. Il examina d'un œil de fer la marque du tampon derrière le désordre de ses boucles.

– J'ai beau porter l'insigne des Lords de LUX, j'ignore à quoi rime ce recensement. L'effondrement du quartier nord-ouest de la cité va avoir des conséquences. Peut-être devrais-tu éviter de t'exposer en public, au moins un temps.

– Il faudra plus que toute la bureaucratie de Babel pour m'empêcher de te rejoindre.

Les sourcils de Thorn se relâchèrent brutalement. Il contempla Ophélie d'un air dérouté, comme s'il était invraisemblable qu'elle fût toujours là, assise près de lui au bord de cet impluvium, et de son plein gré avec ça. Une succession d'expressions fulgura alors à travers sa figure, si contradictoires et si subtiles qu'elles étaient difficiles à démêler les unes des autres. Soulagement. Frustration. Gratitude. Exigence.

Il esquiva le regard qu'Ophélie posait sur lui et dut s'éclaircir la voix avant de lui répondre enfin :

– Je t'attendrai.

Il eut l'air tout à coup mal à l'aise sur cette bordure de pierre, comme étriqué dans sa propre peau, encombré de ses bras trop grands, de ses jambes trop longues et de son armature trop lourde.

Ophélie comprit alors que l'intimité qu'ils avaient partagée la veille ne lui avait pas livré Thorn dans son intégralité; une part de lui demeurait impalpable. L'intervalle entre eux était mince, mais il était devenu de trop. Elle éprouva soudain le besoin d'y mettre un terme, mais elle reprit conscience de sa chair égratignée et de ses cheveux poussiéreux. Elle était sans doute un peu perturbante pour quelqu'un qui plaçait l'hygiène au premier rang de ses priorités.

– Dois-je me désinfecter?

Les ténèbres s'abattirent sur Ophélie. Le souffle coupé, elle mit un moment à comprendre que Thorn l'avait brusquement plaquée contre lui. Les étreintes n'étaient chez lui précédées d'aucun signe avant-coureur. C'était la distance, et puis c'était le mélange.

– Non, dit-il.

Ophélie s'abandonna contre lui sans plus réfléchir. Elle écouta les battements furieux de son cœur. Elle aimait qu'il fût si grand et qu'elle fût si petite. Il la submergeait tout entière comme une vague.

Thorn se dégagea à l'instant où il rencontra ses yeux, ouverts en grand sous ses lunettes déstabilisées. Il se détourna en pressant l'arête de son nez avec force. Ses oreilles étaient enflammées.

– Je n'ai pas l'habitude de ça, articula-t-il. Être regardé de cette façon.

– Quelle façon?

Thorn se racla encore la gorge, embarrassé comme Ophélie ne l'avait jamais vu l'être. Lui qui était si éloquent quand il s'agissait de raisonnements intellectuels, il paraissait maintenant à court de mots.

– Comme si j'étais désormais incapable de commettre des erreurs. Il se trouve que j'en commets. Un peu plus que cela, même.

Thorn baissa vers Ophélie son grand nez, qui portait l'empreinte de ses doigts, pour la considérer avec le plus grand sérieux.

– Si à un moment quelque chose ne te convient pas... un geste que j'ai, un mot que je n'ai pas... tu dois me le dire. Je ne veux pas avoir à me demander pourquoi je n'arrive pas à rendre ma femme heureuse.

Ophélie se mordit l'intérieur de la joue. La vérité, c'était qu'ils se situaient désormais tous les deux en terre inconnue.

– Je suis déjà heureuse. Un peu plus que cela, même.

Les lèvres sévères de Thorn furent parcourues d'un frémissement. Il se pencha sur elle, résolument cette fois, mais l'articulation de son armature de jambe se bloqua, le figeant en plein élan. Il en fut si exaspéré qu'Ophélie ne put contenir son rire plus longtemps.

Oui, en dépit du monde qui partait en morceaux, elle était heureuse. Elle se demanda si Eulalie Dilleux avait déjà ressenti cela et ce qu'elle pouvait bien faire en ce moment même, où qu'elle fût.

SOLITUDE

Le Faux-Bonhomme-Tout-Roux leva les poings. Dans un mouvement désordonné, il déroula ses bras musclés, les élança loin au-dessus de sa tête, ouvrit deux mâchoires énormes et bâilla.

Victoire recula de frayeur. Pas trop, cependant. Elle ne voulait pas perdre Parrain qui marchait à grandes enjambées dans la rue. Elle était très étrange, cette rue. Une terrasse pleine de parasols se replia sur elle-même jusqu'à disparaître complètement. La même chose se produisit un peu plus loin avec des étalages de fruits multicolores. Puis plus loin encore avec un joli kiosque à journaux. Dès qu'ils voyaient approcher Parrain, les gens se réfugiaient chez eux et les maisons les imitaient dans un enchaînement de pliages compliqués, comme si elles étaient faites en papier. À la fin, il n'en restait que des façades blanches, sans portes ni fenêtres, aussi hautes que le ciel.

La rue fut bientôt toute vide. Il n'y avait plus que Parrain, le Faux-Bonhomme-Tout-Roux, la Dame-Aux-Drôles-D'yeux et Victoire, mais elle, ça ne comptait pas vraiment. Il s'était passé la même chose avec la rue d'avant, et celle d'avant, et celle d'avant.

Parrain s'arrêta dans un rayon de soleil, échappé d'entre les toits, tout là-haut. Un doigt débordait du trou de sa poche, ses bretelles flottaient sur ses cuisses. Il ferma les paupières et inspira profondément par le nez, comme s'il voulait se nourrir de lumière. Sa peau et sa barbe scintillaient.

Lorsqu'il se tourna vers le Faux-Bonhomme-Tout-Roux et la Dame-Aux-Drôles-D'yeux, il souriait.

– L'adage dit vrai. Il n'y a pas plus insaisissable qu'un Arcadien qui ne veut pas être trouvé.

Victoire l'entendait mal. *Voyager*, c'était comme contempler le monde depuis le fond d'une baignoire, mais elle avait l'impression que cette baignoire-là était de plus en plus profonde. Elle n'avait jamais fait un *voyage* aussi long. Les voix lui parvenaient encore plus tordues, encore plus lointaines, souvent en double. Le sourire de Parrain, c'était la seule chose ici qui la faisait se sentir un peu en sécurité.

La Dame-Aux-Drôles-D'yeux fouilla dans la trousse à outils qu'elle portait en ceinture. Elle donna de petits coups de marteau contre une façade, approchant tout près son oreille.

– Épaisseur minimale. Se cachent, mais nous écoutent.

La Dame-Aux-Drôles-D'yeux parlait avec la moitié de la bouche, l'autre moitié mordant une cigarette. Allumée ou éteinte, elle en avait toujours une coincée entre les dents, ce qui la rendait encore plus difficile à comprendre.

– Vous évitent, ex-ambassadeur. Faut dire que vous collectionnez les incidents diplomatiques. Peut-être qu'on devrait vous éviter aussi. Hein, Renard?

La Dame-Aux-Drôles-D'yeux posa ses drôles d'yeux, l'un très bleu et l'autre très noir, sur le Faux-Bonhomme-Tout-Roux. Il eut un vague signe du menton qui ne ressemblait ni à un oui ni à un non. Ses cheveux faisaient un feu dans la lumière de midi, et pourtant Victoire ne lui trouvait rien de chaud.

Parrain s'allongea au milieu de la rue, en plein soleil, un bras replié derrière la tête, un autre agitant son chapeau percé comme un éventail. Son sourire n'était destiné qu'au ciel.

– J'ai bien peur d'être absolument inévitable. Même pour moi.

Victoire aurait tellement voulu se rapprocher de lui. Même s'il ne pouvait ni la voir ni l'entendre ni la toucher. Même si elle-même ne percevait de lui qu'une forme trouble et des sons déformés. Elle n'osait pas. Le Faux-Bonhomme-Tout-Roux ne quittait jamais Parrain, parlant peu, écoutant tout. Il la terrifiait.

La Dame-Aux-Drôles-D'yeux fit tournoyer son marteau dans les airs, le rattrapa par le manche, puis recommença.

– Alors c'est ça, le plan? On se couche par terre et on attend?

– Précisément, dit Parrain.

La Dame-Aux-Drôles-D'yeux poussa un juron que Maman n'aurait pas aimé entendre. Elle avait failli perdre l'équilibre à cause d'Andouille qui se collait à ses mollets.

– Occupe-toi de ton chat, Renard!

Le Faux-Bonhomme-Tout-Roux fit claquer sa langue, mais Andouille ne répondit pas à l'appel : il le fixa sans bouger. Victoire savait pourquoi. Elle aussi, elle pouvait voir la foule d'ombres qui grouillaient sous ses souliers. Il n'était pas le vrai Grand-Bonhomme-Tout-Roux. Il n'était pas celui qui l'avait promenée en poussette dans le parc de la maison, ni celui qui l'avait rattrapée quand elle avait failli dégringoler d'un tabouret de harpiste. Non, ce Faux-Bonhomme-Tout-Roux, c'était quelqu'un d'autre. Victoire ne savait pas qui, mais tout en elle hurlait « danger!» et ni Parrain ni la Dame-Aux-Drôles-D'yeux ne s'en rendaient compte.

Victoire aurait tellement voulu que Père fût là. Lui, il aurait été capable de la voir. Il aurait chassé le

Faux-Bonhomme-Tout-Roux de la même façon qu'il avait chassé la Fausse-Dame-D'or.

Elle se figea.

Le Faux-Bonhomme-Tout-Roux venait de jeter un regard par-dessus son épaule : il paraissait deviner sa présence du coin de l'œil. Les ombres sous ses souliers se tortillèrent aussitôt dans de grandes gesticulations.

À cet instant, une voix se répercuta sur les murs blancs de la rue :

– Qu'est-ce que je vais bien pouvoir faire de toi ?

C'était une voix telle que Victoire n'en avait jamais entendu. Une voix d'homme et de femme à la fois, et semblant venir du ciel. Là-haut, tout là-haut, une personne était assise au bord d'un toit. Victoire essaya de mieux la distinguer, mais les yeux du *voyage* rendaient encore plus flou ce qui se trouvait à distance.

– Don Janus, salua Parrain en se remettant souplement debout. Je vous cherchais.

La personne disparut du toit. Elle n'en était pas tombée ; elle avait cessé d'y être. Elle se tenait maintenant au milieu de la rue, juste devant Parrain. Son corps était, comme sa voix, ni vraiment celui d'un homme ni vraiment celui d'une femme, ou alors un peu des deux à la fois.

– Personne ne me cherche, c'est moi qui trouve les autres. En particulier ceux qui me désobéissent.

La curiosité éclipsa momentanément chez Victoire la crainte que lui inspirait le Faux-Bonhomme-Tout-Roux. L'homme-femme était aussi immense, aussi élégant et aussi indéchiffrable que l'était Père, mais à part cela il ne lui ressemblait en rien. Sa peau avait la couleur du caramel, ses moustaches la forme de spirales d'escalier et il portait autour du cou une collerette d'une telle épaisseur que sa tête semblait posée sur une meringue.

L'homme-femme ne voyait pas Victoire, lui non plus. En fait, il ne regardait que Parrain.

– Je n'ignore rien de ce qui se passe sur Arc-en-Terre, *niño*. Je sais que tu as créé un passage entre mon arche et le Pôle, que tu as rendu visite à la première favorite de mon frère Farouk, que tu avais l'intention de la ramener ici, de l'introduire chez moi et que tu comptais sur son influence pour me faire changer d'avis.

L'homme-femme s'exprimait lentement, sans reprendre son souffle.

– Mon avis est inchangé. Mes consignes sont restées les mêmes. Plus rien ne doit entrer sur Arc-en-Terre et plus rien ne doit en sortir. Toi inclus, *niño*. Tu pensais vraiment que je ne me rendrais compte de rien?

– Je l'espérais, répondit Parrain. Je me suis absenté moins d'une heure et je suis rentré bredouille. Inutile d'en faire tout un fromage.

– Huit de mes Roses des Vents ont disparu à travers le monde.

Victoire était à peu près sûre que l'homme-femme n'avait aucune envie de s'amuser, mais Parrain s'esclaffa.

– Ah çà, je n'ai touché à rien. Je n'ai fait qu'invoquer un raccourci jusqu'au Pôle. Je l'ai annulé juste après mon passage.

Sur l'une des façades, un bloc de pierres blanches se détacha du mur et se déplia avec la souplesse du carton jusqu'à faire apparaître une fenêtre avec balcon. Des gens s'y penchèrent pour observer ce qui se passait en bas.

– Huit de mes Roses des Vents ont disparu, répéta l'homme-femme. Le sol sur lequel elles se situaient également. J'ai demandé aux *señores* de la compagnie de revérifier, leur rapport est formel. Tu t'en vas et à ton retour, *niño*, les arches partent en miettes. Je suis tenté d'y voir, moi, un lien de cause à effet.

Il inclina le buste en avant dans un mouvement si spectaculaire que Victoire crut qu'il allait tomber sur Parrain. Elle se
rendit compte qu'il y avait une ombre collée à lui comme une
grande cape de fumée. Personne à part Victoire ne parut la
remarquer, cette ombre-là. Sans être pareille, elle lui rappelait
la grande ombre griffue de Maman et de Père.

– Je n'ai pas d'autre choix que de te considérer comme un
membre de ma descendance, puisqu'un peu de mon pouvoir
familial coule dans tes veines. Je vais cependant devoir te mutiler pour en avoir fait si mauvais usage.

Victoire se mit à avoir peur en voyant l'homme-femme
ouvrir une main aux doigts gigantesques et l'approcher de Parrain comme s'il voulait emprisonner sa tête à l'intérieur.

Puis il se produisit quelque chose de très lent et de très rapide
à la fois. Victoire vit la grande ombre se détacher de l'homme-
femme, virevolter dans les airs en un tourbillon de fumée et
atterrir sur le trottoir, juste derrière Parrain. L'instant suivant,
l'homme-femme s'y trouvait à son tour. Il avait pris la place de
l'ombre sans avoir eu besoin de bouger.

Il donna dans le dos de Parrain une grande claque qui renversa son chapeau par terre.

– Réflexion faite, je ne te crois pas assez puissant pour provoquer une telle instabilité dans l'espace.

Victoire ramena son attention sur le Faux-Bonhomme-Tout-
Roux. S'il se tenait calme et immobile, ses ombres étaient très
agitées, elles. Elles se tordaient à ses pieds et tendaient leurs bras
– tellement de bras! – vers l'homme-femme, comme si elles
voulaient lui arracher son ombre sans y parvenir.

Parrain ramassa son chapeau et, d'une pirouette de la main,
le recoiffa sur ses cheveux en bataille.

– Cette instabilité, don Janus, est probablement l'œuvre de
Dieu. Vous devriez vous employer à le tirer de sa cachette au

lieu de me faire la morale. Vous avez fondé toute une famille d'Arcadiens qui tricotent avec l'espace et vous disposez parmi eux d'une élite d'Aiguilleurs capables de retrouver n'importe qui n'importe où. Les obliger à se terrer comme des taupes… quel gaspillage !

Victoire ignorait ce que Parrain avait dit de si intéressant, mais les ombres du Faux-Bonhomme-Tout-Roux s'agitèrent encore plus.

L'homme-femme plongea les doigts dans les plis de sa grosse collerette, comme s'il fouillait à l'intérieur même de son cou, et en sortit un livre qui faisait presque la taille de Victoire. Père en avait un semblable qu'il portait toujours sur lui.

– Inutile de revenir à la charge avec ça, dit l'homme-femme en secouant son livre. Je ne suis pas comme mes frères et sœurs, j'ai une mémoire en parfait état de marche. Mes *Agujas* resteront introuvables tant que je n'en aurai pas décidé autrement. Quant à *cette personne* que tu appelles « Dieu », je n'ai pas oublié non plus son véritable nom.

– Son véritable nom, répéta Archibald d'un ton très intéressé.

– Un nom que je ne te donnerai pas sans rien obtenir en échange. Tu vas devoir regagner ma confiance, *niño*. Sache au moins ceci : *cette personne* et moi n'avons jamais été proches. Géographiquement, s'entend. Depuis que je suis en âge de me servir de mon pouvoir familial, j'ai été incapable de rester en place. Je n'étais pas avec *cette personne* le jour où le monde s'est déchiré. Je n'étais pas là non plus lorsque *cette personne* a arraché une page à chaque Livre de mes frères et sœurs, les privant de mémoire à jamais. Je dois dire que ça ne m'a pas incité à la revoir. J'ai décidé de garder mes distances, j'ai caché Arc-en-Terre dans un pli de l'espace et puis voilà. Je ne me mêle pas des affaires de *cette personne*, elle ne se mêle pas des miennes, tout le monde y trouve son compte depuis des siècles.

La Dame-Aux-Drôles-D'yeux, qui était restée silencieuse jusque-là, s'avança avec détermination. Elle laissa tomber sa cigarette fumante, l'écrasa du talon pour l'éteindre et planta ses drôles d'yeux dans ceux de l'homme-femme.

– Lâche.

Les gens du balcon se mirent à hurler des mots horribles et à jeter des oranges. Parrain en attrapa une au vol, puis se mit à l'éplucher tranquillement.

– Et c'est moi qui collectionne les incidents diplomatiques ?

Si le sourire de Parrain n'avait pas été là, Victoire aurait vraiment été inquiète. La Dame-Aux-Drôles-D'yeux, elle, ne riait pas du tout.

– Ça a cessé d'être vrai, Janus, et vous le savez. *Cette personne* en a après votre pouvoir familial et c'est à cause de ça que la Mère Hildegarde...

– ... a accompli son devoir.

D'un glissement de doigts, l'homme-femme redessina la spirale de ses moustaches.

– Elle était peut-être ma descendante, ajouta-t-il, mais elle ne m'en a pas moins trahi en changeant son nom et en s'écartant de la politique familiale. La neutralité fait loi chez nous. Doña Mercedes Imelda s'est beaucoup trop mêlée des affaires des autres familles, la vôtre en particulier. Elle n'a fait que réparer son erreur. Quant à *cette personne*, nous allons tous sagement rester ici, entre nous, le temps qu'elle revienne à de meilleures dispositions.

Victoire vit le poing de la Dame-Aux-Drôles-D'yeux se contracter autour du manche de son marteau, mais Parrain choisit ce moment pour se glisser entre elle et l'homme-femme.

– Je vous propose un marché, don Janus. Si nous arrivons à vous prouver qu'Arc-en-Terre est d'ores et déjà impliquée dans les manigances de *cette personne*, nous lui remonterons les bretelles ensemble.

Victoire ne comprenait peut-être rien à toutes ces discussions d'adultes, mais elle reconnut du moins le mot «bretelles» tandis que Parrain enfilait les siennes par-dessus sa chemise pour les empoigner avec une attitude décidée. Il avait l'allure d'un héros. Il avait toujours été son héros. Alors pourquoi ne la voyait-il pas?

L'homme-femme enfonça son livre dans les plis de sa collerette.

– Marché conclu. D'ici là, *niño*, j'interdis à quiconque sur Arc-en-Terre d'avoir le moindre commerce avec toi et ta troupe. Vous avez une bien trop mauvaise influence.

Les gens à la fenêtre rentrèrent aussitôt chez eux; le balcon se replia dans un froissement de papier et il n'y eut bientôt à la place que des rangées de pierres blanches.

Victoire vit l'ombre de l'homme-femme prendre son envol, tel un grand oiseau de fumée. L'instant d'après, il avait disparu à son tour.

La Dame-Aux-Drôles-D'yeux fixa longtemps Parrain. Elle semblait maintenant avoir envie de se servir de son marteau pour casser son sourire.

– On causera pas à un Arcadien de sitôt et on leur prouvera jamais rien. Et toi, tu t'en contrefiches! gronda-t-elle en se tournant d'un coup vers le Faux-Bonhomme-Tout-Roux. Le monde part en douilles, la Mère a crevé pour des clous et tu restes là, dans ton coin, sans rien moufter. Des fois tu te comportes encore comme un valet.

Victoire vit qu'il y avait de la douleur dans la colère de la Dame-Aux-Drôles-D'yeux. Elle semblait attendre du Faux-Bonhomme-Tout-Roux quelque chose de très important pour elle.

Il ne la regarda même pas.

– Dommage, dit-il.

Il contemplait le trottoir où s'était tenu l'homme-femme un peu plus tôt. Ses ombres continuaient de se traîner à ses pieds en tendant leurs bras dans toutes les directions, comme si elles cherchaient désespérément quelque chose qu'elles ne pouvaient pas trouver.

Lorsque Victoire vit l'une des ombres ramper jusqu'à elle, elle fut déchirée entre l'envie de s'enfuir et le besoin de rester.

Soudain, ombres et soleil se mélangèrent. Le fond de la baignoire depuis lequel Victoire observait le monde se fit plus trouble encore. Les formes et les couleurs s'entremêlèrent en un seul et immense tourbillon. Il n'y eut plus de Faux-Bon-homme-Tout-Roux, plus de Dame-Aux-Drôles-D'yeux, plus de soleil, plus de rue. Plus de Parrain. Victoire n'avait jamais rien vécu de tel au cours d'un *voyage*. Elle ne comprenait pas ce qui se passait. Elle se sentit aspirée par ce tourbillon, comme s'il voulait la diluer avec l'univers tout entier.

Elle pensa «non!» et le tourbillon inversa son cours, puis ralentit son mouvement. Les formes et les couleurs reprirent petit à petit leur place. La rue retrouva une apparence à peu près stable. Elle était vide. Et obscure. Le soleil ne tombait plus d'entre les toits.

Victoire regarda de tous côtés. Parrain était parti. Où? Elle avança droit devant, tourna à droite, monta un escalier, tourna à gauche. Le ciel, tout en haut des rues, était de moins en moins bleu. Victoire aperçut au détour d'un parc une silhouette qu'elle crut être celle de Parrain, mais c'était en fait un allumeur de réverbères, sa perche sur l'épaule. Des portes apparaissaient parfois sur une façade; elles s'ouvraient toujours sur des inconnus qui sortaient dans la rue pour s'échanger des murmures, promener leur chien, puis rentrer chez eux en se souhaitant bonne nuit.

Victoire s'arrêta au milieu du pont le plus haut de la ville et fit tomber son regard sur le pointillé des lampadaires en contrebas. Des tas et des tas de rues zigzaguaient dans le noir.

Elle avait perdu Parrain pour de bon.

Elle leva la tête vers ce vrai ciel qu'elle avait toujours voulu voir quand elle était à la maison. Il n'était plus bleu du tout. Elle était seule. Seule et perdue. Elle pensa à l'Autre-Victoire de toutes ses forces – si elle avait eu de vraies paupières, elle les aurait fermées de toutes ses forces aussi – pour ne faire à nouveau qu'une avec elle. Son corps de *voyage* se recroquevilla sur lui-même. Elle n'avait jamais prononcé un mot depuis sa naissance, mais le silence hurla en elle.

Maman. Maman.

– Je n'ai pas amandé la donne.

Le Faux-Bonhomme-Tout-Roux était là.

Il s'était penché sur Victoire au point de cacher les étoiles. Son regard la traversait sans la voir, mais il plissait les paupières et fronçait ses gros sourcils, à croire que ça l'aidait à deviner sa présence au milieu du pont. Victoire avait elle-même du mal à le discerner, à cause de la nuit et du *voyage*. Curieusement, elle distinguait cependant très bien les ombres sous ses pieds. Elles pointaient toutes leurs doigts dans sa direction.

– Abandonné le monde, reprit le Faux-Bonhomme-Tout-Roux. Je n'ai pas abandonné le monde.

Son corps musclé se mit alors à rapetisser, tandis que ses cheveux, à l'inverse, poussèrent, poussèrent, poussèrent. Le Faux-Bonhomme-Tout-Roux était à présent une petite dame à lunettes. Victoire n'avait vu qu'une fois Marraine, mais elle lui fit un peu penser à elle. Mais surtout, elle lui fit penser à Maman. C'était dans son regard qui cherchait le sien à travers la nuit. Comme un vide qui ne demandait qu'à être rempli.

– Je m'appelle Eulalie. Et je ne t'abandonnerai pas non plus, petite fille.

La Petite-Dame-À-Lunettes reprit alors l'apparence du Faux-Bonhomme-Tout-Roux et fit demi-tour d'un pas trébuchant, comme s'il était compliqué pour elle – pour lui – de donner une direction contraire à son corps, puis attendit.

Après une longue hésitation, Victoire décida de les suivre, elle – lui – et les ombres.

LE BLANC

– Qu'ont-ils ressenti à votre avis ? demanda Ambroise. Ceux qui sont tombés dans le vide.

Juchée sur le marchepied arrière du fauteuil roulant, Ophélie ne voyait pas son visage. Elle ne voyait pas grand-chose, en fait. Le jeune chauffeur de tac-si avait déployé au-dessus d'elle une ombrelle mécanique qui lui tombait sur les lunettes et, quand elle parvenait à la repousser, c'était un énorme turban qui lui obstruait la vue. L'écharpe n'avait pas voulu laisser Ambroise sortir sans elle ; elle s'était agrippée à lui de toutes ses mailles, comme si elle voulait se fondre dans ses cheveux et devenir une partie de son tout. À cause du code vestimentaire, il l'avait enveloppée dans un bandeau blanc qui lui enflait sur le crâne.

Ophélie avait beau se raisonner, elle se sentait dépouillée d'un petit bout d'elle-même.

– Je ne sais pas.

– Je vous ai déjà dit que mon père avait essayé d'explorer le vide entre les arches, n'est-ce pas ? Il voulait prendre en photographie le noyau du monde, mais il n'a pas réussi à descendre jusque-là. Personne n'a jamais réussi. Peut-être qu'ils ne sont pas *really* morts, ceux qui sont tombés ? Peut-être qu'ils sont tout en dessous, prisonniers des orages éternels ? Ou alors, dit Ambroise après avoir évité de justesse un dodo qui traversait la rue, peut-être qu'ils sont ressortis de l'autre côté ? Peut-être qu'ils se trouvent maintenant aux antipodes d'ici, dans le voisinage d'une autre arche ? Ça contredirait le principe de la mémoire planétaire – vous savez, celui qui explique que toutes les arches occupent une position absolue les unes par rapport aux autres –, mais je préfère cette idée à… *well*… vous voyez.

Ambroise avait au moins ceci en commun avec Lazarus qu'il était capable de faire la conversation pour deux – et davantage.

– Mon père est reparti en voyage au pire moment, soupira-t-il en contemplant le ciel qui se découpait entre les toits de Babel. J'espère qu'il va bien. Il est souvent absent, je ne comprends pas toujours tout ce qu'il fait, mais il m'aime, assura-t-il comme s'il craignait qu'Ophélie eût des doutes à ce sujet. Il m'a toujours dit que j'étais *very* important, malgré mon inversion.

– Êtes-vous déjà allé à l'observatoire des Déviations ?

– Jamais, *miss*. Quand il est de passage à Babel, mon père s'y rend quelquefois pour y livrer de nouveaux automates. Les directeurs de l'observatoire comptent parmi ses plus gros clients ! Mon père dit sur le ton de la plaisanterie qu'ils jugeraient plus intéressant de le disséquer, lui – vous savez, par rapport à son *situs transversus* –, mais il préfère attendre d'être mort pour faire don de ses organes à la science, fussent-ils à l'envers.

Ophélie visualisa l'immense portrait en pied de Lazarus qui trônait dans sa demeure. Oui, c'était typiquement le genre de propos qu'il pouvait tenir.

– J'aimerais vous demander autre chose. Quelque chose de personnel.

– *Of course, miss* !

– Qu'est devenue votre mère ?

Ambroise tourna vers Ophélie un regard surpris et faillit percuter le pousse-pousse arrêté devant lui. Toutes les voies de circulation étaient embouteillées. Il en allait ainsi depuis que les Babéliens s'étaient mis à fuir la périphérie et les arches mineures du voisinage. Ils ne se sentaient en sécurité qu'au centre-ville. La chaise roulante d'Ambroise pouvait se faufiler entre les omnibus et les carrioles, mais il fallait compter aussi les triporteurs, les chariots à bagages, les animaux, les machines et la foule de piétons qui occupaient chaque parcelle de la voie publique. Certains prenaient d'assaut les véhicules à l'arrêt pour supplier leurs occupants de les héberger, le temps pour eux de se trouver un endroit où loger.

L'air entier résonnait de «*Please! Please! Please!*».

Ophélie refusait d'éprouver de la culpabilité à cause de l'effondrement, mais ça ne l'empêchait pas de se sentir mal pour tous ces gens. Plusieurs d'entre eux portaient la même marque de tampon que la sienne sur le front. Elle s'était presque écorché la peau à force de la frictionner avec du savon, sans seulement réussir à faire pâlir l'encre.

Ambroise arracha son fauteuil des bouchons en coupant à travers la jungle d'un square où des familles entières avaient monté des tentes.

– J'aimerais bien le savoir moi-même, finit-il par répondre. Je n'ai pas connu ma mère et mon père cesse d'être bavard dès qu'il s'agit d'elle. Je ne pourrais même pas vous dire de quelle arche elle vient ni si je lui ressemble.

Sa voix avait perdu de sa légèreté. Ophélie se sentit bête d'avoir pu être jalouse de lui à cause de l'écharpe.

Il stationna son fauteuil devant un majestueux bâtiment en marbre sur le fronton duquel était gravé :

JOURNAL OFFICIEL

– Vous voilà parvenue à destination, *miss*. Ce qui est arrivé, ajouta-t-il d'une voix douce, ce n'est pas votre faute, vous le savez?

Ophélie descendit du marchepied et regarda Ambroise bien en face.

– Que ce soit clair, je ne souhaite pas retrouver l'Autre parce que je me sens en tort ou parce que je l'ai promis à votre père.

– Vous le faites parce que c'est votre décision, acheva-t-il à sa place. Je l'ai *perfectly* compris, oui.

Ophélie leur sourit, à lui et à l'énorme turban qui s'agitait sur sa tête. Elle voulait faire ses propres choix; l'écharpe avait le droit de faire les siens.

– Un jour, Ambroise, il faudra vraiment que je vous dédommage pour vos services. Vous avez beaucoup de qualités, mais le sens des affaires n'en fait pas partie.

Elle entra, seule cette fois, dans les bureaux du journal. Il y régnait un tourbillon sonore où se mélangeaient les sonneries de téléphone, les cliquetis des rotatives, le brouhaha des voix et, par-dessus toutes ces notes aiguës, le contrepoint grave des ventilateurs.

– *Sorry, miss*, nous ne pouvons pas vous renseigner.

Ophélie n'avait pas même eu le loisir de poser sa question. Le préposé à l'accueil lui désigna la sortie du coude, un combiné téléphonique dans une main, un autre coincé entre le menton et l'épaule.

– Je voudrais seulement savoir…

– Lisez notre journal, la coupa le préposé en poussant du pied un distributeur d'exemplaires. Il contient tout ce qu'il faut savoir.

– … où je pourrais trouver l'aspirant Octavio, acheva Ophélie.

– Eulalie?

Une haute pile de dossiers s'était brusquement tournée vers

elle. Sous la pile étincelaient des bottes éperonnées d'ailes en argent. Lorsque ces dernières pivotèrent, Ophélie put croiser les yeux rouges d'Octavio. Ils irradièrent comme des braises au-dessous de deux sourcils circonflexes, hissés par la surprise, avant de se tourner vers le préposé qui raccrocha aussitôt ses deux téléphones.

– Je vous demande la permission de laisser entrer cette personne. Je la connais.

– Très bien, milord. *Sorry*, milord.

– Ce préposé s'adresse à toi comme si tu étais le directeur éditorial, fit remarquer Ophélie, tandis qu'elle suivait Octavio à travers les différents services du journal.

Il ne releva pas, déposant des dossiers sur chaque coin de bureau, répondant du bout des lèvres aux marques de gratitude excessives des journalistes – « Merci, milord ! Présentez mes respects à Lady Septima ! » – jusqu'à ce que sa pile fût entièrement écoulée. Il fit alors entrer Ophélie dans une salle étonnamment calme par rapport aux autres services et sur la porte de laquelle était boulonnée la plaque « CRITIQUE D'ART ». Un poste radiophonique y diffusait un morceau de piano, une prestation qu'Ophélie aurait trouvée remarquable si elle n'avait été brouillée sans cesse par les échos. Une Acoustique l'écoutait avec une moue dubitative, ses oreilles dressées comme celles d'un chat, en laissant parfois échapper des « ah » et des « oh ».

Octavio fit signe à Ophélie de s'installer à une table de réunion libre, dans la lumière morcelée d'un rideau de fenêtre. Le piano, les « ah » et les « oh » se turent aussitôt. Ils se trouvaient ici dans une parenthèse d'insonorisation. Aussi longtemps qu'ils se tiendraient assis là, ils n'entendraient pas le reste du monde et n'en seraient pas entendus non plus.

– Je suis soulagé de te voir, déclara Octavio sans préambule. Quand il y a eu ce glissement de terrain dans le quartier nord-ouest, je me suis aperçu que j'ignorais où tu résidais depuis ton départ de la Bonne Famille.

Ophélie scruta le vernis de la table où se réfléchissaient leurs deux visages. Elle avait soumis Ambroise au même examen sur la vaisselle en argent du petit déjeuner. C'était une précaution déplaisante, mais nécessaire. Elle devait mettre ses sentiments de côté et ne jamais considérer l'identité de la personne en face d'elle comme authentique. Elle ne savait pas sous quelle apparence l'Autre et Eulalie Dilleux lui apparaîtraient le moment venu, mais si le premier était bien le reflet que la deuxième avait perdu, seuls les miroirs pouvaient révéler leur identité et faire tomber les masques.

Quand elle fut sûre qu'Octavio était Octavio, alors elle se sentit touchée par ses paroles. Elle constata qu'il n'avait pas remplacé la chaîne d'or que le Sans-Peur-Et-Presque-Sans-Reproche avait arrachée, et sut aussitôt qu'il ne le ferait jamais. Ce bijou était le signe ostentatoire de sa filiation avec un Lord de LUX. Ophélie considérait Octavio comme son égal, et pas seulement parce qu'il avait le même âge et la même taille qu'elle, mais tel n'était pas le cas de tous ceux qui le plaçaient sur un piédestal.

– Je suis désolée, lui dit-elle sincèrement. Même ici, les gens voient d'abord en toi le fils de Lady Septima.

À travers la longue frange noire qui lui voilait la moitié du visage, Octavio se fendit d'un sourire qui n'était ni vraiment joyeux ni tout à fait triste.

– Seule compte l'opinion de mes amis.

Il vida le fond d'une carafe dans un verre qu'il servit ensuite à Ophélie. La lumière de la fenêtre traversa l'eau pour venir trembler sur la table.

– *In fact*, de ma seule amie. Que puis-je faire pour toi ? Si c'est à propos de ceci, enchaîna-t-il en pointant le tampon sur son front, les communiqués de presse émanant du palais familial n'ont pas encore divulgué sa signification. Le journal est submergé par les demandes d'informations. Je peux seulement te dire que ça concerne presque exclusivement les Filleuls d'Hélène séjournant depuis moins de dix ans sur Babel.

– Elizabeth me l'a expliqué, oui.

Les yeux d'Octavio se mirent à rougeoyer sous l'effet de son pouvoir familial.

– Tu es un peu déçue, constata-t-il. Je le vois à la façon dont les muscles de ton visage se sont très légèrement affaissés.

Ophélie croisa les bras devant son ventre. Elle savait que la vision d'Octavio n'était pas celle d'un médecin, mais être dévisagée ainsi la mettait désormais mal à l'aise. Sans doute le perçut-il, car il détourna pudiquement le regard.

– Ce n'est pas parce que j'exerce en tant qu'aspirant avant-coureur au *Journal officiel* que ça fait soudain de moi un grand initié. Je suis encore à moitié étudiant et j'ai désormais la responsabilité d'une division entière à la Bonne Famille. Mon travail ici consiste *only* à vérifier la pertinence des communiqués que les citoyens nous adressent, et ils ne sont pas fiables neuf fois sur dix. Les Sales Gosses de Babel ne nous facilitent pas la tâche en désinformant le public à grand renfort de tracts catastrophistes et de fausses rumeurs.

Ce fut au tour d'Ophélie de le considérer avec attention. Le soleil venait de disparaître derrière le rideau de fenêtre, avalé par une brutale marée de nuages, et cette ombre renforça celle qui se trouvait déjà sous la frange d'Octavio.

– Je ne suis pas aussi observatrice que toi, mais j'ai appris à te connaître. Qu'est-ce qui te pèse ?

Ophélie réalisa soudain à quel point ses propres épaules s'étaient tendues sous sa toge. Elle s'efforçait de ne pas y penser, mais il lui semblait qu'on pouvait lui annoncer à chaque instant qu'Anima avait disparu. Elle avait quitté sa famille sans un mot d'explication et, si elle estimait que le choix ne lui avait pas vraiment été laissé – sa mère prenant toutes les décisions, son père fuyant toutes les responsabilités –, elle regrettait chaque jour de ne pas leur avoir dit à quel point elle les aimait.

Octavio eut un bref coup d'œil pour l'autre côté de la salle où la critique d'art administrait des claques au poste radiophonique, probablement exaspérée par les échos. Elle ne leur prêtait aucune attention et, quand bien même elle l'aurait fait, ses oreilles d'Acoustique n'auraient pas pu les entendre, si fines fussent-elles.

– Je ne sais pas, admit-il enfin. Comme je te l'ai dit, Eulalie, nous recevons des communiqués en permanence. Plusieurs nous ont été télégraphiés depuis Totem, l'arche la plus proche de Babel. Ils laissent entendre qu'eux aussi connaissent des difficultés, mais il nous est actuellement impossible de vérifier l'authenticité de cette source.

Ophélie trempa les lèvres dans son verre. L'eau était aussi brûlante que l'air, en dépit des ventilateurs de plafond.

– Le journal ne pourrait pas envoyer quelqu'un là-bas ?

– Pour le moment, tous les vols long-courriers sont suspendus. Les échos perturbent les radiocommunications et il n'y a personne pour expliquer pourquoi il y en a tellement, tout à coup. Ce n'est pas problématique pour les petits trajets, je suis moi-même venu en tramoiseaux ce matin, mais survoler la grande mer de nuages sans repères est une autre affaire.

– Encore les échos… Que sont-ils exactement ?

Cette interrogation ne s'adressait pas particulièrement à Octavio, aussi Ophélie s'étonna-t-elle de sa réponse catégorique :

– Ils ne devraient pas être, et c'est précisément le problème.

Techniquement, ce ne sont même pas des échos au sens propre. Un écho normal, par exemple, c'est quand notre voix nous revient après avoir rebondi sur un mur. C'est le retour d'une onde vers la source qui l'a émise. Ces échos-là ont un comportement tout à fait différent. On ne les entend pas, on ne les voit pas. Seuls nos appareils technologiques les détectent accidentellement. Non, conclut Octavio avec gravité, ces échos-là n'évoluent pas sur la même longueur d'onde que la nôtre. Ils n'ont rien de *normal*. Pire, ils sont devenus dangereux.

Et pourtant, songea Ophélie, ils étaient d'après Lazarus «la clef de tout».

– Ici, au journal, reprit Octavio, nous savons cependant qu'un convoi de dirigeables a été appareillé cette nuit. Initiative des Lords de LUX. Ils semblent envisager de quitter Babel. Peut-être ont-ils trouvé un moyen de contourner le problème des échos pour les systèmes de navigation? Nous attendons les communiqués officiels pour en savoir plus.

Chaque fois qu'Octavio mentionnait les Lords de LUX, la pensée de sa mère transparaissait dans sa voix. Ses paupières se refermèrent comme deux éteignoirs sur le feu de son regard, mais même ainsi il semblait capable de voir à travers leur membrane.

– Je dois vérifier l'authenticité de tous les communiqués, répéta-t-il. Tous, sauf ceux qui émanent de LUX et donc de la quasi-totalité des institutions. La parole des Lords n'est jamais remise en cause. La cité a-t-elle cessé d'être transparente ou est-ce seulement ma vision qui a changé?

Ophélie fut rappelée à la réalité par l'horloge de table dont le carillon sonna. À l'heure qu'il était, Thorn devait déjà avoir endossé ses nouvelles fonctions.

– J'ai un service à te demander. C'est à la fois délicat pour toi et important pour moi.

Elle prit une inspiration, cherchant ses mots. Si Octavio la considérait comme une amie, la réciproque était vraie aussi. Elle aurait aimé se confier à lui, mais il ne lui était pas possible de le faire sans évoquer la mission des Généalogistes et donc compromettre Thorn. Elle ne pouvait pas lui dire la vérité, elle ne voulait pas lui mentir non plus. Elle repensa aux paroles du docteur de la visite médicale – elle y pensait continuellement, en fait – et décida de s'en servir comme compromis.

– On m'a recommandé d'intégrer l'observatoire des Déviations. En tant que sujet. Tu m'as parlé une fois de ta sœur, Seconde. Tu m'as dit que tu lui rendais visite là-bas chaque dimanche. Tu connais mieux que moi les rouages de cet institut. Que me conseilles-tu ?

Octavio rouvrit les paupières, comme si Ophélie venait de lui jeter le reste de son verre en pleine figure.

– Ma pause est terminée, annonça-t-il d'un ton âpre.

Dès qu'ils furent levés de table, le silence éclata comme une bulle. La machine à écrire de la journaliste produisait des bruits de percussion, recouvrant la voix feutrée du poste radiophonique : «... une prouesse musicale comme seul... comme seul Romulus peut en réaliser, rivalisant avec le doigté des plus grands... plus grands Tactiles de la cité. » Octavio s'élança vers la sortie, ses bottes claquant des ailes à chaque foulée. Ophélie le talonna sans vraiment savoir si la conversation entre eux était close ou non. Elle fut bousculée au passage par un journaliste qui balançait un paquet de photographies à la corbeille en s'écriant qu'elles étaient toutes ratées et que, tant que le problème des échos ne serait pas résolu, il ne pourrait plus faire son travail. Ophélie en ramassa une tombée par terre et constata qu'en effet l'image y était si dédoublée qu'on ne devinait même pas ce qu'elle était censée représenter.

– Hugo, en route.

Octavio avait donné cet ordre à l'un des automates qui se tenaient en rang le long du grand vestibule. Ce dernier ne possédait pas d'expressivité, faute d'un visage, mais il parut se mettre en marche à contrecœur pendant que son ventre laissait échapper un «pas de nouvelles, bonnes nouvelles». Il portait en bandoulière ce qui ressemblait à une sacoche postale. Une antenne était dressée sur le sommet de sa tête et un dispositif télégraphique avait été incorporé dans sa poitrine.

– Hugo centralise les communiqués que je dois vérifier, expliqua Octavio en tenant la porte à Ophélie. Il fonctionne aussi de la même façon que les Guides Publics de Signalisation pour me conduire jusqu'à la bonne adresse. Si tu n'es pas trop pressée, accompagne-nous.

Le ton était sec, mais moins que ce qu'elle avait craint.

Dehors, tout était blanc. La marée haute avait fait déferler une avalanche de nuages entre les façades de marbre. Ophélie échangea un signe de connivence avec Ambroise, dont le fauteuil, à peine visible, était toujours stationné devant le perron, puis elle plongea dans les nuages à la suite d'Octavio et de l'automate. Ses lunettes se couvrirent aussitôt de buée. Elle n'y voyait plus rien, se heurtant aux passants et aux bornes d'incendie. Quelques pas dans la rue suffirent à imbiber sa toge d'humidité. Elle pouvait pratiquement sentir ses cheveux boucler sur sa tête.

– Je n'ai pas vu ma sœur grandir.

La voix d'Octavio, quelque part à sa gauche, était assourdie par l'amertume autant que par le brouillard. Son pas nerveux faisait tinter ses ailes.

– Je ne l'ai même pas vue naître, poursuivit-il d'un débit rapide. Je faisais ma scolarité dans un pensionnat, chez les Cadets de Pollux, sans jamais recevoir la visite de mes parents. Pour tout t'avouer, j'ignorais que ma mère était enceinte. Le jour où elle m'a annoncé que j'avais une petite sœur a été celui où j'ai appris également que notre père était parti. Je n'ai même pas demandé à voir Seconde. Peu m'importait qu'elle soit anormale : je lui en voulais d'avoir brisé notre équilibre. Quand ma mère est revenue me voir au pensionnat pour m'apprendre qu'elle avait envoyé ma sœur à l'observatoire des Déviations, j'ai juste pensé : «*All right*, bon débarras.»

Ophélie voyait à peine Octavio, dont l'uniforme bleu nuit, gommé par la blancheur ambiante, fonçait à vive allure devant elle. Hugo lui-même avait du mal à le suivre en répétant d'une voix métallique : «SUIVEZ LE GUIDE, S'IL VOUS PLAÎT!» Le fauteuil roulant d'Ambroise les escortait à distance dans un concert de cliquetis mécaniques très reconnaissable.

– Ça m'a réclamé du temps avant d'avoir envie de la rencontrer, reprit Octavio. J'ai fini par lui rendre visite à l'observatoire, à l'insu de ma mère. Moi qui prétendais tout savoir, je me suis rendu compte que je ne connaissais rien sur cette fille qui partage mon sang. J'y suis retourné encore et encore, mais elle reste pour moi une énigme. Elle a cessé de faire partie de mon monde le jour où elle est entrée dans cet observatoire.

Tels deux phares, les yeux d'Octavio se braquèrent subitement sur Ophélie.

– N'y va pas.

– Je n'ai aucune intention de rester plus que...

– Tu ne comprends pas, la coupa Octavio. Y entrer est facile ; en sortir, beaucoup moins. Une fois que tu intègres leur programme, tu es d'office mise sous curatelle. Tu renonces à ta liberté de mouvement, ainsi qu'à ton droit de communiquer avec l'extérieur en dehors des visites, et elles sont *very* réglementées. Bref, tu leur appartiens.

Ophélie se raidit de tout son corps. Infiltrer l'observatoire l'obligerait à sacrifier le peu de libre arbitre qu'elle avait réussi à acquérir au fil des années.

– Je déplorais le manque de transparence de la cité, poursuivit Octavio d'un ton implacable, mais c'est sans commune mesure avec l'opacité qui règne là-bas.

En contradiction avec ces propos, une éclaircie inonda de soleil le pont qu'ils étaient en train de traverser. Il y avait moins de monde ici que sur les grands boulevards. Cette lumière inattendue, entre deux vagues de nuages, fit étinceler les herbes humides qui poussaient entre les pavés ; elle n'eut aucune prise sur la peau, les cheveux et l'uniforme obscurs d'Octavio.

Ophélie ne voulait pas lui créer d'ennuis. Elle ne put néanmoins retenir sa question :

– As-tu déjà entendu parler de la Corne d'abondance ?

Pris au dépourvu, Octavio sourcilla.

– *Of course!* C'est une référence mythologique. La Corne d'abondance diffère d'une arche à l'autre, parfois assiette, parfois coupe, parfois conque, mais ça ne change rien au principe : elle confère la richesse à qui la possède. Quel est le rapport avec ce dont nous parlions ?

– Tu dis qu'elle diffère d'une arche à l'autre. J'aimerais savoir ce qu'elle représente exactement ici, à Babel.

Octavio s'immobilisa au milieu du pont si brusquement qu'Hugo le percuta en proférant : « UN AMI EST UNE ROUTE, UN ENNEMI EST UN MUR. » Il soutint le regard d'Ophélie à travers ses lunettes. Elle savait qu'il se servait de son pouvoir familial pour décrypter ses battements de cils, la stabilité de ses iris et la dilatation de ses pupilles.

– Chez nous, la Corne d'abondance est étroitement liée à tout ce qui est interdit. D'après une version de la légende, plus ancienne que la Déchirure, les hommes et les femmes la convoitaient à tel point qu'ils... qu'ils se causaient mutuellement du tort.

À Babel, aucun terme appartenant au champ lexical de la

violence ne se prononçait en public. Même le mot «crime» était un crime.

– La Corne d'abondance les a jugés indignes d'elle et s'est enterrée là où personne ne pourrait la trouver, acheva Octavio. Elle attend l'heure où l'humanité se montrera enfin à la hauteur de ses bienfaits. La dernière fois que tu m'as posé des questions aussi saugrenues, ça a failli très mal se terminer. Y a-t-il quelque chose que je dois savoir ?

Sa bouche exigeait la vérité, son regard avait peur.

– Non, dit Ophélie.

Elle ignorait où elle mettait les pieds ; elle n'avait pas le droit d'y entraîner Octavio cette fois encore.

En attendant, elle ne voyait toujours pas ce que venait faire cette Corne d'abondance dans l'histoire. Toutefois, si Eulalie Dilleux avait travaillé sur un projet qui en portait le nom, si l'Autre y était lié et si l'observatoire des Déviations était en train de mener les mêmes expériences en ce moment précis, alors Ophélie devait se rendre là-bas au plus vite et tant pis si cela signifiait en devenir provisoirement la prisonnière.

– Depuis le premier jour, j'ai trouvé qu'il y avait chez toi quelque chose de dérangeant, lui dit Octavio en plissant les paupières. J'ai fini par saisir ce que c'était. Quels que soient tes objectifs, tu as toujours été déterminée à les atteindre. Je me suis, moi, si bien fondu dans la voie tracée par ma mère que j'ignore ce que je désire vraiment. Je t'envie. *Now*, si tu permets, j'ai un petit travail à faire.

En effet, Hugo venait de s'arrêter devant l'entrée d'un moulin à vent, de l'autre côté du pont, son pied articulé tambourinant impatiemment sur le sol. Si les automates avaient été capables de développer une personnalité, Ophélie aurait été encline à penser que celui-ci possédait un mauvais caractère. Elle adressa de loin un nouveau signe en direction du fauteuil d'Ambroise, qui semblait hésiter entre se rapprocher ou garder ses distances. Elle-même ne savait pas trop ce qu'elle était supposée faire à présent. Octavio frappa à la porte d'un air professionnel, sans plus se soucier d'elle.

– Bonjour, *milady*, dit-il quand une vieille meunière se présenta sur le seuil. Je viens à propos de ceci.

Octavio montra le télégramme qu'Hugo avait sorti dans un grognement métallique.

– Non, merci, déclina la meunière.

Elle referma la porte. Octavio décocha un regard incandescent à Ophélie, la mettant au défi de rire, puis il frappa jusqu'à ce que la vieille dame lui eût rouvert.

– Je dois insister, *milady*. Je suis un représentant du *Journal officiel*. Vous nous avez envoyé cette dépêche hier.

La meunière fronça les sourcils dans un remous impressionnant de rides. Elle posa sur son nez un gros lorgnon et prit connaissance du télégramme.

– *Sorry*. Je vous avais pris pour un autre de ces « Sales Gosses », comme ils s'appellent entre eux. Ils sont passés déjà deux fois ce matin avec leurs tracts. Vous m'avez bien regardée, jeune homme ? Fêter la fin du monde ? À mon âge ?

– Vous avez déclaré avoir été témoin du glissement de terrain, dit Octavio d'un air imperturbable. Il me faudrait des précisions.

– Ce n'était pas un glissement de terrain.

La meunière avait affirmé cela avec une telle assurance qu'Ophélie en fut frappée. Elle remarqua également la longueur impressionnante de sa langue, qui indiquait son appartenance à la branche généalogique des Gustatifs. Octavio, pour sa part, se concentra sur ses nuances d'expression les plus microscopiques. Il analysait sa sincérité.

– Votre dépêche ne concernait pas le glissement de terrain qui a emporté le quartier nord-ouest de la cité ?

– Si, si, jeune homme. J'étais au marché aux épices quand ça s'est produit, pour mon pain au curry. Même qu'il pleuvait fort. Sauf que ce n'était pas un glissement de terrain.

– Qu'est-ce que c'était alors, selon vous?

– Alors ça, aucune idée. C'est votre travail de me l'apprendre, non?

– Vous me le faciliteriez, *milady*, en me donnant davantage de détails.

– Qu'est-ce que vous voulez que je vous dise? Un moment il y avait la terre et un moment il n'y en avait plus. Ça m'a à peine secoué les os. Pas comme si ça avait craqué petit à petit avant de lâcher. Plutôt comme si… comme si une bouche invisible avait tout avalé d'un seul coup, dit la meunière en mimant un claquement de mâchoires. *Anyway*, ça n'avait rien de naturel.

Si Octavio parut sceptique, Ophélie frissonna de toute sa peau en dépit de la chaleur. Une bouche invisible. La bouche de l'Autre? Un reflet pouvait-il posséder une telle bouche?

– Avez-vous aperçu quelqu'un ou quelque chose? ne put-elle s'empêcher d'intervenir. N'importe quoi qui vous aurait paru inhabituel?

– Rien du tout, affirma la meunière. Tout était exactement comme d'habitude. Vous ne me croyez pas à cause de ça? s'indigna-t-elle en tapotant la lentille de son lorgnon. Je ne suis peut-être pas une Visionnaire, mais j'ai vu ce que je vous raconte comme je vois la lumière sur votre front, *here*.

Elle pointa son doigt en plein sur Ophélie, qui battit des paupières sans comprendre. Les pupilles d'Octavio se contractèrent dès qu'il la dévisagea à son tour, ébloui.

– Eulalie, ton tampon… il est devenu blanc.

LES ÉLUS

Ophélie examina son reflet dans la fenêtre la plus proche. L'encre alchimiste sur son front n'était pas seulement passée du noir au blanc. Elle brillait comme une pleine lune. Même lorsqu'elle posait la main dessus, de la lumière s'échappait entre ses doigts gantés.

– Qu'est-ce que...

Sa question fut recouverte par une voix de trompette :

– Avis à la population ! Nous informons nos concitoyens que les ressortissants étrangers... étrangers présentant un label de couleur blanche sont appelés à se rendre séance tenante... tenante à l'amphithéâtre municipal. Avis à la population !

Tandis que l'annonce et ses échos retentissaient en boucle à travers le quartier, Ophélie tourna ses lunettes dans tous les sens. Les gens étaient sortis des habitations et des véhicules à l'arrêt pour se rassembler autour des poteaux de chaque haut-parleur. Si cette foule de curieux formait une masse trouble dans la marée de nuages, Ophélie y repéra un homme affolé dont le front était aussi phosphorescent que le sien.

Octavio l'entraîna à l'écart pour se faire entendre d'elle par-dessous la sonorité des haut-parleurs.

– Ne t'alarme pas. Ce n'est qu'une simple procédure.

– Je ne veux pas y aller.

– Tu le dois. La désobéissance civile te mettrait dans l'illégalité. Je suis sûr que ce n'est *really* rien de grave. Il n'y a pas si longtemps, tu étais encore une apprentie virtuose. Je viens avec toi.

Octavio repoussa le rideau noir de ses cheveux pour regarder Ophélie en face. Elle se demanda pourquoi ses yeux étaient devenus violets avant de réaliser que c'étaient ses lunettes à elle qui avaient bleui. Il se voulait peut-être rassurant, mais il en avait lui-même complètement oublié la meunière sur le seuil du moulin qui demandait si elle pouvait reprendre son travail. Il ne prêta pas davantage attention à Hugo, dont le télégraphe de poitrine débobinait une suite ininterrompue de communiqués depuis la première annonce publique.

Ophélie chercha Ambroise sans parvenir à le localiser au milieu du désordre ambiant. En revanche, elle ne manqua aucune des patrouilles postées à chaque rue qui, à la vue de son front, lui ordonnèrent de se présenter à la convocation. Des Zéphyrs avaient même été engagés pour disperser, à grands coups de vent, les nuages qui encombraient les recoins où auraient pu se dissimuler d'éventuels récalcitrants.

Octavio avait beau dire, Ophélie n'était pas tranquille du tout. Elle avait promis à Thorn de trouver un moyen de le rejoindre à l'observatoire des Déviations, elle n'avait pas de temps à perdre avec d'autres formalités administratives. Elle serait passée par le premier miroir venu s'il y en avait eu sur son chemin.

Elle ne tarda pas à apercevoir, au-dessus des toits les plus hauts, l'immense structure de l'amphithéâtre municipal. Ses centaines d'arcades étaient un savant alliage de pierre, de métal, de verre et de végétation. Les oiseaux multicolores qui venaient s'y nicher évoquaient un essaim de ruche. Alors que les annonces radiophoniques continuaient de vibrer à travers les airs, les convoqués affluaient des quatre coins de la cité pour s'engouffrer dans les entrées de l'amphithéâtre. Ophélie fut impressionnée par leur nombre. Il y avait là des ressortissants de presque toutes les arches, portant les habits traditionnels imposés par le code vestimentaire : péplos, rubans, boléros, plumes, voiles, tartans, pourpoints, kimonos... En dépit de leurs différences, chacun d'eux arborait le même tampon et partageait la même inquiétude.

Le malaise d'Ophélie s'exacerba quand arriva son tour de franchir les portes. Les gardes familiaux, dont les nez évoquaient de véritables museaux de lion, la reniflèrent de la tête aux pieds. Pourquoi des Olfactifs avaient-ils été postés aux entrées ?

– Ils prennent leurs précautions, commenta Octavio.

Ophélie nota tout de même que ses sourcils circonflexes s'étaient froncés. Il s'annonça en tant que représentant du *Journal officiel* et fut accueilli par des saluts protocolaires généralement réservés aux Lords de LUX. Même son automate eut droit à plus d'égards qu'Ophélie, qui fut obligée de retourner ses poches de toge pour en montrer le contenu.

Ils gravirent ensuite un dédale d'escaliers obscurs où les fronts des convoqués luisaient à la façon d'un cortège de lanternes. Quand bien même Ambroise les aurait suivis jusque-là, son fauteuil n'aurait pas pu affronter toutes ces marches.

Ophélie plissa les paupières quand, après un dernier escalier, elle déboucha sur le soleil. Les gradins étaient à ciel ouvert. L'amphithéâtre paraissait plus imposant encore de l'intérieur. Ses capacités auraient pu accueillir bien plus de personnes que toutes celles qui avaient été convoquées ici aujourd'hui, et ce n'était pas peu dire.

– Prenez place dans le calme, *ladies and gentlemen*! ordonnaient les haut-parleurs à intervalles réguliers.

Ophélie n'eut aucune envie de leur obéir. Elle venait de remarquer les dirigeables amarrés dans la place centrale, telles des baleines en sommeil. C'étaient des modèles comme il n'en existait qu'à Babel, mélangeant innovations technologiques et savoir-faire interfamiliaux. L'emblème solaire de LUX scintillait comme de l'or sur leurs coques.

– Les long-courriers, murmura Octavio. *Why here?* Je ne comprends plus rien.

– Miss Eulalie?

Ophélie abrita sa vue du soleil. À peine s'était-elle assise sur la pierre brûlante d'un gradin qu'une silhouette à contre-jour s'était inclinée par-dessus son épaule. Elle possédait des yeux noirs et humides, un grand nez en pointe et des cheveux hirsutes. La plaque «commis» étincelait sur son uniforme de mémorialiste.

– Blasius!

– Il me semblait bien avoir reconnu votre odeur dans la foule.

De tous les Olfactifs qu'Ophélie avait rencontrés jusqu'à présent, Blasius était certainement le seul dont le flair ne l'indisposait pas.

– Que faites-vous ici? s'étonna-t-elle en cherchant, sans la trouver, la marque d'un tampon sur son front. Vous êtes un Fils de Pollux. Ne me dites pas que, vous aussi, vous avez été convoqué?

Le sourire de Blasius se fit plus timide encore.

– *In fact*, j'accompagne mon… euh… mon ami.

Si Ophélie ne s'était pas attendue à rencontrer Blasius dans cet amphithéâtre, elle fut plus surprise encore d'y voir le professeur Wolf, qu'il venait de désigner derrière lui. Complet noir, gants noirs, lunettes noires, barbiche noire: son chapeau, noir lui aussi, penchait de manière à étouffer l'éclat de son tampon. Il était le seul Animiste dont Ophélie avait fait la connaissance à Babel; contrairement à elle, il était né ici. Ses lunettes glissèrent toutes seules le long de son nez pour lui permettre de les dévisager, Octavio et elle.

– Eh bien, eh bien, grommela-t-il. Moi qui espérais ne plus jamais avoir affaire à vous.

Cette déclaration ne l'empêcha pas de s'installer à la gauche d'Hugo, dont le ventre libéra un «AIME TON VOISIN, MAIS NE SUPPRIME PAS TA CLÔTURE». La raideur de Wolf, accentuée par sa minerve en bois, rivalisait avec celle de l'automate.

– Professeur, votre convocation doit être une erreur, lui dit Octavio. Si vous n'êtes pas un descendant de Pollux, vous n'en êtes pas moins natif de Babel. D'après nos informations, au *Journal officiel*, seuls les derniers arrivants sont concernés par ces mesures.

– Ils ont perquisitionné à mon domicile et sont tombés sur ma collection d'arm...

– *D'objets interdits*, corrigea Blasius à côté de lui, avec un regard tourmenté pour les gradins voisins.

Le professeur Wolf souleva ironiquement son chapeau pour l'aveugler de son front.

– Quoi, tu as peur qu'on me dénonce encore? Je te rappelle que ma logeuse s'en est déjà chargée. Ce qui se trame ici aujourd'hui ne sent pas très bon.

Alors qu'il grognait ces mots, une fiente d'oiseau s'abattit en plein sur l'encre lumineuse de son tampon. Convaincu d'être responsable de cette nouvelle manifestation de malchance, Blasius se répandit en excuses et l'aida à se nettoyer, déstabilisant ses lunettes noires d'un coup de coude involontaire. Lorsque Wolf recoiffa son couvre-chef avec un soupir, Ophélie remarqua que sa figure avait perdu de sa dureté.

La dernière fois qu'elle lui avait parlé, il se cachait sur les toits du quartier des sans-pouvoirs. Il fuyait alors ce dont il avait le plus peur au monde et, Ophélie le comprenait à présent, ce n'était pas uniquement le vieux balayeur du Mémorial qui était venu l'épouvanter jusque chez lui. Ici, au milieu de cette foule qui croissait d'instant en instant le long des gradins, il semblait en lutte contre une crise aiguë de misanthropie que seule la présence de Blasius parvenait à apaiser.

Ophélie se surprit à les envier tous les deux. Elle avait elle aussi un mauvais pressentiment sur ce qui les attendait, mais, quoi que ce fût, elle devrait y faire face sans Thorn. Il n'était peut-être même pas au courant de cette convocation publique à l'autre bout de Babel.

– Votre attention, *please*.

Cette voix, amplifiée par les haut-parleurs de l'amphithéâtre, eut une sonorité désagréablement familière aux oreilles d'Ophélie. Les mains d'Octavio se contractèrent sur ses genoux. Les chuchotis anxieux se turent de gradins en gradins. Un visage de femme venait d'être projeté en grand sur la coque de chacun des dirigeables qui flottaient au-dessus de l'arène. Ses yeux, à l'acuité impressionnante, parurent sonder toutes les âmes.

Lady Septima. Elle était à la fois la mère d'Octavio, une Visionnaire surdouée et un membre influent de LUX. Pour Ophélie, elle avait surtout été une enseignante redoutable qui avait exploité ses talents de *liseuse* tout en les rabaissant continuellement.

– Merci à chacun de vous d'avoir répondu à l'appel, dit-elle d'un timbre surpuissant. Merci également à Sir Pollux et Lady Hélène, ici présents, pour la confiance… confiance qu'ils nous accordent à nous, Lords de LUX, très humbles serviteurs de la cité.

Ophélie pivota dans la même direction que l'ensemble des regards. Les esprits de famille jumeaux trônaient en haut d'une tribune, abritée sous un vélum pourpre. Ils se tenaient trop loin pour qu'elle pût bien les voir, mais elle devinait l'étincelle émise par les multiples lentilles du système optique d'Hélène. Elle aurait juré qu'à eux non plus le choix n'avait pas été réellement donné de venir.

– Comme vous le savez, poursuivirent les bouches immenses de Lady Septima sur chaque coque de dirigeable, Babel traverse une situation de crise. Le récent glissement de terrain dans le nord-ouest de la ville ainsi que la disparition de six arches mineures, nous ont tous bouleversés... bouleversés. Rien ne nous indique qu'une telle catastrophe puisse se reproduire, mais ça n'en demeure pas moins une terrible tragédie et la périphérie de la ville sera provisoirement considérée comme une zone non habitable. Je vous invite à observer une minute de silence... silence en mémoire de ceux qui nous ont quittés, mais aussi de ceux qui ont dû abandonner leurs foyers.

Durant cette minute de silence, chaque convoqué se préoccupa certainement beaucoup plus de son propre sort. Ophélie la mit à profit pour jeter un coup de lunettes discret vers la cage d'escalier par laquelle ils étaient arrivés. Une herse de sécurité avait été abaissée. Quelques regards de plus l'informèrent que tous les accès aux gradins étaient fermés.

S'ils voulaient faire demi-tour, c'était trop tard.

– La cité a aujourd'hui besoin de vous, reprit Lady Septima avec une expression solennelle. Nos concitoyens doivent retrouver une stabilité. La marque que vous portez sur le front fait de vous des élus. Vous avez été désignés, vous parmi tant d'autres... tant d'autres, pour votre grande capacité d'autonomie.

De plus en plus tendue, Ophélie frotta son front qui soufflait un halo lumineux sur le verre de ses lunettes. Elle remarqua plusieurs convoqués qui, comme elle et Wolf, étaient accompagnés par des personnes dépourvues de tampon administratif.

– *Indeed*, aucun d'entre vous n'est actuellement retenu par un engagement envers la cité, expliqua Lady Septima en articulant chaque syllabe, qu'il soit de nature professionnelle, conjugale ou parentale. Babel vous a longtemps hébergés en son sein, mais elle n'a plus la place de vous accueillir. Aussi, vous êtes tous invités à quitter notre arche à compter de ce jour… de ce jour. Vos biens et vos propriétés sont d'ores et déjà réquisitionnés par la cité, et seront redistribués équitablement auprès de nos concitoyens. Nous ne doutons pas que vous serez reçus à bras ouverts par vos arches d'origine. Vos familles veilleront à ce que vous ne manquiez de rien une fois sur place. Merci à chacun d'entre vous d'œuvrer ainsi à l'intérêt général. Veuillez à présent… à présent gagner les aéronefs en suivant les instructions qui vont vous être communiquées. Vos tampons seront effacés une fois à bord. Au nom de tous les Lords de LUX, de Lady Hélène et de Sir Pollux, allez en paix !

Les visages de Lady Septima disparurent des dirigeables. La fin de son discours fut suivie par un silence si absolu que l'on pouvait entendre toutes les peaux chauffer sous le soleil. Lorsque s'élevèrent les premières protestations, les haut-parleurs libérèrent un sifflement strident qui força tout le monde à se couvrir les oreilles :

– *Ladies and gentlemen*, que chacun avance dans le calme. Les rangées du bas d'abord. Les personnes accompagnant les voyageurs… voyageurs sont priées de rester à leur place jusqu'à l'évacuation complète de l'amphithéâtre.

L'annonce fut aussitôt remplacée par une musique d'ambiance, poussée à plein volume et faussée par les échos, qui étouffa toutes les voix. Personne ne pouvait plus parler à personne. La garde familiale circula parmi les premiers gradins pour faire signe aux hommes et aux femmes qui y étaient assis de se diriger vers le convoi d'aéronefs. Chaque file fut méthodiquement formée, subdivisée, réorientée. Quelques-uns essayèrent bien de manifester leur désarroi. Ils secouaient la tête, se frappaient la poitrine, montraient du doigt le ciel, par-delà l'enceinte de l'amphithéâtre, et leur corps entier semblait crier « maison ! », « amis ! », « travail ! ». Les gardes, rutilants dans leurs armures, demeurèrent inflexibles. Il y en eut d'autres qui tentèrent de soulever les herses des issues ou encore de se faire passer pour des accompagnateurs en nouant un foulard autour de leur front : ceux-là furent expédiés en priorité dans l'arène des dirigeables. D'hésitant, le mouvement de la foule se fit résigné. L'organisation était d'une telle efficacité qu'un premier aéronef, déjà complet, ne tarda pas à s'envoler dans un bruissement d'hélices.

Postée dans les rangées plus hautes, Ophélie avait observé tout cela en réfléchissant à pleine vapeur.

Elle se tourna vers Octavio, décomposé, puis vers Blasius, dont la bouche s'était tordue dans un mélange torturé d'incrédulité et de culpabilité et enfin vers Wolf, qui, sous une façade de stoïcisme, était devenu si pâle que l'encre blanche de son tampon se confondait avec sa peau.

– Non, leur dit-elle à tous les trois.

Elle n'avait pas besoin de se faire entendre d'eux, son visage parlait pour elle. Non, elle n'obéirait pas. Une fois déjà, on l'avait rapatriée de force sur Anima : elle ne le serait pas une deuxième. Sa place était à l'observatoire des Déviations, au côté de Thorn, là où se trouvaient les réponses.

Elle s'élança à contre-courant de la procession que la garde familiale commençait déjà à former dans cette partie-ci de l'amphithéâtre. Elle se faufila entre les convoqués, dans chaque interstice où sa petite taille pouvait s'introduire. Elle ne passerait pas longtemps inaperçue. S'il y avait eu quelqu'un pour l'interpeller, elle ne l'aurait de toute façon pas entendu : les consignes répétitives et les interludes musicaux des haut-parleurs engloutissaient chaque son.

Gradin après gradin, Ophélie se cramponna des yeux au grand vélum pourpre, gonflé de vent comme une voile. Elle ne pouvait pas voir si Hélène et Pollux se tenaient toujours dans son ombrage, mais eux seuls pouvaient mettre un terme à ces expulsions.

Elle s'apprêtait à atteindre la tribune d'honneur quand elle fut coupée en plein élan. Un gant d'acier venait de lui harponner le bras. Un garde. D'un hoquet du menton, il l'enjoignit en silence de réintégrer le rang le plus proche. Il ne portait sur lui aucune arme – prononcer ce mot constituait un délit à lui seul –, mais il ne manquait pas de poigne. Ophélie le regarda droit dans les yeux et fut surprise d'y déceler de la souffrance. Ses oreilles d'Acoustique s'étaient couchées, presque animalement, pour se protéger de la cacophonie des haut-parleurs. Néanmoins, sa douleur semblait se situer ailleurs. C'était d'obéir aux ordres qui lui coûtait. Ophélie prit alors conscience, comme un coup au ventre, que les Lords de LUX les mettaient tous en péril en les faisant monter à bord des dirigeables.

Elle durcit chaque muscle de son visage pour se faire comprendre du garde avec sa chair :

– Non.

Une sandale après l'autre, elle s'avança vers la tribune, tirant de toutes ses forces sur son bras emprisonné dans l'acier. La violence était interdite à Babel ; c'était valable pour ce garde également. S'il ne lâchait pas prise, il devrait lui déboîter l'épaule.

Il céda.

Ophélie s'engouffra dans la tribune. Devant elle, les deux esprits de famille, aussi massifs que les piliers qui soutenaient le vélum, assistaient passivement à l'évacuation.

– Empêchez ces embarquements !

Elle avait puisé dans ses poumons tout ce qu'il lui restait de souffle pour leur crier ces mots et, malgré cela, elle ne réussit pas à distinguer sa voix de celles des haut-parleurs.

Pollux se détourna de l'arène. Il l'avait entendue. Des sens surpuissants, une plastique de statue et une bienveillance paternelle : il aurait pu détenir l'aura d'un roi. Pourtant, les yeux dorés qu'il fit descendre vers Ophélie n'exprimèrent que de l'impuissance. Il était incapable de la moindre initiative.

Elle l'ignora pour s'adresser à Hélène, et uniquement elle :

– Empêchez ces embarquements, répéta-t-elle en détachant chaque syllabe. Les échos sont dangereux. Ils perturbent les instruments de navigation.

Avec une lenteur mécanique, Hélène pivota sur les roulettes de sa robe à crinoline jusqu'à lui faire face à son tour. L'appareil optique qui était fixé à son nez éléphantesque se mit en action pour relever des lentilles, en abaisser d'autres, de façon à rectifier sa vision jusqu'à pouvoir deviner les contours d'Ophélie. La géante était elle-même un peu pénible à regarder. Sa taille de guêpe était si étroite entre l'ampleur de ses hanches et de sa poitrine qu'elle semblait sur le point de rompre à tout instant.

Le seul point que ces esprits de famille jumeaux avaient en commun était l'ouvrage qu'ils portaient chacun à la ceinture – deux Livres dont les pages étaient aussi sombres que leur propre peau.

Le garde, qui avait suivi Ophélie dans la tribune, visiblement partagé entre ce qu'il devait faire ou ne pas faire, chercha à s'interposer. D'un geste arachnéen, Hélène lui fit signe de la laisser tranquille. Avait-elle compris la gravité de la situation ? Son ouïe exacerbée, qui s'accommodait déjà mal d'un claquement de porte ou d'une narine mal mouchée, était ici assaillie de toutes parts.

Ophélie montra le deuxième dirigeable qui entamait un décollage.

– Êtes-vous vraiment d'accord avec ça ? Vous avez votre mot à dire, vous êtes notre marraine. J'ai été moi-même l'une de vos élèves.

L'immense bouche d'Hélène articula une réponse qui ne parvint pas jusqu'à Ophélie, mais elle devina, au pli interrogatif de ses lèvres, que c'était plutôt une question. Elle ne se souvenait pas d'elle. Comme tous les esprits de famille dont Eulalie Dilleux avait mutilé le Livre, Hélène était condamnée à tout oublier tout le temps. Pourquoi accorderait-elle plus de crédit à une petite inconnue qu'aux Lords de LUX ?

Ophélie déplia le feuillet qu'elle conservait précieusement parmi ses faux papiers.

PASSEZ ME VOIR À L'OCCASION, VOS MAINS ET VOUS.

– Vous m'avez déjà fait confiance une fois.

Elle se hissa sur la pointe des pieds et remit le message à Hélène, dont l'appareil optique s'agita aussitôt sur son nez pour lui permettre de lire. Elle reconnaîtrait au moins sa propre écriture. Il n'était peut-être pas possible de voir son regard, à cause de la superposition des lentilles, mais il était facile de deviner qu'Ophélie avait à présent toute son attention.

– Aidez-nous.

Les longues phalanges d'Hélène se refermèrent autour de ses poignets comme des crabes. Le papier se déchira.

– Les échos ne sont pas dangereux, jeune dame.

Ophélie sentit la voix vibrer contre ses joues, se propager sur toute sa peau, lui investir les tympans jusqu'à en déloger tout ce qui n'était pas elle. Il n'y avait plus ni haut-parleurs ni amphithéâtre.

– Les échos parlent à qui sait les écouter. Vous êtes tous, mon frère inclus, des aveugles et des sourds.

La bouche d'Hélène était un abysse hérissé de dents, si proches qu'Ophélie aurait pu les compter s'il n'y en avait pas tant eu.

– Les échos sont partout désormais. Ils sont dans cet air que tu respires.

Hélène relâcha enfin les poignets d'Ophélie, où les ongles avaient imprimé leurs formes. Avec application, elle retira l'appareil optique dont elle ne se défaisait jamais et sans lequel elle ne voyait du monde que des galaxies d'atomes. Ses pupilles, dilatées à l'extrême, prenaient toute la place des yeux. Elles étaient comme sa bouche : des puits qui avalaient la lumière. Qui avalaient Ophélie.

– Ils sont partout, jeune dame, et autour de toi plus encore qu'ailleurs. Tu attires les échos comme des mouches. Ils attendent de toi l'imprévu.

Ophélie était abasourdie.

– Mais les dirigeabl…

– Tais-toi et écoute.

Les énormes prunelles regardaient, entendaient, palpaient des choses qui dépassaient complètement Ophélie.

– Tu devras te rendre au-delà de la cage. Retourne-toi. Retourne-toi réellement. Là, et seulement là, tu comprendras. Peut-être même pourras-tu te rendre utile. Tu prétends que je vous ai accordé ma confiance, à tes mains et à toi, mais lorsque le temps sera achevé, auras-tu suffisamment de doigts ?

Tout ce qu'Ophélie avait saisi dans cet imbroglio de paroles, c'était qu'Hélène n'arrêterait pas les expulsions. Elle était pareille à un récepteur radiophonique réglé sur une autre fréquence que la sienne. La fréquence des échos ? À la seconde où elle se tut, le barrage sensoriel que son pouvoir avait dressé autour d'elle se brisa.

Ophélie fut submergée de bruit, et ce n'étaient plus seulement les haut-parleurs. Ce qui se passait maintenant aux abords de la tribune lui laissa penser qu'elle avait peut-être aggravé la situation.

LA FABRICATION

Mal contenus par la garde familiale, des hommes et des femmes se pressaient pour tendre des bras implorants vers les esprits de famille. Leurs index se pointaient sur Ophélie, indiquant qu'ils voulaient eux aussi avoir le droit de plaider leur cause. L'ombre du vélum faisait ressortir l'encre lumineuse des fronts. Leurs appels étaient si désespérés pour les uns, si indignés pour les autres, qu'on pouvait les entendre en dépit des sirènes.

Tous répétaient les mêmes mots :

– Donnez-nous un travail !

Son appareil optique à la main, Hélène les regardait sans les voir, les écoutait sans les entendre ; Pollux, quant à lui, leur adressa un sourire hésitant. Loin de s'atténuer, les cris ne s'en firent que plus forts.

Jamais Ophélie n'avait été témoin d'une telle agitation dans un espace public de Babel. Toutes ces personnes qu'on voulait renvoyer dans leurs familles d'origine avaient commencé à se construire une nouvelle vie ici. Combien d'entre elles allaient voir leurs maisons habitées par d'autres ? Combien en jetait-on dehors alors qu'elles n'avaient nulle part où aller ? De combien de gêneurs comme Wolf se débarrassait-on par la même occasion ? Submergée par leur détresse, Ophélie n'osait pas imaginer ce qu'ils ressentiraient, tous, s'ils apprenaient que cet aller sans retour n'arriverait peut-être même pas à destination.

Ce fut à cet instant qu'elle vit, au milieu des visages, la seule personne à ne pas en avoir un. L'automate Hugo fendait la foule pour se frayer un chemin jusqu'à la tribune, répandant des rubans télégraphiques sur son passage. Octavio était perché sur ses épaules. Ophélie comprit pourquoi lorsqu'il débrancha le haut-parleur du poteau le plus proche, faisant taire sa sirène. Encouragés par son initiative, d'autres l'imitèrent de gradins en gradins.

– Je suis un Fils de Pollux.

Juché sur l'automate, Octavio n'eut pas à élever la voix. Sa déclaration capta l'attention de celles et ceux qui avaient pris la tribune d'assaut. Il n'était pas grand, mais il possédait un charisme qui n'était pas dû à son seul uniforme de virtuose. Ophélie elle-même était suspendue à ses lèvres.

– *In fact*, je suis le fils de Lady Septima. Le futur successeur de ceux qui veulent vous renvoyer de Babel. Et pourtant, poursuivit-il d'une voix implacable alors que s'élevaient déjà les désapprobations, je partage votre contrariété. La façon dont vous avez été traités aujourd'hui est injustifiable. En tant que représentant du *Journal officiel*, je le ferai savoir à notre arche entière. Aussi, je vous en conjure, gardez votre calme. Nous pouvons trouver une solution à condition de la chercher ensemble, avec Lady Hélène et Sir Pollux.

Il y eut quelques secondes de silence durant lesquelles Ophélie, subjuguée par les yeux rouges d'Octavio, fut persuadée que tout allait rentrer dans l'ordre.

Mais ni Hélène ni Pollux ne réagirent, l'une emmurée dans ses échos, l'autre prisonnier de son indécision.

– Moi, milord, j'ai une solution! s'exclama quelqu'un. Embauche-moi à la place de ton automate!

– Un vrai travail pour de vraies personnes! surenchérit un autre.

La foule se mit aussitôt à bousculer Hugo en scandant d'une seule voix «voleur d'emploi! voleur d'emploi!» sans plus se soucier d'Octavio, qui s'accrocha à l'antenne télégraphique de l'automate pour conserver l'équilibre. Lorsque le ventre de métal grogna «La paresse est mère de tous les vices», la colère collective devint rage, devint huées, devint coups. Une violence, réprimée depuis des années, se déchaîna contre la machine. Piégé sur les épaules d'Hugo, Octavio dut se débattre contre ceux qui lui attrapaient les bottes pour arracher ses ailes d'avant-coureur.

Il tomba.

Alors qu'Ophélie se mêlait à la cohue pour lui tendre la main, dans un geste de secours dérisoire, une déflagration les secoua tous. Une fumée épaisse et odorante se répandit comme un gaz volcanique. Tous ceux qui avaient essayé de démanteler Hugo écarquillèrent des yeux stupéfaits dont le blanc se détachait, immense, sur les peaux noircies.

De l'automate, il ne demeurait qu'un tas de poussière. Il avait explosé?

Ce fut d'abord la stupeur, puis la panique. Le désordre de l'amphithéâtre tourna à l'anarchie. On cria au meurtre, on cria à l'attentat et tant pis si ces mots-là étaient interdits. Malgré leur gigantisme, Hélène et Pollux furent inondés par ce débordement humain. La garde familiale ne maîtrisait plus rien.

La voix autoritaire de Lady Septima résonna à travers les derniers haut-parleurs à ne pas avoir été débranchés :

– Les convoqués qui quitteront l'enceinte de l'amphithéâtre autrement qu'en dirigeables seront considérés hors la loi. Je répète… répète : les convoqués qui quitteront l'enceinte de l'amphithéâtre autrement qu'en dirigeables seront considérés hors la loi.

Il n'y eut plus personne pour l'écouter. Le véritable danger, à présent, c'était la foule. Ophélie aperçut, au milieu de la bousculade, une masse recroquevillée par terre, recouverte par la poussière d'Hugo.

— Octavio !

Il lui fallut recevoir quantité de coups de coudes avant de l'atteindre. Il était en train de se faire piétiner.

Ophélie l'appela encore, voulut le redresser, fut renversée sur lui. Elle se roula en boule pour se protéger des genoux qui la heurtaient de toutes parts. Ils allaient finir les os brisés.

Ils avaient besoin d'aide.

Ophélie appréhenda un pouvoir, tapi au fond d'elle comme une bête sauvage, qui s'éveilla à son appel. Les griffes des Dragons. Jamais elle n'avait eu une conscience aussi aiguë de leur existence, de leurs pourtours, de leurs impulsions, de la façon dont elles prolongeaient ses nerfs pour adopter la forme et l'intensité qu'elle souhaiterait. Ophélie fut tellement étonnée d'être à ce point maîtresse de ses griffes, après trois années à les avoir subies, qu'elle en oublia presque la foule l'espace d'un instant. Mue par un instinct primal, elle sentit sa conscience s'étendre au-delà de ses limites corporelles ; elle se relia à une toile de réseaux nerveux qui ne lui appartenaient pas. Ses griffes lui permirent de discerner une multitude de jambes affolées avec une acuité qui excédait celle de ses autres sens.

Ne pas blesser.

Poussant sur son pouvoir, Ophélie rejeta tout ce qui n'était ni elle ni Octavio, déclenchant autour d'eux une avalanche de corps et de jurons.

Ce répit leur accorda juste ce qu'il fallut de temps pour

se mettre debout avant la prochaine vague de pieds. Sous la couche de suie qui le recouvrait, Octavio semblait indemne. Ou presque. Il cligna des yeux qui ne luisaient plus du tout et articula quatre mots presque inaudibles :

– Je ne vois rien.

Ophélie lui prit la main. Octavio était entré dans cet amphithéâtre pour elle; elle en sortirait avec lui. Elle l'entraîna vers l'une des herses d'escalier sur lesquelles les corps se précipitaient en se cognant les uns aux autres. Ils s'y mirent à plusieurs pour s'efforcer de remonter la grille. Ophélie recourut à son animisme afin de la contaminer de sa détermination, mais elle ne se laissa pas ébranler. Les griffes n'étaient ici d'aucune utilité non plus : elles n'avaient de prise que sur les êtres vivants.

– Là! signala quelqu'un.

De l'autre côté de la herse, une manivelle était raccordée à un jeu d'engrenage. Hors de portée. Tous les bras s'engouffrèrent à travers les barreaux pour se tendre vers le dispositif. Une Fantôme de Vespéral réussit à distendre le sien en le transformant partiellement en gaz. Atteindre la manivelle et la tourner lui réclamèrent beaucoup d'efforts mais, en les unissant aux forces de ceux qui soulevaient la herse, elle réussit à libérer l'accès.

Tout le monde se précipita dans l'escalier dans un torrent de pas.

Poussée par l'élan général, Ophélie descendit chaotiquement les marches. Elle se cramponna à Octavio pour ne pas le perdre dans la mêlée. Chaque tournant d'escalier les projetait contre les murs.

Les échos de Lady Septima se firent de plus en plus lointains :

– Hors la loi... la loi... loi...

Au détour d'une dernière spirale, ils furent avalés par le

brouillard. La sortie, enfin. Ophélie courut droit devant elle. Ses sandales dérapèrent sur les pavés humides. Elle ne percevait plus que la buée sur ses lunettes et la main d'Octavio dans la sienne.

Des bras se refermèrent sur eux pour les tirer en arrière. C'étaient Blasius et Wolf. Un doigt sur la bouche, ils montrèrent les silhouettes qui s'agitaient dans la brume. La garde familiale procédait à des arrestations massives. Quelques pas de plus et Ophélie serait tombée dans leurs filets.

Elle se tourna dans toutes les directions. Par où s'enfuir ? Octavio continuait d'écarquiller des yeux éteints. Il ne fallait pas compter sur son pouvoir familial et ils étaient cernés par les ombres. Lesquelles étaient des gardes ? Lesquelles étaient des civils ?

L'une d'elles se tenait tout près d'Ophélie. Trop près.

Anonyme, immobile et silencieuse.

Ophélie ne distinguait pas son visage, mais elle la reconnut sans hésitation. Il s'agissait de l'inconnu du brouillard qu'elle avait rencontré au bord du vide, la veille. C'était la même silhouette, la même allure insolite, très attentive, comme en attente.

Avec lenteur, l'ombre du brouillard fit quelques pas pour s'éloigner – des pas qui ne produisaient aucun son sur les pavés –, puis elle s'immobilisa. Encore en attente.

Elle était là pour eux.

Ami ou ennemi, Ophélie décida qu'elle ne pouvait pas se permettre d'hésiter. S'ils restaient ici, ils se feraient repérer. Elle resserra ses doigts autour de ceux d'Octavio, puis fit signe à Blasius et à Wolf de la suivre.

Satisfaite, l'ombre se remit alors en mouvement. Ils marchèrent derrière elle à l'aveuglette, à travers des nappes successives de nuages. Du soleil ne leur parvenait plus qu'une lueur crépusculaire. Autour d'eux le monde se résumait à des silhouettes informes qui s'exclamaient, se mélangeaient, se séparaient dans une hystérie collective. C'était une émeute telle que Babel n'en avait pas connu depuis des siècles. Certains en avaient profité pour descendre dans la rue en jetant des tracts et des pavés qui dessinaient des traînées sombres sur fond blanc. Leurs rires répondaient aux sifflets de la garde familiale.

– Fêtez la fin du monde avec panache! Rejoignez les Sales Gosses de Babel!

Ophélie, Octavio, Blasius et Wolf franchirent cette confusion sans croiser la trajectoire ni des patrouilles ni des agitateurs. L'ombre les guidait dans ce qui semblait être à présent le quartier des potensfactures. Elle restait suffisamment proche pour ne pas être perdue de vue, suffisamment loin pour ne pas être identifiée. À aucun moment elle n'émit le moindre son.

«Qui es-tu? répétait intérieurement Ophélie. Où nous emmènes-tu?»

Plus elle essayait d'en cerner les contours, plus elle se contractait. Ce n'était pas une silhouette de femme, mais cela ne signifiait rien. Eulalie Dilleux n'avait plus d'apparence stable, c'était peut-être aussi le cas de son reflet. Il était impossible de deviner sous quelle forme celui-ci s'était matérialisé en quittant le miroir. Et puis, cela faisait déjà deux fois qu'Ophélie croisait la route de cet inconnu depuis l'effondrement. Elle excluait une coïncidence, mais de là à en déduire qu'il était l'Autre... Pourquoi quelqu'un dont le passe-temps favori consistait à détruire des arches se soucierait-il soudain du sort de quelques humains?

Ophélie retint son souffle. L'inconnu s'était arrêté au milieu du brouillard. Il ne prononça pas un mot, mais, à la manière d'un mime, il se mit à effectuer des gestes saugrenus, pointant le ciel de sa main gauche, le sol de sa main droite, puis le ciel de sa main droite et le sol de sa main gauche.

– C'est un fou, marmonna le professeur Wolf.

Le soir tomba et l'ombre de l'inconnu fut absorbée par celles du quartier. Ophélie s'avança jusqu'à l'endroit où il s'était arrêté. Elle se cogna au portail d'une usine surplombé par un immense fronton, tout de briques et de ferronneries.

FABRICATION D'AUTOMATES

LAZARUS & FILS

Cette fois encore, ça ne pouvait pas être une coïncidence.

– Et maintenant ? demanda une voix inquiète.

Ophélie découvrit plusieurs halos dans le brouillard. C'étaient des fronts de convoqués qui, dépassés par les événements, les avaient suivis à distance. Ils ne se connaissaient pas, mais ils étaient tous des clandestins désormais.

Ophélie poussa le portail. Il n'était pas verrouillé.

Ils s'engagèrent ensemble à l'intérieur de l'usine. Un étrange chien mécanique, doté de plusieurs têtes, se redressa à leur approche dans un concert de cliquetis. Il ne donna pas l'alerte. Ils découvrirent alors un grand hangar à peine éclairé, où des rangées de silhouettes sans visage travaillaient à la chaîne le long de convoyeurs à bande. C'étaient exclusivement des automates. Ils découpaient, limaient, perforaient, imbriquaient, vissaient des pièces qui paraissaient toutes sorties d'une horlogerie. Concentrés sur leurs tâches répétitives, ils demeurèrent sans réaction face à l'arrivée des visiteurs. Ophélie s'attendit un instant à voir Lazarus au milieu de cette activité avant de se rappeler qu'il était en voyage. Ces automates avaient été manifestement conçus pour construire d'autres automates. L'usine fonctionnait en autonomie pendant les absences de son propriétaire.

Ophélie ne trouva pas non plus l'inconnu qui les avait

sauvés des patrouilles. En revanche, dans un garage voisin, elle repéra un fauteuil roulant. Vide.

– Ambroise? appela-t-elle.

La porte d'un fourgon à hélices s'ouvrit aussitôt. L'adolescent se pencha malaisément de façon à poser un regard perplexe sur Ophélie et sur toutes les personnes qui l'accompagnaient. L'écharpe enroulée autour de ses cheveux s'était dressée en forme de point d'interrogation.

– *Miss*? Je partais à votre rescousse! *Well*, je l'aurais fait si j'avais réussi à faire décoller ce fourgon. C'est un tantinet plus compliqué que mon tac-si. Comment avez-vous su où me trouver?

– Je ne le savais pas. Quelqu'un nous a conduits jusqu'ici, mais il a disparu avant les présentations. Avez-vous une pharmacie dans l'usine? Mon ami a besoin de soins.

À peine Ophélie eut-elle formulé cette requête qu'Octavio lui lâcha la main pour frotter ses paupières noires de poussière.

– De l'eau suffira.

– *Of course!* s'exclama Ambroise en extrayant l'une après l'autre ses jambes du fourgon. Il y a un robinet dans le local d'entretien, à côté de l'escalier.

Il tituba jusqu'à son fauteuil, mal à l'aise sur ses pieds inversés. Sa gaucherie en devenait si grotesque que les clandestins détournèrent les yeux.

– Vous êtes le fils de Lazarus? grommela le professeur Wolf. L'un de vos automates vient de déclencher une sacrée pagaille. Il a explosé.

Alors qu'il prenait place dans son fauteuil, Ambroise parut plus contrit que surpris.

– Implosé, corrigea-t-il. Quelqu'un a essayé de le démonter, je présume?

– Une foule entière.

– *Damned!* Père a doté toutes ses inventions d'un mécanisme d'autodestruction pour protéger leur secret de fabrication. C'est spectaculaire, mais inoffensif.

– Inoffensif? ricana Wolf. Ça a mis le feu à toutes les poudres. Lazarus ne pouvait pas déposer un brevet comme tout le monde? Déjà à l'époque où il enseignait dans mon collège, il fallait toujours qu'il fasse son intéressant.

Ophélie reporta son attention sur le groupe de clandestins qui distribuaient entre eux du papier de verre industriel pour se poncer le front. Ils eurent beau frotter, l'encre lumineuse ne s'atténua pas. Elle pouvait déchiffrer sur leurs visages le même questionnement intérieur. Et maintenant? Que faire? Où aller?

Ophélie eut pitié d'eux. Elle caressa du gant l'inscription «LIVRAISON D'AUTOMATES» sur la carrosserie du fourgon à hélices. En ce qui la concernait, elle savait *quoi*, elle savait *où* et elle savait *comment*. Qui que fût l'inconnu du brouillard, il lui avait rendu un fier service.

– Viens, dit-elle à Octavio dont les yeux rouges clignotaient comme des ampoules défectueuses.

Elle le mena jusqu'au local d'entretien et fit couler pour lui l'eau du lavabo. Très silencieux, il en emplit ses mains en coupe, y plongea la figure, puis recommença encore et encore jusqu'à se figer tout à coup. Il demeura debout, les doigts pressés contre ses paupières comme s'il voulait ne plus jamais avoir à les rouvrir.

– Tu es toujours décidée à entrer à l'observatoire?

– Oui.

– J'ai voulu t'en décourager. Oublie. Chacun devrait avoir le droit d'aller où il veut.

– Octavio…

– Ce que ma mère a dit aujourd'hui dans cet amphithéâtre…, la coupa-t-il d'une voix serrée. J'ai tellement honte.

Ophélie observa l'eau grise qui ruissela entre ses doigts. Elle avait elle-même un goût de cendre dans la bouche.

– Est-ce que tu veux...

– ... rester seul. Oui. *Please.*

Octavio roula ses mains en poings contre ses yeux, puis il ajouta d'un ton haché :

– Demain, je retournerai au journal. Je retournerai à la Bonne Famille. Je changerai les choses de l'intérieur. Je te le promets. Mais ce soir, ne me regarde pas.

Ophélie s'éloigna à reculons.

– Ce que tu as dit aujourd'hui dans cet amphithéâtre..., murmura-t-elle avant de tirer la porte. Je suis tellement fière.

Sans avoir la moindre idée de ce qu'elle faisait, sans la moindre hésitation non plus, Ophélie s'engagea dans la petite cage d'escalier de l'usine. Elle déboucha sur un toit aménagé en terrasse, pris en étau entre deux cheminées de briques. L'usine fendait la marée de nuages comme un paquebot.

Ophélie s'agrippa à la rambarde de fer forgé pour maîtriser son tremblement. Les sifflets des arrestations s'élevaient encore du centre-ville.

« Ce n'est pas à cause de moi », se répéta-t-elle plusieurs fois.

Ce n'était pas à cause d'elle s'il y avait des effondrements. Ce n'était pas à cause d'elle s'il y avait des expulsions.

Elle détacha ses lunettes du brouillard pour les lever au loin, par-delà la mer de nuages, vers les lumières artificielles qui se mêlaient aux étoiles. Les arches mineures de Babel. Ophélie localisa sans mal le dôme du Mémorial, éclatant comme un phare, ainsi que les réverbères plus discrets de la Bonne Famille. À leur vue, elle fut envahie de nostalgie. Ces lieux avaient été les siens pendant un temps ; d'avoir été traitée en indésirable l'avait meurtrie.

Combien de gens avaient été aujourd'hui expédiés au loin contre leur volonté? Combien arriveraient à bon port en dépit des échos?

« Ils sont partout et autour de toi plus encore qu'ailleurs », avait dit Hélène.

« Intéressez-vous aux échos. Ils sont la clef de tout », avait dit Lazarus.

Ophélie essayait de comprendre, elle essayait vraiment. Un fil invisible semblait rattacher ensemble Eulalie Dilleux, l'Autre, les effondrements et les échos, mais il était plein de nœuds.

Une lampe extérieure tomba en panne à l'instant où Blasius vint s'accouder à sa gauche sur le toit. Son profil au long nez pointu se découpait à peine sur la nuit.

– Quoi que vous ayez à l'esprit, Miss Eulalie, il va vous falloir être *very* prudente. La garde familiale a mémorisé votre odeur, comme celle de tous ceux qui étaient là-bas. Ce sont des Olfactifs de première classe, ils vous pisteront sans relâche.

– Je ne vais pas m'attarder en ville. Mais que vont devenir les autres?

Le professeur Wolf s'accouda à la droite d'Ophélie. La lumière de son front prit la relève de la lampe qui avait lâché. Il avait perdu ses lunettes noires et son chapeau. D'après la crispation de sa main autour de sa minerve, cette course à travers la cité avait mis ses vertèbres à rude épreuve.

– Le gosse de Lazarus va nous héberger le temps que ça se tasse. Il a du cran. Si nous tombons, il tombera avec nous.

Blasius ébouriffa ses cheveux, les hérissant davantage.

– On dirait que la vie à Babel va devenir encore plus compliquée pour nous.

Coude à coude avec ces deux hommes à qui le monde entier interdisait de se toucher, Ophélie sentit grandir en elle le désir impératif de les protéger. Si un seul effondrement avait divisé une ville entière, qu'en serait-il lorsque ça viendrait à se reproduire? Où que fût l'Autre, quelles que fussent son apparence et ses intentions, Ophélie savait au moins ceci : qu'il recommencerait si elle ne l'arrêtait pas avant.

Elle hissa son regard vers le plus lointain des points lumineux. Là-bas, en cet instant précis, quelque part derrière des murs, des Babéliens travaillaient sur le projet Cornucopianisme, exactement comme Eulalie Dilleux avant de devenir Dieu. Thorn avait-il raison de penser que ce qui était fait pouvait être défait? Était-il possible de ramener Eulalie Dilleux à sa condition humaine, de renvoyer l'Autre dans le miroir et de réparer ce qui était encore réparable? Et si le seul remède au vide, c'était l'abondance? Mais quel serait le rôle des échos là-dedans?

Ophélie se devait de trouver les réponses à l'observatoire des Déviations. Avec Thorn.

«Personne ne se porte volontaire dans ce genre d'institut sans avoir une excellente motivation», l'avait-il prévenue.

Ce qu'elle trouvait formidablement ironique dans toute cette histoire, c'était que les Lords de LUX venaient de lui fournir ce qui lui manquait.

EN COULISSES

Il déambule dans les rues de Babel. Des cris, des sifflets. La garde familiale de Pollux arrête tout ce qui bouge. Tout sauf lui, évidemment. Il pourrait danser sous leurs nez qu'ils ne l'arrêteraient pas.

Personne ne l'arrête jamais.

En deux pas, il atteint le sommet de la plus haute pyramide. Là, il s'assied et regarde Babel s'embourber dans le brouillard. Babel la vieillissante. Une cité bien trop ancienne pour leurs toutes petites mémoires.

L'histoire va se répéter. Il y a veillé.

Il aurait été prématuré qu'Ophélie quitte Babel aujourd'hui. Elle a autre chose à accomplir ici, aux confins de l'archipel, à l'observatoire des Déviations.

Oh oui, l'histoire va se répéter. Elle pourra ainsi enfin se conclure.

Le piège

Les corps inanimés des automates étaient harnachés au plafond du fourgon. Chaque secousse faisait grelotter leurs membres en provoquant un bruit osseux. Plongée dans la pénombre, Ophélie avait l'impression de se trouver au milieu de squelettes. Elle se blottit contre l'un d'eux lorsqu'elle sentit le fourgon perdre de l'altitude. Encore un contrôle aérien ? Les portières s'entrouvrirent à l'arrière. Le faisceau d'une lampe-torche éclaira la tête sans visage d'un mannequin à côté d'Ophélie, puis les portières se refermèrent et les hélices du fourgon reprirent leur ronronnement.

– Sir Octavio et Sir Ambroise disent que nous ne devrions pas croiser d'autres patrouilles.

Ophélie devina une silhouette hirsute, parmi celles des automates, qui jouait péniblement des coudes pour la rejoindre à l'arrière. Dès qu'elle souleva le turban qui cachait son front, le tampon projeta une lumière lunaire sur Blasius, soufflant des ombres entre les plis soucieux de sa peau. À leur vue, Ophélie regretta de lui avoir fait part de son intention d'intégrer l'observatoire des Déviations ; il avait dès lors absolument tenu à l'escorter.

– Vous auriez dû rester à l'usine avec les autres clandestins, soupira-t-elle. Si je me fais prendre…

– Ils m'expulseront, moi aussi ? De vous à moi, Miss Eulalie, je ne resterai pas sur une arche qui ne veut pas des êtres qui me sont chers. Et puis, je voulais vous entretenir de quelque chose, mais… *well*… pas devant Wolf.

D'un geste timide, Blasius retroussa la manche de son uniforme de mémorialiste de façon à dénuder son bras. À la lueur de son front, Ophélie distingua un tatouage. Un « P » et un « A » entrelacés.

– Pour « Programme Alternatif », expliqua Blasius.

Il fallut un temps de latence à Ophélie avant de comprendre.

– Vous avez fait partie de l'observatoire des Déviations ?

– J'ignore pourquoi c'est si important pour vous d'y entrer, *miss*. Ce que je sais, c'est à quel point ç'a été difficile pour moi d'en sortir. Mes parents m'y avaient envoyé pour que je sois… vous savez… *rectifié*. (Blasius eut un sourire peiné en prononçant ce mot.) Je n'étais encore qu'un adolescent, mais ils avaient déjà compris le chemin que j'empruntais. Je suis resté à l'observatoire jusqu'à ma majorité et, même après cela, je n'ai pas été autorisé à quitter le programme.

Comprimée par les automates, déséquilibrée par les cahots, Ophélie contempla les deux lettres tatouées sur le bras de Blasius. Marqué à vie.

– Qu'est-ce que c'est, le programme alternatif ?

– L'envers de la vitrine. L'observatoire des Déviations est réputé pour obtenir d'excellents résultats sur… sur les cas comme les miens, notamment. Mais quand ils m'ont examiné, ils ont assuré à mes parents que mon état ne relevait pas du programme classique, que j'étais un inverti d'un genre *very* particulier, qu'ils étaient prêts à me prendre entièrement à leur charge pour m'étudier. J'ai été nourri, logé, blanchi pendant des années. Chaque mois, je demandais à rentrer à la maison et, chaque mois, on me répondait que cette décision ne me revenait pas. Et puis, du jour au lendemain, ils m'ont ramené chez mes parents sans une explication. Comme si je ne représentais plus le moindre intérêt pour eux. Je ne garde que des souvenirs confus de ce qui s'est passé là-bas, de ce que j'y ai fait, de ce que j'y ai vu. Mais si je peux affirmer une chose, *miss*, c'est que l'observatoire s'intéressait beaucoup moins à mes préférences sentimentales qu'à ma malchance.

Blasius avait déclaré cela tout en poussant Ophélie sur le côté. Le harnais d'un automate s'était détaché juste derrière elle, menaçant d'abattre sur sa tête plusieurs kilogrammes de métal.

– Votre malchance, répéta-t-elle. Pourquoi ?

– Ils ne me l'ont pas dit. Ils ne disent jamais rien. Ils observent.

– Mais vous, insista Ophélie, avez-vous observé quelque chose de spécial là-bas ?

– Tout y est spécial, *miss*. J'étais entouré d'inversés. Des esprits inversés. Des corps inversés. Des pouvoirs inversés.

Ophélie hésita. Elle n'aurait pas d'autre occasion de poser des questions à quelqu'un qui avait connu l'observatoire d'aussi près, même si cela remontait à loin.

– Avez-vous entendu parler du « projet Cornucopianisme » ?

Le front de Blasius se plissa davantage sous la poussée de ses sourcils.

– Jamais.

– De la Corne d'abondance, peut-être ?

Il secoua la tête.

– Ça n'a pas été mentionné devant moi à l'observatoire, mais je vous le répète : ils ne disent jamais rien.

Ophélie regarda le corps désarticulé à ses pieds. Quand il

n'était pas remonté, un automate évoquait vraiment un squelette. Elle se remémora la conversation qu'ils avaient eue une
fois, Blasius et elle, dans les catacombes de la cité. «Certains
humains sont des objets de leur vivant.»

– Ce qu'ils vous ont fait… Ce qu'ils vont me faire, dit-elle
d'une voix qu'elle aurait voulu plus courageuse. Est-ce que je
vais souffrir?

Le visage de Blasius se distendit comme du caoutchouc, puis
il lui empoigna maladroitement les épaules.

– Pas dans le sens où… où vous l'entendez. C'est juste…
juste que… *Blast!*

Blasius n'avait jamais été très à l'aise pour s'exprimer, mais
plus il mentionnait l'observatoire, plus ses bégaiements empi-
raient, à croire qu'il était soudain lui-même empli d'échos.
Ses doigts se cramponnèrent aux épaules d'Ophélie. Ses yeux
sombres et humides s'écarquillèrent.

– Il existe une frontière en chacun de nous, Miss Eulalie.
Quelque chose de… de nécessaire, quelque chose qui nous
limite, quelque chose qui… qui nous contient à l'intérieur
de nous-mêmes. Ils… ils essaieront de vous faire franchir
cette frontière. Quoi qu'ils vous disent, *miss*, la décision vous
reviendra.

Ophélie sentit, à la façon dont ses pieds semblaient vouloir
quitter le sol, que le fourgon était en train d'atterrir. Ils arrivaient. *Elle arrivait.* Thorn l'attendait. Peu importait ce que lui
réservait cet observatoire, elle ne serait pas seule. Même ici,
dans ce fourgon, elle ne l'était pas.

– Merci, Blasius. Prenez soin de vous. Et du professeur Wolf.

Les mains de Blasius libérèrent les épaules d'Ophélie pour
enserrer son visage. Il appuya son front contre le sien jusqu'à
en avaler la lumière.

– Il m'a évité pendant quinze ans, lui chuchota-t-il si bas

qu'il semblait vouloir n'être entendu que d'elle au monde. Quinze longues années au cours desquelles j'ai cru qu'il se protégeait de moi, alors que c'était moi qu'il protégeait de lui. Jusqu'à l'effondrement du quartier nord-ouest. Parce que *vous* lui avez conseillé de me parler. Je ne sais pas si vous vous rendez compte, dit Blasius en cherchant les yeux d'Ophélie tout au fond de ses lunettes, de la solitude à laquelle vous m'avez arraché le jour où vous m'avez adressé la parole pour la première fois dans ce tramoiseaux.

Leurs fronts s'entrechoquèrent quand le fourgon s'immobilisa. Au bout de quelques instants, les portières s'ouvrirent à l'arrière. C'était Octavio.

– Personne en vue. Dépêche-toi.

Ophélie abaissa le turban sur son front avant de se glisser dehors. L'aube était rose tiède. Des palmiers frissonnaient dans le voisinage du vide. Le fourgon s'était stationné sur une terrasse de livraison, au sommet d'une tour. Octavio avait raison, les lieux étaient déserts.

Ophélie s'approcha du bord. Elle voulait voir l'observatoire d'en haut avant de le vivre du dedans. Il s'étendait à ses pieds, en un enchevêtrement inextricable de pagodes et de voies ferrées, de jardins et d'usines, de vieilles pierres et de structures métalliques. Il tenait à la fois de la cité impériale antique et du parc industriel. Pourtant, Ophélie repéra vite une logique dans ce chaos illusoire : l'observatoire était divisé en quartiers séparés par des portes rouges gigantesques, elles-mêmes incorporées dans des fortifications. Un cloisonnement calculé.

L'institut était dominé en son centre par une statue monumentale : un colosse avec une tête à plusieurs visages.

«Je vois tout, je sais tout!» s'exclamait-il en silence.

– Dans ce cas, parlons un peu, lui murmura Ophélie. Je suis venue pour ça.

Elle se dirigea vers le poste de pilotage du fourgon, où Ambroise lui tendait une main inversée au travers de la portière.

– *Good luck, miss.* Je vous envie un peu, je suis tellement curieux de savoir ce qu'ils étudient ici ! Mon père m'a affirmé que, de tous ses clients, l'observatoire des Déviations était celui qui lui passait les commandes les plus inhabituelles. Je ne serais pas étonné que vous y croisiez des automates tout à fait déconcertants.

Ophélie ne trouva pas cette perspective particulièrement réjouissante. Elle ne put réprimer un geste vers l'écharpe roulée en boule sur la tête de l'adolescent, mais elle n'en obtint qu'un remous de laine boudeur. Cette nouvelle séparation qu'elle leur imposait à toutes les deux n'était pas propice à la réconciliation.

– *Sorry*, dit Ambroise d'un air gêné.

Ophélie serra sa main avec autant de gaucherie que la sienne.

– Il y a un proverbe animiste : «Tel maître, tel objet.» Vous inspirez à mon écharpe ce que vous m'avez inspiré dès notre première rencontre, et ce que vous inspirez à beaucoup de gens aujourd'hui. Un refuge.

Octavio avait assisté à leur échange depuis l'entrebâillement de sa frange. Ses yeux fatigués n'avaient pas encore retrouvé leur flamboyance, mais ils scrutaient Ambroise avec une expression indéchiffrable. Il signala un hangar, décliné en des milliers de vitres, à l'autre bout de la terrasse de livraison.

– Il doit y avoir une entrée de service. Je l'accompagne et je reviens, dit-il à l'adresse d'Ambroise et de Blasius.

À l'intérieur du hangar, Ophélie et Octavio ne virent que des pyramides de caisses et des wagonnets à l'arrêt. Certes, il était encore tôt, mais, après la psychose qui régnait dans le reste de Babel, ce calme mettait les nerfs à vif.

Ils descendirent les nombreux étages de la tour à bord d'un monte-charge.

– Cet Ambroise est réellement le fils du professeur Lazarus ? demanda abruptement Octavio. Il ne lui ressemble pas. *In fact*, ajouta-t-il sans laisser à Ophélie le loisir de lui répondre, il ne ressemble à personne. Je suis resté assis à côté de lui pendant toute la durée du vol. Son corps est vraiment très étrange.

Ophélie s'abstint de rétorquer que son corps à elle ne l'était pas moins, et qu'elle était déterminée à s'en servir pour infiltrer les lieux. Même si cette pensée lui faisait trembler le ventre.

– Tu retournes ensuite au *Journal officiel*?

– D'abord à la Bonne Famille. Je suis responsable de la division des apprentis avant-coureurs de Pollux. Si je ne pointe pas tous les jours, ce sera considéré comme de la désertion de poste.

Ophélie haussa les sourcils.

– Après tout ce qui s'est passé? Après l'effondrement du quartier nord-ouest? Après les émeutes du centre-ville?

– Surtout après ça. C'est l'ordre contre le chaos, désormais.

Le monte-charge finit par déboucher sur un couloir qui déboucha sur un autre couloir qui déboucha sur une salle d'accueil. Là non plus ils ne trouvèrent personne. Des formulaires étaient mis à disposition sur le comptoir. Il fallait en remplir un soi-même, le glisser dans la fente d'un cylindre et abaisser un levier pour propulser le pneumatique. Ophélie avait déjà suivi cette procédure une fois pour voir Mediana. Aujourd'hui, au lieu de cocher la case «VISITE», elle cocha la case «ADMISSION».

Elle n'eut même pas le temps de se diriger vers la salle d'attente qu'une voix polie l'appela :

– Miss Eulalie ?

Une femme marchait vers elle d'un pas stable. Ce n'était pas la jeune fille à qui Ophélie avait eu affaire lors de sa première venue, mais elle portait le même sari de soie jaune, le même pince-nez à verres sombres et les mêmes longs gants de cuir. Elle avait sur l'épaule un scarabée mécanique et, sous le bras, un porte-documents où était épinglé le formulaire qu'Ophélie venait tout juste de remplir. À croire qu'elle la guettait depuis des jours.

– Par ici, *please*, dit-elle en lui ouvrant une jolie porte vitrée. Pas vous, milord.

La femme avait adressé un sourire inflexible à Octavio, qui s'avançait déjà. Elle n'eut aucune considération pour son uniforme de virtuose et ne lui demanda pas son nom. Elle savait déjà parfaitement qui il était.

Ophélie échangea un dernier regard avec lui. Intense.

– Changer le monde, lui murmura-t-elle.

Les commissures de la bouche d'Octavio tressaillirent. Il redressa la tête jusqu'à ce que sa frange eût entièrement reflué, mettant en pleine lumière les cicatrices de son nez et de son sourcil là où il portait auparavant sa chaîne d'or.

– De l'intérieur, répondit-il.

Il s'en fut avec un claquement de talons résolu qui insuffla du courage à Ophélie. Elle suivit la femme à travers une pièce qui aurait pu ressembler à un bureau médical s'il n'y avait eu des scarabées sur toutes les étagères. Ils luisaient comme des pierres précieuses dans la lumière matinale des fenêtres.

– Vous avez demandé à intégrer notre observatoire, déclara la femme en prenant place au fond d'un fauteuil et en posant son porte-documents devant elle. Je vous écoute.

Une fois assise, Ophélie s'assura d'abord que la vitre lui renvoyait bien le reflet de son interlocutrice. Ce n'était ni Eulalie

Dilleux ni l'Autre, pour autant que ce test fût fiable. Bon. Elle ôta le turban qui dissimulait le tampon administratif sur son front.

– Je vais être brève. Un médecin m'a conseillé d'intégrer votre programme. Je sais que vous détenez déjà un dossier à mon nom. Je ne comprends pas bien pourquoi mais, ce dont je suis certaine, c'est que cet observatoire est mon dernier recours pour ne pas être expulsée de Babel.

Ophélie n'eut pas à se forcer pour paraître désespérée. Sa peur était réelle. Au-delà du sol sous ses pieds, ici et maintenant, le reste de l'univers était devenu un gigantesque point d'interrogation.

La femme feuilleta les pages épinglées dans le porte-documents. Ophélie aurait voulu être perchée à la place du scarabée sur son épaule pour lire les informations que l'observatoire détenait sur son compte.

– En d'autres termes, Miss Eulalie, c'est une demande d'asile ?

– Je me porte volontaire pour tout ce en quoi vous me jugerez intéressante.

La femme inclina la tête de manière à soutenir son regard à travers les lentilles noires de son pince-nez. Elle lui tendit une page vierge et un stylographe.

– Je dois signer quelque part ?

– Non, Miss Eulalie. Veuillez simplement écrire : « Mais ce puits n'était pas plus vrai qu'un lapin d'Odin. »

– Pardon ?

Ophélie était interloquée. Quel puits ? Quel lapin ? Et surtout pourquoi Odin ? N'était-ce pas là l'ancien nom de Farouk ?

– « Mais ce puits n'était pas plus vrai qu'un lapin d'Odin », répéta la femme avec un sourire imperturbable. Écrivez, *please*.

Ophélie obéit. La femme lui prit aussitôt sa feuille pour l'échanger contre une vierge.

– *Perfect*. Réécrivez cette phrase, mais de votre autre main cette fois.

– Je ne sais pas écrire de l'autre main.

– Bien sûr que si, assura tranquillement la femme. Nous ne vous demandons pas d'écrire bien. Seulement d'écrire.

Ophélie obéit à nouveau. Les mots se firent monstrueux sous la plume de métal. Même en se concentrant, elle inversa la plupart des lettres. La femme ne prêta aucune attention au résultat. C'était Ophélie, et uniquement Ophélie qu'elle observait avec une attention polie à travers le prisme sombre de son pince-nez. Elle n'avait pas les yeux d'une Visionnaire. Quel était son pouvoir familial ? S'en servait-elle en ce moment même ?

– *Perfect*.

Le cuir de ses gants grinça quand elle ajouta les deux feuilles à son porte-documents. Chacun de ses gestes était méthodique à l'excès, à croire qu'elle manipulait des produits chimiques hautement toxiques. Elle se leva et remit le turban sur la tête d'Ophélie. Elle le serra si fort, de façon à recouvrir le tampon, que c'en était inconfortable. Elle la fit entrer dans un cabinet aussi étroit qu'obscur, puis referma la porte. Les ténèbres étaient d'une telle densité et d'une telle chaleur qu'Ophélie en eut le souffle coupé. Elle ne voyait plus les lunettes sur son propre nez. Voilà qui expliquait le turban : le noir faisait apparemment partie de cette expérience.

– Ne bougez pas, *please*.

Il y eut un éclair de lumière, brutal comme la foudre. Puis un deuxième. Puis un autre encore. La femme la prenait en photographie ? Ophélie était si éblouie qu'elle ne remarqua pas tout de suite que la porte du cabinet avait été rouverte.

146

D'un sourire, la femme lui désigna le bureau où l'attendait cette fois une petite boîte en bois laqué.

– Vous êtes animiste, Miss Eulalie.

Ce n'était pas une question.

– Au huitième degré, mentit Ophélie.

– Spécialisée en *lecture*.

Une fois encore, ce n'était pas une question. Si l'observatoire des Déviations avait eu accès au dossier d'Ophélie lors de son admission à la Bonne Famille, elle n'avait rien à leur apprendre. La femme, pourtant, paraissait attendre une confirmation de sa part.

– Je suis *liseuse*, en effet.

– Vous ne verrez pas d'inconvénient à faire une petite démonstration ?

Encore à demi aveuglée par les flashs du cabinet noir, Ophélie s'approcha de la boîte.

– Il y a un échantillon à l'intérieur, indiqua la femme.

Ophélie fit coulisser le panneau de la boîte. Une minuscule bille de plomb reposait sur un coussin rouge. Son sang se mit aussitôt à pulser sous toute la surface de son visage. Un vacarme organique lui cogna les oreilles.

– Pouvons-nous procéder à votre *lecture*, Miss Eulalie ? s'enquit poliment la femme.

Elle semblait éprouver les plus grandes difficultés à limiter son sourire à des proportions professionnelles.

Ophélie déboutonna ses gants l'un après l'autre. Jusqu'à cet instant, elle s'était sentie maîtresse de la situation. Elle était venue ici par choix. Elle se soumettait aux examens de cet observatoire parce qu'elle le voulait bien. Elle ne leur montrait d'elle que ce qu'elle avait décidé de montrer.

C'était ainsi que les choses étaient supposées se passer.

– Je dois vous poser la question, dit-elle d'un ton

qu'elle espérait impassible. Cet objet est-il la propriété de l'observatoire?

– Absolument, Miss Eulalie.

Mensonge.

Ophélie inspira pour ne pas laisser la colère assombrir ses lunettes. Ne pas trembler. Ne pas se trahir. Elle se concentra tout entière sur la bille de plomb dans la boîte. Le projectile d'une cartouche. Elle savait que ce qu'elle avait sous les yeux était impossible – cela aurait dû l'être – mais, si étourdie fût-elle, il y avait un domaine où l'on ne pouvait pas l'abuser. Elle connaissait personnellement chaque pièce de la collection du musée d'Histoire primitive d'Anima. Et celle-ci tout particulièrement.

Elle se saisit de la bille de plomb à mains nues. La nausée lui brûla la gorge. Ce n'était pas la sienne; c'était celle de la dernière personne à avoir manipulé cet échantillon sans protection. Un pauvre nigaud, coiffé d'un chapeau melon, qui voulait connaître les guerres de l'ancien monde et auquel Ophélie avait voulu donner une bonne leçon. Il y avait de cela quatre ans; ça lui en paraissait quarante. Alors qu'elle remontait de plus en plus loin dans le temps, passant de mains de *liseur* en mains de *liseur*, de nausée en nausée, elle se prépara au choc qui allait inéluctablement survenir. La douleur, abstraite mais authentique, la frappa en plein ventre. L'agonie du troupier dont les organes internes avaient été perforés par cette cartouche, plusieurs siècles auparavant, devint son agonie. Cette fois, ce fut sa propre nausée qui la submergea, si violente qu'elle faillit vomir sur le bureau.

Elle reposa le projectile sur son coussin, referma la boîte et appuya son poing contre ses lèvres tremblantes. Une larme déborda sur sa joue. Comment avait-elle pu imposer ça à quelqu'un d'autre?

«Non», se ressaisit-elle dès que la puissante vague d'empathie se fut retirée. Pourquoi lui avait-on imposé ça à elle? Par quel improbable concours de circonstances l'observatoire des Déviations s'était-il procuré cet échantillon du musée où elle, Ophélie, *pas Eulalie*, avait travaillé autrefois?

– Doit-on vous servir de l'eau, *miss*?

La femme ne l'avait pas quittée du regard avant, pendant et après sa *lecture*. Il brillait, derrière les verres sombres de son pince-nez, une lueur accrue de curiosité.

– Souhaitez-vous mon expertise? lui demanda froidement Ophélie.

– Non, Miss Eulalie, ce n'était pas la finalité de l'exercice.

– Quelle était-elle, alors?

La femme sortit d'un tiroir du bureau un document épais comme le pouce. Ophélie remit ses gants avant de s'en saisir. *Convention entre le sujet et l'observatoire des Déviations : consentement à l'acte d'étude des protocoles I à III du programme alternatif et clause de confidentialité afférente.* Le titre à lui seul donnait le tournis.

– Les Lords de LUX dictent les lois, déclara la femme au scarabée, mais aucune n'est supérieure au secret médical que nous appliquons ici depuis plusieurs générations. Aussi longtemps que vous resterez entre nos murs, vous n'aurez plus aucun compte à rendre au monde extérieur.

Ophélie ne comprit pas une seule ligne des dizaines de feuillets qui composaient la convention. Ce jargon exigeait d'avoir mené de hautes études de juriste.

Cela n'avait plus aucune importance. Elle signa.

Le sourire de la femme s'était imperceptiblement accentué quand Ophélie lui rendit le document. L'avenir déterminerait laquelle était tombée dans le piège de l'autre.

Les lunettes

Ophélie étouffa un cri. Ses yeux s'écarquillèrent derrière les cheveux qui lui ruisselaient sur chaque sourcil. De bouillante, l'eau était devenue glaciale avant de s'arrêter tout aussi brutalement, la laissant pantelante, les bras serrés autour d'un corps rougi par ces températures extrêmes. La vapeur se dissipa, aspirée par la ventilation, révélant la silhouette en sari jaune qui venait de relâcher le cordon de la douche. Même sans lunettes, Ophélie voyait le sourire. Cette femme au scarabée ne faisait aucun effort pour épargner sa pudeur. Elle la regarda s'extraire maladroitement de la bassine, déraper sur le carrelage et se frictionner la peau avec la plus extrême attention.

– Où sont mes vêtements ?

Ophélie ne trouva sur le banc aucune des affaires qu'elle y avait laissées. À la place l'attendaient, impeccablement pliés, un sarouel sans poches et une tunique sans manches. L'observatoire voulait vraiment qu'elle n'eût rien à cacher. Ils avaient même confisqué les sandales.

– Mes gants, réclama-t-elle.

La femme secoua poliment la tête en signe de dénégation. Depuis qu'Ophélie avait signé la convention, elle n'avait plus entendu le son de sa voix.

– J'en ai besoin et vous le savez.

Nouveau signe de dénégation. Ophélie ne comprenait pas. Non, on ne lui rendrait pas ses gants ou non, elle n'en aurait pas besoin ?

Elle s'habilla en grimaçant chaque fois que ses mains *lisaient* le tissu malgré elle. Elle visualisa un obscur atelier au fond d'un souk, une machine à coudre de mauvaise qualité, le sifflotement désinvolte d'un teinturier : au moins, personne n'avait jamais porté ces habits avant elle.

– Mes lunettes ?

Encore un signe de dénégation. Ophélie sentit sa respiration s'accélérer et la força à ralentir. Elle s'était préparée à l'idée que rien ne serait facile ici, elle ne devait surtout pas les laisser prendre l'ascendant.

Sur l'épaule de la femme, le scarabée déploya un miroir dans un déclic mécanique. Il était si minuscule qu'il ne refléta le visage d'Ophélie que par fragments. Elle eut au moins la satisfaction de constater que son front était enfin nettoyé de son tampon. L'encre phosphorescente s'était dissoute sous la douche ; cette eau possédait vraisemblablement des propriétés alchimiques.

– Et maintenant ?

D'un geste courtois, la femme l'invita à la suivre. Dès qu'elle s'éloignait, elle perdait sa netteté et ses formes se mêlaient confusément à celles du décor. Ophélie avait intérêt à vite s'accoutumer à marcher dans le flou, sans gants et sans souliers. Jouer les espionnes allait s'avérer moins aisé que prévu, mais, si l'observatoire tenait vraiment à lui compliquer la tâche, elle le lui rendrait bien.

Alors qu'elles traversaient une enfilade de couloirs, Ophélie fut frappée par les ampoules électriques : elles grésillaient et clignotaient toutes, sans exception.

Elle sortit enfin au grand air où le soleil matinal sécha instantanément ses cheveux. Les dalles lui cuisirent les orteils. La femme leur fit traverser des jungles odorantes, des galeries ombragées et une succession interminable de portes.

Si Ophélie ne distinguait du monde qu'un pointillisme polychrome, elle en percevait très clairement les sons. Elle surprenait ici le bourdonnement d'un insecte, là un ronronnement mécanique et, en passant sous une fenêtre, la musique cuivrée d'une trompette. Elle entendait aussi des rires d'enfants, des parents qui posaient des questions inquiètes – «Fait-il des progrès?», «Est-elle en sécurité ici?» – et des voix pondérées qui assuraient que les progrès étaient excellents, que la sécurité était garantie, que les jeunes comme les moins jeunes s'épanouissaient à l'observatoire mieux que partout ailleurs, que le programme classique avait toujours admirablement fait ses preuves, mais que chacun était évidemment libre de rentrer chez lui dès qu'il le souhaitait.

Les secrets d'Eulalie Dilleux se trouvaient-ils quelque part ici, à portée d'oreille?

Ophélie ne détachait pas ses yeux myopes de la femme dont le sari de soie dessinait des ondulations liquides devant elle. Elle ne pouvait se défaire de la nausée provoquée par sa *lecture* de l'échantillon du musée d'Anima. Quand et comment cette femme se l'était-elle procuré? Les Généalogistes avaient raison à propos d'une chose : cet observatoire avait une longueur d'avance sur elle. Mais jusqu'à quel degré? Que savaient-ils d'elle? de son passé? de ses aptitudes? de ses intentions?

«Et Thorn?» songea-t-elle en enfonçant ses ongles dans ses paumes, nues désormais.

Trente-trois mois. Trente-trois mois durant lesquels Ophélie avait vécu sous la vigilance des Doyennes, à ne pas pouvoir faire un pas hors de chez ses parents sans avoir leur Rapporteuse sur les talons. Trente-trois mois durant lesquels elle s'était interdit de partir à la recherche de Thorn à cause d'elles, de peur de le compromettre. Si Archibald n'avait pas réussi à se faufiler entre les mailles du filet pour la tirer de là, elle serait encore sur Anima. Mais si elle s'était trompée ? Si pendant tout ce temps à Babel, où elle s'était crue affranchie de la surveillance d'Eulalie Dilleux, elle était restée prisonnière de son regard ? Si elle l'avait menée jusqu'à Thorn ?

Au fond, Ophélie ignorait qui était réellement aux commandes de cet observatoire. Peut-être n'était-ce pas Eulalie Dilleux. Peut-être était-ce quelqu'un d'autre. Quelqu'un qui la connaissait très bien.

Qui que fût cette personne, savait-elle aussi que Sir Henry était en réalité un évadé de prison ? Thorn était-il en danger entre ces murs comme l'avait été le précédent informateur des Généalogistes ? Et si Ophélie était arrivée trop tard ? S'ils l'avaient fait disparaître lui aussi ?

Elle plissa les paupières. La femme venait de passer sous un porche en accolade où étaient gravées de grandes lettres :

OBSERVATION

Le porche donnait sur une salle d'un blanc si immaculé qu'il en était douloureux. Ophélie ne pouvait distinguer les détails architecturaux mais, si elle se fiait à la froideur lisse sous ses talons, c'était un véritable palace de marbre. Les croisées déversaient des trombes de soleil à l'intérieur.

La femme au scarabée rejoignit les rangs de ce qu'Ophélie remarqua être, à mesure qu'elle approchait, une assemblée plutôt impressionnante. Des silhouettes drapées de soie jaune la dévisageaient à travers leurs pince-nez, un bloc-notes à la main. Des observateurs. De se trouver dans le faisceau de tous ces regards, exposée en pleine lumière, était des plus inconfortable. Avec ses bras, ses mollets et ses pieds à l'air, en plus de ses boucles ébouriffées, Ophélie ressemblait à un gamin des rues.

Une jeune fille chuchota :

– Vous avez demandé à assister à chaque entrée et à chaque sortie. L'inversée ici présente est un cas un peu particulier, *sir*. Sa déviation relève du programme alternatif.

En guise de réponse, il n'y eut qu'un tac-tac sonore. Ophélie s'efforça de ne pas trahir le soulagement qui relâcha l'ensemble de ses muscles. L'un après l'autre, elle délogea les ongles de ses paumes. Thorn était là. Il allait bien. Elle essaya de ne surtout pas chercher son visage parmi ceux, brouillons et anonymes, qui l'environnaient.

Personne ne se chargea des présentations.

Un homme fit asseoir Ophélie sur ce qui ressemblait à un tabouret de piano, aussi blanc et aussi froid que le sol. Il en régla la hauteur pour que les pieds d'Ophélie fussent bien à plat par terre. Sans cérémonie, il appliqua sur son avant-bras une estampille qui fit luire l'encre d'un « P » et d'un « A » entre-mêlés. Et voilà. Elle venait de troquer un tampon pour un autre.

L'homme se mit ensuite à prendre ses mesures : celles de son crâne avec un compas céphalique, puis celles de son médius droit et de son pied gauche avec un mètre ruban. Le silence était si absolu que le cliquetis des instruments se réverbéra à travers toute la salle. L'homme dissimulait son regard derrière les verres noirs de son pince-nez et, s'il ne souriait pas particu-lièrement, il flottait au coin de sa bouche une fossette tenace qui dérangea Ophélie. Il portait sur l'épaule un automate en forme de lézard.

Avec des gestes affables, l'homme l'invita à se mettre debout, puis à se rasseoir sur le tabouret dans un angle différent, ce qui ne simplifia pas les choses. Elle était cette fois juste face à Thorn, dont la silhouette caractéristique se détachait du reste de l'assemblée. Elle s'estima finalement contente d'être privée de lunettes : ainsi elle ne pouvait être tentée ni de rencontrer ni d'éviter son regard. Le peu qu'elle devinait de sa figure était empli d'ombres malgré la luminosité des lieux. On l'avait installé dans un fauteuil à part, positionné sur le côté, au premier rang, de façon qu'il pût assister à la scène tout en demeurant en marge. Il avait croisé les bras dans une attitude neutre qui allait de pair avec sa nouvelle fonction de grand inspecteur familial.

Il observait l'observatoire.

Une jeune fille se tenait à proximité de lui, avec sur l'épaule ce qui semblait être un singe mécanique. Ophélie crut reconnaître la Babélienne qui l'avait accueillie lors de sa toute première visite à l'observatoire. Elle tendait un plateau de rafraîchissements à l'intention de Thorn et tout, dans son attitude, exprimait le plus grand respect.

En fait, il allait même très bien.

L'homme au lézard avait fini de prendre les mesures d'Ophélie; il la manipulait à présent sans prononcer un mot. Il lui fit fermer un œil tout en soulevant son bras opposé, puis inversement. S'ensuivit une très longue série de mouvements similaires qui, s'ils paraissaient anodins de prime abord, mirent Ophélie de plus en plus mal à l'aise. Peut-être était-ce de ne plus porter ses verres de correction, mais une migraine se mit à gronder au fond de son crâne. À force de solliciter tantôt sa droite, tantôt sa gauche, elle finissait par ne plus parvenir à distinguer l'une de l'autre. Alentour, toute l'assemblée prenait scrupuleusement des notes dans un bruissement de papier continuel, échangeant des commentaires à voix basses, comme s'ils assistaient à une représentation rare.

Ophélie estima la situation tout à fait ridicule. Elle était en train d'espérer qu'elle ne le deviendrait pas davantage lorsque l'homme au lézard la gifla.

C'était une claque si inattendue que, durant une fraction de seconde, Ophélie fut incapable de réfléchir. La tête projetée vers l'épaule, la joue en feu, elle ne comprit pas ce qui venait de se produire.

Ce dont elle prit très vite conscience, en revanche, ce fut le grincement de métal qui retentit dans toute la salle. Thorn s'était levé.

– *Don't worry*, Sir Henry, chuchota la jeune fille au singe. La procédure doit vous surprendre, mais elle est conforme au premier protocole. L'inversée ici présente est consentante, aucune règle de la cité n'est enfreinte.

L'esprit d'Ophélie se remit aussitôt en marche. Elle ignorait ce que la procédure attendait d'elle, mais elle ne laisserait pas Thorn compromettre sa couverture pour la défendre.

Elle rendit sa gifle à l'homme.

– Vous ne m'avez donné aucune consigne, expliqua-t-elle d'une voix égale. Ça m'a paru la réaction la plus logique.

Toute l'assemblée griffonna dans un brouhaha frénétique de stylographes. L'homme au lézard ramassa le pince-nez qui s'était décroché de son visage ; à l'instant où il le remit en place, sa fossette disparut. Ophélie s'aperçut, au très léger réajustement de son regard, qu'il venait de surprendre *quelque chose* qui s'étendait au-delà d'elle. Quelque chose qui lui était invisible.

L'homme ne lui fit plus effectuer de manipulations, n'émit aucun commentaire et regagna les rangs de l'assemblée.

«C'est comme le monocle de Gaëlle», réalisa Ophélie avec un choc de surprise. Les pince-nez de chacun de ces observateurs fonctionnaient selon un principe équivalent. Mais quels mystères révélaient-ils à leurs yeux ? Qu'avaient-ils tous découvert sur Ophélie qu'elle ignorait elle-même ?

Thorn se rassit à sa place avec une lenteur calculée et ne recroisa pas les bras. Il avait compris lui aussi. Ophélie n'eut besoin ni de le voir ni de l'entendre pour savoir qu'ils partageaient la même pensée au même moment. « Il nous faut ces verres. »

La femme au scarabée quitta les rangs de l'assemblée et, d'une gestuelle à la politesse exagérée, invita Ophélie à la suivre.

– L'inversée va être maintenant conduite dans l'enceinte de confinement, *sir*, commenta la jeune fille au singe en se penchant sur le fauteuil de Thorn. Il est important que les sujets du programme alternatif ne soient pas mis en contact avec ceux du programme classique.

– Il me faudra inspecter cette enceinte aussi.

La voix de Thorn résonna jusque dans le ventre d'Ophélie.

– *Of course, sir!* Nous vous montrerons tout ce que vous désirerez voir, dans les limites du secret médical.

Alors qu'elle suivait sa guide à travers la salle, laissant l'assemblée derrière elle, Ophélie put sentir l'empreinte humide que ses pieds nus déposaient à chaque pas sur le marbre.

Les limites du secret médical…

La femme la fit sortir par un nouveau porche, à l'opposé de l'autre, où étaient cette fois gravées les lettres :

EXPLORATION

À peine Ophélie l'eut-elle passé que la porte à double battant, toute peinte de rouge et haute de plusieurs mètres, se referma derrière elle. Il n'y avait ici ni rires d'enfants ni parents inquiets. Ophélie dut franchir trois autres portes, chacune séparée de la suivante par une vaste esplanade.

Elle eut une pensée pour l'inconnu du brouillard qui, par

deux fois déjà, s'était arrangé pour croiser sa route. Elle doutait qu'il y parvînt une troisième fois ici et elle ignorait si c'était une bonne ou une mauvaise chose. Le reverrait-elle un jour ?

Elle arriva aux pieds du colosse qu'elle avait contemplé de la tour d'atterrissage. Il était encore plus écrasant vu d'en bas. Sans lunettes, Ophélie lui trouvait des allures de montagne. Un tunnel ferroviaire avait été creusé à sa base ; c'était le seul moyen de gagner la partie de l'observatoire à laquelle la statue tournait le dos.

La migraine empirait de seconde en seconde, comme si c'était à l'intérieur de sa propre boîte crânienne qu'Ophélie était en train de marcher. Elle ignorait ce qu'on lui avait fait, mais elle avait envie de s'enfermer dans une chambre, d'en colmater chaque fenêtre et de s'enfoncer la tête dans un oreiller noir.

La femme au scarabée lui fit signe de monter à bord d'un wagonnet digne d'un manège forain, mais elle ne s'y installa pas avec elle. Elle empoigna un levier. Juste avant de l'abaisser, elle daigna enfin desceller son sourire.

– Si vraiment vous voulez comprendre l'autre, trouvez d'abord le vôtre.

– Qu'avez-vous dit ?

La question d'Ophélie fut avalée en même temps qu'elle par les ténèbres du tunnel. Elle contempla le rond de lumière qui rétrécissait derrière elle alors que le wagonnet filait sur les rails. Devant elle, telle une image contraire, la sortie du tunnel passa progressivement de la taille d'une étincelle à celle d'un soleil. Elle garda les mains pliées en poings de façon à ne rien toucher, moins par déontologie que par peur d'être déconcentrée à cause d'une *lecture* involontaire. Ce que cette femme venait de lui dire, était-ce une considération philosophique ou parlait-elle bel et bien de l'Autre ? Ophélie aurait aimé faire taire sa migraine, ne serait-ce que quelques secondes, pour y réfléchir. Ces exercices lui avaient détraqué la tête.

Les parois du tunnel se mirent à réagir curieusement à la lumière du jour qui grandissait, grandissait, grandissait à l'approche du wagonnet. Elles se mirent à renvoyer des milliers de figures géométriques multicolores. Ophélie comprit trop tard que ce tunnel avait été conçu comme un kaléidoscope géant. Une infinité de combinaisons fractales lui pénétra dans les yeux en l'espace d'un instant. La migraine se transforma en rugissement. Ophélie ferma les paupières pour ne plus rien laisser entrer.

Le wagonnet ralentit, puis s'immobilisa. La migraine s'arrêta avec lui.

Ophélie rouvrit les yeux. Un chantier se déployait devant elle à perte de vue et dans les moindres détails, comme si elle portait à nouveau des lunettes.

Elle en portait.

Sauf que ce n'étaient pas ses lunettes.

C'étaient les lunettes d'Eulalie Dilleux.

L'ATTRACTION

– La bouffe du mess est dégueulasse, mais vous vous y ferez. Au moins on crève pas de faim comme en ville. Faut connaître les bonnes adresses par là-bas. Vous avez déjà été dans un vrai restaurant, officier Dieu ?

Le sergent tourne vers Eulalie un regard qui se veut canaille sans l'être vraiment. Elle remarque aussitôt le grain de beauté qui tremblote légèrement à la commissure de l'œil. Elle est plus jeune et plus menue que lui, mais elle voit bien qu'elle l'intimide. Elle produit souvent cet effet-là sur les gens – elle le produisait déjà sur ses professeurs.

Elle lui sourit avec indulgence.

– Une soie feulement… une fois seulement. Et si vous m'autorisez à vous corriger, mon nom se prononce *Dilleux*.

Le sergent marche en silence désormais, les gravats crissant sous ses bottes militaires. Eulalie comprend qu'il est humilié. Elle lui a parlé comme à un enfant, non comme à un homme et encore moins comme à un soldat.

Serrant la poignée de sa mallette, elle observe le chantier qu'ils sont tous les deux en train de traverser. Des nuées de sable viennent crépiter contre ses lunettes. Les excavatrices de l'armée défigurent ce qui fut autrefois la cité interdite du dernier empereur de Babel – et ce qui sera bientôt un observa-toire unique en son genre.

Eulalie attarde son regard sur les carcasses couchées des arbres millénaires. Une histoire de plus déracinée à jamais. Elle ne s'en émeut pas. Elle n'a aucun attachement au passé : seul compte l'avenir qui se réécrira sur ces ruines. Elle peut déjà l'imaginer, ce nouveau monde. Il palpite sous ses pas comme un cœur de bébé qui attend de naître. C'est pour cette raison qu'elle s'est portée volontaire pour le Projet et qu'elle a consa-cré son adolescence à s'y préparer.

C'est pour cette raison qu'elle existe.

Ils s'engagent dans un escalier délabré. Marche après marche, les bruits du chantier s'estompent et disparaissent. La descente est interminable. Le sergent ne cesse de lui déco-cher des coups d'œil par-dessus l'épaule. Son grain de beauté tremblote de plus en plus.

– La seule survivante de toute votre famille, hein ? Condoléances.

– Tout le monde perd quelqu'un pendant la guerre.

– Quelqu'un qui perd tout le monde, ça court déjà moins les rues. C'est pour ça qu'ils vous ont choisie ?

Ses lèvres se tordent sur le mot « ça ». Eulalie l'intrigue et l'agace à la fois. De cela aussi, elle a l'habitude. Elle se demande ce qu'il sait exactement du Projet. Probablement pas plus qu'elle, peut-être même moins.

– En partie, sergent.

Eulalie se voit mal lui expliquer l'autre partie, la plus essen-tielle. Ils ne l'ont pas choisie. C'est elle qui a fait en sorte de l'être, parmi des centaines d'orphelins. Elle a toujours su qu'elle était appelée à sauver le monde.

L'armée a trouvé *quelque chose*, ici, dans cette cité antique, qui va l'y aider. *Quelque chose* qui a le pouvoir de mettre fin à la guerre ; à toutes les guerres. Malgré le secret militaire, les rumeurs ont circulé en ville et Eulalie sait qu'elles sont fondées. Elle a toujours pensé que, si l'humanité est à ce point agressive et belliqueuse, ce n'est pas tant par haine des autres que par peur de sa propre fragilité. Si chaque personne au monde était capable d'accomplir des miracles, elle cesserait de craindre son voisin.

Des miracles, voilà ce qu'il leur faut à tous.

– Vous avez quoi là-dedans ? C'est réglementaire, au moins ?

Le sergent désigne cette fois la mallette qu'elle tient à la main. Le grain de beauté, au coin de son œil, s'agite comme un petit oiseau inquiet. Eulalie imagine – elle imagine sans cesse – l'enfant qu'il a été, qu'il est toujours, et elle se sent brusquement envahie de tendresse. Si le sergent n'avait pas été son supérieur, elle lui aurait pincé la joue comme elle le faisait, hier encore, aux nouveaux arrivants de l'orphelinat.

– Mon crachoir à aimant... je veux dire ma machine à écrire. Ils m'ont donné l'autorisation de la prendre avec moi.

– Pour les rapports ?

– Pour mes romans. Des romans sans guerre.

– Ah ouais. C'est sûr qu'une cave, ça inspire la paix.

Eulalie s'arrête sur la dernière marche d'escalier et contemple le sous-sol où elle va passer, elle le sait, beaucoup de temps. Elle doit admettre qu'elle est déconcertée. Elle a subi un entraînement intensif sur les appareils de cryptanalyse les plus sophistiqués de l'armée.

Il n'y a ici qu'un simple téléphone.

Et soudain, c'est la chute à l'envers. Une sensation vertigineuse, incohérente de tomber vers le haut. Le téléphone vu du plafond, puis la remontée de l'escalier, puis l'envol au-dessus du chantier, de la cité impériale, de la ville, du continent, de la Terre entière. Une planète ronde, d'un seul tenant, sans arches et sans vide.

L'ancien monde.

Ophélie se dressa sur le lit, secouée et moite, un cri coincé en travers de la gorge. Il en allait ainsi à chaque sortie du sommeil depuis qu'elle avait affronté le balayeur du Mémorial. Et comme à chaque fois, il lui fallut un moment pour rassembler ses idées.

Elle avait encore été visitée par la mémoire d'Eulalie Dilleux. C'était même au-delà de cela. Elle l'avait incarnée de l'intérieur, dans sa chair, dans son nom, avec un degré de précision et de clarté comme elle ne l'avait jamais atteint.

Alors qu'un «pourquoi?» se formait dans son esprit, Ophélie prit conscience qu'elle ne reconnaissait pas son lit. Il était curieusement penché et, quand elle changeait de position, il basculait d'un pied sur l'autre. Alentour, ce n'étaient que des coussins de toutes les formes et de toutes les couleurs. Même le pyjama qu'elle portait ne lui évoquait rien.

Elle n'avait aucun souvenir de s'être couchée ici – de s'être couchée tout court.

Ophélie chercha ses lunettes autour d'elle avant de se rappeler que l'observatoire les lui avait confisquées. Ses gants également. Pourtant, elle n'avait *lu* dans son sommeil ni les draps ni les oreillers. Un frisson la parcourut quand elle caressa toute cette soie silencieuse. Il lui fallut vraiment se concentrer pour en faire émerger des impressions lointaines, trop vagues pour être interprétées. Entrer en contact avec des objets sans être submergée de visions ne lui était plus arrivé depuis l'éveil de son pouvoir familial. Elle leva ses mains dans un rayon de lumière, échappé d'entre les lamelles d'une persienne. Comme elles étaient pâles par rapport à ses bras brunis par le soleil… Elle avait l'impression de porter des gants d'une nouvelle nature.

Ophélie se fraya un chemin au milieu des coussins. À peine posa-t-elle un pied hors du lit qu'elle renversa une pile de livres. Elle s'aperçut en les remettant en place qu'ils étaient tous vierges, sans titre ni texte. Le reste de la chambre fut à l'avenant. Des cadres vides et des horloges sans aiguilles encombraient les murs. Les commutateurs n'avaient aucun effet sur les ampoules, qui poursuivaient leurs insupportables clignotements au plafond. Le poste radiophonique, vers lequel Ophélie se précipita pour écouter les actualités, ne lui fit même pas l'honneur d'un crachotement.

Quant à la porte, elle était fermée à clef.

Ophélie ne *lisait* presque rien de tout ce qu'elle touchait dans cette chambre. L'observatoire avait-il engourdi son pouvoir familial en l'espace d'une seule nuit ? L'idée était effrayante.

– Qu'à cela ne tienne.

Elle arracherait ses secrets à cet endroit, avec ou sans mains.

Elle ne trouva pas de poignée à la persienne de la fenêtre. Elle colla son visage contre les lamelles pour entrevoir l'extérieur, mais le soleil lui brûla les rétines. Elle eut un autre faux espoir en tombant sur une collection de miroirs dans la salle de bains : ils étaient tous déformants, renvoyant d'Ophélie une image distordue et grotesque. Pour envisager un passage, il lui aurait fallu un reflet stable.

Cette prolifération d'inutilité était suffocante.

Ophélie donna des coups à la robinetterie jusqu'à lui faire tousser de l'eau et se nettoya. Son rêve – son *souvenir* – continuait de la serrer de l'intérieur. C'était une émotion difficile à définir, à mi-chemin entre la joie et le chagrin.

Elle soutint son regard dans la flaque d'eau qui s'était formée au fond du lavabo. Il n'y avait aucune trace de l'Autre dans ce passé-là, aucune allusion à un quelconque reflet rebelle, pas même une pensée minuscule, comme s'il ne faisait pas encore partie de l'histoire à ce stade.

Ophélie dut tirer plusieurs fois sur le cordon des toilettes pour déclencher la chasse. Elle avait au moins la confirmation qu'Eulalie Dilleux était passée par l'observatoire des Déviations, même si le lieu ne portait pas encore ce nom, après avoir quitté l'orphelinat militaire. Ce Projet pour lequel elle s'était portée volontaire, c'était forcément le projet Cornucopianisme mentionné par les Généalogistes, mais Ophélie n'avait vu aucune Corne d'abondance non plus dans son souvenir.

Juste une cave et un téléphone.

Un bruit de clef ramena son regard myope vers la porte, qui s'ouvrit théâtralement sur une silhouette de femme. Elle avait la forme d'une bonbonne et était surplombée par un chignon démesuré.

– Maman ?

Le mot était sorti tout seul. Ce ne fut qu'à la seconde suivante qu'Ophélie prit conscience de son impossibilité. Cette femme n'était pas sa mère. En fait, ce n'était pas même vraiment une femme. C'était un automate.

De sous son tablier, où était cousu le mot « nounou », surgit une voix inhumaine :

– BONJOUR, DARLING. ON A FAIT UN BEAU DODO... DODO ?

Ophélie n'avait jamais vu encore un modèle tel que celui-là. Il possédait un vrai visage avec des yeux écarquillés, un nez retroussé et une bouche déformée par un sourire excessif. Son corps, toutefois, était celui d'une poupée articulée. On l'avait affublé d'une robe bouffante et d'une perruque blond-roux qui emplirent Ophélie de confusion. Après l'échantillon du musée d'Anima, ça ne pouvait définitivement plus être un hasard :

l'observatoire savait qui elle était et d'où elle venait. Et il s'en servait pour l'ébranler.

– Quelle heure est-il ? Que m'est-il arrivé après le tunnel ? J'ai dormi d'une traite depuis hier ?

L'automate déboutonna le pyjama d'Ophélie sans lui demander son avis ni répondre à ses questions.

– JE SERAI VOTRE NOUNOU TOUT AU LONG… AU LONG DE VOTRE SÉJOUR ICI, *DARLING*. JE VAIS PRENDRE BIEN SOIN DE VOUS. HABILLONS-VOUS VITE, UNE GRANDE JOURNÉE NOUS ATTEND !

– Je m'habillerai seule.

Une nourrice, c'était vraiment la dernière chose au monde qu'elle souhaitait avoir sur le dos. Sa contrariété s'accrut quand elle enfila ses vêtements. La veille encore, elle ne pouvait les effleurer sans remonter dans le temps à son insu ; aujourd'hui, ils lui étaient pratiquement *illisibles*.

Tandis qu'Ophélie s'empêtrait dans son sarouel, la nounou-automate lui brossa les cheveux avec un tel acharnement qu'ils finirent par former un nuage d'électricité. Pas un instant elle ne se soucia de lui procurer des chaussures. Ce fut donc pieds nus qu'Ophélie s'avança dans un vaste couloir qui s'avéra plus surchargé encore en bimbeloterie que ne l'était la chambre, pour autant que ce fût possible : les vases, les meubles, la vaisselle d'exposition présentaient tous d'évidents défauts de fabrication qui les auraient rendus inexploitables s'il avait fallu s'en servir autrement que pour le décorum.

Le long du couloir, d'autres portes s'ouvraient sur d'autres chambres dont sortaient d'autres silhouettes ensommeillées. D'après ce que les yeux d'Ophélie lui permettaient d'en voir, c'étaient des hommes et des femmes de toutes générations et de toutes couleurs de peau, chacun escorté par une nounou-automate déguisée d'une manière différente. Ils portaient les mêmes habits qui leur dénudaient les bras et les mollets, ainsi que la marque sombre d'un tatouage sur l'épaule.

Il s'agissait donc tous d'inversés ? Certains présentaient des difformités, d'autres non. Ils n'étaient pas plus d'une quinzaine. Aucun d'eux ne rendit son bonjour à Ophélie. En fait, personne ne parlait à personne.

Elle suivit le mouvement en descendant un escalier aux marches encombrées de cartons. Cette résidence évoquait un énorme débarras. À son profond agacement, sa nounou-automate ne la quittait pas. Percer les secrets du projet Cornucopianisme avec pareille escorte ne s'annonçait pas simple.

Arrivée au rez-de-chaussée, Ophélie chercha la cave au téléphone de son rêve. Elle trouva à la place un réfectoire. Y trônait un gigantesque buffet qui offrait à profusion des gâteaux, des épices, des crèmes, des tourtes, des biscuits, des crêpes, des galettes, des loukoums, des confitures, et bien plus encore.

C'était trop, indécemment trop, pour si peu de pensionnaires.

Ophélie sentit son cœur s'emballer comme une toupie. Elle vit sous un éclairage nouveau le débordement d'objets qui régnait dans la résidence. Cette Corne d'abondance, qui n'avait été jusque-là qu'une vieille légende un peu abstraite, lui parut soudain bien réelle. Était-elle quelque part ici, juste sous son nez, sous forme d'un bol ou d'une assiette ?

Évidemment non. L'observatoire l'avait cachée à l'abri des regards, mais ça n'empêcha pas Ophélie de se sentir toute proche de ce qu'elle était venue chercher.

Elle mordit avec appétit dans une pâtisserie. Elle faillit la recracher aussitôt ; c'était infect. Il en alla de même avec chaque plat dans lequel elle se servit. Il y avait un contraste saisissant entre l'aspect appétissant de la nourriture et son goût abominable. Même le thé s'avéra à peine buvable.

167

Ce buffet était à l'image de toute la résidence. La déception d'Ophélie fut inversement proportionnelle à son excitation. La Corne d'abondance, ce n'était donc *que* cela ? Une multiplication de matière ratée ? En quoi Thorn et elle pourraient-ils s'en servir pour contrer Eulalie, l'Autre et les effondrements ?

Dans le réfectoire, les inversés mastiquaient en silence, chacun dans son coin. Ophélie ne pouvait rien avaler.

Elle sourcilla quand une grosse brioche roula sur la nappe jusqu'à elle. Ce cadeau provenait d'un jeune homme qui se tenait de l'autre côté de la table, assez proche pour qu'elle pût voir de lui des yeux bridés et de larges pommettes colorées. Son sourire en coin dévoila des dents très blanches. Lui aussi portait l'estampille du programme alternatif sur l'épaule. C'était le premier dont Ophélie croisait le regard. Elle se demanda en quoi consistait son inversion, tant il paraissait ordinaire. Cela étant, la sienne ne se voyait pas non plus au premier coup d'œil. Blasius lui avait dit qu'il existait toutes sortes d'inversions : celles des corps, celles des esprits et celles des pouvoirs.

Thorn lui aurait déconseillé de toucher au cadeau d'un inconnu, mais quelle nourriture était vraiment digne de confiance ici ? Elle croqua dans la brioche et la trouva mangeable.

– Merci.

Le jeune homme se passa un doigt discret sur la bouche pour l'inciter au silence, puis il lui désigna leurs nounous-automates en mimant, d'un roulement d'index, une rotation de disque. D'accord. Les mannequins étaient munis d'un dispositif phonographique. Si Ophélie ne pouvait poser aucune question sans courir le risque d'être enregistrée, mener l'enquête allait se révéler un vrai tour de force.

Un gong retentit.

– C'EST L'HEURE, *DARLINGS*! annoncèrent en chœur toutes les nounous-automates.

Tout le monde franchit une porte pour s'engager dans un cloître. Là aussi, des caisses de bibelots pleines à craquer gênaient le passage. Les colonnes de couleur sable, érodées par les siècles, dataient certainement de l'époque de la cité impériale. Ophélie les frôla des doigts sans parvenir à pénétrer leur histoire. Sans lunettes, il lui était difficile de discerner la cour immense qui s'étendait au-delà de l'ombre dentelée des arcades. Ça ne ressemblait pas à un jardin, mais à des structures industrielles. C'était donc là l'enceinte de confinement.

Un silence morose régnait parmi les inversés. Les nounous-automates veillaient à ce que chacun se tînt à distance des autres. Leur file croisa une procession d'individus en froc, dissimulés sous des capuches grises. Ceux-là n'étaient apparemment ni des automates ni des inversés. L'un d'eux se retourna discrètement sur le passage d'Ophélie, mais il ne lui adressa pas la parole et poursuivit sa route.

Après une succession de galeries et de cartons, les inversés furent enfin amenés à descendre dans la grande cour intérieure, déjà brûlante de soleil. Les structures industrielles se précisèrent enfin aux yeux d'Ophélie : des manèges rouillés, des stands forains vides, une grande roue figée et, partout où c'était possible, des monticules de déchets. Un ancien parc d'attractions ? C'était en cela que consistait le programme alternatif ?

Ophélie avait l'impression déplaisante de s'éloigner de ce qu'elle avait entrevu en rêve.

Elle fut introduite sous un chapiteau à la pénombre irrespirable. Plusieurs chaises boiteuses faisaient face à un écran sur lequel un projecteur lançait, dans un faisceau scintillant de poussière, des images saccadées. Au milieu du chapiteau, un tourne-disque bramait une musique discordante.

Chaque inversé s'installa à l'écart de ses voisins. Ophélie fut placée au premier rang. Le jeune homme à la brioche s'assit à deux chaises de la sienne.

Les nounous-automates s'étaient postées à l'entrée du chapiteau en attendant la fin de la projection. Ophélie espérait que la séance ne durerait pas. Sur l'écran devant elle, des figures géométriques se formaient et se déformaient sans cesse, lui donnant à la fois mal au crâne et mal au cœur.

– Les fixe pas trop.

Le murmure avait émané du jeune homme à la brioche. Il se tenait nonchalamment assis à sa place, bras et jambes croisées, la tête hissée vers l'écran, mais ses yeux bridés étaient tournés en direction d'Ophélie. Ils étincelaient de curiosité dans la nuit du chapiteau.

– Me fixe pas trop non plus. Fais comme moi. Fais semblant.

Ophélie contempla l'écran sans le regarder tout à fait. Ici, dans la cacophonie du tourne-disque, à l'écart des nounous-automates, ils pouvaient enfin parler.

– Moi, c'est Cosmos.

Ophélie aimait le son de sa voix, son léger accent oriental, sa petite pointe de dérision. En l'écoutant, elle se sentit redevenir tout exiguë. C'était la même chose qu'Eulalie Dilleux avait éprouvée face à ce sergent et à son grain de beauté tremblotant. Mais quoi ?

– Tu es dans le programme depuis longtemps, Cosmos ?

– Assez pour te conseiller de pas fixer ces images. Chaque jour, ils commencent par la projection. Ça nous met en condition, comme la lunette dérivée… je veux dire comme le tunnel d'arrivée. Paraît que tu t'es évanouie ? T'es pas la première à tourner de l'œil. Moi, j'avais vomi.

Ophélie contracta ses doigts de pieds sur le tapis. Elle chercha, sans en trouver, une surface réfléchissante à proximité.

– Et ensuite ? dit-elle. Qu'est-ce qu'ils nous réservent ?

– Examens. Entretiens. Ateliers. Tu comprendras bientôt. Ou plutôt non, tu comprendras rien. Ils ont tous un grain ici. Toi, t'as l'air d'une personne sensée. T'es comme moi.

Il y eut une toux derrière eux. Ophélie devina par-dessus son épaule, au-delà des rangées de chaises et du projecteur d'images, des silhouettes en froc gris qui se tenaient au fond du chapiteau.

– Les regarde pas, murmura Cosmos un peu plus bas. C'est les collaborateurs. Recrutés par l'observatoire tout nous répudier… pour nous étudier.

Ophélie prit une longue, une profonde inspiration. Un lapsus, ça pouvait être une coïncidence ; deux, ça incitait à la prudence. Si elle avait disposé d'un miroir de poche, elle aurait pu vérifier que ce garçon était bien celui qu'il prétendait. À peine fut-elle traversée par cette pensée que Cosmos changea de place pour s'asseoir une chaise plus loin.

– Tu t'es méfiée de moi d'un coup. Pourquoi ?

Sa voix, qu'Ophélie eut plus de mal à entendre à cause de la distance et de la musique, avait perdu toute trace d'humour. Ce jeune homme était un Empathique. Du moins, il en avait l'apparence. Son pouvoir familial lui permettait de percevoir, dans une certaine mesure, tout ce qui se dégageait d'Ophélie.

Elle décida de lui parler franchement :

– Tu t'exprimes comme une personne de ma connaissance. Et ce n'est pas une amie.

Cosmos ne put réprimer un coup d'œil étonné vers Ophélie, déclenchant une nouvelle toux réprobatrice dans les coulisses.

– Mes poèmes d'électrocution… mes problèmes d'élocution ? Ça me le fait depuis que je suis ici. Ils ne guérissent rien. Ils nous détraquent encore plus. Ça passe soit par la parlure, soit par la bougeotte. Ça te le fera tôt ou tard aussi.

Les orteils d'Ophélie relâchèrent leur pression sur le sol. Les lapsus d'Eulalie Dilleux étaient-ils la conséquence de ce qu'elle avait subi dans le cadre du projet Cornucopianisme? Était-ce à cause de cela qu'elle souffrait elle-même de troubles de *lecture*? Une seule traversée dans cet étrange tunnel avait-elle suffi à rendre ses mains analphabètes?

Cosmos baissa sa voix encore d'un ton, jusqu'à la rendre presque inaudible :

– Sauf si on s'enfuit avant. Seul, c'est impossible. Si on s'allie, on chasse une anse... on a une chance.

– Je me suis portée volontaire. Je n'ai pas l'intention de m'enfuir.

– Si on s'enfuit pas, *miss*, ils nous feront disparaître.

– Disparaître comment?

– Y a trois protocoles. Là, on est en plein dans le premier. Je sais pas où vont ceux qui sont transférés au deuxième protocole; on les croise parfois de loin. Mais dès qu'ils ont le sang frais... je veux dire dès qu'ils sont transférés au troisième protocole, on en entend plus jamais parler.

Ophélie se raccrocha à ce que lui avait dit Blasius dans le fourgon.

– Ils ont peut-être été simplement renvoyés chez eux.

– On a pas tous la chance d'avoir un chez-soi, répliqua Cosmos. En ce qui me concerne, personne m'attend dehors. Et toi, ajouta-t-il non sans malice, je parie que t'es ici car t'as nulle part ailleurs où aller.

Un gong résonna à nouveau dans le lointain, mettant un terme à la projection et à leur conversation.

– L'observatoire des Déviations possède sa propre nécropole, lui murmura Cosmos en se levant. Je sais pas pour toi, mais moi j'ai pas envie de finir là-bas.

Sur ces mots, il rejoignit sa nounou-automate. Ophélie

fut conduite par la sienne jusqu'à une tente individuelle, aux dimensions plus modestes que celles du chapiteau, où des collaborateurs lui firent effectuer toutes sortes de gestes absurdes : plier le coude, fermer un œil, avancer à cloche-pied, pivoter la tête, et ainsi de suite jusqu'au tournis. À aucun moment l'un d'eux ne lui montra son visage ni ne lui adressa un mot. Portaient-ils des pince-nez à verres sombres sous leur capuche ?

Ils la firent ensuite asseoir dans l'obscurité d'une cabine photographique. Ophélie fut si éblouie par les flashs qu'elle laissa sa nounou-automate la guider par les épaules pour l'étape suivante du protocole. Celle-ci se déroulait sur la plate-forme d'un manège à vapeur tel qu'elle n'en avait jamais vu. À la place des sièges se dressaient des chevalets comme on en trouverait normalement dans les ateliers de peinture. Chaque inversé se tenait debout. Dès qu'Ophélie fut installée face à son chevalet, le manège se mit à tourner.

– VOTRE GAUCHE !

Les uns se mirent à calligraphier, les autres à dessiner, tous utilisaient leur main gauche.

– VOTRE DROITE !

D'un même geste, tous les inversés changèrent de main. Le manège alterna son sens de rotation dans un concert de grincements atroce. Une femme rendit son petit déjeuner.

Cosmos avait raison. Ils avaient tous un grain ici.

Ophélie scruta sa page blanche sans savoir quoi en faire. En fait, elle ne pensait plus qu'à leur conversation sous le chapiteau, obligée d'admettre qu'il l'avait inquiétée. Elle n'avait pas peur pour elle, pas encore en tout cas. Elle avait peur pour Thorn. Les Généalogistes étaient les Lords les plus puissants de Babel, et pourtant ils n'avaient pas pu protéger leur ancien informateur. Avait-il fait partie du troisième protocole ?

Ophélie savait que la meilleure façon d'aider Thorn était d'être ses yeux et ses oreilles partout où l'observatoire ne le laisserait pas inspecter, mais elle aurait voulu le mettre en garde.

Elle sursauta lorsque la nounou-automate la fessa.

– VOUS NE DESCENDREZ PAS DE CE MANÈGE TANT QUE... TANT QUE VOUS N'AUREZ PAS SAGEMENT FAIT VOS DEVOIRS, *DARLING*.

Ophélie observa ses voisins les plus proches. Un vieillard s'interrompait sans cesse dans sa calligraphie pour se frapper une oreille en marmonnant «faut monter en bas... faut monter en bas...». Malgré la myopie, Ophélie pouvait apercevoir les cernes sous ses yeux, aussi noirs que l'encre dont il s'éclaboussait le visage.

Il lui fit de la peine.

Quand elle se tourna de l'autre côté, elle fut plus peinée encore en découvrant le profil d'une très jeune fille, appliquée sur un coloriage. Les boutons d'un début de puberté lui picoraient la joue. Ophélie ne l'avait pas remarquée à la résidence. Curieusement, de tous les inversés présents sur ce manège, elle seule n'avait pas de nounou-automate. En revanche, elle était étudiée de près par une équipe de collaborateurs.

– VOS DEVOIRS, *DARLING*, répéta la nounou-automate.

Ophélie saisit un crayon tordu, aussi *illisible* que tout ce qu'elle avait touché depuis son réveil, et écrivit plusieurs fois la même phrase : «Mais ce puits n'était pas plus vrai qu'un lapin d'Odin.» Elle n'avait toujours pas la moindre idée de ce que ces mots signifiaient, mais ainsi elle s'épargnerait l'humiliation d'une fessée publique sur un manège à vapeur. Les rotations, tantôt dans un sens, tantôt dans l'autre, transformaient ses mots en bouillie.

Elle ne pouvait s'empêcher de jeter des regards furtifs au profil de la jeune fille à côté d'elle. Plus Ophélie lui prêtait attention, plus cette drôle d'impression laissée par son rêve refaisait surface. C'était doux-amer, ça lui faisait envie et mal à la fois. De quoi s'agissait-il, à la fin?

Le manège s'arrêta quand le gong retentit dans le lointain. La jeune fille fondit aussitôt droit sur Ophélie avec un grand sourire, son dessin serré contre son ventre. À présent qu'elle lui faisait face, cheveux derrière les oreilles, sa figure révélait toute sa singularité. Elle était complètement dissymétrique. Oreilles, sourcils, narines, dents, jusque dans les contours de son front et de ses mâchoires : rien ne s'assortissait, comme si on avait pris la moitié de deux personnes différentes pour les assembler. L'un de ses yeux ne possédait même pas d'iris et posait sur Ophélie une blancheur accablante.

Une chaîne d'or reliait son arcade sourcilière à sa narine.

– Seconde, murmura Ophélie.

La sœur d'Octavio. La fille de Lady Septima. Aucune des moitiés de ce visage ne leur ressemblait. Sans la chaîne, il aurait été impossible de deviner un lien de parenté entre eux trois.

– La béquetée pourfend le foin.

– Pardon?

Ophélie n'avait rien compris. Seconde fronça ses sourcils dissemblables et prit un air insistant.

– Gravite par le fer et pends les montagnes.

Ophélie secoua la tête, de plus en plus confuse. Ce charabia était pire que les lapsus. Seconde soupira. Elle remit son dessin à Ophélie et bondit hors du manège.

C'était une illustration étrange mais remarquable, maîtrisée jusque dans les moindres détails, à croire que les secousses du manège n'avaient en rien gêné son coup de crayon. Elle représentait un garçon qui ressemblait beaucoup à Octavio : il pleurait au milieu de papiers déchiquetés à ses pieds.

Tous les collaborateurs environnants se rassemblèrent aussitôt autour d'Ophélie pour lui confisquer le dessin et se le passer de main en main tout en prenant activement des notes. Elle ne leur accorda aucune attention. Elle venait de comprendre la nature de cette sensation qui lui comprimait le ventre depuis son réveil. C'était ce qu'Eulalie Dilleux avait ressenti envers le sergent, envers les orphelins et ce qu'elle ressentirait bien plus tard envers les esprits de famille. Une émotion viscérale qui avait imprégné chaque fibre d'Ophélie.

L'instinct maternel.

COMMUNION

Les nuages s'effilochaient comme de la laine à travers le ciel. Victoire avait l'impression d'être faite de la même matière. Elle ne ressentait ni le vent qui faisait frissonner l'herbe ni le parfum des orangers. Elle ne pesait rien, n'avait plus de forme. Elle s'enfonçait dans la baignoire. La lourdeur de l'Autre-Victoire, qui l'avait si souvent exaspérée, lui manquait. Bien sûr, son esprit d'enfant ne pouvait enfiler des mots aussi complexes sur toutes ces pensées-là.

– Trouves-tu ce monde paisible, petite fille ?

Victoire tourna son attention vers le Faux-Bonhomme-Tout-Roux. Il se tenait assis juste à côté d'elle, mais le son de sa voix était aussi lointain que celui de la rivière au bord de laquelle ils s'étaient arrêtés.

– La paix a un prix. Si ta main droite est pour toi une occasion de chute, coupe-la et jette-la loin de toi. C'est ce que j'ai fait, sais-tu ? Quand on se change nous-mêmes, petite fille, on change l'univers entier. Car ce qui est au-dehors est comme ce qui damne l'onde... ce qui est au-dedans.

Il choisit une pierre dans l'herbe, la lança d'un mouvement maladroit, puis montra à Victoire les ronds qui se propageaient dans l'eau.

– Voilà ce que tu es.

Les yeux du Faux-Bonhomme-Tout-Roux cherchèrent Victoire sous les orangers, sans parvenir à se fixer durablement sur elle. Elle avait besoin de lui. Ou plus exactement, bien qu'elle eût été incapable de se le formuler en ces termes, elle avait besoin de se sentir exister grâce à lui. Tant qu'il aurait conscience de sa présence, elle pourrait se maintenir à la surface de la baignoire. Le grand tourbillon de la dernière fois l'avait terrifiée ; que ferait-elle s'il essayait encore de l'emporter ?

– Tu es sans doute trop jeune pour comprendre ce que je vais te dire, mais je dois te le dire justement parce que tu es trop jeune. L'usage que tu fais de ton pouvoir est rage de dent... dangereux. Chaque déchirure aggrave celle du monde.

Le Faux-Bonhomme-Tout-Roux caressa de sa grande main musclée la foule d'ombres qui se mélangeaient à celles des orangers tout autour de lui. Victoire avait appris à ne plus en avoir peur, mais elle ne les approchait pas trop pour autant.

– Je possède également un autre moi. Je lui ai donné mes joies, mes peines, mes expériences, mes désirs, mes peurs, toutes ces contradictions qui m'entravaient. Plus je lui donnais, plus l'Autre me donnait à son tour. Et plus il réclamait aussi. Il réclamait toujours plus. Je n'ai pas eu d'autre choix que de renoncer à lui, dans l'intérêt du monde.

Les yeux du Faux-Bonhomme-Tout-Roux s'arrêtèrent sur Victoire comme s'ils venaient enfin de la repérer parmi les papillons. Des yeux pleins de vide. Une part d'elle sentait confusément qu'il avait un peu besoin d'elle, lui aussi.

– Ta seconde toi, celle qui est restée là-bas, au Pôle, auprès de tes parents : elle a renoncé à toi, elle aussi. Tu es celle qui l'éventrait... qui l'entravait. Tu ne comprends certainement pas ce que j'essaie de t'expliquer, petite fille, mais c'est important. Ce n'est pas elle, l'autre. C'est toi.

Non, Victoire ne comprenait rien. Et pourtant, elle se mit à éprouver un chagrin qu'elle ne pouvait exprimer ni en cris ni en larmes.

– Je n'ai rien contre toi et je ne peux rien pour toi, lui dit encore le Faux-Bonhomme-Tout-Roux en se remettant pesamment debout. Tant que tu te contentes de rester une ombre parmi les ombres, tu ne représentes un problème que pour toi-même. Le véritable danger commence quand un reflet quitte son miroir. Et qu'il défait, tout en restant caché, ce qui a pris des siècles à être construit.

Avec des contorsions ridicules, le Faux-Bonhomme-Tout-Roux se débarrassa des brindilles collées à ses habits. L'eau de la rivière réfléchissait tout le paysage sauf lui – lui et Victoire.

– Ce corps de sans-pouvoirs est limité, mais patience... De tous mes enfants, Janus a toujours été le plus imprévisible et le moins coopératif. S'il me trouve chez lui avant que, moi, je ne trouve ses Aiguilleurs, tout sera à recommencer. Et je n'en ai plus le temps. Nous ne devons pas brusquer les choses, petite fille. À un moment il y aura une faille. Il y a une fouille toute rage... il y a toujours une faille.

Sur un signe de lui, Victoire suivit le Faux-Bonhomme-Tout-Roux à travers les orangers. Il se déplaçait d'un pas bizarre quand ils étaient seuls, comme s'il lui était plus naturel de tordre ses jambes. Il se força à marcher normalement dès qu'il poussa le portail du square habituel. C'était une véritable torture pour Victoire de voir tous ces tourniquets et ces chevaux à bascule sans pouvoir y jouer. Il n'y avait jamais d'enfants ici. Une fois, Victoire en avait aperçu de loin qui riaient mais, dès que le Faux-Bonhomme-Tout-Roux était arrivé au portail, les enfants avaient disparu.

La Dame-Aux-Drôles-D'yeux était assise sur une des balançoires, creusant dans le sable de profonds sillons à force d'y frotter ses souliers. La lumière oblique du soleil couchant faisait paraître ses cheveux noirs presque blonds. Elle se cramponnait aux chaînes en observant Andouille, qui allait et venait sans cesse en miaulant entre ses mollets. Il s'éloigna à vive allure dès que le Faux-Bonhomme-Tout-Roux vint s'asseoir sur la balançoire voisine. Andouille ne les aimait pas beaucoup, Victoire et lui.

La Dame-Aux-Drôles-D'yeux, elle, redressa à peine la tête.

– Ça a donné quoi de ton côté ?

– Rien.

Victoire avait remarqué que le Faux-Bonhomme-Tout-Roux parlait très peu quand ils n'étaient plus seuls. Elle remarqua aussi que les lèvres de la Dame-Aux-Drôles-D'yeux étaient tout égratignées à force d'être mordues.

– Rien du mien non plus. Des murs sans portes et des jardins déserts où que j'aille. Comme si toute l'architecture d'Arc-en-Terre s'était repliée à l'intérieur d'elle-même. Mon nihilisme vaut pas un clou ici. Annuler uniquement le pouvoir familial des descendants de Farouk, hein ? Tu parles d'un talent.

La voix de la Dame-Aux-Drôles-D'yeux s'était tellement épaissie qu'elle parut l'étouffer du dedans. Victoire l'avait souvent vue en colère, mais jamais à ce point-là. Ses doigts étranglaient les chaînes de sa balançoire tandis qu'elle se voûtait davantage, révélant les racines de ses cheveux : ce n'était pas un effet de lumière, ils repoussaient blonds. Le Faux-Bonhomme-Tout-Roux conserva le silence.

À la surprise de Victoire, la Dame-Aux-Drôles-D'yeux finit par éclater de rire.

– Ça craint ! Si on ne peut plus ni quitter cette arche ni avoir de commerce avec aucun Arcadien, je vais vite être à court de cigarettes.

Le portail du square grinça quand ce fut au tour de Parrain

d'arriver. Il sifflotait une petite mélodie guillerette. Victoire courut jusqu'à lui. Même s'il n'avait pas conscience de sa présence, même si son sourire restait insaisissable, Parrain la faisait se sentir moins triste. Chaque matin, ils se séparaient et chaque soir, ils se retrouvaient dans ce square où ils passaient la nuit tous ensemble. Ça ressemblait à un jeu sans perdant ni gagnant.

– Alors? grogna la Dame-Aux-Drôles-D'yeux. Notre situation a-t-elle évolué, ex-ambassadeur?

Parrain attrapa du pied un ballon qui traînait dans le sable et le fit rebondir de plus en plus haut.

– Peut-être.

– Peut-être?

Seuls les rebonds du ballon sur le pied de Parrain répondirent à la question. La Dame-Aux-Drôles-D'yeux se leva si soudainement que sa balançoire fut secouée dans tous les sens.

– En attendant que ce «peut-être» devienne un «oui», je m'en vais satisfaire un besoin naturel.

Elle s'en alla au fond du square vers une petite bâtisse carrelée que Victoire savait être des toilettes. Elle y avait accompagné une fois Parrain par curiosité. Elle ne l'avait pas fait une deuxième.

Le dernier rebond du ballon l'envoya si haut dans les airs qu'il ne redescendit pas; il s'était perché dans les branches d'un arbre. Parrain regarda les feuilles virevolter dans les rayons du couchant. Il en attrapa une au vol qu'il tourna et retourna avec fascination entre ses doigts, à croire qu'il essayait de déchiffrer les mystères de l'univers à travers elle. Victoire adorait cette façon que Parrain avait d'observer chaque chose dans les moindres détails, de toucher tout ce qui était à sa portée, de goûter tout ce qui pouvait être mis en bouche. C'était un peu comme s'il ressentait le monde à sa place.

– Je ne suis certes pas un expert en monogamie, finit-il par déclarer, mais je sais reconnaître une femme seule quand j'en vois une.

Toujours assis sur sa balançoire, le Faux-Bonhomme-Tout-Roux eut un coup d'œil pour les toilettes au fond du square. Le soleil, de plus en plus bas dans le ciel, étirait toutes les ombres sauf celles qui se contractaient comme des ronces sous ses semelles.

– Je lui parlerai.

– Et si plutôt nous parlions, nous? proposa Parrain. Une conversation d'homme à homme.

Avec son sourire de toujours, il se pencha sur le Faux-Bonhomme-Tout-Roux, qui haussa lentement, très lentement ses épais sourcils. Le regard de Parrain était le même que celui qu'il destinait à la feuille d'arbre, un instant auparavant. Une ombre que Victoire ne lui avait encore jamais vue se mit à sortir de ses yeux – comment des yeux aussi clairs pouvaient-ils produire une telle obscurité? – et à pénétrer dans ceux du Faux-Bonhomme-Tout-Roux.

– Ou devrais-je dire, chuchota Parrain, d'homme à dieu?

Victoire était fascinée et apeurée et excitée; elle était trop de choses à la fois et elle n'avait aucun mot pour les décrire. L'ombre de Parrain n'en finissait plus de déborder jusqu'à envelopper entièrement le corps, pourtant plus massif que le sien, du Faux-Bonhomme-Tout-Roux. Celui-ci était pris dans ce piège noir sans seulement essayer de se débattre. Les oscillations de sa balançoire cessèrent peu à peu. Ses mâchoires s'entrouvrirent, mais il n'émit pas le moindre son. Plus rien ne paraissait exister pour lui en dehors des yeux implacables de Parrain qui se penchait toujours plus, mêlant leurs cheveux or et feu.

– Quel effet cela fait-il? Que ressent-on quand on possède

des milliers d'identités et qu'on se noie dans la conscience d'un seul homme ?

La voix de Parrain était douce comme de la soie. Néanmoins, Victoire ressentit envers lui une crainte respectueuse tout à fait nouvelle.

Il se produisit alors une chose étonnante. Le visage du Faux-Bonhomme-Tout-Roux s'amollit et changea de forme comme si sa chair était faite en pâte à modeler. Ses traits s'affinèrent, ses cheveux pâlirent et, en l'espace de quelques instants, il fut comme Parrain. Il avait sa beauté, il avait sa barbe mal rasée, il avait son chapeau percé, il avait même sa larme noire sur le front. Il avait ses yeux. D'un seul regard, il projeta sur Parrain toutes les ombres qui jaillirent de sous ses pieds comme d'innombrables tentacules.

– Et toi, mon enfant, que rend tissu... que ressens-tu ?

Victoire eut un premier choc en voyant Parrain s'effondrer sur le sol. Elle en eut un second lorsque la Dame-Aux-Drôles-D'yeux se jeta sur le Faux-Parrain en le faisant dégringoler de sa balançoire. Accroupie sur lui, armée d'une clef à molette, elle le frappa encore et encore et encore et encore.

– T'y croyais vraiment, joint de culasse ? hurla-t-elle. Tu croyais que t'allais nous berner longtemps ? Qu'as-tu fait de Renard ?

Épouvantée, Victoire constata que le crâne du Faux-Parrain se déformait, puis se reformait sous les coups.

– C'est bon, ma fille ? demanda-t-il d'un ton las. Tu es calmée ?

– Je... ne... suis... pas... ta... fille ! cria la Dame-Aux-Drôles-D'yeux en abattant sa clef à molette entre chaque mot. Dieu ou non... je te démonterai... pièce par pièce !

– Ce ne sera pas nécessaire, intervint une voix.

C'était l'homme-femme de la dernière fois. Victoire se

rendit compte qu'il était au milieu du square, puis elle se rendit compte qu'il n'y avait plus de square. Ils se trouvaient tous à présent à l'intérieur d'une très grande salle. Elle était encore plus décorée que le boudoir de Maman.

Étendu au milieu d'un tapis, Parrain se redressa sur les coudes. Son premier geste fut pour son chapeau, tombé avec lui.

– Quand même, don Janus, nous avons failli vous attendre. Je commençais à croire que vous n'aviez pas reçu mon message.

– Ton message, *niño*? Celui qui consiste à taper sur les murs de toutes les maisons en répétant « Dieu est ici » ? J'ai connu plus subtil. Je dois toutefois admettre que tu as honoré ta part du marché. Tu m'as prouvé qu'Arc-en-Terre était impliquée dans vos petites affaires.

L'homme-femme fit signe à la Dame-Aux-Drôles-D'yeux de se reculer, puis il inclina son corps gigantesque vers le Faux-Parrain.

– *Señora* Dilleux. Cela faisait longtemps.

Le Faux-Parrain changea de forme jusqu'à redevenir la Petite-Dame-À-Lunettes que Victoire avait brièvement rencontrée sur le pont, entre deux Faux-Bonshommes-Tout-Roux. Elle paraissait fragile et minuscule face à l'homme-femme, mais elle n'avait pas l'air intimidé du tout.

– J'électrisais le phoque... je préférais l'époque où tu m'appelais « mère ».

– Une mère capable de reproduire à l'identique chaque personne qu'elle croise dans la rue, mais pas ses propres créatures. C'est tout de même assez ironique.

La Petite-Dame-À-Lunettes leva une main vers l'homme-femme qui la surplombait de haut, mais il disparut et réapparut à l'autre bout du tapis.

– Vous comprendrez si je ne vous laisse pas nous approcher

de trop près, mon Livre et moi, *señora* Dilleux. J'ai pris goût à mon intégrité mémorielle.

Parrain essaya de se remettre debout sans y parvenir. Une moitié de sourire restait accrochée au coin de sa bouche, mais Victoire voyait bien qu'il tremblait. Il dévisagea la Petite-Dame-À-Lunettes avec une curiosité moqueuse.

– Qu'allons-nous en faire, don Janus ?

L'homme-femme enroula un doigt dans la spirale d'une de ses moustaches.

– Rien.

– Comment ça, rien ? souffla la Dame-Aux-Drôles-D'yeux en serrant sa clef à molette dans son poing.

– Rien, répéta l'homme-femme. Vous vous trouvez ici dans un non-lieu de ma fabrication. Même le plus doué des Arcadiens ne pourrait quitter cet endroit sans que je le décide. Ça s'applique également à la *señora* Dilleux, si puissante soit-elle. Je m'étais engagé à ce que nous – quels étaient vos termes, déjà ? – que nous lui « remontions les bretelles ensemble ». Considérez que c'est chose faite. Vous m'avez prouvé que mon arche était impliquée dans vos affaires, mais elle l'a été par votre faute. C'est vous qui avez amené la *señora* Dilleux jusqu'à moi. C'est donc vous qui allez lui tenir compagnie ici et arrêter de dérégler le monde.

– Janus. Donne-moi un Arcadien.

La Petite-Dame-À-Lunettes repoussa derrière ses épaules les cheveux bruns qui lui tombèrent aussitôt jusqu'à la taille.

– Donne-moi un Aiguilleur.

Victoire avait entendu une fois Maman employer ce ton-là. Son collier avait cassé et une pluie de perles s'était déversée dans le salon. Elles étaient si brillantes ! Plus appétissantes que toutes les friandises de la bonbonnière. Victoire avait rampé sous le fauteuil pour en ramasser une et l'avait portée à sa bouche, curieuse d'en découvrir le goût. Maman s'était alors agenouillée dans un rapide froissement de robe, avait tendu sa paume grande ouverte et, dans le bleu de ses yeux, Victoire avait surpris un orage qui l'avait effrayée. «Donne-la-moi.»

Comme la Petite-Dame-À-Lunettes maintenant.

Un sourire souleva les moustaches de l'homme-femme.

– Il fut un temps où je n'aurais pas pu faire autrement que vous obéir, *señora* Dilleux. Vous n'aviez qu'à exiger pour que mes frères et sœurs vous cèdent en toute chose. Ce temps est révolu. Il a cessé depuis que vous avez, vous, cessé d'être vous-même.

La Petite-Dame-À-Lunettes fronça les sourcils.

– Tu te trompes d'ennemi, Janus. Vous vous trompez tous d'ennemi. Ce n'est pas moi qui dérègle le monde : c'est l'Autre. Si vous ne m'aidez pas vite à le trouver et à l'arrêter, il sautera au trot... il sera trop tard.

L'homme-femme poussa un soupir qui fit frissonner sa collerette.

– Les siècles passent, et c'est toujours le même refrain. Et ma réponse sera toujours la même : non, je ne vous autorise pas à approcher mes Arcadiens et à assimiler leurs pouvoirs. Vous n'êtes pas digne de ce talent dont vous m'avez vous-même doté. Si vous l'étiez, vous le détiendriez déjà. N'y voyez pas d'offense, *señora* Dilleux, mais l'Autre n'a jamais existé ailleurs que dans votre incontrôlable imagination. J'espère au moins que cette dernière vous sera utile pour trouver les soirées moins longues dans mon non-lieu.

Sur ces mots, l'homme-femme disparut, laissant un grand vide sur le tapis où Andouille se faisait déjà les griffes. Victoire regarda la Dame-Aux-Drôles-D'yeux qui regarda la Petite-Dame-À-Lunettes qui regarda Parrain.

– D'accord, dit celui-ci, toujours allongé au sol. J'admets que, celle-là, je ne l'avais pas vue venir.

La déviation

Ophélie dormait mal. Ses nuits ne se résumaient plus qu'à une somnolence agitée où se mêlaient l'ancien et le nouveau monde. Elle se réveillait toujours en sursaut, éblouie par les ampoules défaillantes, en proie à une peur indéfinie, comme s'il y avait encore un vieux balayeur prêt à l'épouvanter pour la tenir éloignée des secrets d'Eulalie Dilleux. Et quand ce n'étaient pas les cauchemars, c'étaient ses pensées qui tournoyaient comme le tambour d'une machine à laver. Le lit bancal n'aidait pas à réfléchir droit.

Elle était, plus que jamais, obsédée par l'Autre.

Il avait provoqué la mort de milliers d'individus sans jamais sortir de l'ombre, mais elle était hantée par ce qu'il avait d'abord tué en elle. Avoir ou ne pas avoir d'enfant était une décision qui aurait dû leur revenir, à elle et à Thorn. L'Autre l'avait encombrée d'une mémoire dont elle n'avait pas voulu et l'avait dépossédée de son tout premier choix d'adulte. Ophélie n'était même plus certaine de ses propres sentiments : ce dépit provenait-il d'elle ou de ce qu'Eulalie Dilleux aurait éprouvé dans sa situation ?

Chaque fois qu'elle croisait son reflet distordu, dans les miroirs déformants de la salle de bains, elle pensait à cette nuit lointaine où elle avait libéré l'Autre malgré elle. Malgré elle, vraiment ? Elle essayait de toutes ses forces de se remémorer l'élément déclencheur. Elle revoyait sa chambre sur Anima. Elle revoyait la glace murale. Elle se revoyait elle-même en peignoir de nuit. Elle croyait revoir cette présence, à peine perceptible, derrière sa propre image.

Libère-moi.

Il y avait forcément eu autre chose. Si jeune fût-elle, Ophélie n'aurait jamais cédé sans raison au caprice d'un reflet étranger. Elle n'avait pas pu décider, sur un simple coup de tête, que la meilleure chose à faire était de traverser la glace pour lui ouvrir la voie. Et puis, une fois encore, que s'était-il produit ensuite ? Pendant qu'elle était coincée entre sa chambre et la maison de sa grand-tante, qu'était-il advenu de l'Autre ? Par où était-il sorti ? Sous quelle forme ? Qu'avait-il fait toutes ces années ?

Ophélie ressongeait quelquefois à cette vitrerie-miroiterie où elle s'était vue en sang face à Eulalie, l'Autre et le vide. Il était rageant d'être assaillie de visions étrangères et de ne pas pouvoir se rappeler quelque chose qui lui était bel et bien arrivé dans sa propre enfance !

À l'image de ses pensées répétitives, chaque journée d'Ophélie à l'observatoire était une réplique exacte de la précédente. La nounou-automate la déposait en salle de projection où des figures géométriques se construisaient et se déconstruisaient sur l'écran, l'accompagnait sous une tente où Ophélie accomplissait toujours les mêmes gestes insensés avant d'être prise en photographie, la conduisait de manège en manège où se tenaient des ateliers invraisemblables, assistait à ses visites médicales ainsi qu'à ses repas, puis l'enfermait à clef dans sa chambre jusqu'au lendemain.

Les seules perturbations dans ce rituel étaient les pannes électriques, très fréquentes, qui arrêtaient les manèges en pleine rotation et qui éteignaient le réfectoire au milieu du souper. Depuis son arrivée, Ophélie n'avait pas vu une seule ampoule fonctionner correctement.

Elle avait perdu toute notion du temps. Elle avait également perdu son seul véritable interlocuteur. Cosmos, dont la tentative de conversation n'était pas passée inaperçue, ne fut plus autorisé à s'asseoir à côté d'elle en salle de projection. Or, il n'y avait pas beaucoup d'endroits où il était possible de discuter à l'abri du dispositif phonographique d'une nounou ou à l'écart des collaborateurs. Ophélie n'avait plus jamais eu affaire ni à la femme au scarabée, ni à l'homme au lézard, ni à aucun observateur depuis son intégration au programme alternatif. Quant aux directeurs de l'observatoire des Déviations, Ophélie avait parfois capté des chuchotements à leur sujet, mais elle ne les avait pas rencontrés une seule fois depuis son arrivée.

Elle n'avait pas revu Thorn non plus et, de toutes les privations, celle-là était la plus pénible. Réussissait-il à enquêter de son côté sans éveiller les soupçons?

Dans l'attente de pouvoir lui parler enfin, elle regardait, écoutait, touchait tout ce qui était à sa portée dans l'enceinte de confinement. Elle n'avait rien trouvé qui pût ressembler à une Corne d'abondance, l'image qu'elle s'en faisait du moins. En revanche, elle constatait qu'il y avait chaque jour davantage de bibelots inutiles en travers des couloirs et de nourriture gaspillée dans les poubelles. Elle n'avait plus eu de révélation sur l'ancienne vie d'Eulalie Dilleux; faute de mieux, elle se repassait mentalement en boucle son dernier souvenir, cherchant en vain à établir des correspondances entre la cave au téléphone, le projet Cornucopianisme, la métamorphose d'Eulalie, l'avènement de l'Autre, l'effondrement des arches et les tours de manège des inversés.

Et pourtant, elle savait qu'un lien existait.

Peut-être Ophélie avait-elle déjà atteint les limites du premier protocole du programme alternatif. Peut-être était-ce au deuxième protocole que les choses prenaient enfin un sens. D'après Cosmos, c'était du troisième protocole que personne ne revenait jamais, mais elle n'en était pas encore là. Quand elle avait déclaré à sa nounou-automate qu'elle se sentait prête pour passer à l'étape supérieure, celle-ci avait lâché un rire majusculaire qui lui avait fait froid dans le dos.

Ophélie hissait parfois les yeux vers la statue floue du colosse, dressé au milieu de l'observatoire tel un mont de pierre, sa tête à plusieurs visages dominant le monde. «Je vois tout, je sais tout!» Comme il l'agaçait...

Bref, le temps passait et Ophélie n'était pas plus avancée. Elle n'entrevoyait aucune logique dans tout ce que l'observatoire lui faisait faire, à elle et aux autres inversés. La seule évidence qui lui sautait aux yeux, c'était combien Blasius avait raison. Le programme alternatif ne cherchait pas à guérir les inversions : il les aggravait.

Il était chaque jour moins facile pour Ophélie de *lire* les objets de la résidence malgré leur nombre. En revanche, il lui arrivait de plus en plus souvent de les animer à son insu et toujours à ses dépens. Les coussins lui bondissaient dessus dans son sommeil. Les chaises lui écrasaient les pieds, les meubles la bousculaient. Une fois, au cours du dîner, une fourchette s'était plantée dans son bras.

Les choses se mirent à empirer quand, un matin, Ophélie enfila sa tunique à l'envers. Elle eut beau recommencer encore et encore, elle s'avéra incapable de la mettre dans le bon sens sans l'aide de sa nounou-automate. Ce fut ensuite au tour des poignées. Poignée de porte, poignée de tiroir, poignée de robinet, elles devinrent toutes pour Ophélie des obstacles insurmontables. Ce n'était plus seulement son animisme qui se détraquait, c'était elle. Gauche et droite, haut et bas se mélangeaient entre ses doigts. Sortir des toilettes était un casse-tête quotidien. Il aurait été plus simple pour elle de collectionner les lapsus comme Cosmos... Elle ignorait si c'étaient les gymnastiques qu'on lui faisait effectuer, les projections auxquelles elle devait assister, ces manèges qu'il lui fallait subir du matin au soir, ou la conjugaison de tout cela à la fois, mais plus rien ne lui semblait tourner rond. Cela lui avait pris des années pour apprivoiser sa maladresse, depuis ce désastreux passage de miroir qui avait libéré l'Autre et chamboulé sa chair; quelques jours à peine ici avaient suffi à la faire rechuter.

Pourtant, elle n'était pas la plus mal lotie. Une femme du programme faisait une crise d'épilepsie une fois sur trois pendant la séance de projection matinale. Un insomniaque se mettait à hurler comme un dément dès qu'il s'assoupissait. Le vieillard qui se frappait l'oreille marmonnait en boucle la même phrase, «faut monter en bas... faut monter en bas... faut monter en bas...», comme s'il répétait les mots qu'une foule invisible lui hurlait dans le conduit auditif. Cosmos lui-même, qui faisait apparemment partie des moins instables, s'isolait quelquefois dans un coin sans en bouger durant des heures.

Et il y avait Seconde.

L'intrigante, la fascinante Seconde avec son visage double. Elle ne ressemblait à aucun autre inversé et bénéficiait d'un régime spécial. Elle ne dormait pas à la résidence, ne prenait pas ses repas en collectivité, n'assistait qu'aux ateliers qui lui chantaient et pouvait parler à qui bon lui semblait sans être rappelée à l'ordre. Il lui arrivait de fixer le vide un long moment, son œil sans iris écarquillé, puis elle se mettait à dessiner. C'était presque compulsif.

Si elle recevait des visites d'Octavio ou de Lady Septima,

cela se faisait en toute discrétion. Ophélie remarquait qu'elle partait parfois au milieu d'un tour de manège, entraînée par un observateur, et réapparaissait une heure plus tard. Ce qui était étonnant, pour ne pas dire préoccupant, c'était sa présence au sein du premier protocole. D'après Octavio, sa sœur avait été internée depuis son plus jeune âge; elle entamait aujourd'hui sa puberté. Ça faisait long pour une seule étape du programme. Seconde n'était jamais accompagnée d'aucune nounou-automate, mais les collaborateurs la suivaient avec une extrême attention. Ils prenaient des notes et s'échangeaient des chuchotis depuis l'ombre de leurs capuches grises dès qu'elle sortait son crayon. Chaque dessin qu'elle réalisait était systématiquement réquisitionné par eux. Ophélie les aurait jugés ridicules si elle n'avait pas été elle-même à ce point troublée.

Elle ignorait si c'était son statut de nouvelle arrivante, mais Seconde cherchait inlassablement à communiquer avec elle plus qu'avec n'importe qui d'autre. Elle se précipitait dans sa direction dès qu'elle l'apercevait, l'agrippait par le poignet et lui lançait gaiement des incongruités : «Hérisse les papilles!» «Le parapluie saccage tout.» «Il faut des pelles sans désordre?» Même lorsqu'elle essayait de mettre ses idées par écrit, c'était le même baragouin. Une fois, elle s'était embarquée dans un interminable discours où il avait été question de l'indélicatesse du temps, de crevettes broyées, de haches lunaires, de projectiles en voie d'égarement, d'un faucon porté disparu et de pilosité dentaire. En dépit de toute sa volonté, Ophélie ne comprenait rien à rien, à la plus grande frustration de Seconde qui finissait par lui offrir un dessin d'un geste dépité.

Ses croquis étaient, à la différence de son langage, d'un réalisme saisissant. Ceux qu'elle destinait à Ophélie mettaient toujours en scène Octavio, sous des angles différents, mais avec ceci de commun qu'il avait l'air horriblement tourmenté. Les collaborateurs les confisquaient tous, sans exception. Ophélie ne savait pas quoi en penser. Octavio avait-il pris connaissance de ces dessins ? Elle espérait que non. Ils donnaient l'impression que sa petite sœur désirait absolument le voir souffrir.

Ophélie révisa quelque peu son jugement lorsque, un après-midi, elle surprit Seconde en train de remettre un dessin à un autre inversé du programme alternatif. Ça représentait un simple clou, mais Seconde le redessina plusieurs fois et le tendit, toujours avec insistance, à cette même personne. Quelques jours plus tard, l'inversé marcha sur un vieux clou rouillé, au moment de monter à bord d'un manège, et dut être amené en urgence à l'infirmerie. Ophélie fut frappée de retrouver, sur la figure dissymétrique de Seconde, le dépit qu'elle affichait chaque fois qu'elle ne s'était pas fait comprendre. Avait-elle réellement anticipé l'accident ? Ophélie avait cohabité avec des Devins pendant son apprentissage à la Bonne Famille : aucun d'eux n'aurait pu prévoir quelque chose d'aussi spécifique avec une telle avance.

Il lui sembla soudain que Seconde, malgré ses difficultés de communication, détenait peut-être les réponses à ses questions. Et des réponses, Ophélie en avait urgemment besoin. Elle n'avait pas l'intention de revivre la même journée en boucle, semaine après semaine, mois après mois, alors que l'Autre pouvait provoquer un nouvel effondrement à tout instant.

Un matin, toutefois, il se produisit un événement qui brisa la routine du protocole. Au lieu de la conduire en salle de projection avec les autres, comme à l'accoutumée, la nounou-automate lui dit :

– PAS AUJOURD'HUI, *DARLING*.

Elles marchèrent toutes les deux entre les manèges, rouillés et décolorés par le temps, envahis de mauvaises herbes, qui gémissaient dans les courants d'air du cloître. Ici un circuit de rails aériens sans train. Là un planétarium mécanique aux orbes figés. Ce parc n'avait vraiment d'attractions que le nom. Chaque gravier brûlait la plante des pieds.

La nounou-automate se dirigea vers un manège qu'Ophélie n'avait jamais vu en service. Il était complètement à l'écart, presque dissimulé derrière les monticules d'objets défectueux, si vétuste qu'il grinça dès qu'elles se hissèrent sur le marchepied.

– ASSEYEZ-VOUS, *DARLING*.

– Ce manège… c'est le deuxième protocole ?

– C'EST SEULEMENT UN PETIT JEU.

Il ne restait plus qu'un seul siège au milieu du manège ; ça n'avait pas l'air particulièrement amusant. À peine Ophélie s'y fut-elle installée que la nounou-automate la sangla jusqu'à lui couper la respiration.

– C'est trop serré. Ça me fait mal.

– TOUT EST PARFAITEMENT PARFAIT, *DARLING*.

La nounou-automate sortit une clef de son décolleté et l'introduisit dans une serrure du manège. La plateforme circulaire resta immobile, mais le siège s'enfonça dans le sous-sol de la plateforme. Il tourna comme une vis, produisant un horrible bruit d'acier et de bois, descendant de plus en plus profondément sous terre. Ophélie fut plongée dans des ténèbres étroites. Son cœur battait et se débattait contre le harnais. Elle se cassa les ongles en essayant de se dessangler. Elle descendait toujours.

Elle papillonna des cils lorsque des ampoules se mirent à clignoter tout autour d'elle. Son siège s'était finalement arrêté. Elle ne pouvait pas détacher son harnais et, de toute façon, il n'y avait aucune sortie en dehors du puits par lequel elle avait été descendue. L'air entier sentait la pierre. Elle se situait au cœur d'une salle souterraine, face à une table.

Sur la table, un téléphone.

Ophélie en oublia aussitôt sa peur. C'était la cave du souvenir d'Eulalie Dilleux. Malgré sa myopie, elle en reconnaissait les murs, les dimensions, la hauteur de plafond, comme si elle y avait personnellement séjourné. Ce téléphone recelait-il tous les secrets de l'ancien monde et apportait-il toutes les solutions au nouveau? Était-ce lui, la Corne d'abondance?

Ophélie s'efforça d'analyser froidement la situation. D'accord, elle se trouvait enfin là où Eulalie Dilleux avait travaillé sur le Projet des siècles auparavant, mais ce n'était pas le même téléphone. L'appareil devant elle souffrait, comme tous les objets de l'observatoire, d'un défaut de fabrication qui le rendait presque inutilisable : les chiffres du cadran étaient si déformés qu'ils étaient incompréhensibles. Ce n'était certainement pas lui, la Corne d'abondance.

Il se mit à sonner avant même qu'Ophélie eût le temps de se demander quoi en faire. Gênée par les sangles de son siège, elle dut s'y prendre à plusieurs reprises pour décrocher le combiné.

– Allô?

– *Allô.*

Ce n'était qu'un écho, ce qui n'était pas surprenant. Y avait-il seulement quelqu'un à l'autre bout de la ligne?

Bien sûr que oui.

Il ne faisait aucun doute que dans le cadre de cette expérience, quelle que fût sa nature, on avait mis Ophélie sur écoute. Après tout, «observer» était la vocation même de cet institut.

Ses doigts se crispèrent autour du combiné. N'être plus capable de *lire* lui donnait l'impression d'être devenue sourde à tout. D'autres mains avaient forcément touché cet appareil avant elle, mais elle ne percevait aucune pensée, aucune émotion.

Et elle ? Qu'était-elle censée ressentir ? Qu'était-elle supposée faire ?

Elle remarqua alors sur la table, juste derrière le téléphone, dans la lumière vacillante des lampes, un pupitre où était posé, non pas une partition musicale, mais un livret. Y figurait une suite ininterrompue de mots et de chiffres qui avaient encore moins de sens que les phrases de Seconde. Ils étaient imprimés suffisamment grand pour qu'Ophélie pût les déchiffrer sans lunettes. Elle savait qu'on ne la remonterait pas tant que l'expérience ne serait pas terminée.

Elle lut à voix haute, mais elle fut aussitôt bombardée d'échos dans le téléphone. À ces échos-là se superposaient ceux de la cave elle-même qui agissait comme une caisse de résonance. Il y en avait tellement ! Il était pratiquement impossible de rester concentrée sur le texte. Quand Ophélie arriva à la fin de la feuille, un dispositif mécanique tourna la page du livret sur le pupitre afin qu'elle pût continuer sa lecture. La suite était à l'avenant : rien que des mots et des chiffres. Juste un petit jeu, hein ?

Le temps s'écoula, les pages tournaient. Ophélie commençait à avoir mal à la gorge et aux oreilles.

Cette expérience était incompréhensible. Pourtant, elle avait la conviction que toutes les absurdités qu'on lui avait fait faire depuis son arrivée à l'observatoire – les projections, les gymnastiques, les ateliers – ne visaient qu'à la préparer à cela. Ils avaient recréé à l'identique les conditions de travail d'Eulalie Dilleux pour le projet Cornucopianisme. Mais en quoi consistait-il donc, ce travail ? Que devait-il se produire ici, avec ce téléphone ?

Ophélie aurait donné cher pour que, à l'autre bout de la ligne, quelqu'un lui donnât enfin une explica...

Elle se tut brusquement au milieu de sa lecture. Durant de longues secondes, elle n'entendit plus que le souffle haché de sa respiration contre le microphone. Une douleur aiguë lui fit siffler les oreilles. Ça ne venait pas du téléphone, mais de l'intérieur même de sa tête. Ophélie se morcelait comme une coquille d'œuf pour permettre à un nouveau souvenir d'éclore. Elle pouvait... oui, elle pouvait maintenant se rappeler ce qui s'était passé dans cette cave.

Elle, Eulalie Dilleux, se tient assise au même endroit. Épuisée. Exaltée. Son bras entier lui fait mal à force de tenir le combiné téléphonique. Des mois dans un sous-sol à prononcer des suites de mots à l'endroit, puis à l'envers, sans aucun résultat.

Jusqu'à maintenant.

– Tu es impossible.

– *Impossible ?*

La voix dans le combiné est aussi cassée que la sienne. N'importe qui aurait pensé à un écho ordinaire, mais Eulalie n'est pas n'importe qui. Elle s'est préparée pendant des années dans l'attente de cet instant. Elle a passé son enfance à l'orphelinat avec un bras attaché dans le dos, un talon plus haut que l'autre, un cache-œil, de la cire dans une oreille et du coton dans une narine, à se déformer tout entière pour que son côté gauche puisse se surdévelopper. Elle est née pour ça.

Cet écho a bel et bien dévié ; elle en est certaine.

– Peu probable, si tu préfères.

Le silence brutal dans le combiné l'inquiète. Elle n'a pas interrompu la communication un seul instant depuis hier soir, pas même pour manger ou aller aux toilettes. Elle ne doit surtout pas le perdre. Pas lui. Pas après toute sa famille.

– Tu es toujours là ?

– *Toujours là.*

Elle pousse un soupir de soulagement.

– Tant mieux. Je me sens un peu seule.

– *Un peu ?*

– Beaucoup, en fait.

Eulalie sourit à travers ses larmes. Pleurer n'est pas professionnel, mais elle n'arrive plus à s'en empêcher. Elle déborde de
joie et de tristesse, d'espoir et de peur. Elle se rappelle comme
si c'était hier la première fois qu'elle a entendu parler du phénomène. Elle venait d'arriver à l'orphelinat militaire. On y
évoquait souvent, après l'extinction des feux, dans l'obscurité
du dortoir, les expériences menées par l'armée sur les échos.
«Pour brouiller les radiocommunications ennemies», expli-
quaient les pions. Une information avait alors fuité. L'impossible s'était produit. Un écho, disait-on, avait dévié au contact
d'un gaucher. Cela n'avait duré que quelques secondes, l'écho
ne s'était pas stabilisé, mais Eulalie a aussitôt su, du haut de
son jeune âge, que c'était *ça* qu'elle devait faire.

Devenir l'amie d'un écho. Et, de ce premier miracle, engen-
drer de nouveaux miracles.

Oubliée dans sa cave, elle vient de réussir là où tous ses
prédécesseurs ont échoué.

– Mes serpillières… supérieurs…, dit-elle, ils ne descendent
pas souvent me voir. Je ne leur ai pas encore parlé de toi.

– *De toi ?*

– Non, pas de moi. De toi.

– *De moi.*

– Voilà. Je ne sais pas s'ils te pondraient quand… s'ils te
comprendraient. Même moi, je ne suis pas bien sûre de te
comprendre. J'ai déjà du mal à me comprendre.

Le combiné coincé dans le creux de l'épaule, Eulalie déplie

un mouchoir et souffle dedans. Elle a un regard pour sa machine à écrire qui prend la poussière dans un coin de la cave. Des semaines qu'elle ne lui arrache plus une ligne. Son tapuscrit en cours, *L'Ère des miracles*, est resté inachevé. Eulalie est forcée d'admettre qu'elle a bien failli douter de ses histoires. De sa propre histoire.

Cet écho, cet… *autre*, qui qu'il soit, lui a rendu toutes ses convictions.

– Tu ne m'as pas encore dit ton nom.

– *Pas encore.*

– Je pense pourtant que nous semonçons… commençons à bien nous connaître. Moi, je suis Eulalie.

– *Je suis moi.*

Eulalie essuie les larmes qui n'en finissent plus de couler. La déviation s'accentue. Cet écho apprend vite.

– C'est une réponse intéressante. D'où est-ce que tu émets ?

Nouveau silence dans le combiné.

– D'accord, ma question était un peu compliquée. Où es-tu, là, maintenant ?

– *Ici.*

Oh oui, il apprend très vite.

– Où ici ?

– *Derrière.*

– Derrière ? Mais derrière quoi ?

– *Derrière derrière.*

Ophélie contempla le téléphone devant elle, comme si elle le voyait enfin. La migraine s'était interrompue en même temps que le souvenir. Ça n'avait duré qu'une pulsation cardiaque, un petit fragment de temps durant lequel tout, absolument tout lui était devenu évident. Mais, déjà, cette impression se diluait.

La seule certitude qu'il lui restait, c'était que ni la cave ni le téléphone n'avaient de réelle importance. Ce n'étaient que les conditions nécessaires à une rencontre d'exception. Voilà comment l'Autre avait fait irruption dans la vie d'Eulalie Dilleux. Il n'était pas son reflet. Il était bien plus que cela : il était un écho, unique en son genre.

Intelligent.

Hélène avait vu juste dans cette tribune d'amphithéâtre. Tout ce qui était advenu, tout ce qui advenait et tout ce qui adviendrait avait un rapport direct avec les échos. L'un d'eux était autrefois entré en communication avec Eulalie Dilleux et c'était de ce contact que tout avait découlé. Elle lui avait transmis ce qu'elle possédait de plus intime – ses désirs, ses souvenirs, son humanité – et elle avait obtenu quelque chose en retour, quelque chose qui lui avait permis de créer les esprits de famille, de changer d'identité à volonté, de transformer ses romans en réalité.

L'Autre lui avait révélé le secret de l'abondance.

Voilà donc ce que l'observatoire des Déviations voulait. Rétablir un dialogue avec l'Autre. Ils avaient besoin de lui. Leur Corne d'abondance était dysfonctionnelle, en témoignaient les caisses d'objets ratés qui encombraient chaque recoin.

C'était cela, le projet Cornucopianisme. Ou, en tout cas, c'en était le point de départ, le seuil d'une expérience bien plus vaste.

Ophélie se mit à trembler de fébrilité. Elle s'était souvent demandé pourquoi l'Autre, une fois libéré du miroir, n'était pas ressorti par la glace de sa chambre, sur Anima, au vu et au su de toute sa famille. Et si Octavio avait raison ? Et si les échos évoluaient sur une autre fréquence ? Et si l'Autre avait été tout ce temps juste là, à côté d'elle, sans qu'elle fût capable de le percevoir ?

Elle fixa le pupitre, où le dispositif mécanique tapotait la feuille d'un cliquetis autoritaire pour l'inciter à reprendre sa lecture. Elle savait qu'elle était sur écoute, mais elle avait peut-être une chance unique, ici, dans cette cave, de communiquer avec l'Autre comme Eulalie bien avant elle.

– Tu t'es servi de moi pour quitter l'espace entre les miroirs, dit-elle dans le combiné, tu m'es donc redevable. J'ignore si ce message te parviendra, mais il est temps que nous nous rencontrions à nouveau. Montre-toi. Parle-moi. Viens me trouv...

Un déclic puis une tonalité indiquèrent à Ophélie que la ligne avait brusquement été coupée.

Son siège fut remonté, l'obligeant à lâcher le combiné. Le soleil lui claqua à la figure une fois à la surface, de retour sur le manège. La nounou-automate la dessangla. Le visage dérangeant, mauvaise caricature de celui de sa mère, lui adressa un sourire artificiel.

– LE PETIT JEU EST FINI, *DARLING*.

LE RENDEZ-VOUS

– Redescendez-moi.

Ophélie tirait de toutes ses forces sur la robe de sa nounou-automate, mais celle-ci traversait le parc d'attractions d'un petit pas implacable, les éloignant toujours plus du manège, et de la cave, et du téléphone.

– Laissez-moi reprendre l'expérience !

La nounou-automate ne lui fit pas même l'honneur d'une réponse. Elle avançait avec indifférence, tandis que de son ventre jaillissait une insupportable chansonnette. Elle seule détenait la clef qui actionnait l'accès à la salle secrète.

Ophélie ne tolérait pas l'idée de reprendre sa routine comme si de rien n'était, alors que l'Autre se tenait peut-être à portée de téléphone. Si l'observatoire voulait se mettre en communication avec lui, c'était son cas également, alors pourquoi ne la laissait-on pas faire ?

La chaleur qui pesait sur le cloître était accablante. C'était comme si l'air avait matérialisé un épais rideau derrière lequel s'étaient retranchées toutes les vérités. Les inversés avaient terminé les ateliers du matin et venaient d'entamer leur pause de midi. Ophélie ne voyait d'eux que des formes pathétiques.

Ils étaient disséminés à travers le parc d'attractions, abrités dans l'ombre des stands, chacun dans son coin, mâchonnant le riz infect que les nounous leur servaient chaque jour à cette heure.

Eulalie Dilleux avait été l'une d'entre eux bien avant leur naissance. Elle s'était entraînée dur jusqu'à devenir une inversée elle-même, comme si c'était là une condition indispensable pour dialoguer avec l'Autre.

Ophélie n'en pouvait plus de cette solitude qu'on leur imposait à tous pour mieux les instrumentaliser. En plissant les yeux, elle avisa Cosmos. Il se tenait assis au bord d'un carrousel où de sinistres tigres en bois tenaient lieu de chevaux. Sa nounou-automate le surveillait de loin.

Ophélie se dirigea droit sur lui. Sa propre nounou s'apercevrait bientôt qu'elle ne la suivait plus ; elle ne disposait que de quelques secondes.

– Nous devons parler. Vite.

Cosmos éluda aussitôt son regard. Il mâchait ce qui, à en juger par l'odeur, était un beignet de lentilles. Il devait avoir des accointances avec les cuisiniers pour toujours réussir à se procurer de la nourriture digne de ce nom.

– Calme-toi, dit-il seulement.

– Tu es à l'observatoire depuis plus longtemps que moi et tu as dit toi-même que nous devions nous entraider. J'ai besoin de savoir maintenant tout ce que tu sais.

– Calme-toi, répéta Cosmos.

Sa voix s'était faite impérative. Il n'avait plus rien en commun avec le jeune homme pétillant qui lui avait offert sa brioche le premier jour. Ophélie avait fini par comprendre que son inversion résidait dans sa bipolarité. Dans d'autres circonstances, elle l'aurait laissé tranquille, mais elle bouillait d'impatience.

– Ils t'ont aussi fait faire l'expérience du téléphone, n'est-ce pas ? insista-t-elle. Peux-tu au moins me dire si tu as entendu quelque chose ? Un écho qui ne serait pas norma…

Cosmos se jeta sur Ophélie avec une telle brutalité qu'ils tombèrent ensemble dans les graviers. Il lui étreignit les épaules pour coller son visage à une respiration du sien. Ses yeux bridés étaient exorbités, son souffle précipité, ses lèvres retroussées sur des dents pleines de lentilles.

– Calme-toi !

Ophélie ne savait plus si c'était à elle ou à lui que cet ordre s'adressait. Elle ne comprenait rien. Elle essayait de repousser ce corps qui écrasait le sien, mais plus elle se débattait, plus Cosmos enfonçait ses ongles dans ses épaules. Il la secouait avec tant de force qu'elle était sonnée par le choc chaque fois que son crâne heurtait le sol.

– Calme-toi ! rugit-il. Calme-toi !

Elle plaqua une main sur le menton de Cosmos pour le repousser, en vain. Coincée sous lui, elle chercha de l'aide. Des collaborateurs, dont elle n'entrevoyait que des silhouettes grises, assistaient à la scène tout en prenant des notes. Les inversés s'étaient approchés avec effarement ; parmi eux, Seconde dessinait frénétiquement, comme si elle craignait qu'Ophélie et Cosmos ne rompent la pose. Quant aux nounous-automates, elles se gardèrent bien de bouger, à croire que cette situation ne relevait pas de leurs fonctions. Aucun d'eux n'allait-il donc intervenir ?

Ophélie se servit instinctivement de ses griffes sur Cosmos comme elle l'avait fait sur la foule de l'amphithéâtre, mais, en dépit de leur promiscuité, elle le manqua. Ce pouvoir-là était aussi déréglé que son animisme. Elle poussa un cri quand Cosmos lui mordit la main. Il paraissait submergé par l'envie de la déchiqueter.

Ophélie écarquilla les yeux. Ils allaient le laisser faire. Ils allaient le laisser la tuer.

Les dents et les ongles de Cosmos lâchèrent enfin prise. Un collaborateur l'avait saisi par la taille.

– Écarte-toi, Eulalie.

Une voix féminine. Ophélie ne se le fit pas dire deux fois. Elle se traîna sur le sol, sa main blessée repliée contre le ventre.

La collaboratrice contenait de son mieux le corps enragé de Cosmos, qui hurlait et écumait. Un coup de coude porté en plein visage rejeta en arrière sa capuche.

C'était Elizabeth.

Ophélie avait complètement oublié qu'elle avait été engagée par l'observatoire. Elle saignait à la bouche. Le coup lui avait fendu les lèvres, peut-être même cassé une dent et, malgré cela, elle conserva son flegme. Elle serrait les bras autour de la taille de Cosmos, dont les gestes perdaient petit à petit en hargne, et dont les traits se distendaient un par un. Son empathie absorbait la tranquillité d'Elizabeth comme une éponge. La colère disparut graduellement de son regard, laissant place à un grand vide.

Il finit par se laisser mollement tomber, front contre sol.

– Pardon, balbutia-t-il. Pardon... Pardon... Drapons... Pardon...

Elizabeth le libéra avec douceur. Elle posa sur Ophélie un regard fatigué, alourdi par ses épaisses paupières, ignorant les collaborateurs, restés en arrière, qui toussaient comme des juges sévères.

– Tu n'es pas très présentable.

Ophélie lui signala les éclaboussures de sang qui s'étaient mélangées à ses taches de rousseur. Même sans lunettes, elle ne voyait que ça.

– Tu n'as pas très bonne mine non plus.

Elles échangèrent un sourire qui ne dura que le temps d'un sursaut de lèvres. La nounou-automate tira Ophélie par l'oreille. Lutter contre une machine, fût-elle grimée en dame, était peine perdue. Ophélie ne put faire autrement que trébucher à travers un interminable dédale de manèges, de galeries et d'escaliers jusqu'à sa chambre, où elle fut enfermée à clef.

– VOUS AVEZ ÉTÉ DÉSOBÉISSANTE, *DARLING*. VOUS SEREZ PRIVÉE DE JEUX ET DE REPAS JUSQU'À… JUSQU'À DEMAIN.

Une fois seule, Ophélie passa un temps considérable à se cogner aux meubles bancals de la pièce, allant et venant fiévreusement, se débattant avec toutes ses questions, écoutant les coups de gong à chaque heure de l'après-midi, puis, de guerre lasse, elle plongea dans l'eau savonneuse de la baignoire. Ses épaules étaient couvertes de griffures, sa main gonflait autour de la morsure et, d'après l'image déformante des miroirs, les doigts mécaniques de la nounou lui avaient laissé un pinçon sur l'oreille. C'était l'arrière de son crâne qui lui faisait le plus mal : au milieu des graviers qu'elle continuait de récolter dans ses cheveux, elle pouvait sentir le relief d'une énorme bosse.

Bien.

Des journées entières sans un pli et voilà qu'en quelques minutes elle avait découvert la véritable nature de l'Autre, provoqué la fureur de Cosmos et le mécontentement de l'observatoire.

À présent qu'elle considérait la situation avec du recul, elle comprenait que sa plus grosse bêtise était ce qu'elle avait dit dans ce cornet téléphonique. Elle avait demandé à l'Autre de la retrouver. Et si le message lui était bel et bien parvenu ? S'il la prenait au mot, décidait d'honorer son invitation et déboulait dans sa chambre en ravageant tout sur son passage ? Elle en savait peut-être maintenant davantage à son sujet, mais elle n'avait pas encore la plus petite idée de la manière dont il fallait s'y prendre pour vaincre un écho capable de détruire des arches.

Ophélie était en train d'enfiler pour la cinquième fois son pyjama à l'envers, décidément impuissante à différencier sa gauche de sa droite, lorsqu'elle entendit un frottement. Déjà, un bruit de pas précipités s'éloignait dans le couloir.

Un papier plié avait été glissé sous la porte.

Dès qu'Ophélie l'ouvrit, une pluie de fruits secs se déversa par terre. Elle dut coller ses yeux contre la feuille pour déchiffrer l'écriture minuscule.

Suis désolé.

Maintenant tu sais pourquoi personne m'attend ailleurs.

Toi quelqu'un t'attend ce soir.

Un gribouillis accompagnait le mot ; ça ressemblait très vaguement à la statue du colosse. Le pouls d'Ophélie se mit à battre plus fort. Thorn ! Il était passé par Cosmos pour convenir d'un rendez-vous avec elle ? Comment ? L'observatoire le tenait à l'écart des inversés depuis le début.

Elle roula le message en boule et s'en débarrassa dans les toilettes. Le crépuscule flamboyait à travers les lamelles de la persienne. Et elle ? Comment allait-elle s'y prendre pour être dehors ce soir ? Thorn comptait sans doute sur son animisme pour déverrouiller la porte de sa chambre, comme elle l'avait fait chez Berenilde la nuit de son escapade. Ce qu'il ignorait, c'était que son pouvoir familial n'opérait plus normalement. Les horloges sans aiguilles de sa chambre lui crachaient leurs rouages à la figure dès qu'elle passait devant et elle avait renoncé à caler son lit avec des livres depuis que ceux-ci s'amusaient à déguerpir au milieu de la nuit.

– Eulalie ?

Ophélie colla précipitamment son oreille à la porte. Cette voix…

207

– Elizabeth ?

– Moins fort.

Le murmure, de l'autre côté, était infime. Il fallait se placer au niveau du trou de la serrure pour bien l'entendre.

– Je n'ai pas le droit d'être là. Je n'avais pas le droit non plus d'intervenir tout à l'heure. Aucune interaction avec les sujets, c'est la consigne pour tous les collaborateurs.

Sous le timbre calme, une émotion était perceptible. Ophélie connaissait assez Elizabeth pour savoir l'importance qu'elle accordait à la hiérarchie. Qu'elle eût transgressé le règlement d'abord pour lui venir en aide, ensuite pour venir la voir, c'était vraiment inattendu de sa part.

Ophélie contempla l'éparpillement des fruits secs qu'elle avait oubliés au pied de la porte.

– Comment va Cosmos ? s'inquiéta-t-elle.

– Mieux. Il prend son repas au réfectoire en ce moment. Son empathie souffre d'une déviance rare. Il ne perçoit pas seulement les émotions des autres. Il les ressent et les amplifie comme un diapason jusqu'à la réaction en chaîne. La prochaine fois que tu es de mauvaise humeur, évite-le.

Ophélie appuya son front contre la porte. Aujourd'hui, elle avait perdu le contrôle et, ce qui était pire, elle l'avait fait perdre à Cosmos. C'était au fond ce que l'observatoire espérait. On les infantilisait, on les isolait et on les déstructurait pour les remodeler à volonté.

Elle avait laissé cet endroit prendre le dessus. Et elle détestait cette idée.

– Elizabeth, peux-tu m'ouvrir ?

– Bien sûr.

Le soulagement d'Ophélie ne dura qu'un temps.

– Je plaisante. J'ai assez désobéi pour toi, Eulalie. Sais-tu que Sir Henry procède actuellement à une inspection de l'observatoire? enchaîna Elizabeth pour ne pas lui permettre d'insister. L'incident entre Cosmos et toi est remonté jusqu'à lui. Il n'est normalement pas habilité à enfreindre le secret médical, mais ils ont accepté de faire une exception étant donné la gravité de la situation. Sir Henry a demandé à interroger lui-même Cosmos après votre...

Elizabeth chercha longuement un terme qui n'irait pas à l'encontre de l'Index.

– Notre bagarre, s'impatienta Ophélie.

– Votre *différend*, rectifia Elizabeth d'un ton réprobateur.

Voilà comment Thorn avait pu transmettre son message. Rien que pour cela, Ophélie ne regrettait pas de s'être fait un peu malmener. Elle fixa les ténèbres contenues dans la serrure. Mais elle? Pouvait-elle passer par Elizabeth pour communiquer avec Thorn à l'insu de l'observatoire? Jusqu'à quel point se faisaient-elles mutuellement confiance toutes les deux? En dehors de leur apprentissage à la Bonne Famille, elles n'avaient rien en commun.

– Elizabeth, pourquoi es-tu là?

– Tu le sais, non? Tu m'as vue signer ce contrat avec les Généalogistes. C'est plutôt moi qui devrais te retourner la question. Te trouver dans cet observatoire, parmi les inversés, c'était plutôt surprenant.

Ophélie se rappela la procession de collaborateurs qu'elle avait croisée le premier jour : l'un d'eux n'avait pu s'empêcher de se retourner sur son passage.

– Je voulais dire maintenant, devant ma chambre.

– Ah.

Un léger cahot indiqua qu'Elizabeth s'était appuyée contre la porte.

– Un jour tu m'as demandé conseil, Eulalie. Te rappelles-tu ce que je t'ai répondu?

– Oui.

« Reste neutre. Observe sans juger. Obéis sans discuter. Apprends sans prendre position. Intéresse-toi sans t'attacher. Remplis ton devoir sans rien attendre en retour. C'est la seule façon de ne pas souffrir. Moins on souffre, plus on est efficace. Plus on est efficace, mieux on sert la cité. »

Ophélie avait retenu ce conseil par cœur. C'était l'un des pires qu'on lui avait jamais donnés.

Il y eut une hésitation dans le souffle d'Elizabeth à travers la serrure, puis les phrases se bousculèrent, chuchotées du bout des lèvres :

– Je n'y arrive plus. Je ne peux pas te parler des travaux que je réalise ici. Je n'ai même pas l'autorisation d'en parler à d'autres collaborateurs, le principe de confinement s'applique à nous aussi. Nous avons tous prêté serment d'allégeance à l'observatoire. Mais j'ai également prêté serment aux Généalogistes. Ils... ils attendent de moi que je les tienne informés dès que j'aurai réussi à tout décoder. Ils me disent que c'est mon devoir d'avant-coureuse. D'un point de vue hiérarchique, ils sont mes supérieurs, mais, d'un point de vue déontologique, l'observatoire est mon employeur. À qui dois-je obéir, Eulalie ?

Ophélie fut envahie par une profonde pitié. Elle ne pouvait pas voir Elizabeth à cet instant, mais il lui était presque possible d'imaginer son long corps plat collé contre cette porte comme celui d'une enfant. Elle avait le même âge qu'elle, lui était supérieurement intelligente, mais faire ses propres choix la terrifiait au point qu'elle lui demandait à elle, une quasi-inconnue, de prendre une décision à sa place.

– Il faut que tu trouves la réponse à cette question par toi-même. Qu'est-ce que tu veux, toi, Elizabeth ?

– Me rendre digne de la main que Lady Hélène m'a tendue

quand j'étais à la rue. Je ne me suis jamais sentie plus apte à l'aider qu'ici.

Il n'y avait eu, cette fois, aucune hésitation. Ophélie était perplexe. De quelle façon Elizabeth pensait-elle honorer sa dette envers l'esprit de famille ?

Quand celle-ci reprit la parole, sa voix avait retrouvé son vernis de flegme :

– Les Généalogistes sont des Lords de LUX et les Lords de LUX savent mieux que quiconque ce qui est bon pour l'intérêt général. Je m'en remettrai donc à leur jugement comme je l'ai toujours fait. Je n'aurais pas dû m'abaisser à douter d'eux, je leur confesserai mon péché à notre prochaine rencontre. Cet observatoire non plus ne devrait rien avoir à leur cacher. Merci pour ton conseil. Je vais regagner le quartier des collaborateurs, à présent.

Ophélie fronça les sourcils. Merci pour son conseil ? Elizabeth n'avait rien compris à ce qu'elle avait essayé de lui dire. C'était entre elles, cette fois encore, un rendez-vous manqué.

– Merci à toi d'être intervenue en dépit des ordres, soupira-t-elle. J'avais apprécié cette facette de toi.

– La violence est interdite à Babel et, protocole ou non, tu ne semblais pas très consentante.

Ophélie surprit le froissement d'un froc de l'autre côté. Une capuche rabattue. Le signal du départ. Elle n'aurait peut-être pas une deuxième chance d'aborder le sujet.

– Elizabeth.

– Hmm ?

– Je sais pour le projet Cornucopianisme. Tu l'as vue, toi, cette Corne d'abondance ?

Il y eut un tel silence au bout du trou de serrure qu'Ophélie crut qu'Elizabeth était partie. La réponse finit par lui parvenir, plus lasse que fâchée.

– Je te le répète : je ne peux rien dire. Pas seulement parce que je ne le veux pas, mais aussi parce que nous, les collaborateurs, n'avons aucune vue d'ensemble du projet. Je me consacre à la tâche qu'on m'a confiée, point. Tu devrais en faire autant. Ah, avant que j'oublie.

Un bruit de papier sous la porte. Ophélie loucha sur la feuille. Elle reconnut immédiatement le coup de crayon de Seconde, probablement ce qu'elle dessinait pendant l'agression de Cosmos, mais ce n'était pas une nouvelle version d'Octavio. Elle avait réalisé un autoportrait qui restituait fidèlement, un peu cruellement, les disproportions de son visage, ses sourcils inégaux, son nez déformé, ses premiers boutons, ses lèvres décalées, ses oreilles mal assorties et cet œil dépourvu d'iris. Elle y avait ajouté, pour une quelconque raison, une grande biffure au crayon rouge qui lui barrait la moitié du visage.

Ophélie retourna la feuille et eut la surprise d'y trouver un autre dessin. Elle écarquilla les yeux. Celui-ci la représentait pour la première fois, elle, minuscule au milieu du papier blanc. Deux personnages se tenaient à ses côtés : une très vieille femme à sa droite et une créature inidentifiable, monstrueuse, à sa gauche. Ce n'était pas tout. Seconde avait utilisé son crayon rouge sur le petit corps d'Ophélie jusqu'à le faire pratiquement disparaître. Du sang.

– Seconde a absolument tenu à me le confier, dit Elizabeth derrière la porte. Je crois qu'elle voulait que je te le passe. Je compte évidemment sur toi pour le remettre aux collaborateurs dès demain. Ne me demande pas pourquoi, mais l'observatoire conserve tous les dessins de Seconde dans ses archives. Je dois te laisser, à présent. La connaissance sert la paix.

Sur ce salut, prononcé avec une ferveur retrouvée, Elizabeth s'éloigna jusqu'à ce que son pas se fût perdu au fond du couloir. Ophélie ne put s'empêcher de se sentir déçue par elle. Octavio était passé par la même crise de conscience mais, contrairement à lui, elle avait fait le choix de ne pas choisir.

Cela étant, elle en avait plus divulgué à Ophélie sur ses travaux qu'elle ne le croyait. L'emploi du verbe «décoder» n'était pas anodin. Cette avant-coureuse avait révolutionné la base de données du Mémorial grâce au seul langage, en creux et en plein, des perforations. Si elle avait été capable d'inventer son propre code, elle était certainement capable de casser le code de quelqu'un d'autre.

Par ailleurs, elle semblait convaincue que ses travaux rendraient service à Hélène. Or, qu'est-ce qu'un esprit de famille pourrait désirer le plus sinon comprendre son propre Livre ? L'observatoire attendait d'Elizabeth la même chose que Farouk avait attendue d'Ophélie, et que personne n'avait réussi à accomplir jusqu'à aujourd'hui : déchiffrer la langue utilisée par Eulalie Dilleux pour créer les esprits de famille.

Ophélie ignorait encore pourquoi et comment, mais cela aussi faisait partie intégrante du projet Cornucopianisme. Elle avait tant à dire à Thorn...

Elle observa pensivement le déclin de la lumière à travers les fentes de la persienne. Le soir était tombé pour de bon, et elle n'avait toujours pas la moindre idée de la façon de le retrouver au lieu convenu. Elle n'avait pas pu se résoudre à faire d'Elizabeth sa messagère. C'était une citoyenne beaucoup trop endoctrinée, elle aurait été capable de se dénoncer juste après l'avoir aidée.

Il lui faudrait se débrouiller seule.

Ophélie s'empêcha de regarder le cadeau de Seconde à la lueur clignotante des ampoules, de se voir à nouveau pleine de sang. Elle refusa de penser à l'incident du clou. Non, ce dessin n'avait rien à voir avec sa vision à la vitrerie-miroiterie. Cette vieillarde ne symbolisait pas Eulalie Dilleux, ce monstre ne symbolisait pas l'Autre, la blancheur de la feuille ne symbolisait pas le vide qui allait tous les engloutir.

Ce n'était certainement pas le fin mot de l'histoire.

Ophélie déchira le dessin, le jeta aux toilettes, tant pis pour les archives! Elle plaqua son oreille contre la serrure de la porte. Une succession de bruits mous, d'abord; c'étaient les pieds nus des inversés qui regagnaient chacun leur chambre. Puis des cliquetis métalliques; c'étaient les nounous-automates qui fermaient toutes les portes à clef avant de quitter la résidence.

Quand le silence fut complet, Ophélie se dirigea vers la persienne. Elle glissa chacun de ses doigts entre les lamelles, à la recherche de la meilleure prise. Elle tira avec force, encore et encore. Tous les objets ici souffraient d'une faille. Elle n'avait pas trouvé celle de la porte, elle trouverait celle de la fenêtre. Un gond céda, puis un deuxième. Une dernière secousse renversa Ophélie sur le lit, le volet entre les mains.

Elle se pencha dans la nuit. Le vent tiède souleva ses cheveux. C'était la première fois qu'elle avait vue sur l'arrière de la résidence. La façade tombait en à-pic comme une falaise. Ophélie devinait, à quelques mètres de sa fenêtre, les persiennes des chambres voisines. Hors de portée. Elle leva la tête vers les étages supérieurs de la résidence. Inaccessibles. Elle chercha alors le sol pour évaluer la distance. Elle ne le trouva pas. Elle plissa les paupières dans l'espoir de dissiper cette myopie qui transformait les étoiles en une mousse informe de lumières. Il n'y avait en bas ni pavés, ni jardins, ni toits.

Il n'y avait rien.

La fenêtre de sa chambre donnait sur le vide.

Ophélie marcha lentement à reculons, comme si le tapis, le parquet, les briques étaient sur le point de se déliter sous ses pieds. Elle se rencogna dans un angle de la pièce, le plus loin possible de ce carré de nuit qui créait un appel d'air.

La sensation de vertige la faisait tournoyer à l'intérieur de son propre corps.

Elle ne pourrait jamais escalader ce mur, pas avec la promesse du néant en cas de chute, pas avec deux mains plus maladroites que jamais. Elle ne pourrait rejoindre Thorn ni cette nuit ni jamais.

Cet endroit était plus fort qu'elle. Plus fort qu'eux.

Ophélie pinça la morsure de Cosmos. La douleur lui fit l'effet d'une décharge bienvenue. Elle n'allait quand même pas renoncer si vite, alors que Thorn avait eu tant de mal à lui donner rendez-vous. Elle devait se ressaisir et réfléchir. Raisonner comme une Babélienne. La cité était composée d'une grande quantité d'arches mineures ; côtoyer le vide faisait partie du quotidien depuis si longtemps que l'architecture s'y était adaptée. Jamais l'observatoire n'aurait couru le risque de loger des sujets d'étude à proximité d'un danger de mort.

Ophélie refoula le vertige dans un coin de son esprit. Elle s'empara d'un coussin sur son lit et le jeta dehors. Il retomba en plein sur la façade, juste sous la fenêtre, faisant fi de la gravité, qui aurait dû le précipiter en bas.

Un transcendium.

Avec une profonde inspiration, elle se hissa sur la bordure de sa fenêtre. Elle ignora de son mieux le vacarme que produisait son sang. Son instinct entier lui hurlait qu'elle allait tomber, la nuit semblait déjà aspirer le pied qu'elle aventura à l'extérieur.

C'était un transcendium. Un transcendium. Un transcendium.

Le genou d'Ophélie prit appui sur la pierre. Elle se concentra tout entière sur le coussin allongé sur la façade, non loin de là. Oublier ce qui était le haut et ce qui était le bas. La seule loi qui existait, ici et maintenant, était celle qui maintenait ce coussin à sa place.

Au bout d'interminables manipulations, Ophélie se retrouva agenouillée sur le mur.

« Non, pas un mur, se dit-elle avec conviction. Un sol. »

Elle tourna résolument le dos au vide – *l'horizon* – et monta – *marcha* – le long de la façade. Elle avait emprunté des transcendium des centaines de fois au Mémorial et à la Bonne Famille, mais aucun ne l'avait jamais mise si profondément mal à l'aise que celui-ci. Et si l'architecture de l'observatoire souffrait elle aussi d'un défaut de fabrication ? Et si un seul pas de travers pouvait annuler les effets de cette gravité artificielle ?

Ophélie sentait les aspérités de chaque brique sous la peau nue de ses pieds. Elle finit par atteindre la corniche d'un toit. Elle y était presque. Il lui fallut se tortiller pour transiter de la verticalité de la façade à l'horizontalité du toit et, quand elle y parvint, elle demeura un moment étendue sur le dos, les yeux dans les étoiles, les jambes tremblantes. Son pyjama était trempé de sueur. Elle eut une pensée pour les morceaux d'arches qui s'étaient effondrés et pour les dirigeables qu'on avait expédiés dans le ciel au mépris du danger. C'était même bien plus qu'une pensée. C'était quelque chose d'inscrit dans son corps, désormais.

Le toit, en escalier, descendait vers le cloître, terrasse après terrasse. Ophélie se tordit la cheville plusieurs fois, mais elle finit par atterrir sur le dallage d'une galerie. Revenir dans sa chambre représenterait un nouveau défi ; elle y penserait le moment venu.

Elle courut à travers l'obscurité labyrinthique du cloître. Elle ne se souciait ni des cailloux sous ses pieds ni des piqûres de moustiques sur ses bras. Elle ne s'arrêta pas de courir avant d'être parvenue aux pieds du colosse, à l'entrée du tunnel qui en traversait le socle.

Une ombre parmi les ombres l'y accueillit avec un déclic de montre.

– Il nous reste six heures et quarante-sept minutes avant le premier gong du matin.

Ophélie s'avança lentement. À l'instant où les bras de Thorn se refermèrent sur elle, haut, bas, gauche et droite reprirent leurs places respectives. Elle avait enfin trouvé un point d'ancrage.

L'OMBRE

À l'intérieur du tunnel kaléidoscopique, la nuit était absolue. Les parois avaient beau être fragmentées en une pluralité de glaces, elles ne reflétaient rien des deux silhouettes qui progressaient à l'aveuglette. Si Ophélie se heurtait contre les rails, elle préférait encore le noir. La dernière fois qu'elle avait traversé ce tunnel en plein jour, le jeu des miroirs lui avait fait perdre connaissance. Elle se fiait, pour avancer, au grincement mécanique devant elle. La jambe de Thorn était peu propice à la discrétion. S'il avait dû traverser lui-même les labyrinthes de l'enceinte de confinement jusqu'à la chambre d'Ophélie, l'observatoire entier l'aurait entendu venir.

En attendant, il marchait sacrément vite malgré son handicap! Ophélie le suivait sans poser de questions, à distance raisonnable de ses griffes, mais elle n'aurait pas été contre un plus long répit. L'étreinte de Thorn avait duré cinq secondes, montre en main, avant la mise en route.

Son pas s'interrompit au beau milieu du tunnel. Une lumière électrique ricocha sur les miroirs environnants. Elle avait jailli d'une porte incorporée dans la paroi, si basse que Thorn dut tordre sa colonne vertébrale pour la franchir. Ophélie n'y avait pas prêté attention pendant son trajet en wagonnet. Elle s'engagea à son tour dans un couloir transversal et referma derrière elle.

Alors qu'elle forçait sur ses yeux pour tenter de délimiter les contours des lieux, dans l'éclairage vacillant des ampoules, un poids sur son nez la fit tressaillir. Penchée vers elle, la figure de Thorn lui apparut soudain jusque dans les moindres détails. L'acier dur de son regard. Les cicatrices qui lui incisaient la peau. Le pli sévère en travers de son front. Et, par-dessous toute cette rigueur, une énergie à l'état brut, impossible à mettre en mots, qui pénétra Ophélie jusqu'aux os. En lui rendant ses lunettes, Thorn lui avait rendu la vue ; et plus encore.

Il lui restitua également ses gants de *liseuse*.

– Il faudra les dissimuler. Ils étaient dans un casier du service d'admission. Je les ai remplacés par des substituts qui suffiront à faire illusion. Et en parlant de substituts...

Thorn brandit sa montre à gousset. Ophélie crut d'abord qu'il lui indiquait l'heure, puis elle comprit que c'était leur reflet sur le cadran dont il était question.

– Vérifie toujours si ton interlocuteur en a un. Ne relâche pas ta garde quand il s'agit de moi. Eulalie Dilleux et l'Autre prendront n'importe quel visage pour te leurrer.

Sur ces recommandations, il s'avança dans le couloir d'une démarche pressée. Il ne pouvait se redresser tout à fait sans se cogner au plafond.

– Ne perdons pas de temps. Il y a une chose que je dois te montrer.

Enfiler ses doigts dans chaque gant fut pour Ophélie un exercice compliqué, mais elle tint à les mettre pour dissimuler la morsure de Cosmos ; Thorn savait ce qui s'était passé, il n'avait pas besoin de le voir. Serait-elle seulement un jour en mesure de se resservir de son pouvoir familial ? Elle n'avait plus rien *lu* depuis l'échantillon du musée d'Histoire primitive d'Anima.

– Il y a une chose que, moi, je dois te dire dès à présent. Ils savent qui je suis. Qui j'ai été. Ils savent peut-être pour toi aussi.

Si Thorn en fut surpris ou contrarié, il ne laissa rien transparaître. Il fit signe, d'un bref mouvement d'index, de faire attention où elle posait les pieds. Le couloir venait de s'évaser sur un bassin souterrain où stagnait une eau verte de mousse. Un pas de plus pour Ophélie, et c'était le plongeon.

– Si tel est le cas, répondit-il, ils ne s'en sont pas servis contre moi pour le moment. Ils me jettent une quantité astronomique de poudre aux yeux, m'ouvrent toutes les portes de leurs services, mais me tiennent à l'écart de l'essentiel sous couvert du secret médical.

Thorn leur fit contourner le bassin le long d'une bordure qui semblait remonter à une époque millénaire. L'armature de sa jambe vibrait contre les vieilles pierres sculptées.

– Cependant, les observateurs ne sont pas aussi bien renseignés qu'ils voudraient nous le faire croire. Ils n'ont aucun vrai pouvoir décisionnel. Il est manifeste que chaque personne qui travaille ici n'a qu'une vision partielle de l'ensemble et ignore ce que fait le voisin. La jeune observatrice qui me sert d'interlocutrice référente est soit la plus ignorante de tous, soit une meilleure comédienne que ma tante. Elle vénère l'uniforme que je porte, m'assomme de louanges et ne répond jamais aux questions. En fait, dit Thorn en rattrapant Ophélie qui dérapait sur la bordure, je suis à peine plus informé que depuis le début de mon inspection. Je ne sais même pas ce qui se passe à l'extérieur de ces murs. Les postes radiophoniques ne fonctionnent plus et le *Journal officiel* nous parvient avec du retard.

– J'ai beaucoup à te raconter.

Ce qu'Ophélie fit aussitôt, tandis qu'ils empruntaient un passage de sécurité dont il fallait ouvrir et refermer chaque sas.

La convocation à l'amphithéâtre. Les expulsions forcées. L'implosion de l'automate. L'émeute généralisée. La fuite éperdue avec Octavio, Blasius et Wolf. L'inconnu du brouillard. Le refuge à la fabrique de Lazarus. L'arrivée à l'observatoire grâce à Ambroise. Le test d'admission. Les objets ratés. Les confidences de Cosmos. Seconde et ses drôles de dessins. Le téléphone dans la cave. Les travaux de décodage d'Elizabeth.

Ce fut un compte rendu hâtif, essoufflé, mais à peu près complet des événements. Thorn ne s'était pas arrêté de marcher – il n'avait ralenti le pas que quand Ophélie avait évoqué ses visions du passé d'Eulalie Dilleux – mais elle savait qu'il avait enregistré chaque phrase aussi sûrement que l'aurait fait la bobine phonographique d'une nounou-automate.

Ils débouchèrent cette fois sur une passerelle qui surplombait un sous-sol où d'impressionnantes machines fumaient, pareilles à des locomotives immobiles. La température était extrême ici. Ophélie avait gardé son pyjama, mais elle se demandait comment Thorn faisait pour ne pas cuire sous toutes les dorures de son uniforme.

– C'est ce que tu voulais me montrer ?

– Non. Je profite d'un détour pour vérifier quelque chose.

Thorn souleva le couvercle d'un boîtier de compteurs, au bord de la passerelle. Malgré la répugnance évidente que lui inspiraient la graisse et la poussière, au point de se couvrir le nez d'un mouchoir pour examiner les cadrans de près, il eut un hochement de menton satisfait. Il sortit un flacon de sa poche et se désinfecta les mains.

– J'en ai fini ici, dit-il. Montons.

Au bout de la passerelle, un escalier de pierre s'enfonçait dans la roche. Des ampoules y clignotaient, sur le point de rendre l'âme, comme partout à l'observatoire. Les murs étaient veinés d'un entrelacs de canalisations et de racines.

Ophélie se mit à gravir les marches sans quitter ses pieds des yeux pour les synchroniser. Les escaliers en colimaçon étaient les pires. Et ses orteils, plus très propres.

– Nous sommes toujours à l'intérieur de la statue ?

– Oui. L'observatoire a été bâti sur les ruines d'une cité antique. Il en reste plusieurs passages secrets qui ne sont plus empruntés. J'ai mémorisé tous les plans.

La voix de Thorn prenait dans l'escalier une résonance plus grave encore. Il se tenait fermement à la rampe, ne la lâchant que pour débloquer l'articulation de son armature qui se grippait parfois. Ophélie se fit la réflexion que, pour lui non plus, monter ne devait pas être facile. Elle le sentait tendu. Elle l'avait senti dans ses bras, déjà. Ses griffes bourdonnaient tout autour de lui comme un essaim de guêpes.

Après de nombreuses hélices d'escalier, puis une dernière porte dérobée, ils atteignirent une antichambre aux carreaux étincelants. Une élégante cage d'ascenseur y permettait un accès officiel, certainement plus confortable que l'escalier qu'ils venaient de monter. L'antichambre donnait sur une grande porte en ébène sans poignée où une plaque d'or annonçait :

APPARTEMENTS DIRECTORIAUX
INTERDITS AUX VISITEURS

Ophélie ne s'était pas préparée à se rendre chez les directeurs de l'observatoire. Ne couraient-ils pas le risque de tomber sur eux ? Elle ne les avait jamais rencontrés, mais elle ne tenait pas particulièrement à faire leur connaissance cette nuit.

Thorn se dirigea vers une glace murale de l'antichambre.

– Attends-moi là.

Ophélie fut frappée par le regard sans concession, totalement dénué d'amour-propre, qu'il adressa à son reflet avant de se plonger dedans. C'était la première fois qu'il recourait devant elle à sa faculté de passe-miroir. Ce pouvoir exigeait de se confronter à ce que l'on est. Thorn y parvenait, mais il n'appréciait pas pour autant ce qu'il voyait.

La porte des appartements s'ouvrit sur lui. Si elle ne disposait pas de poignée à l'extérieur, elle en était dotée à l'intérieur. Ophélie sonda avec inquiétude les profondeurs, presque invisibles à la lueur minuscule des veilleuses, de ce qui semblait être une vaste bibliothèque. Le plafond se perdait dans les hauteurs. Tous les éléments du décor étaient aussi raffinés que fonctionnels : des étagères bien étiquetées, des meubles droits, des toiles de maîtres, des horloges qui ronronnaient, des bustes en parfait équilibre sur leur piédestal et aucune fanfreluche pour surcharger inutilement cette élégance. Rien à voir avec l'enceinte de confinement et son débordement d'objets défectueux. Mais les appartements étaient-ils vides ?

– Il n'y a personne, assura Thorn en refermant la porte.

– Et si les directeurs reviennent ?

– Il n'y a pas de directeurs. Ces appartements servent de façade et de local d'archivage. La véritable tête pensante de l'observatoire demeure dans l'ombre.

Ophélie battit des cils. Les collaborateurs travaillaient pour des observateurs qui travaillaient pour des directeurs inexistants ?

– Et si c'était Eulalie Dilleux, la tête pensante ?

– J'y ai songé, tant ce procédé opaque et pyramidal est similaire au sien, mais je doute fort qu'elle soit au courant de ce qui se trame ici. Il n'est pas dans son intérêt que d'autres sachent reproduire à l'identique ce qu'elle a fait autrefois.

Sur ces paroles, prononcées d'un ton âpre, Thorn ouvrit un casier parmi tous ceux qui composaient la bibliothèque. Chacune de ses manipulations était précise. Affûtée. Il ne laisserait derrière lui aucune trace de sa visite. Ophélie remarqua un beau miroir sur pied qui renvoya d'elle une petite femme en pyjama mal boutonné, avec des boucles qui partaient dans tous les sens. Voilà par où il était entré. Ce n'était pas la première fois qu'il venait ici.

Pendant que Thorn examinait méthodiquement le casier, Ophélie se colla à l'une des gigantesques fenêtres en forme de rosace. Elle eut le souffle coupé par ce qu'elle aperçut à travers le vitrail. Elle dominait les esplanades et les pagodes de tout l'observatoire. Ce n'étaient pas de simples rosaces : c'étaient les yeux du colosse. D'ici, Ophélie pouvait même démêler, grâce à ses lunettes retrouvées, les lumières des étoiles de celles de la cité. Les arches mineures formaient une constellation à part entière où elle repéra le phare du Mémorial, l'éclairage plus discret de la Bonne Famille et, au loin, une marée de nuages qui absorbait le scintillement de Babel.

Que devenaient Blasius et le professeur Wolf ? Et l'écharpe ? Étaient-ils toujours hébergés par Ambroise ? La chasse aux clandestins avait-elle continué ? Octavio avait-il pu informer la population de ce qui s'était passé ?

Ophélie mesura soudain à quel point l'observatoire les enfermait à l'intérieur d'une parenthèse.

– C'est curieux, murmura-t-elle contre le vitrail. Il n'y a jamais de marée haute ici. La mer de nuages garde ses distances. C'est comme si nous étions en permanence dans l'œil d'un cyclone.

Alors qu'elle ramenait pensivement son attention sur l'observatoire, elle avisa un enclos. Étaient-ce des monolithes qu'elle devinait dans la nuit ? Des tombes. Cosmos avait raison : l'institut possédait sa propre nécropole. Ophélie ne put s'empêcher d'avoir une pensée brutale pour ce troisième protocole dont personne, d'après lui, n'était jamais revenu.

Elle se détourna du vitrail et passa en revue les cadres disposés sur le grand bureau. C'étaient de vieilles photographies, pâlies par le temps. Elle en remarqua une en particulier. D'anciens inversés, reconnaissables pour certains à leurs malformations, posaient devant un manège forain. Ce qui avait accroché le regard d'Ophélie, c'était le trou au milieu de la photographie. Une silhouette avait été entièrement découpée; effacée du groupe. Elle avait emporté avec elle le bras d'un jeune garçon qui lui enserrait amicalement les épaules et qui, lui, dégageait quelque chose de familier. Qui étaient-ils?

– Tiens.

Ophélie était si absorbée par la photographie qu'elle n'avait pas entendu Thorn approcher. Il lui remit un dossier.

– Qu'est-ce que c'est?

– Des images médicales. Elles te concernent.

Les mains d'Ophélie frémirent sous les gants en ouvrant le dossier. Il était d'une épaisseur impressionnante. Des enveloppes y renfermaient des clichés dont plusieurs avaient été reproduits en grand format. Ophélie figurait sur chacun d'eux, de profil, de face et de dos.

Les photographies prises dans le cabinet noir.

Révélaient-elles ce qu'Ophélie n'avait pas encore avoué à Thorn? Mettaient-elles en évidence cette anomalie qui les empêcherait, elle d'être mère, lui d'être père? Qu'il l'eût appris de cette façon-là plutôt que de sa bouche lui donna la sensation de s'alourdir.

Ophélie examina les photographies à la lumière d'une veilleuse. Elle fut tellement surprise qu'elle en oublia toutes les pensées qui avaient précédé.

Une ombre.

Elle débordait de son corps, blafard à cause des flashs, telle une fumée dont les limites n'étaient pas bien définies, variant

225

d'un cliché à l'autre. Elle était plus étendue autour des mains d'Ophélie. Plus singulier encore : l'ombre semblait légèrement décalée par rapport au pourtour du corps, comme s'ils ne coïncidaient pas parfaitement. Était-ce lié à son inversion ?

– Ces images-là ont été réalisées le jour de ton admission, commenta Thorn. Regarde celle-ci, à présent, dit-il en lui désignant une autre photographie. Elle a été prise le lendemain.

L'ombre était toujours là, mais le décalage s'était accru. En l'espace d'une seule journée, un vrai dédoublement s'était opéré entre le corps blême d'Ophélie et son aura noire. Était-ce le fait de tous ces mouvements dissymétriques qu'on lui avait demandé d'effectuer ? Sur chaque nouvelle photographie, jour après jour, le dédoublement s'exacerbait.

– J'ignore ce qu'ils te font, dit Thorn, mais c'est en train de te changer. Un peu plus que cela, même.

Sa voix avait pris la consistance du plomb. Sa tension était contenue là, dans ces photographies.

Il ébaucha un geste pour retenir Ophélie qui fonçait déjà vers la bibliothèque. Il avait déployé d'infinies précautions pour extraire le dossier médical sans déranger, ne serait-ce que d'un millimètre, ceux d'à côté. Ophélie en était incapable. Elle vida les casiers les uns après les autres, renversant la moitié des dossiers au passage sous le regard figé de Thorn.

Elle devait impérativement constater par elle-même ce qu'il en était pour les autres sujets de l'observatoire.

Chaque photographié possédait une ombre, mais elle était plus ténue chez les sans-pouvoirs (c'était précisé dans leur dossier) et elle ne se dédoublait du corps que chez les inversés du programme alternatif. Elle différait d'un individu à l'autre : plus étendue au niveau des oreilles chez celui-ci, de la poitrine chez celui-là, de la gorge chez tel autre. Pourquoi ces singularités ? Pourquoi l'ombre d'Ophélie se concentrait-elle sur les mains ?

– Ces ombres reflètent nos pouvoirs familiaux, finit-elle par comprendre. Voilà pourquoi mon animisme et mes griffes sont perturbés. C'est à cause du dédoublement.

– Ce n'est pas tout, dit Thorn qui, dossier après dossier, casier après casier, entreprenait de remettre de l'ordre partout où elle avait semé le chaos. L'observatoire des Déviations détient tout un arsenal d'instruments de mesure, plus ou moins cachés, afin de comptabiliser les échos. Pas seulement ceux perceptibles à l'œil et à l'oreille, mais aussi et surtout ceux, bien plus nombreux, qui échappent à nos sens. J'ai étudié ces statistiques de près.

Entre deux rangements de dossiers, Thorn tendit à Ophélie un feuillet où courait son écriture compacte et nerveuse. Y figuraient essentiellement des graphiques tracés avec précision.

– Premier fait notable, les échos se sont multipliés depuis l'effondrement du quartier nord-ouest.

Ophélie acquiesça. Elle s'en était rendu compte, oui.

– Deuxième fait notable, leur nombre varie en fonction de certaines conditions.

– J'ai pu le constater dans la cave. J'ai failli devenir sourde.

– Troisième fait notable, enchaîna Thorn comme s'il n'avait pas été interrompu, leur nombre varie également en fonction des personnes. La fréquence des échos observés dans le voisinage immédiat des sans-pouvoirs est faible. Cette fréquence augmente à proximité de personnes détenant un lien de parenté avec un esprit de famille – et par conséquent un pouvoir familial. Elle s'accroît considérablement à proximité des inversés. Je dirais même plus : plus l'inversion est importante, plus il y a d'échos.

Par-dessus le tiroir déployé devant lui, Thorn fit brusquement descendre sur Ophélie un regard d'acier.

– Quatrième et dernier fait notable, tu détiens le record. De tous les inversés du programme alternatif actuellement recensés, tu es celle qui induit le plus d'échos.

Ophélie pensa à Hélène, dans cette tribune de l'amphithéâtre. À ce que la géante avait vu. À ce qu'elle lui avait dit. «Ils sont partout, jeune dame, et autour de toi plus encore qu'ailleurs.» Voilà qui avait déjà plus de sens que la cage, le retournement et les doigts dont elle lui avait parlé.

– Je récapitule, dit-elle. Nous possédons tous une ombre que nous ne pouvons pas voir. Chez les inversés, cette ombre est décalée et plus l'inversion s'aggrave, plus le décalage augmente. Cette spécificité attire les échos pour une raison quelconque. L'Autre est lui-même un écho – un écho très rare, capable de réfléchir par lui-même. L'observatoire se sert donc des inversés pour l'appâter et obtenir de lui le secret de la Corne d'abondance qu'il aurait livré à Eulalie Dilleux autrefois. Je n'ai rien omis ?

Ophélie allait nettoyer ses lunettes, avec l'espoir que ça lui permettrait de voir plus clair dans ses pensées, avant de s'apercevoir qu'elles n'avaient jamais été aussi propres. La maniaquerie de Thorn était passée par là.

– J'ai dû limiter mes recherches aux cinq dernières années, dit-il. Les archives qui excèdent cette date ont été soit déplacées, soit détruites.

Ophélie ouvrit au hasard un dossier que Thorn venait tout juste de ranger à la bonne place dans son casier. Il appartenait à un sujet du programme classique, dont l'ombre se superposait impeccablement à son corps entier. De quoi était-elle donc composée? Pourquoi ne se voyait-elle pas à l'œil nu?

– Les lentilles noires, souffla Ophélie. Voilà donc à quoi elles leur servent. À visualiser nos ombres. Peut-être même les échos.

Elle ressongea à cette gifle que lui avait administrée l'homme au lézard le jour de son admission. Il avait alors perçu « quelque chose » autour d'elle. Avait-il vu ses griffes réagir instinctivement à l'agression ? Ophélie commençait à croire qu'il avait même délibérément cherché à les provoquer pour mieux les observer. Rien ne semblait être laissé au hasard ici, c'en était effrayant.

Alors qu'elle épluchait toutes les photographies du dossier, à la recherche d'un nouvel indice, elle fut soudain saisie par le sourire du sujet sur chacune d'elles. Étaient joints des portraits plus traditionnels où il posait tantôt avec un instrument de musique, tantôt avec une poterie. Elle tomba sur une photographie de groupe avec les autres sujets du programme classique où ils s'amusaient tous à faire des grimaces à l'objectif. Même les membres de l'équipe d'observation, avec leurs pince-nez noirs et leurs silhouettes drapées de soie jaune, se joignaient à leurs rires. Il n'y avait là ni collaborateurs en froc ni nounou-automates. Seulement des visages épanouis.

Ophélie pensa à la crise de fureur de Cosmos. Elle pensa au vieil homme qui se frappait l'oreille. Elle pensa à Seconde enfermée dans son charabia. Cet observatoire avait les moyens de les aider, mais il préférait exacerber leurs déviations pour mieux les utiliser.

– Et pendant ce temps, murmura-t-elle en sentant monter la colère, ils nous regardent nous débattre dans nos propres corps.

– Un mot.

Thorn n'avait pas parlé fort, mais quelque chose dans sa voix incita Ophélie à détacher son attention des photographies pour la reporter sur lui. Il se tenait à demi penché sur elle, le poing appuyé sur une table, son regard scrutant méticuleusement le sien. Si elle avait eu la faculté de voir les ombres, elle aurait vu celle, hérissée de griffes, qui grandissait tout autour de lui. Il n'en avait probablement pas conscience et elle ne se sentait pas le cœur de le lui dire, mais il lui faisait mal.

– Un seul mot de toi, dit-il, et je te sors de cet observatoire dès cette nuit. Nous n'avons plus beaucoup de temps, mais c'est encore faisable. Nous trouverons un endroit où tu n'auras à craindre ni d'être expulsée ni d'être repérée.

– Tu veux que je m'en aille ? que je m'enfuie ?

L'expression de Thorn se fit ambiguë dans la lumière des veilleuses.

– Ce qui importe, c'est ce que toi tu veux. Tu as et tu auras toujours le choix.

« Les dés de ma propre existence », songea Ophélie.

– Le Pôle... ça te manque parfois ?

Thorn parut désarçonné par la question, mais ses doigts se contractèrent involontairement autour de la montre à gousset. Un cadeau qui lui venait de Berenilde, Ophélie le savait depuis qu'elle avait accidentellement *lu* les dés de son enfance.

– J'ai laissé là-bas plusieurs affaires inachevées. Aucune n'a la priorité sur celle qui m'occupe ici présentement.

Cette réponse était dépourvue de sensiblerie, mais Ophélie se sentit remuée. Bien sûr que Thorn avait peur, comme elle, de ne jamais revoir les siens. Sauf que, lui, il n'avait plus le choix. Il ne pourrait pas retourner chez lui sans rendre d'abord des comptes aux Généalogistes de Babel et à la justice du Pôle. Il avait sacrifié ses dés depuis longtemps.

Et jamais il ne se plaignait.

Ophélie ne se plaindrait pas non plus.

– Pareil. Je veux finir ce que j'ai commencé.

L'ambivalence se fit plus marquée encore sur la figure en clair-obscur de Thorn.

– Je peux te le dire, à présent : j'espérais que tu ferais ce choix.

– Vraiment ?

Ce fut la cohue dans la poitrine d'Ophélie. Elle se calma dès que Thorn lui mit entre les mains un plan de l'observatoire et lui indiqua un emplacement.

– Une visite du quartier des collaborateurs serait très instructive. Je gage que nous y trouverons plus d'une réponse : la véritable nature des ombres et des échos, ainsi que leur lien avec Eulalie Dilleux, l'Autre, les effondrements, la Corne d'abondance et le décodage des Livres. Je n'ai aucun droit de regard sur tous ces travaux. Je n'ai même pas l'autorisation de mettre les pieds dans ces laboratoires, à cause du prétendu secret médical. Nous allons faire en sorte que tu y ailles à ma place.

Ophélie examina le plan de près. Elle n'était pas spécialement sentimentale mais c'était, et de loin, la déclaration la moins passionnelle que Thorn lui avait jamais faite.

– Quand ?

Le long doigt osseux glissa sur le papier.

– J'ai assimilé les emplois du temps de tous les collaborateurs. Je sais où ils se trouvent à chaque moment. Il n'y a qu'un seul créneau horaire durant lequel ils sont tous occupés hors de leur quartier : entre le troisième et le cinquième gong de l'après-midi.

– J'ai pu sortir en cachette cette nuit, mais ça sera moins simple de jour.

– Je t'y aiderai, assura Thorn avec aplomb. Demain, je passe à l'offensive. Les compteurs d'électricité que j'ai consultés tout à l'heure ne concordent pas avec les relevés qui m'ont été fournis. En d'autres termes, il y a quelque chose dans l'enceinte de confinement qui sollicite une importante consommation d'énergie. Quelque chose d'extrêmement bien caché.

Ophélie pensa aux lampes qui ne fonctionnaient toujours qu'à moitié et aux pannes de manèges.

– La Corne d'abondance ?

– Précisément. Je vais me servir de cette anormalité pour procéder à une inspection plus agressive de l'enceinte de confinement. L'observatoire n'est peut-être pas administré par les Lords de LUX, mais il doit son bon fonctionnement à leurs subventions. Les responsables ne pourront faire autrement que se plier à mon contrôle technique. Bref, conclut Thorn en repliant le plan, je concentrerai sur moi l'attention générale pendant les deux heures où le quartier des collaborateurs est vide. Tu pourras t'y rendre sans être inquiétée.

Plus Ophélie écoutait Thorn, plus elle mesurait combien il était encore habité par son ancienne fonction d'intendant. En fait, c'était le Nord tout entier qu'il portait en lui. Il avait même si peu l'allure d'un Babélien, avec cette pâleur qui résistait au soleil et ces manières d'ours polaire, que c'était à se demander comment les gens faisaient pour voir en lui un authentique Lord de LUX. Les Généalogistes devaient vraiment être influents pour l'exposer ainsi au public sans que cela soulevât jamais de questions.

– Et s'ils me redescendent dans la cave avant, qu'est-ce que je fais ?

– Tu t'y soustrais. J'ignore si cette expérience vise réellement à établir un contact avec l'Autre, mais, si tel est le cas, nous devons à tout prix éviter d'attirer son attention. Qu'il s'agisse de lui ou d'Eulalie Dilleux, nous ne sommes pas encore prêts à les contrer.

Ophélie espérait que ce n'était pas trop tard après sa stupide bravade téléphonique. Elle s'efforça de ne surtout pas penser à ce qu'elle avait vu, *cru voir*, à la vitrerie-miroiterie.

– D'accord. Demain, entre le troisième et le cinquième gong, j'irai au quartier des collaborateurs. Avec un peu de chance, la Corne d'abondance se trouve là-bas.

Les lèvres de Thorn furent saisies d'un léger soubresaut.

– L'essentiel est d'en comprendre le principe. Si nous découvrons comment Eulalie Dilleux s'est affranchie de sa condition humaine et comment l'Autre s'est affranchi de sa condition d'écho, alors nous pourrons à notre tour nous libérer d'eux.

Ophélie eut soudain l'impression de mieux respirer. Thorn avait parfois des manières de coupe-papier, mais son absence de doutes balayait les siens. Elle chassa de son esprit la vitrerie-miroiterie, le dessin de Seconde, le sang et le vide. La seule réalité, maintenant, c'était lui, c'était elle, c'étaient eux.

Thorn tira sur la chaîne de sa montre qui s'ouvrit et se referma en un clin de couvercle.

– Bien, dit-il d'un ton pragmatique. Puisque tu as fait le choix de rester, ça nous laisse un surcroît de temps.

– Du temps pour quoi ?

Ophélie craignit la mise au point d'une nouvelle mission. Elle n'était déjà pas certaine de mener à bien celle du lendemain sans se faire prendre – avec les conséquences désastreuses qui s'ensuivraient. Elle se rendit compte après coup que sa question avait provoqué sur Thorn un effet imprévu. Sa figure entière s'était durcie, depuis les lignes de tension de son front jusqu'aux muscles de sa mâchoire.

– Pour nous.

Ophélie haussa les sourcils. Il y avait eu, dans ces deux mots impératifs, de la possessivité ; puis à la seconde suivante, dans les paupières vite baissées, de la honte. Comme si Thorn s'était déçu lui-même. Ce n'était pas la première fois qu'Ophélie surprenait chez lui des forces contradictoires.

Elle se sentit portée vers lui par un élan irrésistible. Thorn la garda prudemment dans son champ de vision. Ses yeux étaient pareils à de la glace : froids et brûlants en même temps. Ophélie aurait tellement voulu atténuer un peu cette intransigeance…

Elle accueillit sur sa chair le courant galvanique des griffes qui la mettait à vif. Elle se hissa sur la pointe des pieds et, avec des gestes embrouillés mais déterminés, elle entreprit de défaire les boutons d'or de son uniforme. Le débarrasser de cette peau factice. Le rendre à lui-même, ne serait-ce qu'une nuit.

L'attention de Thorn s'était faite dévorante. Lui qui aimait si peu manger paraissait soudain en proie à la faim.

Tandis qu'il se refermait de tout son corps sur elle, Ophélie se fit une nouvelle promesse.

Elle changerait le regard de Thorn dans le miroir.

LES COLLABORATEURS

La journée commença normalement, selon les critères du programme alternatif. Abrutie par sa nuit blanche, Ophélie avala à grand-peine son petit déjeuner infect, fit semblant de s'intéresser au ballet des figures géométriques sur l'écran du chapiteau, effectua la gymnastique routinière devant l'équipe de collaborateurs et subit l'interminable séance photographique qui, elle le savait à présent, allait mettre en évidence le décalage accru entre son corps et son ombre. Ce furent ensuite les habituels tours de manèges. Ophélie dut écrire des deux mains à bord d'un tourniquet, puis courir en marche arrière sur un tapis de course. Elle finit par s'assoupir pendant qu'elle fixait un moulin à vent accroché au guidon de son vélocipède.

Il ne fut plus du tout question de la cave au téléphone.

Ophélie esquivait Seconde chaque fois que celle-ci s'approchait d'elle avec un nouveau dessin, son œil blanc grand ouvert. Il lui était pénible d'ignorer son expression déconfite, mais elle n'avait plus envie de se voir couverte de crayon rouge. Quant à Cosmos, ce fut lui qui garda ses distances avec Ophélie, même si elle surprit plusieurs fois son regard sur la morsure qu'il lui avait faite à la main.

Le troisième coup du gong traversa la touffeur de l'après-midi.

Épongeant la sueur de son cou, entre deux manèges, Ophélie eut un coup d'œil inquiet pour les silhouettes, grises et floues, qui déambulaient mollement à travers le cloître. Tous les collaborateurs avaient quitté leur quartier comme prévu et encore aucun signe de Thorn. Si elle tentait quoi que ce fût maintenant, elle serait repérée avant d'avoir fait dix pas. Elle en arriva à penser que la diversion avait échoué lorsque, enfin, une agitation se communiqua à tout le monde autour d'elle. Un seul et même murmure – « Sir Henry est ici ! » – vola de bouche en bouche et traversa l'espace de confinement comme un avion en papier.

Les nounous-automates interrompirent toutes les activités, reconduisirent les inversés à la résidence, à l'exception de Seconde qui resta seule sur son cheval de carrousel, et les enfermèrent dans leurs chambres avec un plateau-repas.

– C'EST UN SIMPLE CONTRÔLE DES INSTALLATIONS ÉLEC-TRIQUES. NOUS REPRENDRONS LES JEUX DEMAIN, *DARLINGS*.

Dès que la clef eut tourné dans sa serrure, Ophélie ne perdit pas un instant. Elle enfila les gants et les lunettes qu'elle avait cachés sous son lit, puis délogea la persienne qui ne tenait plus qu'à un gond. Sa première fugue était passée inaperçue ; elle espérait que la chance serait encore de son côté.

Elle se glissa par la fenêtre. Marcher sur ce mur la nuit, c'était une chose ; le faire en plein jour avec une vue imprenable sur le vide et un vent brûlant dans la figure, c'en était une autre. Le toit de la résidence lui ébouillanta les pieds quand elle l'atteignit.

L'inspection surprise de Thorn dans l'enceinte de confinement produisait son petit effet. Telles des figurines miniatures, les silhouettes en froc gris se rassemblaient toutes autour de son uniforme étincelant.

Ophélie descendit d'une terrasse à l'autre jusqu'à parvenir, après quelques acrobaties et presque autant d'ecchymoses, dans un verger. Si elle avait bien interprété l'itinéraire, elle était arrivée au quartier des collaborateurs. Le plus difficile était encore à venir. Il lui restait à peine plus d'une heure pour soutirer ses secrets à cet endroit. Elle traversa une infirmerie, un scriptorium, une bibliothèque et une cuisine qui sentait honteusement bon; ce n'était pas ici que se concoctaient les repas des inversés. Toutes les salles du quartier étaient dépourvues de fenêtres, conformément au plan que Thorn lui avait fait apprendre par cœur. Voilà qui pouvait jouer en sa faveur. L'éclairage grésillant des ampoules arrachait des frissons aux ombres. Au moins la diversion était-elle un succès : Ophélie ne croisa personne en chemin.

Ce fut vrai jusqu'au centre du quartier. Elle s'abrita juste à temps dans un angle mort : deux collaborateurs montaient la garde. Ophélie hasarda vers eux un rapide coup de lunettes. Ils marchaient en se faisant face, le long d'un corridor, dans un frottement de froc, leurs capuches grises rabattues sur la figure, complètement mutiques. L'un avançait, l'autre reculait. Au bout de plusieurs pas, ils permutèrent leurs rôles sans un mot. Celui qui reculait se mit à avancer et inversement.

De l'autre côté du corridor, il y avait une petite porte close. Pour qu'elle fût placée ainsi sous surveillance, c'était certainement qu'elle donnait accès aux laboratoires. Ophélie ne pourrait pas l'atteindre sans être vue, pour le moment du moins. Thorn et elle avaient envisagé ce cas de figure. Tapie dans la pénombre, elle patienta en espérant que ce ne serait plus long. Chaque minute passée ici était à décompter du peu de temps dont elle disposait.

Toutes les ampoules s'éteignirent enfin. C'était la coupure de courant promise par Thorn. Le quartier, sans fenêtres, fut submergé d'obscurité. Il y eut un bruit d'entrechoc, puis deux murmures désabusés :

– Encore une panne ?

– Encore une panne.

Ophélie s'élança dans le corridor, du bout des orteils, rasant le mur de près pour éviter tout contact avec le couple de collaborateurs. Elle localisa la porte des laboratoires, l'ouvrit à tâtons. Vite, se hâter avant le retour de la lumière ! Ses mains s'embrouillèrent autour de la poignée, confondant gauche et droite ; les gestes les plus anodins étaient devenus d'une complexité exaspérante. Un déclic enfin. Elle se faufila dans l'entrebâillement et referma derrière elle, centimètre après centimètre, de façon à ne pas faire grincer le bois.

Elle était passée de l'autre côté.

Adossée contre le battant, elle contempla les ténèbres qui lui faisaient face, avec ses yeux, avec ses oreilles, avec tous ses sens. Et si Thorn s'était trompé ? Si des collaborateurs étaient restés dans les laboratoires ? Si le retour de la lumière trahissait la présence d'Ophélie parmi eux ?

Les ampoules se rallumèrent à l'unisson ; il n'y avait personne.

La salle était vaste, divisée en compartiments séparés les uns des autres par d'épaisses cloisons, comme les alvéoles d'une ruche. Les ventilateurs de plafond se remirent en route avec l'électricité. L'air fut plus respirable. Aux murs, des patères vides étaient certainement destinées à recevoir les capuches des collaborateurs.

Ici, comme dans toute l'enceinte de confinement, étaient entassées des caisses qui débordaient d'objets ratés. Des peignes sans dents, des bijoux en toc, des pots percés, des cuillères tordues, de la nourriture gaspillée et toujours rien qui pût ressembler à une Corne d'abondance. Il était extrêmement frustrant de ne jamais trouver nulle part une cause dont les effets étaient constatables partout.

Ophélie dénicha, tout au fond d'une poubelle, un pince-nez en piteux état. Un collaborateur avait dû s'asseoir dessus par mégarde. La seule lentille qui pendouillait encore à la monture était morcelée. Et noire.

Ophélie la colla contre un œil, sous ses lunettes. Sa perception du monde changea aussitôt. Chaque cloison, chaque lampe, chaque objet était auréolé d'une infime vapeur blanche qui se décomposait et se recomposait sans cesse autour d'eux. Les ventilateurs, telles des hélices de bateau, projetaient la leur à travers l'espace, en grands cercles concentriques.

– Qu'est-ce que…?

Ce murmure, sitôt échappé des lèvres d'Ophélie, se matérialisa comme de la buée et se propagea à son tour.

Elle essaya de s'en saisir. Sa propre main lui apparut alors en double. L'une était aussi noire et aussi solide que la lentille collée à son œil; l'autre était blanche et vaporeuse, mal superposée à la première.

Ophélie n'était pas au bout de ses surprises.

Pour chaque geste qu'elle faisait, et même pour ceux qu'elle ne faisait pas, elle projetait un peu de son ombre tout autour d'elle. Et parfois, avant de se disperser complètement, celle-ci revenait vers elle sous une forme diluée, comme un retour de vague, si infime qu'elle était à peine décelable en dépit de la lentille optique.

Ophélie ne voyait pas seulement les ombres. Elle voyait aussi les échos.

Les pince-nez des observateurs fonctionnaient à la façon d'un négatif photographique et révélaient ce que l'on ne pouvait appréhender à l'œil nu. Les ombres et les échos disparurent dès qu'Ophélie ôta la lentille. Elle l'aurait volontiers emportée avec elle, mais le verre endommagé se brisa entre ses doigts.

Ainsi, toute chose avait une ombre. Mieux, les ombres et les échos étaient les manifestations différentes d'un seul et même phénomène.

C'était un bon début.

Ophélie visita les laboratoires les uns après les autres, en quête de réponses. Elle y trouva des alambics éteints, des ardoises gribouillées d'équations, des balances semblables à celles utilisées par la poste et une quantité d'autres instruments de mesure. L'aggravation de sa maladresse et la morsure de Cosmos ne lui simplifièrent pas la tâche pour ouvrir chaque tiroir. Les carnets scientifiques étaient incompréhensibles.

Deux mots revenaient partout : « aerargyrum » et « cristallisation ». Elle n'avait pas la moindre idée de leur signification, mais elle tomba sur une photographie de Cosmos dans un bulletin. Elle le feuilleta. Chaque ligne correspondait à une date, mais c'était toujours la même mention écrite :

« Sujet impropre à la cristallisation et non réclamé par la famille. Maintenu au protocole I. »

Ophélie consulta les annexes. Elles reprenaient quelques clichés semblables à ceux qu'elle avait découverts dans les appartements directoriaux. Sur chacun d'eux, elle pouvait voir une ombre se dissocier du corps de Cosmos, comme si un autre lui-même avait effectué un petit pas de côté. Aux clichés étaient joints des douzaines de dessins où elle reconnut, non sans surprise, le trait caractéristique de Seconde. En fait, c'étaient des esquisses plus que des dessins et elles représentaient toutes exactement la même silhouette sombre. Au bas de chaque image, un collaborateur avait reporté la date du jour.

Seconde voyait donc les ombres des gens? En admettant que ce fût le cas, en quoi ses dessins avaient-ils de l'importance? Après tout, l'observatoire des Déviations savait déjà prendre les ombres en photographie.

Ophélie se dépêcha de chercher son propre bulletin. Elle le trouva dans un casier à part. Il était moins fourni que celui de Cosmos, étant donné sa récente arrivée au programme alternatif. Au début, ce fut le même rapport quotidien :

«Sujet impropre à la cristallisation et non réclamé par la famille. Maintenu au protocole I.»

Toutefois, Ophélie eut un choc en constatant que l'intitulé avait changé dernièrement :

«Sujet propre à la cristallisation et non réclamé par la famille. Maintenu provisoirement au protocole I. *Bientôt pressenti pour les protocoles II et III.*»

Elle vérifia les annexes. Les clichés étaient pourtant les mêmes que ceux qu'elle connaissait, présentant un décalage entre son corps et son ombre. Rien d'inédit. Il en alla d'abord de même avec les esquisses de Seconde, mais les plus récentes étaient devenues tout à fait singulières. Gribouillée à la hâte, l'ombre était en train de se fissurer, comme si on lui avait infligé un vilain coup de ciseaux au niveau de l'épaule et que son bras allait se détacher.

Ophélie n'avait rien vu de tel à travers la lentille. Seconde devinait-elle ce que les clichés et les pince-nez ne montraient pas encore?

Ophélie pensa au clou. Elle pensa à son image pleine de crayon rouge, elle pensa à la vieillarde et elle pensa au monstre.

Une variation électrique, dans les ampoules, réveilla sa vigilance. Il lui faudrait mettre à profit la prochaine panne pour quitter les laboratoires sans être vue. Le temps pressait.

Alors qu'elle reprenait ses investigations, son regard fut attiré par un bureau à cause du désordre qui y régnait. Des notes par dizaines, par centaines, barbouillaient chaque centimètre d'ardoise et de cloison. Le propriétaire du box avait même écrit directement sur le plan de travail en bois précieux. Ce à quoi le personnel d'entretien avait répondu par un mot posé à côté : «Et le papier, c'est pour les marsupiaux?»

Ophélie examina les notes de près. Elle reconnut par endroits le texte si caractéristique des Livres. Des flèches et des cercles avaient été tracés à la craie pour essayer de trouver un sens à toutes ces arabesques, sans grand succès si elle en croyait le nombre de ratures.

Les travaux de décodage d'Elizabeth.

Les Généalogistes l'avaient manipulée spécialement à cette fin, mais pourquoi les Livres étaient-ils si intéressants pour eux? Parce qu'ils renfermaient le secret de l'immortalité des esprits de famille? Et l'observatoire des Déviations? Qu'attendait-il exactement de ce décodage? Quel était le rapport avec les ombres et les échos? Quel était le rapport avec la Corne d'abondance?

À ce rythme, Ophélie n'aurait trouvé aucune vraie réponse d'ici au cinquième coup du gong. Elle avait l'impression d'avoir l'esprit aussi cloisonné que les laboratoires : elle ne voyait toujours que les rouages, jamais la mécanique.

Assez.

Eulalie Dilleux avait transmis sa mémoire à l'Autre qui l'avait transmise à son tour à Ophélie. Le moment était venu pour elle d'en faire bon usage. Elle prit une chaise et s'assit devant un tableau noir qu'Elizabeth avait surchargé de code. Une langue inventée autrefois par Eulalie.

«Une langue inventée par *moi*», corrigea Ophélie en prenant une profonde inspiration.

Elle allait s'en servir pour déclencher une nouvelle vision. Elle fixa obstinément l'écriture en s'efforçant de ne plus penser ni à l'heure qui tournait, ni à sa propre impatience, ni à l'avenir, ni au passé. Juste aux traces de craie qui lui faisaient face. Ce n'était pas différent d'une *lecture*.

S'oublier pour mieux se souvenir.

Un éclair lui déchira la tête. Cette migraine, qui ne la quittait jamais vraiment depuis qu'elle était entrée à l'observatoire, monta brutalement dans les aigus. Ophélie eut la sensation paradoxale de décoller de sa chaise tout en tombant de haut. La craie du tableau se transforma en stratosphère, puis en un éparpillement de nuages, puis en ancien monde, puis en une ville vérolée par les bombardements, puis en un vieux quartier en reconstruction, puis en un petit guéridon où luisent deux tasses en porcelaine.

Eulalie serre la sienne entre ses mains amaigries. Elle soutient le regard du concierge de l'autre côté de la table. Lunettes en écaille contre bésicles de fer. Il a pris un fameux coup de vieux depuis la dernière fois. Le foulard de son turban lui dissimule toujours la mâchoire, ce qu'il en reste du moins. Son visage est, à l'image de Babel, ravagé par la guerre.

– Ta première foutue perm en quatre ans, grogne-t-il dans son foulard. Et c'est moi que tu veux voir ?

Eulalie acquiesce.

– T'as une tête affreuse. On dirait que t'as mon âge.

Eulalie acquiesce encore. Oui, elle a dû perdre au moins la moitié de son espérance de vie. On n'a rien sans rien. Elle n'a aucun regret.

– J'ai appris pour l'orphelinat.

– Il n'y a plus rien à en dire. Une foutue bombe a tué les gosses. Tout le monde a quitté l'île. Moi inclus. Un concierge sans école, ça n'a aucun foutu sens.

Eulalie le comprend avec ses tripes. Elle a l'impression qu'on lui a arraché sa famille pour la deuxième fois.

– Nous allons la rouvrir, lui promet-elle. Juste toi et moi.

Le concierge se tient assis avec une immobilité toute militaire, mais ses mains ont tressailli de part et d'autre de sa tasse.

– J'aurai claqué avant qu'ils te laissent réintégrer la vie civile.

Il a un regard furtif pour les soldats qui se tiennent au garde-à-vous dehors, devant la porte du bistrot. Depuis qu'Eulalie travaille à l'observatoire, pour le Projet, elle ne peut aller nulle part sans les avoir sur les talons. Ce n'est pas sa vie qu'ils protègent, contrairement à ce que ses supérieurs prétendent, mais ce qu'elle pourrait divulguer.

– Nous allons rouvrir l'école, insiste-t-elle. Une école complètement différente pour... pour des enfants complètement différents. Mais je dois savoir : es-tu avec moi ?

Le concierge la regarde boire son thé sans toucher au sien.

– Comment dire non ? Tu as toujours été ma foutue préférée.

Eulalie le sait. À l'orphelinat, tous les mômes avaient peur de lui sauf elle. Pendant que les autres jouaient à la guerre, elle lui rendait visite dans sa loge pour lui parler de paix universelle et lui raconter des histoires où les déserteurs étaient des héros.

Eulalie ignore les soldats qui lui décochent des coups d'œil nerveux depuis l'entrée du bistrot. Seul compte son ami. Un vieil homme qui, comme elle, n'a plus rien à perdre.

– Je n'ai... je n'ai ni l'autorisation ni l'intention de te parler du Projet. Je ne te dirai jamais ce que j'ai vu, ce que... ce que j'ai entendu, ce à quoi j'ai participé, tout ce que le Projet a changé en moi. Ce que je peux te dire, c'est qu'ils font fausse... fausse route à l'observatoire.

Son bégaiement résiduel arrache un sourcillement au concierge. Elle sait qu'il lui faudra des semaines, peut-être des mois de rééducation pour en venir à bout, et les médecins l'ont avertie qu'elle ne sera jamais à l'abri d'une récidive de lapsus. Un faible prix à payer, là encore.

Elle lève ses lunettes vers le petit morceau de ciel au-dessus d'eux. Le toit du bistrot est en cours de réparation. Les marteaux des ouvriers ne sont pas propices à la conversation, mais ils ne sont pas propices non plus aux oreilles indiscrètes.

– Mes supérieurs ne pensent qu'à une paix pour la cité, une paix impliquant de nouvelles… de nouvelles guerres. Il faut penser plus grand. Beaucoup plus grand. J'ai un plan.

Le concierge ne répond rien, mais Eulalie sait qu'il l'écoute très sérieusement. Il l'a toujours écoutée. C'est aussi pour cette raison qu'elle l'a choisi.

– Nous ne serons pas seuls. J'ai… Disons que j'ai, en quelque sorte, rencontré quelqu'un. Une personne extraordinaire. Elle a métamorphosé ma vision du monde. Elle m'a métamorphosée, moi. Elle m'a appris qu'il existe… qu'il existe *autre chose*, de plus extraordinaire encore. Ça va au-delà de tout ce que tu peux concevoir, de tout ce que je concevais moi-même, et pourtant je n'ai jamais été dépourvue d'imagination.

Eulalie se sent frémir d'exaltation rien qu'à évoquer l'Autre. Il lui est devenu si proche qu'elle devine sa présence sur chaque surface réfléchissante alentour, les cuivres du bistrot, le thé dans sa tasse, jusque sur les verres de ses propres lunettes. Il est elle et elle est lui. Uniques et pluriels.

– C'est quoi, le plan ?

La question du concierge est dépourvue d'ironie. L'ardeur d'Eulalie est telle qu'elle a allumé une étincelle dans ses yeux. Il la connaît depuis son tout premier jour d'orphelinat, mais elle sait qu'il ne l'a jamais réellement considérée comme une enfant. Aujourd'hui, il la regarde comme si elle était sa mère, comme si elle était la mère de l'humanité entière.

Eulalie aime ce regard.

– Sauver le monde. Et cette fois, je sais comment.

Devant la porte du bistrot, un soldat lui indique la pendule. Sa permission est déjà terminée. Elle va devoir retourner à l'observatoire et obéir aux ordres, mais plus pour longtemps. Oh non, plus pour longtemps.

Elle profite de ce qu'elle pose un billet de banque sur la table pour se pencher discrètement.

– Je n'ai besoin que de trois petites choses : des échos, des mots et une contrepartie.

Le visage surpris du concierge retourna à l'état de craie sur le tableau noir. Ophélie cligna des yeux sans plus oser respirer, encore imprégnée par la mémoire d'Eulalie Dilleux. Des ramifications et des liaisons nouvelles se propagèrent dans son esprit migraineux, ouvrant des portes sur des salles intérieures dont elle ne soupçonnait même pas l'existence.

Elle voyait la mécanique.

Ophélie savait qu'elle devait quitter les lieux dès maintenant, regagner sa chambre et attendre la nuit pour retrouver Thorn aux appartements directoriaux comme convenu. Elle voulait d'abord s'assurer d'une dernière chose. Elle emprunta une loupe dans le tiroir d'un collaborateur et piocha au hasard l'un des objets ratés dans les caisses. Un moule qui, d'après l'odeur nauséabonde, avait contenu une de ces tartes atroces qu'on leur servait quotidiennement au réfectoire. Elle l'examina sous tous les angles. Il lui fallut forcer sur sa vue, en plus de la loupe, pour trouver enfin ce qu'elle cherchait : des caractères microscopiques étaient incrustés dans le métal, presque semblables à ceux des Livres.

Oui, Ophélie la voyait enfin, cette mécanique.

La Corne d'abondance ne créait rien.

Elle convertissait des échos en matière.

Et elle le faisait grâce à un code.

Ophélie reposa le moule à tarte et la loupe où elle les avait pris. Elle commençait à rassembler les pièces du puzzle, mais elle les mettrait en ordre quand elle serait loin d'ici. Il lui fallait d'abord réfléchir à un moyen de déjouer l'attention des deux collaborateurs du corridor, dans l'éventualité où elle ne pourrait pas compter sur une nouvelle panne de courant.

Elle n'en eut pas le loisir.

La petite porte par laquelle elle était arrivée venait de s'ouvrir, livrant le passage à une foule de collaborateurs. Ils déboutonnèrent leurs capuches grises pour les suspendre aux patères. Ophélie se cacha en trébuchant derrière un box. Pourquoi rentraient-ils déjà ? L'inspection de Thorn s'était-elle achevée plus tôt que prévu ?

Ils étaient aussi silencieux entre eux qu'ils l'étaient envers les inversés. Seules leurs sandales faisaient couiner le parquet ciré. Pour une fois, Ophélie s'estima heureuse de marcher pieds nus tandis qu'elle courait d'une cloison à l'autre pour ne pas être aperçue. Chaque collaborateur regagnait son laboratoire.

À l'approche d'un pas, Ophélie s'introduisit en catastrophe dans le box le plus proche et s'accroupit sous un établi. Le collaborateur qu'elle voulait justement éviter entra à son tour. Elle s'était piégée toute seule. Repliée au fond de sa cachette, elle observa le froc gris dont les plis soyeux caressaient le sol. Une main, gantée de gris elle aussi, se saisit du tabouret mais, au lieu de l'installer devant l'établi, elle le posta près d'une cloison.

– Ce n'était pas un accident, chuchota le collaborateur. Je ne comprends pas ce qui s'est produit, mais ce n'était *certainly* pas un accident.

Il avait le timbre raffiné d'un érudit. Ophélie se demanda s'il se parlait à lui-même quand un murmure étouffé lui répondit de l'autre côté de la cloison :

– Ce ne sont pas nos affaires.

– La fille de Lady Septima, ce sont les affaires de tout le monde.

Ophélie faillit se cogner la tête contre l'établi. Il était arrivé quelque chose à Seconde ?

– Espérons surtout qu'elle n'aura pas été trop endommagée, dit l'autre voix. Nous avons besoin d'elle. Au moins, cet incident a écourté l'inspection de Sir Henry. J'ai trouvé cette intrusion *very* déplaisante.

Le froc du collaborateur s'agita. Tordue sous l'établi, Ophélie s'approcha précautionneusement de façon à mieux le voir. Il se tenait juché sur son tabouret, une oreille plaquée contre la cloison. Son crâne chauve luisait de sueur. S'il consentait à ne pas changer de position, Ophélie pourrait peut-être sortir sans être remarquée.

– Endommagée ? souffla-t-il d'un ton peiné alors qu'elle quittait sa cachette. Ce n'est encore qu'une enfant.

– Vous êtes *really* naïf, cher confrère, répondit la voix du box voisin. Nous en reparlerons dans quelques mois. Ou plutôt, nous n'en reparlerons pas. Adressez-moi encore la parole et je me verrai dans la triste obligation de vous dénoncer à la direction.

Ophélie se précipita hors du laboratoire. Elle n'avait pas été discrète, le collaborateur l'avait forcément vue. Il allait donner l'alerte.

Il n'y eut pas d'alerte, pas de cri.

Le soulagement fut de courte durée. Même si toutes les ampoules s'éteignaient maintenant, Ophélie ne pourrait jamais ressortir par la porte sans se heurter à toute une troupe de collaborateurs. Elle avait besoin d'une autre issue.

Elle remarqua, au fond de la salle, une tenture jaune au-dessus de laquelle était indiqué en grosses lettres : « OBSERVATEURS

UNIQUEMENT ». Elle ne se rappelait pas avoir vu un accès à cet endroit, sur le plan de Thorn, mais au moins elle ne devrait pas trouver de collaborateurs de l'autre côté.

Elle se glissa le long des cloisons, s'abaissant chaque fois qu'elle passait devant un établi.

Une collaboratrice était occupée à décharger un chariot sur rails qui venait de livrer une cargaison d'objets. C'était la même pacotille que celle qui encombrait toutes les poubelles, mais la femme les manipulait comme s'il s'agissait de pierres précieuses et les inscrivait les uns après les autres dans un registre d'inventaire.

Ophélie passa dans son dos et s'engouffra derrière la tenture. Elle tomba sur un dédale de marches mal éclairées qu'elle grimpa, descendit et remonta en trébuchant. D'où sortaient tous ces escaliers ? Ils ne figuraient pas sur le plan.

Elle finit par déboucher sur un couloir.

C'était, en fait, bien plus qu'un couloir. Il s'étendait si loin qu'il était impossible d'en voir le terme et sa voûte d'ogives s'élevait à plusieurs dizaines de mètres au-dessus du sol. Des bâtons d'encens diffusaient une brume parfumée, percée çà et là de lames de lumière échappée des hauts vitraux. Une nef, toute de pierre et de verre.

Ophélie se surprit à frissonner.

Elle passa devant un bassin posé sur les épaules d'une statue ployée et grimaçante. Était-ce un authentique bénitier ?

Elle marcha longtemps droit devant elle sans jamais apercevoir le bout de la nef. Elle n'était pas infinie, tout de même... Les bas-côtés étaient ponctués de chapelles, closes par autant de portes. Un observateur pouvait se tapir derrière chacune d'elles ; la Corne d'abondance aussi, du reste.

Le dallage était incrusté de lettres d'or gigantesques.

Un pas. EXPIATION.

Un pas. CRISTALLISATION.

Un pas. RÉDEMPTION.

Cet endroit mettait Ophélie extrêmement mal à l'aise. Elle envisageait de faire demi-tour quand une voix la figea.

– *Benvenuta* au deuxième protocole.

L'ERREUR

Les mots ricochèrent longuement contre les pierres sculptées de la nef. Ophélie chercha leur origine à travers les fumerolles d'encens. Elle la trouva sur l'un des agenouilloirs des bas-côtés. Un corps mince s'y recueillait avec une immobilité si absolue qu'il semblait se fondre dans le bois et le velours. Son profil, incrusté d'enluminures, étincelait à la lumière des vitraux.

Mediana.

Le premier réflexe d'Ophélie fut de s'assurer qu'elle se reflétait bien dans le miroitement du dallage. Vérification faite, elle ne se sentit pas rassurée pour autant. Elle avait beau savoir que Mediana se trouvait elle aussi à l'observatoire des Déviations, placée par Lady Septima elle-même, elle n'avait pas eu une seule pensée pour elle depuis son arrivée. Elle l'avait crue tout ce temps prise en charge dans un autre service, sans aucun rapport avec celui qui la concernait.

– C'est ça, le deuxième protocole ? s'étonna Ophélie avec un regard circulaire pour la nef. Que fais-tu ici ?

Mediana ne répondit pas. Elle n'avait besoin d'être ni Eulalie Dilleux ni l'Autre pour incarner une menace. Durant leur apprentissage commun à la Bonne Famille, cette Devineresse avait imposé sa loi à Ophélie. Elle s'était servie de son pouvoir pour s'introduire de force dans ses souvenirs, puis la soumettre à un chantage qui aurait pu gravement les compromettre, Thorn et elle. La dernière fois qu'Ophélie l'avait vue, c'était ici même, à l'observatoire, dans la verrière des visiteurs, peu avant l'effondrement. Mediana était alors si choquée par sa rencontre avec le balayeur du Mémorial qu'il lui avait été impossible de tenir une conversation. Affaissée sur le pupitre de l'agenouilloir, elle exprimait dans sa posture la même apathie qu'à ce moment-là. Son pyjama continuait de flotter autour d'elle comme une peau trop ample.

Pourtant, Ophélie la sentait tout à fait différente.

– Que fais-tu ici ? insista-t-elle. Tu participes toi aussi au programme alternatif ? Contrairement à moi, tu n'as rien d'une inversée, que je sache.

Mediana ne répondant toujours pas, Ophélie garda résolument ses distances. Elle ne se fiait pas à son attitude de prière.

Elle détestait l'idée d'avoir besoin d'elle.

– Peux-tu au moins m'indiquer la sortie ?

Un spasme souleva le coin des lèvres de Mediana. Ophélie se rendit soudain compte qu'elle était maintenue à l'agenouilloir par des fers aux chevilles et aux poignets. Elle ne se recueillait pas ; on l'avait enchaînée ici contre son gré. EXPIATION. CRISTALLISATION. RÉDEMPTION. C'était donc en cela que consistait le deuxième protocole ? Traiter les sujets comme des coupables ?

– J'ai fait une erreur.

Mediana s'était exprimée faiblement, mais l'acoustique de la nef porta sa voix vers les hauteurs. Elle semblait desséchée. Depuis combien de temps était-elle attachée à cet agenouilloir ?

Ophélie eut un coup de lunettes nerveux de part et d'autre de la nef. Un observateur pouvait surgir d'une chapelle n'importe quand. Elle n'avait aucune envie de s'attarder mais personne, pas même Mediana, ne méritait un tel traitement.

Elle chercha la clef des chaînes dans les niches des statues. Faute d'en trouver, elle vida un pot de ses bâtonnets d'encens et, après l'avoir rincé au baptistère, le remplit à ras bord. Quand elle l'approcha maladroitement des lèvres de Mediana, celle-ci laissa l'eau couler sur son menton sans l'avaler. Ses yeux écarquillés regardaient droit devant, au-delà du bol, au-delà d'Ophélie, au-delà des murs de la nef. Ils luisaient de fièvre et de ferveur mélangées.

– J'ai fait une erreur, répéta-t-elle avec lenteur. J'ai passé *tutta* ma vie à courir après des petits secrets sans importance. Je serai bientôt prête pour le troisième protocole.

Voilà en quoi Mediana avait changé. Sous son aspect éteint, elle brillait du même éclat que les enluminures incrustées dans sa peau.

Ophélie se pencha à son oreille.

– As-tu vu la Corne d'abondance, toi ?

Mediana ne parut pas du tout intéressée par la question. Son regard se fit plus lointain encore, comme perdu vers des horizons intérieurs.

– Je ne peux pas te libérer, soupira Ophélie, mais je peux essayer de prévenir tes cousins s'ils sont toujours à Babel.

– Pourquoi ?

– Parce que ce qu'on te fait subir ici est inacceptable.

– J'expie.

– Et parce que personne n'est revenu du troisième protocole.

Un soubresaut provocateur agita la bouche de Mediana, révélant un peu de l'ancienne reine des avant-coureurs.

– Je ne referai pas la même erreur. Finis, les petits secrets. Le seul qui vaille la peine désormais, c'est celui que l'observatoire m'a promis. Mais d'abord, je dois cristalliser. Alors seulement, je connaîtrai la rédemption.

Les mains croisées frémirent de mysticisme tandis que

Mediana prononçait ces paroles qui n'avaient aucun sens pour Ophélie. Une chose au moins lui parut limpide : elle devrait quitter le programme avant d'en arriver là. Dans un dossier des laboratoires, quelqu'un avait écrit qu'elle était propre à la cristallisation et pressentie pour les protocoles II et III. Tout cela parce que Seconde avait dessiné une fissure dans l'épaule de son ombre.

– Qu'est-ce que c'est, la cristallisation ? À quoi ça leur sert ?

Mediana passa la langue sur ses lèvres sèches. Ophélie la soupçonnait de prendre un certain plaisir à savoir quelque chose qu'elle ignorait, à croire que même ici leur rivalité reprenait ses droits.

– À eux ? Ils ne me l'ont pas dit. À moi, la cristallisation servira à obtenir ce que j'ai toujours désiré. La véritable connaissance ! Un point de vue *assolutamente* neuf sur notre réalité.

Ophélie remonta ses lunettes sur son nez. Eulalie Dilleux avait tenu le même discours après sa rencontre avec l'Autre dans le téléphone de la cave. Cet écho avait, d'une façon ou d'une autre, bouleversé sa vision du monde. La cristallisation était-elle le phénomène qui permettait d'invoquer l'Autre ? L'observatoire des Déviations semblait avoir désespérément besoin de lui et de sa science.

Mediana dut interpréter le silence d'Ophélie comme du dépit. Malgré son épuisement physique et son regard vaporeux, elle jubilait.

– Tu te figures que seuls les inversés comme toi ont ce privilège, *signorina* ? C'est passer à côté de l'essentiel.

– C'est quoi, l'essentiel ? s'impatienta Ophélie.

Elle ne pouvait pas s'attarder plus longtemps. Si elle se faisait surprendre ici, alors qu'elle aurait dû être enfermée dans sa chambre comme tous les inversés, elle finirait elle aussi menottée à un agenouilloir.

– Le renoncement.

La réponse de Mediana fut absorbée par un grondement d'orage à travers la nef. Des pas en approche. La résonance ici était telle qu'il était impossible de savoir de quel côté ils provenaient.

Mediana désigna à Ophélie, d'un vague mouvement de paupières, un confessionnal quelques dalles plus loin. Le bruit de pas s'amplifiait de seconde en seconde. Ils étaient plusieurs. Ophélie ne pouvait plus se permettre d'hésiter. Elle se dissimula derrière le rideau jaune de la loge au moment où Mediana s'adressait aux arrivants :

– Montrez-moi la voie vers la cristallisation. *Per favore.*

Ophélie aperçut en écartant légèrement le rideau un rassemblement d'observateurs autour de l'agenouilloir de Mediana. C'était la première fois qu'elle en voyait depuis son entrée dans l'enceinte de confinement. Ils étaient reconnaissables à leurs habits jaunes, à leurs automates d'épaule et à leurs pince-nez à verres sombres.

Ils ne disaient rien. Ils se contentaient de regarder Mediana.

Alors qu'Ophélie se renfonçait dans l'obscurité de la loge, elle surprit un mouvement à côté d'elle. Là où aurait dû se trouver la grille de séparation entre le confesseur et le confessé – d'après les manuels d'histoire religieuse qu'elle avait étudiés, en tout cas – il y avait un miroir.

C'était là enfin l'issue qu'elle cherchait. Pour quelle destination ? À sa connaissance, les seuls miroirs de l'observatoire à ne pas être déformants se situaient aux appartements directoriaux et elle n'était pas censée s'y rendre avant la tombée de la nuit. Les directeurs n'existaient peut-être pas, mais quelqu'un gérait les imageries médicales qui étaient entreposées chez eux ; y aller en journée était trop risqué.

Ophélie se représenta intérieurement le Mémorial. Et dans

le Mémorial, le Secretarium. Et dans le Secretarium, le miroir suspendu. Là-bas, à l'intérieur de la chambre secrète d'Eulalie Dilleux, elle pourrait enfin réfléchir à l'abri des regards.

Elle plongea au fond de son reflet, se glissant dans l'entre-deux comme si elle possédait soudain l'épaisseur d'une feuille de papier, puis émergea en pleine lumière.

Elle tomba face à face avec une vieille dame interloquée. Revêtue d'une toge universitaire, elle tenait un ouvrage dans une main et une loupe dans l'autre. Non moins éberluée, Ophélie se demanda ce qu'un professeur faisait ici avant de comprendre que c'était elle qui n'était pas au bon endroit. Elle venait de jaillir d'une glace d'alcôve, au beau milieu des bibliothèques du Mémorial, en pleine salle de consultation publique. Les usagers des environs s'étaient interrompus dans leur lecture pour considérer cette intruse aux pieds nus qui transgressait les rudiments les plus élémentaires du code vestimentaire. Ils étaient moins nombreux qu'avant l'effondrement, mais suffisamment pour qu'Ophélie ne pût pas passer inaperçue parmi eux.

Elle leva les lunettes vers le globe terrestre du Secretarium qui flottait en apesanteur au centre de l'atrium. À deux reprises, elle avait atterri là-bas sans le faire exprès et, maintenant qu'elle voulait délibérément y accéder, elle ratait son coup ?

Le décalage de son ombre.

Il n'affectait pas seulement sa capacité de *lire* et d'animer les objets, mais aussi celle de traverser les miroirs. Allons bon, comment allait-elle retourner à l'observatoire ? Déjà des mémorialistes avaient alerté la sécurité, tandis que les honnêtes citoyens la dénonçaient du doigt.

Un Nécromancien se dirigea droit vers elle.

– Par ici, *miss*, je vous prie, l'interpella-t-il. Je dois procéder à une vérification de vos papiers.

Ophélie ne les avait évidemment pas. Ils étaient restés dans un casier, à des kilomètres d'ici, et son tatouage «PA» au bras ne les remplacerait en rien. Hors des murs de l'observatoire, elle n'était plus qu'une clandestine. Si elle se laissait appréhender, ce serait l'expulsion immédiate et définitive de Babel.

Elle pivota vers la glace par laquelle elle était accidentellement arrivée. Ombre décalée ou non, elle devait repartir. Maintenant.

– *Miss*, appela le Nécromancien d'une voix plus ferme.

Déjà, la température corporelle d'Ophélie commençait à chuter. Elle savait que cet homme n'hésiterait pas à la congeler sur place s'il la soupçonnait de fuir.

– *Miss!*

Ophélie se sentit brutalement ralentir. Le miroir ne se tenait qu'à une portée de souffle, mais le sien se transformait déjà en buée. Ses poumons lui firent mal. Elle vit son propre visage devenir blafard sous ses lunettes. En arrière-plan, l'uniforme du Nécromancien grandissait dans son dos, une main brandie pour l'arrêter.

Elle. Y. Était. Presque.

Ophélie se laissa tomber comme un bloc de glace dans son reflet qui l'absorba aussitôt. Ce qui lui restait de présence d'esprit formula : «Observatoire.» Elle traversa l'entre-deux comme un rêve, puis un changement d'éclairage lui indiqua qu'elle était ressortie. Elle ne put faire autrement que reprendre sa chute là où elle l'avait interrompue.

Tapis.

Recroquevillée au sol, Ophélie fut secouée de tremblements incontrôlables. Elle ne pouvait plus ni se relever ni parler. Respirer était un supplice.

Une forme dans la lumière d'une fenêtre se pencha sur elle.

– Froid.

Ce fut le seul mot qu'Ophélie parvint à articuler entre ses dents. La pénombre s'abattit sur elle, si brusquement qu'elle crut qu'elle avait perdu la vue avant de comprendre qu'on l'avait enveloppée dans un couvre-lit. Elle s'y pelotonna. Peu à peu, degré après degré, la température de son corps remonta. Sa peau engourdie se mit à brûler au fur et à mesure que la sensation revenait. La violence était peut-être interdite à Babel, mais un coup de matraque ne l'aurait pas fait moins souffrir.

Elle chercha à tâtons ses lunettes, tombées avec elle sur le tapis. Quand elle les remit sur son nez, elle découvrit une chambre. Assis sur le lit, un homme fredonnait une berceuse. Qu'une inconnue eût surgi de son armoire à glace ne le dérangeait pas plus que cela.

Ophélie lui rendit le couvre-lit dont il l'avait recouverte.

– Merci.

Il saisit mollement le couvre-lit et, faute de savoir quoi en faire, il le plaqua contre lui sans cesser de fredonner.

Ophélie souleva la moustiquaire de la fenêtre. Une lumière épaisse de fin d'après-midi inondait des jardins. Au loin, la statue géante du colosse éclipsait le soleil. Ophélie s'en doutait : elle avait encore dévié de sa trajectoire. Elle avait visé les appartements directoriaux et atterri à la place dans une chambre du programme classique. Qu'elle ne se fût jamais reflétée ici n'avait fait aucune différence. Au moins son hôte se montra-t-il très coopératif. Il ne posa aucune question et, quand Ophélie s'esquiva de sa chambre, un doigt sur la bouche, il la laissa tranquillement partir. Comme un oiseau qu'on a soigné et qu'on laisse s'envoler.

Ophélie fila dans les étages de la résidence. Lui parvenaient des salles, ici une répétition musicale, là des rires d'enfants. La façade dorée de l'observatoire des Déviations.

«Mais moi, pensa-t-elle, moi, j'ai vu l'envers du décor.» La vision de Mediana, enchaînée à cet agenouilloir, restait gravée dans ses lunettes.

Ophélie évita de justesse des infirmiers et des surveillants. Personne ici ne se cachait sous une capuche grise, mais ils portaient tous un sifflet autour du cou. Quelques errances plus tard, elle longea une passerelle qui, si elle en croyait les panneaux indicateurs, menait aux appartements directoriaux. De fait, la passerelle s'enfonçait dans la côte du colosse où étincelait la grille d'un ascenseur. Ophélie fit discrètement demi-tour dès qu'elle remarqua que cet accès était gardé par deux silhouettes en faction.

Elle allait devoir contourner le problème – encore.

Elle finit par trouver un escalier de service, si vieux qu'il faillit se déboulonner sous son poids. Il lui permit de redescendre vers la base de la statue. Le tunnel, enfin! Ophélie s'y engouffra en s'efforçant de ne surtout pas fixer les milliers de facettes kaléidoscopiques qui se renvoyaient la lumière du couchant le long des parois. Elle trouva la porte dérobée que lui avait fait franchir Thorn la veille. Elle ne se sentit vraiment sauve qu'une fois en haut, tout au sommet de la statue. Elle s'abrita dans le passage secret qui jouxtait l'antichambre des appartements directoriaux, dissimulée derrière la tapisserie. Elle s'écroula sur une marche d'escalier, à bout de souffle et de jambes, et ne bougea plus. Durant un long moment, elle n'entendit que le hoquet suffoqué de sa respiration dans la lueur vacillante des ampoules.

Elle avait réussi.

Malgré toutes les erreurs de parcours, elle avait pu revenir du quartier des collaborateurs, puis se rendre au lieu convenu – en avance avec ça.

Ce ne fut qu'à cette minute qu'elle la ressentit enfin, si

intense qu'elle dut étreindre sa poitrine entre ses bras pour en atténuer les coups. La peur. Ce n'était pas seulement d'avoir failli tomber entre les mains des observateurs ou de finir congelée par un Nécromancien. Non, cette panique-là surgissait des profondeurs de son propre corps. Ophélie ne détenait qu'une toute petite fraction des secrets d'Eulalie Dilleux, mais il lui semblait entrevoir une vérité bien plus vaste, tapie dans un recoin de mémoire, aux implications si écrasantes que tout cela lui donnait l'impression d'être pour elle-même une terre inconnue.

Comment Thorn avait-il fait, toutes ces années, pour supporter le poids de la mémoire transmise par sa mère ? Il avait su dès l'enfance que leur monde n'était qu'une gigantesque toile, tissée siècle après siècle par un Dieu autoproclamé, et il s'était fait un devoir d'y mettre un terme sans solliciter l'avis de quiconque.

Accroupie sur la marche d'escalier, Ophélie appuya sa tête contre ses genoux. Il lui tardait qu'il fût là, pour puiser un peu dans sa solidité…

Elle dut s'assoupir sans s'en rendre compte, car elle fut soudain réveillée par le timbre de l'ascenseur. Quelqu'un venait de pénétrer dans l'antichambre. Ophélie reconnut, de l'autre côté de la tapisserie, le grincement d'acier qui lui était devenu si familier.

– J'attendrai seul.

L'accent de Babel figurait parmi les plus mélodieux du monde ; dans la bouche de Thorn, il prenait une sonorité funèbre.

– M'autorisez-vous à vous tenir compagnie, *sir* ? Les directeurs sont toujours *extremely* occupés. Je ne les ai moi-même jamais rencontrés encore. Je sais que vous tenez absolument à leur faire votre rapport ce soir, mais il vous faudra peut-être patienter un long moment avant qu'ils ne vous ouvrent.

C'était la jeune fille au singe qui escortait Thorn partout. Si vraiment elle croyait en l'existence des directeurs, elle était très mal informée. Ophélie perçut dans sa voix une petite note suraiguë qui lui procura un sentiment inconfortable. Il y avait bien plus que de la politesse et de l'ignorance derrière ses paroles.

– J'attendrai seul.

Thorn avait réarticulé chaque syllabe comme l'aurait fait un automate. Ophélie se reprocha aussitôt la jalousie qui l'avait effleurée. Il manquait à ce point d'indulgence envers lui-même qu'il lui était personnellement inconcevable d'être jugé attirant.

Étonnamment, la jeune fille au singe ne se laissa pas décourager.

– Peut-être... peut-être devriez-vous vous changer, *sir*. Je peux déposer votre uniforme chez notre blanchisseur si vous... *well*, si vous me le confiez.

Ophélie estima que cette conversation prenait une tournure tout à fait curieuse.

Elle pouvait presque deviner, à travers cette tapisserie qui les séparait l'une de l'autre, la jolie silhouette en sari jaune, son automate sur l'épaule, en train de presser nerveusement un porte-documents contre sa poitrine. Il lui semblait même voir les yeux, sombres et brillants à la fois, qu'elle levait vers Thorn tout en se tenant à une distance respectueuse.

– À propos de Miss Seconde, reprit la jeune fille, le docteur a dit que la blessure était impressionnante, mais pas préoccupante.

La stupéfaction d'Ophélie n'en finissait plus de s'agrandir.

La voix de l'autre côté de la tapisserie, à l'inverse, rétrécit à l'état de murmure.

– Je ne suis pas habilitée à en parler, *sir*, mais ces verres noirs que je porte me permettent de voir certaines choses. Contrairement aux apparences, ce qui est arrivé n'est pas de votre responsabilité. Miss Seconde n'aurait pas dû se jeter sur vous comme ça. Elle est parfois si impulsive avec ses dessins ! La faute lui revient. Peu importe qui vous avez été par le passé, vous êtes *now* un Lord de LUX ! dit-elle plus fort, vibrante de vénération. Les Lords de LUX sont intouchables et ils ne commettent jamais d'err...

– J'attendrai seul.

La réponse de Thorn était inchangée, mais chargée d'une hostilité qui dissuada la jeune fille d'insister.

– Bonne nuit, *sir*.

D'un froissement de soie, elle se retira. Dès que l'ascenseur l'emporta, Ophélie repoussa la tapisserie et s'avança sur le carrelage de l'antichambre.

Thorn se dressait dans la lueur des lampes. Il fixait avec sévérité la porte d'ébène des appartements directoriaux face à lui. Non qu'il considérât sérieusement l'éventualité qu'elle pût s'ouvrir, mais il semblait surtout éviter son reflet sur les surfaces brillantes de la pièce. Il ne consentit à détacher son attention de la porte que pour la déplacer sur Ophélie dès qu'il perçut son approche. Il ne manifesta ni surprise ni colère. Tout ce que son regard contenait d'émotion était retourné contre lui-même. Il se tenait obstinément dos au mur, à croire qu'il voulait à jamais garder l'espace entier dans son champ de vision. Il froissait entre les doigts une feuille de papier. L'or de son uniforme était éclaboussé de sang.

Le voir ainsi bouleversa Ophélie.

– Tout ça pour un dessin.

Thorn avait énoncé ce constat sans la moindre expressivité. Pourtant, à peine l'eut-il fait que sa raideur se fissura. Les lignes dures de sa figure cédèrent les unes après les autres. L'armature de sa jambe ploya comme si elle ne pouvait plus porter le poids de ce corps devenu intolérablement lourd.

Dans un vacarme d'acier, Thorn se laissa tomber à genoux.

Il se cramponna des deux mains à Ophélie avec une telle poigne qu'elle faillit en perdre l'équilibre. Elle tint bon. Ici, maintenant, si ébranlée fût-elle à l'intérieur, c'était à elle d'être solide pour deux. Thorn n'en finissait plus de s'effondrer sur lui-même, la tête fléchie en avant, les épaules contractées à se briser. Il enserrait Ophélie comme s'il voulait à la fois s'y raccrocher et la tenir à l'écart.

Empêcher ses griffes de faire une nouvelle victime.

L'abîme dans lequel il était en train de sombrer était de la même nature que le vide entre les arches. Une chute infinie dont nul ne revenait.

Ophélie ne le permettrait pas.

Elle s'agrippa à Thorn aussi fort qu'il s'agrippait à elle. Elle ferma les paupières pour mieux visualiser leurs griffes qui pulsaient à un rythme chaotique. Les siennes, déformées par l'observatoire ; celles de Thorn, piquantes comme des ronces. Elles n'étaient pas nocives en elles-mêmes. Elles étaient lui, elles étaient elle. Avec un instinct qui lui venait d'un pouvoir familial étranger, Ophélie essaya de relier son influx nerveux à celui de Thorn pour le désamorcer. Elle dut s'y prendre à plusieurs reprises, à cause du décalage de son ombre, mais elle finit par réussir. Elle sentit Thorn tressaillir contre elle et vit les muscles de ses épaules se tendre davantage. Elle crut un instant qu'il allait se dégager, furieux, mais ses épaules se relâchèrent enfin. Cette crispation perpétuelle qui hantait son grand corps osseux se délita pour de bon. Il avait cessé de lutter contre lui-même.

Il ne bougea plus, à genoux sur le carrelage, le front enfoncé dans le ventre noué d'Ophélie. Il pleurait.

Le dessin froissé de Seconde gisait sur le sol.

Un lapin bondissant d'un puits.

Rouge sang.

(Parenthèse)

Onze mois, quatre jours, neuf heures, vingt-sept minutes, treize secondes plus tôt.

Thorn était assis sur une chaise d'or. Quatre-vingt-quatre centimètres de hauteur, quarante-huit de largeur, quarante-deux de profondeur en excluant les décimales et le niveau du siège. Il ne calculait pas délibérément. Les unités de mesure s'inscrivaient en lui, le parasitaient à son insu à chacune de ses interactions avec son environnement. Elles étaient dans le maillage des moustiquaires aux fenêtres d'or, dans l'intervalle entre les pieds des meubles d'or, dans le volume de liquide de la carafe d'or, dans les motifs géométriques des tapis d'or.

Elles étaient surtout dans les aiguilles, en or elles aussi, de la pendule du salon.

Thorn attendait sur cette chaise, au premier étage du club de généalogie, depuis deux mille trois cent dix-huit secondes. Ces gens ne faisaient preuve d'aucun respect pour la ponctualité. C'était pire que grossier : c'était illogique. Lorsqu'il perdait du temps, ils en perdaient également. Il aurait pu employer ces deux mille trois cent dix-huit secondes (trente-quatre à présent) à poursuivre la mission qu'ils lui avaient eux-mêmes confiée.

Il n'était pas naïf. Il savait pertinemment que l'attente faisait partie du jeu. De leur jeu.

Mille six cent soixante-huit secondes s'additionnèrent aux précédentes quand, enfin, le couple de Généalogistes entra dans le salon. La première fois que Thorn les avait rencontrés, il n'était qu'un fugitif malpropre, tenaillé par la fièvre, traînant une jambe brisée. Eux se présentèrent à lui exactement comme à chacun de leurs rendez-vous, immuables dans leurs toges d'or.

– *Welcome*, Sir Henry, dirent-ils d'une seule voix.

C'étaient eux qui lui avaient attribué ce nom. Thorn ne connaissait toujours pas les leurs, mais il n'en avait pas besoin pour savoir qui ils étaient. Il l'avait su avant d'arriver à Babel, avant de s'évader du Pôle. Il avait mémorisé les ramifications politiques de toutes les arches et s'était tenu au courant de l'actualité interfamiliale depuis des années. Oui, bien avant de les rencontrer, il avait compris que, de tous les serviteurs de Dieu, ces deux-là ne se mettaient au service que d'eux-mêmes. Il ne fallait pas être grand psychologue pour s'en rendre compte.

L'homme et la femme prirent place sur un sofa, si serrés l'un contre l'autre que l'espace entre eux était impossible à quantifier. Thorn reporta son attention sur les diamètres antéro-postérieurs, transversaux et sus-auriculaires de leurs boîtes crâniennes. Il était capable de prendre toutes leurs mensurations d'un seul regard, mais il n'aurait pas pu traduire ces chiffres en notion esthétique. Étaient-ils beaux ? Il les trouvait répugnants. Un peu plus que cela, même.

– Je suis venu conformément à notre accord.

Son ton pressé les réjouissait. Avec une lenteur étudiée, l'homme saisit la carafe sur le guéridon et la pencha aux lèvres de sa femme sans quitter Thorn des yeux. Provocateur. Une odeur de vin alourdit l'atmosphère. L'alcool était interdit à Babel, comme l'étaient le tabac, l'obscénité, les jeux d'argent, la musique bruitiste et les romans noirs. On trouvait tout cela au club de généalogie, mais qui irait dénoncer les plus hauts représentants de la cité ?

Thorn consulta la pendule du salon (quatre mille trois cent soixante-deux secondes), peu impressionné. Il avait vu bien pire à l'ambassade du Pôle.

– Posez-moi la question.

Les Généalogistes marquèrent une hésitation qui n'en était pas une, puis ils articulèrent d'une même voix :

– Avez-vous réussi ?

Il n'y avait que deux réponses à cette question. « Pas encore », « bientôt » ou « presque » n'en faisaient pas partie.

– Non, répondit-il.

Ses échecs étaient leurs échecs, mais ils hochèrent tous deux la tête avec une satisfaction non dissimulée. Ils étaient pourtant aussi désireux que lui, même si ce n'était pas pour les mêmes raisons, de découvrir ce qui avait permis à Dieu de devenir Dieu. La mission demeurait inchangée depuis leur toute première rencontre, lorsque Thorn s'était spontanément présenté à eux, ici même, dans ce salon. Ils lui donnaient les moyens, il les mettait en œuvre ; ils lui ouvraient les portes, à lui de les franchir. Ils se servaient de lui comme il se servait d'eux. Et si un jour Thorn devait pousser la porte de trop, celle qui se refermerait sur lui sans possible retour en arrière, alors les Généalogistes se déferaient de lui aussi vite qu'ils l'avaient engagé. Ils lui reprendraient son nom, le renieraient, démentiraient avoir jamais eu un quelconque commerce avec lui et le livreraient à Dieu en dignes enfants vertueux.

Telle était la règle du jeu. L'une des règles, en tout cas.

– Approchez-vous, *dear friend*.

Thorn avança sa chaise de deux cent soixante-sept centimètres et se rassit dans un grincement de métal. Il se tenait tout près d'eux à présent.

La femme se coula en avant dans un ondoiement de cheveux et d'étoffe. S'il avait été doté d'un tant soit peu d'imagination, Thorn aurait songé qu'elle était faite en or liquide. Elle tendit vers lui ses bras en signe d'invitation. La première fois qu'elle avait eu ce geste, il n'avait pas été en mesure de l'interpréter. Aujourd'hui, il savait très exactement ce qu'elle attendait de lui comme il savait qu'il ne pouvait pas s'y soustraire. Il lui présenta ses propres mains. Dès que les doigts dorés de la femme se mêlèrent aux siens, il sentit son estomac se soulever. Les contacts physiques le dégoûtaient. Il n'existait qu'une seule exception à cette règle, mais il ne voulait surtout pas y penser – pas ici, pas maintenant.

– Ce n'est pas grave, susurra la femme. *It's alright.* Nous savons que vous faites de votre mieux.

L'homme observait la scène avec une certaine délectation, renfoncé entre les coussins du sofa. Sous la teinture d'or, leurs peaux étaient parcourues de frissons visibles à l'œil nu.

Thorn se posa très sérieusement la question : avait-il fait de son mieux ? Il lui semblait que, depuis son évasion de prison, son existence se résumait à une série d'improvisations. Il avait eu recours à son nouveau pouvoir familial pour traverser la paroi réfléchissante de sa cellule sans avoir aucune garantie que cela fonctionnerait. De là, il était ressorti par le miroir de la bibliothèque de sa tante, dont le manoir était inoccupé depuis des semaines. Avait-il calculé qu'il trouverait là-bas un refuge provisoire et une ligne téléphonique fiable ? Absolument pas. C'était par instinct animal qu'il avait regagné ce qui se rapprochait pour lui le plus d'un foyer. Lorsqu'il avait contacté Vladislava, était-il habité par la certitude que l'Invisible l'aiderait à quitter le Pôle en échange des services qu'il avait rendus à son clan? Cent fois il avait pensé qu'elle le trahirait. Il peinait d'ailleurs toujours à croire qu'elle ne l'eût pas fait. Quant au choix de sa destination, il ne la devait qu'au déblocage de la mémoire imprévisible de Farouk dont il était le porteur.

Plus Thorn considérait la question, plus il estimait que, non, il n'avait définitivement pas fait de son mieux. Il s'était contenté, au plus, de malmener les statistiques.

– Nous savons que vous êtes un homme plein de ressources, enchaîna la femme en resserrant l'étreinte de ses doigts. Vous nous l'avez déjà prouvé, vous nous le prouverez encore.

Thorn ressentit les premiers effets du pouvoir familial. Ce fut comme si des aiguilles s'enfonçaient à l'intérieur de chaque pore de ses mains. Il imposa aux muscles de sa figure de ne pas se contracter. Ne manifester aucun inconfort. Maintenir la femme et l'homme dans son champ de vision. Mentir à son propre pouvoir familial.

– Dragon par votre ascendance paternelle. Vous êtes *certainly* en train de penser que ceci (la femme serra ses mains à peine plus fort) n'est qu'un amuse-bouche comparé aux griffes de votre famille.

Thorn n'en pensait rien. Il n'y avait pas de comparaison possible entre la douleur infligée par un Dragon et celle infligée par une Tactile. La première était une fausse information envoyée au cerveau que le corps se chargeait de rendre manifeste. La seconde était une vraie impulsion transmise d'épiderme à épiderme sans que rien transparût à la surface.

La sensation dans ses mains s'intensifia en se propageant le long de ses bras. Ce n'étaient plus des aiguilles, c'étaient des clous. Des clous râpeux, incandescents. Thorn déploya toute sa concentration sur la pendule du salon (quatre mille huit cent cinquante-neuf secondes), s'efforçant de persuader ses griffes qu'il ne se passait rien de notable, que cette agression était consentie, qu'il acceptait l'outrage fait à son corps.

La femme scrutait avidement son visage, à la recherche d'une craquelure dans son impassibilité. Elle savait que Thorn ne pouvait se servir de ses griffes contre elle et, surtout, qu'il avait trop besoin d'eux pour atteindre son objectif.

– On raconte que la fille de Sir Farouk a bien grandi, commenta l'homme depuis les coussins du sofa.

– Rares sont les élus qui ont eu le privilège de voir votre jeune cousine, renchérit la femme.

– Dame Berenilde la cache du monde comme son plus précieux trésor, dirent-ils en chœur.

Durant deux secondes, un seul tic et un seul tac à la pendule, il y eut une brèche dans la concentration de Thorn. Deux secondes durant lesquelles la souffrance pénétra plus profondément dans sa peau. Il dut monopoliser toute sa maîtrise cérébrale pour ne pas laisser s'enclencher le processus mémoriel qui le ramènerait en arrière, à l'époque où il était le pilier indispensable sur lequel sa tante s'était reconstruite. Il avait été remplacé, mais c'était dans l'ordre naturel des choses. Plus personne ne l'attendait au Pôle.

– Posez-moi l'autre question, dit-il.

La femme se fendit d'un sourire ambigu. La pression de ses doigts se fit plus ferme autour de ceux de Thorn. C'était comme si des orties poussaient sous la peau de son corps tout entier.

– Irez-vous jusqu'au bout de votre mission ? demandèrent les Généalogistes.

– Oui.

– *Good boy.*

La femme relâcha ses mains et, comme à chaque fois, Thorn ne put s'empêcher d'être déconcerté par l'aspect intact de sa chair. Le toucher des Tactiles ne laissait jamais la moindre trace de son passage. Il eut un dernier regard pour la pendule (cinq mille six cent deux secondes) et laissa derrière lui les deux corps qui s'embrassaient sur le sofa sans plus lui prêter d'attention.

Leurs voix entremêlées lui parvinrent une dernière fois, alors qu'il refermait la porte du salon :

– Nous attendons votre prochaine visite avec impatience.

Seul au milieu du couloir, Thorn dévissa méthodiquement le bouchon de son flacon et se désinfecta les mains. Une fois. Deux fois. Trois fois. La salissure était invisible, mais il la sentait jusque dans ses nerfs, jusque dans ses griffes qui frémissaient de haine contenue tout autour de lui.

Non, plus personne ne l'attendait au Pôle et cela lui convenait.

Tant qu'il y aurait une personne qui l'attendrait ailleurs, cela lui conviendrait.

L'ESCAMOTAGE

Le gazon sec crissait sous les pieds d'Ophélie. Elle évoluait entre les tombes et les lucioles, ses pupilles aussi dilatées que la lune dans le ciel. Elle avait déjà par le passé visité le cimetière d'Anima et, à chaque fois, un grand silence l'avait envahie dès les premiers pas. Ce n'était ni vraiment de la sérénité ni tout à fait de l'angoisse. Cela tenait davantage de la concentration du funambule qui progresse sur un fil entre deux absolus.

Ce qu'elle éprouvait ici, dans la nécropole de l'observatoire des Déviations, au milieu de la nuit, était encore moins définissable. Elle en oubliait presque de respirer. Il s'agissait d'un très ancien cimetière militaire ; le quadrillage des stèles n'était d'ailleurs pas sans rappeler les rangs d'une armée. Étant donné que tous ces mots-là étaient interdits à Babel, Ophélie songea que ce ne devait pas être facile de mentionner un endroit tel que celui-ci. Sans doute ne le mentionnait-on pas. On se contentait de tolérer sa présence, dans un recoin de l'arche, comme un voisin dont on ne peut pas se débarrasser.

Et pourtant même ici les allées étaient encombrées d'objets inutilisables, comme si l'observatoire des Déviations était inondé par un trop-plein dont il était lui-même la source.

Si fascinants que fussent les lieux, le regard d'Ophélie revenait irrésistiblement vers Thorn, qui ouvrait la marche devant elle. Il n'avait plus articulé un mot depuis qu'ils étaient ressortis de l'antichambre. Il avait descendu en silence l'escalier secret du colosse, contourné les manèges du vieux parc d'attractions, traversé des roseraies à l'abri des fenêtres, puis poussé le portail de la nécropole. Il avançait à grandes enjambées, obligeant Ophélie à doubler les siennes.

Elle évitait de s'attarder sur le sang qui avait souillé son uniforme, du côté où Seconde s'était précipitée pour lui offrir son dessin. Thorn s'était montré passablement laconique quand il lui avait relaté les circonstances de l'accident, mais Ophélie savait l'essentiel. Seconde avait déclenché les griffes à son insu et, si ses jours n'étaient pas en danger, elle resterait marquée à vie. Thorn également. Les témoins de la scène n'avaient pas compris ce qui s'était passé. Personne ne le tiendrait pour responsable, mais Ophélie le connaissait assez pour sentir qu'il aurait préféré l'être. Il se voyait encombré d'une culpabilité dont il ne pouvait s'acquitter.

Changer la perception qu'il avait de lui-même, après cela, allait s'avérer plus délicat que jamais.

Ils gravirent une muraille qui servait de frontière entre la terre et le vide. Là-haut, sur le chemin de garde, le vent se déchaînait. Ophélie le sentit claquer sur la peau de ses joues, de ses bras et de ses mollets. Elle ne regrettait ni ses cheveux longs ni ses vieux jupons. En revanche, les souliers lui manquaient : à force de courir partout, elle avait les pieds en feu.

– Oh, laissa-t-elle échapper.

Elle fut saisie par la vision de la Bonne Famille au-delà des créneaux. Jamais l'arche mineure ne lui avait paru si proche que depuis ce point d'observation. On pouvait parfaitement distinguer les contours des deux îles jumelles, celle réservée aux Fils de Pollux et celle attribuée aux Filleuls d'Hélène, reliées par un pont hautement symbolique. Les vitres des dômes, des amphithéâtres et du gymnase réverbéraient la lune.

Octavio devait dormir quelque part sous tout cet éclat. À moins qu'il ne fût en train de se retourner dans son lit, à se demander comment changer le monde de l'intérieur. Quelle serait sa réaction quand il verrait sa petite sœur blessée ? Ophélie en eut le cœur serré. L'amitié d'Octavio était ce qu'elle avait retiré de meilleur de son séjour à la Bonne Famille. Jusqu'à quel point avait-il conscience du rôle de Seconde à l'observatoire des Déviations ? Le sort des inversés dépendait de son prochain coup de crayon, déterminant qui restait au premier protocole et qui partait pour le deuxième protocole, qui ferait des tours de manège jusqu'à la fin de ses jours et qui finirait enchaîné à un agenouilloir. Seconde était la complice de cet endroit – volontaire ou non, c'était une autre histoire. Lady Septima le savait-elle ? Était-ce en connaissance de cause qu'elle avait placé sa fille ici ou avait-elle perdu son contrôle dès l'instant où elle l'avait rejetée ?

Devant Ophélie, Thorn signala du doigt leur destination : une pagode qui faisait office de tour d'angle à la muraille. Elle s'y fondait si bien qu'on la remarquait à peine. Auréolée par le clair de lune, elle semblait étonnamment quelconque par rapport à l'architecture, colorée à l'excès, du reste de l'observatoire. Pourtant, en y regardant mieux, une très faible lueur filtrait à travers les volets des étages superposés. La lumière flamboya quand Thorn fit coulisser une porte ; Ophélie eut l'impression de pénétrer avec lui à l'intérieur d'une lanterne.

– C'est ici, déclara-t-il enfin.

Ils se tenaient au centre de la salle octogonale qui posait les bases de la pagode. La lumière émanait de veilleuses placées dans les alvéoles aux murs. Elles éclairaient chacune une urne sur laquelle figurait une photographie. Il y en avait un nombre considérable.

Un columbarium.

– Toutes ces cendres, poursuivit Thorn, appartiennent à des sujets décédés à l'observatoire. Elles n'ont jamais été réclamées par aucune famille.

Ophélie se sentit devenir glacée, comme si les effets de la nécromancie continuaient d'opérer sur elle. Elle avait déjà fait l'expérience des oubliettes au Pôle, mais ce qui l'entourait ici était plus sordide encore. Était-ce dans ces urnes que finissaient ceux qui accédaient au troisième protocole ? Il y en avait tellement ! Les alcôves s'élevaient sur plusieurs étages, jusqu'au sommet de la pagode, avec des dizaines d'escaliers pour les parcourir.

– Nous cherchons… quelqu'un ?

– Quelque chose, répondit Thorn avec un claquement de montre. Mettons d'abord nos découvertes en commun.

Assurément, il avait retrouvé sa posture de fonctionnaire. Ophélie ne s'y trompait pas. Il y avait une pudeur nouvelle dans la façon dont il se dérobait à ses lunettes, dès qu'elles se montraient trop insistantes.

Elle décida de commencer.

– Nous avions raison. Les lentilles noires des observateurs leur permettent de visualiser nos pouvoirs familiaux. Mais pas uniquement.

Elle déglutit. La mémoire d'Eulalie Dilleux lui avait permis d'interpréter les recherches qu'elle avait lues au quartier des collaborateurs. Il lui fallait à présent traduire tout cela avec ses propres mots. Et le faire dans ce columbarium, au milieu des urnes funéraires, lui procurait une sensation vraiment singulière.

– Ces ombres qui nous enveloppent, ce sont des… (Ophélie chercha le mot juste)… des *projections* de nous-mêmes. Lorsque notre ombre se décale, je crois que nos projections se décalent aussi et finissent par nous revenir sous forme d'échos. Un peu à la façon de… d'un…

Ophélie mima un ample mouvement de yo-yo.

– D'une précession gyroscopique, traduisit Thorn.

– Voilà. Et par un effet de ricochet, les ombres des inversés affectent les ombres de tout ce qui les entoure, ce qui génère davantage d'échos. Quand une arche s'effondre, elle produit une perturbation plus grande encore. Au final, peu importe que nous appelions cela «ombre», «projection», «propagation» ou «écho», c'est une seule et même chose. De l'aerargyrum.

– Aerargyrum, répéta Thorn, à l'évidence contrarié de ne pas détenir cette entrée dans sa bibliothèque mémorielle.

– En tout cas, c'est le nom que lui a attribué l'observatoire. C'est une matière si subtile qu'elle est indécelable à l'œil nu. Elle peut… comment dire… être *convertie* en matière solide si certaines circonstances sont réunies. C'est ce qu'Eulalie Dilleux a réussi à faire en créant les esprits de famille. C'est ce que l'observatoire veut reproduire aujourd'hui dans le cadre du projet Cornucopianisme. Une authentique Corne d'abondance, murmura Ophélie d'une voix frémissante, qui produirait des ressources illimitées. Sauf qu'ils n'y arrivent pas. Tout ce qu'ils produisent est raté, parce qu'il leur manque ce qu'Eulalie Dilleux avait : il leur manque l'Autre.

Ophélie contracta ses mains, que l'observatoire avait rendues plus gauches et plus déboussolées que jamais.

– Les inversés attirent les échos. Et l'observatoire exacerbe nos inversions afin que l'un d'entre nous invoque le plus puissant d'entre eux.

Elle baissa les paupières, sans les fermer tout à fait, pour mieux sonder cette deuxième mémoire qui l'habitait.

– La Corne d'abondance a besoin d'échos pour fonctionner. Ces échos répondent à des lois et à une logique qui leur sont propres et que seul un écho serait capable de nous expliquer, pour peu qu'il soit doué de parole. À partir du moment où Eulalie Dilleux a établi un dialogue avec son propre écho, l'Autre, elle a développé une meilleure compréhension du monde en général et des échos en particulier. C'est cet entendement qui lui a permis d'utiliser la Corne d'abondance à son plein potentiel. Et c'est cet entendement que convoite l'observatoire.

Ophélie plissa davantage les paupières. Quelles étaient les trois seules choses dont Eulalie Dilleux avait eu besoin, déjà ? *Des mots, des échos et une contrepartie.*

– Les objets ratés comme les esprits de famille sont des échos convertis en matière. Ils ont ceci en commun qu'il leur faut un code pour s'incarner. J'ai trouvé sur un moule à tarte une écriture similaire à celle des Livres. Elizabeth croit avoir été engagée pour déchiffrer les Livres et rendre service aux esprits de famille. En réalité, l'observatoire veut constituer un code équivalent pour son propre usage. Tant que ce code ne sera pas lui-même parfait, leur Corne d'abondance ne produira que de la matière imparfaite.

Ophélie évoqua alors les dossiers qu'elle avait fouillés, la fissure que Seconde avait dessinée sur l'épaule de son ombre, la vision d'Eulalie Dilleux qu'elle avait réussi à provoquer, sa visite imprévue dans la nef du deuxième protocole et l'expiation forcée de Mediana pour «cristalliser».

Quand elle rouvrit les paupières en grand, une fois qu'elle eut terminé, elle se rendit compte que Thorn la dévisageait intensément à la lueur hypnotique des veilleuses. Il brillait dans ses yeux un trouble qui, oui, ressemblait presque à de l'envie.

– Bon travail.

Ophélie s'empourpra jusqu'aux lunettes. Un compliment, venant de Thorn, c'était événementiel.

– Il reste encore beaucoup de questions sans réponse, dit-elle. J'ai le sentiment que cette Corne d'abondance n'est elle-même que la surface de quelque chose de souterrain, quelque chose de bien plus grand, et c'est ce qui m'effraie. Nous ignorons pratiquement tout de cet aerargyrum qui nous entoure. Et puis, il y a cette «cristallisation» qui semble indispensable au Projet. Elle est la vocation même du deuxième protocole, mais je n'ai absolument pas saisi en quoi elle consistait. A-t-elle un rapport avec cette fissure que Seconde a dépistée sur mon ombre? murmura Ophélie en massant son épaule, à la recherche d'une fracture invisible. Depuis qu'elle m'en a dessiné une, je suis pressentie pour un transfert.

Thorn fendit l'air de la main, comme si ce n'étaient là que des détails secondaires.

– Notre objectif était de découvrir comment Eulalie Dilleux s'est transformée en Dieu et son reflet en apocalypse. Nous savons à présent que la fonction même de la Corne d'abondance est de convertir. *Convertir*, répéta-t-il en ponctuant de l'index ces trois syllabes, et non *créer*.

Ophélie acquiesça. Chaque phrase de Thorn était imprégnée d'une énergie communicative. Il était difficile de parler d'enthousiasme quand il s'agissait de lui, mais ça s'en rapprochait étonnamment.

– Eulalie ne s'est pas contentée de convertir des échos en esprits de famille, enchaîna-t-il. Elle a vraisemblablement inversé l'expérience. Elle s'est convertie elle-même. Elle s'est attribué toutes les caractéristiques d'un écho afin de reproduire n'importe quel visage et n'importe quel pouvoir.

– Cette conversion a pu affecter l'Autre par la même occasion, dit Ophélie qui se sentit gagnée par l'excitation. C'est peut-être cette conversion qui s'est produite dans la chambre murée du Mémorial. Et c'est peut-être cette conversion qui a provoqué la Déchirure. La conversion de trop.

– Si nous savons comment Eulalie Dilleux l'a fait, nous saurons comment le défaire, rappela Thorn. Pour le moment, l'Autre et elle restent discrets, mais pour combien de temps encore ? Notre prochaine étape, ici et maintenant, est de trouver la Corne d'abondance.

Ophélie contempla les urnes dont les niches criblaient toute la pagode.

– Dans ce columbarium ?

Un crissement abominable la fit sursauter. L'armature de Thorn s'était encore grippée, alors qu'il s'engageait dans un escalier.

– Il y a quarante ans, exposa-t-il en décoinçant sa jambe, cet observatoire a subi de très importants travaux de rénovation. La mise en place du programme alternatif et de ses trois protocoles remonte à cette époque. L'installation électrique également. Je t'avais expliqué que les compteurs de l'observatoire ne correspondaient pas aux relevés qui m'avaient été fournis. Au cours de mon inspection surprise, aucun membre du personnel n'a pu ou voulu m'indiquer où allait le surplus d'électricité. Je n'ai eu droit qu'à des «sorry».

Plus Thorn s'élevait dans les étages, plus sa voix descendait dans les octaves. Le bois verni de la pagode lui conférait un corps de contrebasse.

Ophélie essayait de le suivre d'escalier en escalier, mais la fatigue et le manque de sommeil rendaient ses pieds de plus en plus désordonnés. Elle finit par le perdre de vue. Les rayonnages d'urnes possédaient la logique faussement labyrinthique d'une bibliothèque. Une bibliothèque macabre.

– Qu'est-ce qui t'a orienté vers ce columbarium ?

– La fille de Lady Septima, répondit la voix lointaine de Thorn depuis un corridor. Indirectement, du moins. Après s'être jetée dans mes griffes, elle a été conduite en urgence à l'infirmerie du programme alternatif. Je l'ai accompagnée. À distance, précisa-t-il après un blanc. Je tenais à m'assurer… tu sais.

Les phrases se faisaient hachées. Ophélie sentit un remous dans son ventre. Thorn n'avait jamais caché l'aversion que lui inspiraient les enfants, mais d'en avoir maltraité un aujourd'hui lui pesait. Peut-être qu'une part de lui ne rejetait pas complètement l'idée d'en avoir un jour ?

Sa voix se déplaçait en même temps que lui à travers la pagode :

– Je me suis retrouvé dans une salle d'attente en compagnie d'un automate chargé de l'entretien. Un vieux modèle. Il n'a cessé de m'abrutir avec ses dictons. L'un d'eux, cependant, a retenu toute mon attention.

Ophélie, qui s'efforçait de le suivre à l'oreille, passait d'un escalier au suivant.

– Qu'a-t-il dit ?

La voix de Thorn, où qu'il fût, baissa encore d'une octave.

– « IL Y A DES GENS QUE LE PUBLIC CROIT MORTS ET QUI NE LE SONT PAS. »

Ophélie sourcilla. Certes, Lazarus avait inculqué toutes sortes de proverbes douteux à ses automates, mais celui-là ne ressemblait à rien de ce qu'elle avait déjà entendu.

– Il a répété quelque chose qu'il a dû entendre ici, à l'observatoire, poursuivit Thorn. Quand je lui ai réclamé des précisions, il en a été incapable et m'a indiqué à la place la recette d'un caviar d'aubergines. J'ai repensé à ce que tu m'avais dit au sujet du troisième protocole : ceux qui y sont transférés ne reviennent jamais. Et j'avais mémorisé ce columbarium sur le plan.

Ophélie se sentit soudain jugée par les portraits des défunts qui luisaient à la lumière des veilleuses, tout autour d'elle. *Des gens que le public croit morts et qui ne le sont pas.*

– Ces urnes funéraires seraient vides ?

Quelque part, un bruit de couvercle, suivi d'une réponse pragmatique :

– Manifestement pas. Je n'affirmerai pas pour autant que ces cendres sont celles de corps humains.

– Si les gens sur ces photographies ne sont pas morts, murmura Ophélie, que sont-ils devenus ?

Le pas métallique de Thorn se suspendit.

– N'y a-t-il rien qui retienne ton attention ? demanda-t-il après un silence.

Ophélie songea que tout ici la retenait. Un columbarium possiblement factice. Des visages d'hommes, de femmes et d'enfants peut-être envolés dans la nature. Des vies escamotées.

– Les ampoules, finit-elle par comprendre.

Il y avait ici tout un réseau de veilleuses et aucune ne clignotait, pas une ne grésillait. Cette petite pagode, oubliée dans un coin de l'arche, tout au bord du vide, était mieux approvisionnée en électricité que l'observatoire entier.

– Je suis intimement convaincu que la Corne d'abondance est proche, commenta Thorn. Si elle convertit les échos en matière, il lui faut une grande source d'énergie.

Ophélie acquiesça, mais c'était une chose de détenir cette connaissance, c'en était une autre de l'exploiter. La Corne d'abondance faisait-elle partie de ces urnes funéraires ? Elle devait être incomparablement plus grande. Et tous ces gens que l'observatoire faisait passer pour morts… étaient-ce eux la contrepartie dont parlait Eulalie Dilleux ?

L'idée était terrifiante.

Ophélie entrouvrit le volet intérieur d'une fenêtre. Derrière la vitre, l'arche voisine de la Bonne Famille lui parut plus visible d'ici que de la muraille. Non, c'était la nuit qui était moins épaisse : les étoiles pâlissaient, l'aube se préparait. Ophélie devait être impérativement dans son lit lorsque la nounou-automate viendrait la réveiller.

– Nous ne menons pas la vie d'un couple conventionnel.

Thorn avait énoncé cela comme une évidence, alors qu'Ophélie venait enfin de le localiser au dernier étage de la pagode. Il se désinfectait méticuleusement les mains, probablement à cause de toutes les urnes qu'il avait ouvertes puis refermées pour en vérifier le contenu. Il suivait à présent des yeux le cheminement d'un câble d'électricité le long des poutres.

– J'aime que nous ne soyons pas conventionnels, lui assura-t-elle.

Elle constata, non sans surprise, que le sang de Seconde s'était résorbé sur son uniforme. L'animisme maniaque de Thorn opérait déjà, veillant à ce qu'il n'y eût jamais une tache, jamais un faux pli sur aucune de ses tenues. Ophélie, elle, luttait contre les caprices du sien. Depuis qu'elle avait récupéré ses lunettes, elles n'arrêtaient pas de prendre la poudre d'escampette, l'obligeant à continuellement les rasseoir sur son nez.

Thorn plissa le front en perdant la trace de son câble qui s'enfonçait dans le plafond, puis il reporta son regard sévère sur Ophélie.

– Tout à l'heure, dans l'antichambre, tu as utilisé tes griffes sur les miennes. Je préférerais que tu ne recommences pas.

– Je t'ai fait mal ?

– Non.

Le ton de Thorn s'était fait âpre. Un peu gêné aussi.

– Non, répéta-t-il moins durement. En fait, j'ignorais que les griffes des Dragons pouvaient servir à autre chose qu'à blesser. Mais tu ne seras pas toujours à mes côtés pour réguler mon pouvoir. C'est à moi d'en reprendre le contrôle. Il y a certains problèmes que nous ne pouvons résoudre que seuls.

Ophélie savait qu'il avait raison, qu'elle avait été imprudente de combiner son pouvoir déviant avec celui, incontrôlable, de Thorn. Ce qu'elle possédait de moins rationnel s'insurgea toutefois contre l'idée que leur « nous » ne fût pas suffisant pour surmonter toutes les épreuves.

– Là, dit-elle.

À peine visible, une fente dans le plafond indiquait la présence d'une trappe. Il n'y avait à proximité aucune perche pour l'ouvrir du sol, mais Thorn n'eut qu'à étendre le bras. Il déploya une échelle escamotable d'un air contrarié.

– Il m'est impossible de monter là-dessus.

Ophélie ne se fit pas prier pour grimper les barreaux, même si harmoniser sa droite et sa gauche se révélait encore plus compliqué sur une échelle que dans un escalier. Thorn venait d'affirmer que certains problèmes ne pouvaient être résolus que seuls. Elle ressentait le besoin – un peu puéril, elle devait bien l'admettre – de lui prouver que d'autres ne pouvaient être résolus qu'ensemble.

Elle tira à tâtons sur le cordon d'une ampoule de plafond qui, une fois allumée, projeta un halo blême sous les combles. Encore des urnes funéraires ! Il n'y avait là rien, à première vue en tout cas, qui évoquât une Corne d'abondance.

– Je regarde ça de plus près, dit-elle. Continue de chercher de ton côté.

– Ophélie.

Elle repassa la tête à travers la trappe, interrogatrice. La figure coupée au couteau de Thorn se levait vers elle avec une rigidité étrangement solennelle.

– Moi aussi, dit-il après un raclement de gorge. J'apprécie que nous ne soyons pas conventionnels. Un peu plus que cela, même.

Ce fut avec un sourire tout à fait inapproprié qu'Ophélie s'aventura parmi les objets funéraires. Les urnes et les photographies paraissaient bien plus anciennes que celles exposées dans le columbarium. Les avait-on entreposées là faute de place ? Le parquet lui-même n'était pas ciré, arrachant une grimace à Ophélie chaque fois qu'elle se plantait une écharde dans un orteil.

Ici, encerclée par des cendres qui n'avaient peut-être appartenu à personne, elle repensa à l'Autre. Plus elle s'enfonçait dans les secrets de l'observatoire des Déviations et d'Eulalie Dilleux, moins elle parvenait à le cerner. Il n'avait dans son esprit aucun visage particulier. Il était cette voix qui lui avait demandé de le libérer du miroir. Il était cet étranger qui avait chamboulé sa chair. Il était cette bouche qui engloutissait des morceaux d'arche. Il était ce silence dans le téléphone qui n'avait pas répondu à son appel.

Comment une créature aussi discrète pouvait-elle avoir un effet si spectaculaire sur le monde ? Depuis sa sortie du miroir, l'Autre avait-il conservé sa substance subtile d'aerargyrum ou s'était-il incarné durablement ? Et si la Corne d'abondance était capable de convertir des échos en matière, était-elle aussi capable d'inverser le processus, comme le supposait Thorn ? Pourraient-ils, grâce à elle, renvoyer l'Autre à sa condition d'écho et Eulalie à sa condition humaine ? Et surtout, le feraient-ils à temps ? De leur côté, Archibald, Gaëlle et Renard avaient-ils réussi à trouver l'introuvable Arc-en-Terre ? Sauraient-ils convaincre Janus et les Arcadiens de s'unir à eux ? Maîtriser l'espace, c'était pouvoir localiser n'importe qui et se cacher n'importe où ; bref, c'était disposer d'un avantage décisif sur l'adversaire. Mais si cette faculté échouait entre les mains d'Eulalie Dilleux ? Il leur faudrait alors faire face non seulement à un écho apocalyptique, mais aussi à une mégalomane omnipotente...

Ophélie s'immobilisa au milieu de ses questions, devant l'une des urnes qui prenaient la poussière. Choquée. Elle essuya du gant la vieille photographie qui y figurait, dévoilant un jeune homme aux doux yeux d'antilope.

Ambroise.

Ses bras et ses jambes n'étaient pas à l'envers, il se tenait parfaitement debout et, malgré toutes ces contradictions, Ophélie était habitée par l'absolue certitude qu'il s'agissait d'Ambroise. Le nom lui-même figurait en évidence sur la plaque de l'urne, avec une date de décès vieille de quarante ans.

Il y a des gens que le public croit morts et qui ne le sont pas.

La respiration d'Ophélie s'accéléra. C'était lui, l'inversé qui avait été découpé dans l'ancienne photographie des appartements directoriaux. On devinait un bras, autour de ses épaules : le bras du jeune homme qui posait avec lui et les autres inversés, devant un manège forain. Ophélie comprenait maintenant pourquoi il lui avait paru si familier. Il s'agissait de Lazarus, quarante ans plus jeune.

Père et fils au même endroit et au même âge.

Ophélie était empêtrée dans sa confusion, lorsqu'elle surprit un mouvement. Elle virevolta sur ses pieds, scrutant chaque recoin des combles. Ce n'était pas un effet d'optique. Quelqu'un se tenait juste à quelques pas, là où la lumière de l'ampoule ne portait pas. Ophélie n'en délimitait que les contours.

La silhouette remua avec lenteur. Elle ne se déplaçait pas, mais effectuait d'amples gestes silencieux, à la façon d'un mime. Elle pointa le plafond de sa main droite et le parquet de sa main gauche, puis le parquet de sa main droite et le plafond de sa main gauche. Ciel et terre, terre et ciel, ciel et terre...

C'était l'inconnu du brouillard.

Si inconcevable que cela fût, il avait retrouvé Ophélie.

– Qui es-tu ?

Décidée à voir enfin son visage, elle s'enfonça dans l'ombre du grenier. L'inconnu l'esquiva d'une simple cabriole, eut une révérence joueuse, puis disparut d'un seul bond par la trappe. Il se déplaçait tellement vite !

Ophélie dégringola l'échelle du grenier. Le corridor de l'étage était désert. Il n'y avait là que des urnes. Elle croisa le regard déconcerté de Thorn, qui s'était avancé en bas de l'escalier le plus proche, alerté par son raffut.

– Il y a quelqu'un, lui chuchota-t-elle.

– Je n'ai vu personne.

Si l'intrus n'était pas descendu, il ne pouvait humainement pas se trouver loin. Était-il passé par les toits ?

Ophélie tira un volet et essaya maladroitement de faire coulisser la fenêtre, cherchant à travers la vitre une ombre parmi toutes celles qui peuplaient la fin de nuit.

Elle se raidit en voyant son propre reflet. Un reflet de mourante. Elle était couverte de sang. Même l'écharpe à son cou – une écharpe qu'elle savait ne pas porter en ce moment – en était éclaboussée. Il n'y avait plus ni fenêtre, ni pagode, ni urnes, seulement le néant. Un néant qui avait tout emporté sauf elle, Eulalie Dilleux et l'Autre.

La main de Thorn sur son épaule la ramena à la réalité.

– Que t'arrive-t-il ?

Ophélie n'en avait pas la moindre idée. La vision s'était évanouie comme un rêve, mais la nausée, elle, ne passait pas. Elle avait le sentiment inexplicable que tous ses sens avaient perçu une immense anomalie, là-dehors, qu'elle n'avait pas été en mesure d'assimiler.

Thorn regarda à son tour par la fenêtre. Ses prunelles de fer se figèrent aussitôt, comme aimantées par un point dans le ciel. Sauf qu'à cet endroit il n'y avait rien. Alors seulement, Ophélie interpréta le signal que ses sens lui avaient envoyé.

La Bonne Famille avait disparu.

Au même moment, les sirènes d'alarme retentirent à travers tout l'observatoire.

EN COULISSES

En haut de la pagode du columbarium, sur le plus haut des toits superposés, perché à la pointe du faîteau comme un héron, il écoute les sirènes d'alarme. Une explosion d'échos. Chant et cri à la fois. Un morceau de monde en moins, un!

Il sourit à l'aube qui se lève.

Pauvre Ophélie, la tête qu'elle doit faire… Ce n'est pas faute de l'avoir prévenue.

VERSO

L'INNOMMABLE

L'effondrement de l'arche dans la mer de nuages avait provoqué un débordement tel qu'Ophélie n'en avait jamais observé. C'était une tornade presque immobile, grondante de tonnerre et d'éclairs, épaisse comme une éruption volcanique, qui formait une brèche d'obscurité sur la pâleur du matin. La température même de l'air avait chuté de plusieurs degrés.

Les collaborateurs, les inversés et les automates se bousculaient en évacuant les bâtiments. Ça courait dans tous les sens, ça hurlait sous les sirènes, ça donnait des ordres contraires – ça paniquait, en somme. L'observatoire des Déviations, jusque-là composé de murmures étouffés et de portes closes, s'était transformé en un seul et gigantesque bruit.

– J'ai sous-estimé l'Autre, admit Thorn.

Ophélie se détacha du spectacle apocalyptique pour se tourner vers lui, tout étriqué dans leur cachette. Ils avaient précipitamment quitté le columbarium et la nécropole, de peur d'être surpris là-bas, et surtout d'y être surpris ensemble. Ils s'étaient alors retrouvés coincés au milieu du vieux parc d'attractions, où un groupe de collaborateurs s'était formé pour contempler la colonne de nuages qui déchirait le ciel. Ils n'avaient eu d'autre choix que se réfugier dans le stand dit « du Fakir ».

– Jusqu'à aujourd'hui, Eulalie Dilleux était pour moi notre ennemie la plus nocive. Je vais envisager de revoir mes priorités.

Le sang-froid de Thorn impressionna Ophélie. En ce qui la concernait, sa chair entière tremblait de frayeur, de fatigue et de fureur mélangées. De fureur, surtout. Une colère intériorisée qui assombrissait ses lunettes, qui bourdonnait comme une ruche sous sa peau et qui recouvrait cette chose qu'elle ne voulait pas, surtout pas ressentir.

– Cet intrus que j'ai vu au columbarium, il me tourne autour depuis le premier effondrement. Il sait toujours où me trouver, puis il disparaît aussitôt. Je me demande vraiment si ce n'est pas…

Sa gorge se serra si fort que la fin de la phrase s'y bloqua. Elle ressentait envers l'Autre une aversion qui lui comprimait les poumons. Son souffle prisonnier lui hurlait à l'intérieur comme les sirènes d'alarme, réclamait justice, exigeait vengeance, même si Ophélie rejetait de toutes ses pensées l'origine même de cette douleur.

Il était en vie. *Il* l'était forcément. Tant que son nom ne serait pas prononcé, *il* continuerait à l'être.

– En tout cas, dit Thorn, «cet intrus» semble s'intéresser de près à notre enquête. Peut-être cherche-t-il lui aussi la Corne d'abondance. Qui qu'il soit et quoi qu'il veuille, ce sera à nous de la localiser avant le prochain effondrement.

Ophélie ne put s'empêcher de penser qu'ils avaient perdu trop de temps. Ils auraient déjà dû renvoyer l'Autre dans un miroir et empêcher ses crimes.

Elle ne put s'empêcher de penser non plus au reflet dans la vitre. Au sang. Aux ultimes retrouvailles. Au vide partout, autour, dedans. Et si certains échos provenaient bel et bien de l'avenir ? Devait-elle en parler à Thorn ?

Il était en train de déplier le plan de l'observatoire qu'il avait gardé sur lui. Trop grand pour les dimensions exiguës du stand, il avait toutes les difficultés à éviter les planches cloutées autour d'eux. Les premières lueurs du jour qui perçaient la tente faisaient ressortir ses cicatrices et sa maigreur ascétique, à croire que c'était lui, le fakir.

– Le columbarium était notre meilleure piste, dit-il en pointant la pagode sur le plan. Nous en avons exploré chaque étage et nous n'avons rien noté de remarquable. Rien, ajouta-t-il d'une voix plombée, hormis l'urne funéraire d'un gosse qui n'en est manifestement pas un.

Ophélie hocha la tête. Cela avait été un choc de tomber sur cette photographie vieille de quarante années. Ambroise était lui aussi lié d'une façon ou d'une autre au projet Cornucopianisme. Lazarus également. Elle aurait deux ou trois questions à leur poser, une fois sortie de ce maudit observatoire.

Elle regarda par une fente de la tente. Les évacués étaient en train de tous se rassembler près du carrousel aux tigres, mais les sirènes d'alarme l'empêchaient de les entendre. Quelqu'un finirait par s'apercevoir qu'Ophélie manquait à l'appel. Elle devait se décider vite. Une fois les sirènes éteintes, tout reprendrait comme avant : les programmes, les protocoles, les séances de projection, les photographies, les tours de manèges, les aliments frelatés, les silences, les secrets, les solitudes... Le monde entier pourrait s'effondrer, l'observatoire des Déviations poursuivrait sa quête d'absolu jusqu'au bout. Lui seul détenait la solution aux problèmes, mais Ophélie doutait fort que leurs motivations fussent les mêmes.

– Le deuxième protocole, déclara-t-elle. Je vais y retourner et découvrir ce qu'ils font à Mediana. Je ne la vois pas parmi les évacués, elle doit être toujours dans la nef. L'observatoire veut se servir d'elle pour la Corne d'abondance : je dois comprendre comment et pourquoi.

À sa vive surprise, Thorn acquiesça sans seulement essayer de la décourager. Elle ressentit à cet instant pour lui une infinie gratitude. Elle lui était reconnaissante d'être si stable devant elle, si présent parmi les absents, si vivant surtout.

– Du deuxième au troisième protocole, il n'y a qu'un pas, lui rappela-t-il toutefois. Nous ignorons ce qu'il est advenu des «gens que le public croit morts et qui ne le sont pas».

– Je n'ai aucune intention de me laisser embrigader, assura Ophélie. Je vais réintégrer le premier protocole, patienter jusqu'à ce soir et, dès cette nuit, je fais le mur. Littéralement, ajouta-t-elle avec une pensée d'appréhension pour le transcendium qui bordait le vide. Je te retrouverai avant l'aube aux appartements des directeurs. Avec un peu de chance, j'aurai enfin découvert comment mettre un terme à… à tout ça.

Elle montra du menton les nuages noirs qui n'en finissaient plus d'escalader le ciel. Un vent d'orage, semblable à celui qui grondait en elle, commençait à soulever les pans de la tente.

Thorn étudia Ophélie avec une vigilance accrue, comme s'il sentait que l'essentiel n'avait pas été formulé.

– Où se trouve le deuxième protocole ? demanda-t-il en lui tendant le plan.

Elle eut beau essayer d'éclaircir ses lunettes sur son nez, rien n'y fit.

– Je ne le situe pas, dit-elle pendant qu'elle désignait un point vide à côté du quartier des collaborateurs. Ça devrait être juste là. Il y avait tout un tas d'escaliers, et puis la nef. Je l'ai parcourue sur plusieurs dizaines de mètres sans même en apercevoir le bout… Est-ce que ce serait une distorsion de l'espace comme en pratiquait la Mère Hildegarde ? Je sais qu'elle a vécu à Babel autrefois, mais je ne m'attendais pas à retrouver l'une de ses œuvres ici.

L'ombre entre les sourcils de Thorn s'amplifia, mais il rangea son plan avec la même application qu'il mettait dans toute chose.

– Quoi qu'il en soit, je ne serai pas loin. Je vais profiter des derniers événements pour prolonger mon inspection sur place. Procéder à un état des lieux, vérifier l'intégrité de l'arche, ce genre de formalités.

Les sirènes se turent. Le silence en fut presque heurtant.

– Je dois rejoindre les autres, murmura Ophélie.

– Et moi partir au plus vite, déclara Thorn avec un cliquetis de montre. Je ne suis pas censé être dans l'enceinte de confinement.

En contradiction avec ses propres paroles, il ne bougea pas d'une aiguille. Il sourcilla sur ces grands pieds statiques qui refusaient d'exécuter l'ordre dicté. Une fois encore, elles étaient là : deux forces conflictuelles qui s'acharnaient impitoyablement l'une contre l'autre et qui conféraient à toutes les attitudes de Thorn une étrange demi-teinte. Les muscles de son cou s'étaient resserrés autour de ce qu'il ne voulait pas prononcer.

À le voir ainsi, Ophélie se sentit mollir des jambes, des épaules, des paupières, de partout, alors que les mêmes mots muets l'étreignaient de l'intérieur.

« Fuyons. Maintenant. Toi et moi. »

Elle ôta ses gants, déchaussa ses lunettes qui reprirent enfin leur transparence et les remit à Thorn.

– Avant l'aube, répéta-t-elle.

– Je ne serai pas loin, répéta-t-il.

Ils se séparèrent. Ophélie prit appui sur le sol de tous ses orteils, résolue à ne pas donner une seule raison à cette arche de faiblir comme les autres, puis elle courut rejoindre le rassemblement général. À présent que les sirènes s'étaient tues, l'atmosphère bruissait de questions sans réponses. Quelle était l'ampleur du nouvel effondrement? Qu'est-ce qui l'avait provoqué? Qui était touché par la catastrophe? L'observatoire des Déviations était-il encore un endroit sûr? Devait-on rester ou partir? Personne n'osait plus hausser la voix.

Ophélie dut jouer des coudes entre les collaborateurs qui chuchotaient si bas entre eux qu'il était impossible de les entendre. Certains portaient un pyjama à la place du froc protocolaire, mais ils avaient tous trouvé le temps d'enfiler leur capuche pendant l'évacuation du quartier, professionnels jusqu'au bout. Au moins Ophélie put-elle se glisser auprès des inversés du programme alternatif sans attirer l'attention.

Seul Cosmos tourna vers elle ses yeux en amande, comme s'il la guettait. Il s'approcha tout en s'efforçant de préserver une distance; il était suffisamment encombré de sa propre inquiétude sans avoir à absorber celle de tous les autres.

– Où t'étais? Ils ont actionné l'ouverture automatique des portes pour l'évacuation. Quand je suis allé te chambrer dans ta cherche… te chercher dans ta chambre, t'avais disparu.

– J'étais ici, répondit évasivement Ophélie. Est-ce qu'on sait qui se trouvait… là-bas?

Elle ne pouvait se détacher de la montée hypnotique des nuages qui obscurcissaient le ciel et qui paraissaient sur le point de s'abattre sur l'observatoire comme un raz de marée. Elle essayait de ne pas mettre de mots précis sur ce qui avait occasionné ce phénomène, de chasser les images de cette arche disparue qui avait été un temps la sienne, de ne surtout pas nommer ceux – *celui* – qui avaient été emportés par le naufrage de la Bonne Famille.

– Non, *miss*. Personne dit rien. À part lui.

Lui, c'était le vieillard du programme alternatif. Il se tenait à quelques pas de là, très calme au milieu de l'agitation collective. Ses cheveux blancs dansaient dans le vent et se mélangeaient aux traits burinés de sa figure. C'était la première fois qu'Ophélie ne le voyait pas en train de se frapper l'oreille gauche. Il paraissait au contraire écouter, avec une profonde sérénité, l'espace entier derrière les murmures et répétait la même phrase à intervalles réguliers :

– Ils sont montés en bas.

Les nounous-automates elles-mêmes restaient les bras ballants à attendre des instructions. Elles offraient un spectacle déplacé avec leurs grands sourires artificiels au milieu des visages effrayés. Elles étaient si pleines d'échos qu'on n'entendait plus d'elles que des «*DAR-DAR-DAR-DAR*» qui n'atteignaient jamais le «*LING*». Leurs dispositifs phonographiques étaient probablement inopérants, ce qui n'avait rien d'une mauvaise nouvelle en soi.

Aussi discret que possible, Cosmos frotta de la terre entre ses mains et s'en recouvrit l'épaule jusqu'à estomper le tatouage «PA».

– Faut se faire la malle, *miss*.

Il signala une petite portion de ciel encore bleue, derrière la tête géante du colosse. Ophélie y devina, à force de plisser les paupières, un pointillé qui scintillait curieusement. Des aéronefs. Une flotte entière d'aéronefs.

– Les petits privilégiés du programme classique vont être effeuillés par leurs captures... récupérés par leurs familles. C'est la pagaille, toutes les portes sont ouvertes. On aura pas deux fois une occasion comme ça. T'es avec moi sur ce coup ?

– Non.

Ophélie avait répondu sans hostilité, mais sans hésitation non plus. Son objectif était de se fondre dans le décor jusqu'à la nuit suivante. Ce n'était certainement pas le moment approprié pour être impliquée dans une tentative d'évasion.

Cosmos s'approcha davantage, malgré le risque de contamination émotionnelle.

– L'observatoire est en crise, *miss*. Ils vont accélérer les choses. Suis pas l'ami rêvé, mais je reste moins dangereux que ce qui sous-tend le tacite… tout ce qui t'attend ici.

Ophélie n'eut pas besoin de ses lunettes pour remarquer la culpabilité qui faisait briller l'encre noire de ses yeux. C'était ici même, à côté de ce carrousel, qu'il l'avait agressée et mordue. La croyait-il fâchée contre lui ?

– Tu m'as dit que tu n'avais nulle part où aller, lui soufflat-elle. Si un jour tu as l'occasion de visiter Anima, une porte t'y sera toujours ouverte.

Cosmos ébaucha un sourire qui dévoila brièvement ses dents blanches et redonna quelques couleurs à ses pommettes, puis il quitta le rassemblement à reculons, un pas après l'autre afin de ne pas se faire remarquer, devenant de plus en plus flou aux yeux d'Ophélie, jusqu'à disparaître complètement. Il était parti.

Au loin, les premiers aéronefs manœuvraient pour atterrir. On pouvait presque entendre d'ici les plus prestigieuses familles de Babel débouler dans tous les couloirs de l'observatoire pour ramener leurs enfants à la maison. L'heure n'était plus à la rééducation. Les terres s'effondraient les unes après les autres, on voulait rester ensemble et ne plus jamais se séparer.

Ophélie concentra toute son attention sur ses pieds nus au milieu des graviers. Ne pas penser à Thorn. Ne pas penser à sa mère, à son père, à ses sœurs, à son frère, à son grand-oncle, à la tante Roseline, à Berenilde, à la petite Victoire, à Archibald, à Renard, à Gaëlle, à Blasius, à l'écharpe, à Ambroise, qui qu'il fût vraiment, à toutes les personnes auprès de qui elle aurait viscéralement voulu être maintenant.

Ne pas penser à *lui*.

Il y eut encore une longue attente durant laquelle plusieurs grondements d'orage firent craqueler le ciel quand, enfin, quelqu'un se présenta. Ce qui n'était pour Ophélie qu'une vague silhouette jaune venait de gravir la plateforme du carrousel et se dresser entre les tigres de bois de façon à dominer tout le monde. À sa vue, les chuchotis cessèrent coupablement.

– J'ai deux déclarations à vous faire.

C'était la voix de la femme au scarabée. Ophélie n'avait plus eu l'occasion de l'entendre depuis qu'elle lui avait donné cet étrange conseil auquel elle n'avait toujours rien compris : « Si vraiment vous voulez comprendre l'autre, trouvez d'abord le vôtre. »

– La première est un rappel, poursuivit la femme. Vous êtes tous ici présents, sujets et collaborateurs, liés contractuellement à l'observatoire des Déviations. Vous resterez donc dans cette enceinte de confinement aussi longtemps que le programme alternatif sera en cours. *All right?*

Ophélie distinguait mal son visage, en partie à cause du pince-nez, mais sa voix lui parut avoir perdu son assurance. L'intrusion massive des familles dans les pavillons du programme classique n'y était pas étrangère. Cosmos avait raison, l'observatoire était en crise. Mais si les directeurs n'existaient pas, qui gérait cette crise ?

– La deuxième est une annonce. Nous venons de recevoir la visite d'un représentant officiel de Sir Pollux. Il n'est pas habilité à pénétrer dans l'enceinte de confinement pour s'adresser à vous, mais, étant donné le caractère exceptionnel de la situation, j'ai accepté de me faire son porte-parole. J'ai le pénible devoir de vous apprendre qu'un phénomène climatique d'origine encore indéterminée a emporté l'arche de la Bonne Famille. Ainsi que tous les étudiants qui y résidaient, ajouta la femme après une pause. Notre belle cité vient de perdre non seulement ses futurs virtuoses, mais le lieu même qui leur permettait d'atteindre l'excellence. C'est une immense perte pour nous tous. À celles et ceux qui comptaient des proches parmi les victimes, nous adressons toutes nos pensées de sympathie.

Le silence qui s'ensuivit prit la consistance de la roche. Dur et dense. À peine ébranlé par les «*DAR-DAR-DAR*» des nounous-automates.

Même le vieillard se tut après un dernier «Ils sont montés en bas».

Les verres noirs de la femme au scarabée s'abaissèrent alors vers un point précis et tous les regards pivotèrent dans la même direction. Accroupie par terre, Seconde dessinait sans se soucier de l'attention dont elle faisait brusquement l'objet, son visage englouti par ses cheveux. Elle était vêtue d'une simple blouse d'infirmerie.

Ophélie eut la sensation de prendre la même consistance que le silence. Ce n'était plus de la salive qu'elle déglutissait, c'étaient des cailloux. Malgré tous les efforts qu'elle avait déployés pour ne pas *le* nommer, pour *lui* donner une dernière chance d'exister, Octavio était tombé dans le vide.

– Ce n'est pas tout, reprit la femme au scarabée d'un ton plus pesant encore. Je suis *sadly* au regret de vous dire que Lady Hélène était aussi sur place au moment du drame.

– Non!

Le cri avait jailli de la capuche d'une collaboratrice. C'était Elizabeth. Elle se tenait pliée en deux, les bras serrés, comme si elle avait été frappée en plein ventre. Son hurlement de souffrance s'éleva à travers tout le parc d'attractions, rebondit sur les structures métalliques des manèges et provoqua l'envol paniqué d'un groupe de pigeons. Il traversa Ophélie à lui en faire mal. Cette détresse l'envahissait, se substituant à celle qu'elle était incapable d'exprimer. Pourtant, alors que les autres collaborateurs se détournaient d'Elizabeth, elle fut la seule à pouvoir la comprendre.

Aujourd'hui, elles étaient toutes les deux orphelines de quelqu'un.

Toutes les trois.

Ophélie se dirigea irrésistiblement vers Seconde, qui dessinait avec fébrilité. Elle était livrée à elle-même comme d'habitude. Il n'y avait personne pour lui adresser une parole, personne pour prendre l'initiative d'un geste, personne pour lui dire la vérité.

Octavio aurait détesté ça.

Ophélie se pencha sur Seconde.

– Ton frère, lui dit-elle.

Comment ? Comment nommer l'innommable ? Les nuages n'en finissaient plus de noircir au-dessus du monde.

– Il ne reviendra pas.

Seconde releva enfin la tête. Sous la masse de cheveux sombres, sa dissymétrie fut plus saisissante que jamais. Une moitié de son visage, celle où la chaîne d'or reliait le sourcil à la narine, était agitée de soubresauts nerveux ; l'autre moitié, figée au contraire, écarquillait un œil blanc inexpressif ; et, faisant passerelle entre les deux, un pansement imbibé de sang lui courait en travers du nez et des joues, jusqu'à la naissance des oreilles. Le seul fait d'ouvrir la bouche devait être horriblement douloureux. Les griffes de Thorn lui avaient légué une balafre qui ferait désormais partie d'elle.

Ophélie avala un caillou de plus. Elle se remémora le dessin qu'elle avait jeté dans les toilettes. Seconde y avait fait son propre portrait, barré d'un long trait prémonitoire, au crayon rouge ; ce même crayon rouge avec lequel elle avait barbouillé le corps d'Ophélie, coincé entre la vieillarde et le monstre, au dos de la feuille.

Ce crayon rouge qu'elle tenait à la main en ce moment précis. Son nouveau dessin représentait une ombre déchirée en deux.

Elle le remit à Ophélie en déclarant solennellement :

– Mais ce puits n'était pas plus vrai qu'un lapin d'Odin.

Les graviers crissèrent. Les collaborateurs, les inversés et les nounous-automates étaient en train de s'écarter pour laisser passer la femme au scarabée. Elle s'avança jusqu'à ce qu'Ophélie pût voir distinctement l'insecte de métal luire sur son épaule. Dans un cliquetis mécanique, il déploya une loupe qui permit à l'observatrice de prendre connaissance du dessin.

Elle ne put réprimer un sourire de jubilation.

– Veuillez nous suivre, Miss Eulalie. Vous êtes prête pour le deuxième protocole.

La grêle tomba du ciel.

LA BOUCLE

EXPIATION. CRISTALLISATION. RÉDEMPTION. Ophélie sentait sous ses pieds le métal des lettres incrustées dans le dallage et, tout autour d'elle, le parfum épais des encensoirs. Elle progressait entre les immenses piliers de la nef avec une impression de lourdeur extrême, similaire à la grêle qui l'avait presque assommée tandis qu'un cortège d'observateurs l'escortait jusqu'ici. Une grêle qui n'avait aucune prise sur ces lieux. Les vitraux muets offraient un contraste éclatant avec le tumulte du dehors.

Ce deuxième protocole, où se situait-il réellement ? Ophélie y avait été conduite par un passage différent de celui qu'elle avait emprunté la première fois. On lui avait fait traverser un souterrain avant de remonter par un escalier particulièrement étroit. Depuis, c'étaient les mêmes piliers, les mêmes vitraux, les mêmes bénitiers et les mêmes chapelles qui se succédaient sans fin.

Elle se serait crue coincée dans le microsillon d'un disque.

Elle ne pouvait plus compter sur ses lunettes, aussi se concentra-t-elle sur ses oreilles. Les étoffes des observateurs, imbibées de pluie, répandaient un goutte-à-goutte qui se mêlait aux claquements de leurs sandales. Ils formaient un mur mouvant tout autour d'elle qui la poussait implacablement à avancer, sans la toucher ni lui parler. Ils étaient nombreux – trop pour qu'elle pût faire usage de ses griffes sur eux.

Ophélie s'était encore mise dans une sacrée soupière. Elle se demanda si elle allait prendre la place de Mediana sur l'agenouilloir, mais elle ne la voyait nulle part. La Devineresse avait-elle été transférée au troisième protocole ? Sa fausse urne funéraire rejoindrait-elle bientôt toutes celles qui peuplaient le columbarium ?

Ophélie aurait dû avoir peur. Le piège qu'elle avait tant tenu à éviter venait de se refermer sur elle, et Thorn n'en savait probablement rien.

Le cortège d'observateurs s'immobilisa. Ils formaient à eux tous un couloir jaune infranchissable qui menait jusqu'à la porte de l'une des chapelles. Leurs visages, attentifs sous les pince-nez, demeurèrent fermés ; leurs bras, aux longs gants de cuir, n'esquissèrent pas un geste. Ophélie n'avait qu'une poignée à tourner, mais elle dut longuement se débattre contre sa droite et sa gauche avant de réussir à ouvrir. À peine eut-elle franchi la porte que celle-ci fut refermée derrière elle et verrouillée à clef. Ce fut tout. On ne lui avait pas dit ce qu'on attendait d'elle, exactement comme cela avait été le cas pour le premier protocole.

Ophélie cligna des yeux, essayant de débrouiller le flot de couleurs qui se prenaient dans ses cils. Éclairée par le vitrail d'un oculus, la coupole de la chapelle était entièrement composée de réflecteurs qui changeaient de position à chaque seconde, dans un discret ronronnement mécanique. Ophélie s'en détourna aussitôt. C'était le même dispositif que le tunnel kaléidoscopique et que la salle de projection : regarder reviendrait à aggraver le décalage de son pouvoir familial. Ou pire encore. Elle contracta les épaules, cherchant à empêcher la rupture de son ombre prophétisée par le crayon de Seconde. Elle détestait l'idée que l'avenir pût s'annoncer à l'avance comme elle détestait ce reflet ensanglanté qui s'était imposé à elle deux fois déjà, comme une promesse de mort imminente. Elle ne pouvait pas voir «l'aerargyrum» qui constituait les ombres et les échos mais, s'il était réellement possible de le convertir en matière, alors elle modèlerait le futur à *sa* façon.

La chapelle était vide. Pas de chaises, pas de tables, pas d'armoires, rien.

Ophélie palpa tous les marbres alentour, cherchant une faille pour sortir, une prise pour se hisser vers la coupole. Elle ne parvint qu'à se casser les ongles. Le seul objet qu'elle trouva, rangé à l'intérieur d'une niche de pierre au niveau du sol, fut un pot de chambre. Il y traînait un liquide malodorant dont elle préférait ne pas déterminer la nature.

De toute évidence, elle était ici pour un moment.

Elle avisa un curieux relief à fleur de pierre, au beau milieu du dallage, juste sous la lumière de l'oculus. Une silhouette couchée sur le dos. Un gisant? Elle s'en approcha prudemment pour mieux voir. La sculpture représentait un cadavre décharné, les côtes à l'air. Ce n'était pas un gisant; c'était un transi. Ses orbites creuses fixaient le jeu des réflecteurs au-dessus d'elles, comme pour montrer l'exemple à suivre : s'allonger et regarder jusqu'à la fin des temps.

Une inscription avait été gravée sur la dalle où reposait son crâne :

«LA VÉRITÉ EST UN MENSONGE QUI S'ÉCOUTE.»

Ce ne fut qu'à cet instant qu'Ophélie sortit de la torpeur dans laquelle elle s'enlisait depuis l'annonce de la femme au scarabée. Elle prit soudain conscience de l'eau qui dégoulinait de ses cheveux, de sa tunique collée à sa peau, du tremblement de ses jambes, comme si sa propre corporalité se rappelait enfin à elle.

Elle était terrifiée. Elle n'avait jamais cessé de l'être, mais elle s'était trop éloignée d'elle-même pour s'en rendre compte jusqu'à maintenant.

Devant elle, le corps hideux baignait dans les couleurs changeantes, choquantes, de la coupole. Ophélie ferma les paupières. À la place du transi, elle vit les promenoirs, les dortoirs, les couloirs et les laboratoires de la Bonne Famille. Elle vit des centaines d'étudiants en chute libre dans les orages perpétuels du grand vide, là où personne n'était jamais allé. Elle vit le conservatoire soumis à une pression trop forte, elle vit les verrières du gymnase exploser, elle vit les meubles et les corps se disloquer.

Elle vit Octavio projeté sur le plafond de sa chambre pendant son sommeil. Croqué par la bouche invisible de l'Autre.

Ophélie rouvrit les paupières pour contempler la mâchoire décrochée du transi, auquel le sculpteur avait conféré un réalisme morbide. Cet inconnu qu'elle avait poursuivi dans le columbarium était-il bel et bien le responsable de toutes ces morts, comme elle commençait à le croire ? Si elle l'avait rattrapé à temps, aurait-elle pu empêcher un nouvel effondrement ? Elle n'avait pas pu distinguer son visage une seule fois et, cependant, il lui inspirait à chaque rencontre un ineffable sentiment de familiarité.

– Qui es-tu ? murmura-t-elle, comme s'il pouvait l'entendre d'ici.

– QUI ES-TU ?

Ophélie sentit son estomac bondir : c'était le son déformé de sa propre voix. Elle ne l'avait pas remarqué, mais le transi serrait entre ses mains squelettiques un tout petit automate. Un perroquet. Il avait apparemment été conçu pour reproduire la première phrase qu'il enregistrerait.

– QUI ES-TU ? répéta-t-il avec la voix déformée d'Ophélie. QUI ES-TU ? QUI ES-TU ?

Allons bon. L'enregistrement s'était pris dans un écho en boucle. Ophélie donna un coup au perroquet pour l'arrêter, mais elle ne réussit qu'à se faire mal. L'écho ricochait sur tous les réflecteurs de la coupole et mêlait sa cacophonie à celle des couleurs. Cette chapelle était exactement comme la cave d'Eulalie : un endroit conçu comme une caisse de résonance.

– QUI ES-TU ? QUI ES-TU ? QUI ES-TU ? QUI ES-TU ? QUI ES-TU ? QUI ES-TU ? QUI ES-TU ? QUI ES-TU ?

C'était infernal. Ophélie prenait la pleine mesure des paroles d'Ambroise quand il lui disait que, de tous les clients de Lazarus, l'observatoire des Déviations était celui qui lui passait les commandes les plus inhabituelles. Cela, au moins, n'était pas un mensonge.

Elle tambourina à la porte de la chapelle un long moment avant d'entendre enfin des sandales en approche. Un judas s'ouvrit sur une petite grille à hauteur des yeux – pour une personne de taille moyenne, du moins. Ophélie dut se hisser sur la pointe des pieds pour apercevoir le pince-nez aux verres sombres d'un observateur.

– Faites-moi sortir, exigea-t-elle.

Aucune réponse.

– QUI ES-TU ? QUI ES-TU ? QUI ES-TU ?

– Faites taire cette machine, alors.

Un silence, encore.

Ophélie décida de mettre cartes sur table.

– D'accord, articula-t-elle pour se faire entendre par-dessus le perroquet. Vous avez une Corne d'abondance qui ne fonctionne pas. Vous avez besoin de l'Autre et, pour l'attirer ici, vous avez besoin de moi. Mais pourquoi ? Quelles sont vos intentions ? Que ferez-vous ensuite ? Au cas où vous ne l'auriez pas remarqué, c'est le sort de toutes les arches qui est en jeu, là-dehors.

L'observateur s'abstint encore de répondre. Pourtant, plutôt que d'ignorer simplement Ophélie en refermant le judas, il restait là à attendre. À attendre quoi?

EXPIATION.

Était-ce cela qu'on voulait obtenir d'Ophélie? Un repentir? Une confession? Un renoncement? Devait-elle, comme Mediana, demander pardon pour toutes ses erreurs? pour toutes ses transgressions depuis qu'elle avait tourné le dos à sa famille et aux desseins d'Eulalie Dilleux?

– Un instant, je vous prie, dit-elle.

Elle s'éloigna, revint et jeta sur le pince-nez le contenu du pot de chambre. Le judas se referma dans un claquement furieux.

– QUI ES-TU? QUI ES-TU? QUI ES-TU?

Ophélie s'assit contre un mur, ferma les yeux et se boucha les oreilles. À nouveau, la colère était plus forte que la peur. Elle avait voulu retourner au deuxième protocole; maintenant qu'elle y était, même si ce n'était pas de la façon dont elle l'avait planifié, elle irait jusqu'au bout de sa démarche. Elle ne leur donnerait plus rien sans obtenir des explications.

Silence pour silence, mots pour mots.

À prendre ou à laisser.

Elle prend.

Le soleil. L'air. Le large, surtout.

Eulalie s'est levée tôt ce matin avec le besoin de fuir son atelier. Elle a achevé hier son dernier roman. Les touches de la machine à écrire n'ont pas eu le temps de refroidir qu'elle a tout balancé à la corbeille sans même se relire. C'est le deuxième tapuscrit qu'elle jette.

D'où lui vient donc cette soudaine insatisfaction ? Depuis sa rencontre avec l'Autre, elle n'a jamais cessé de se sentir inspirée, à propos de tout. Jamais. Alors, quoi ?

Eulalie renifle.

Les pieds dans le sable, les mains dans les poches et les yeux dans l'océan, elle inspire douloureusement les embruns. La faute revient certainement aux crises de sinusite. Il est difficile de rester optimiste quand on passe chaque nuit à chercher son souffle. Eulalie est encore jeune, mais elle se sent prématurément vieillie. Elle a offert à l'Autre la moitié de sa vie.

– Foutu gosse ! hurle une voix.

Eulalie se tourne vers l'école de la paix, qui occupe presque toute l'île. *Son* école. Elle cherche des yeux le concierge, qui jure de plus en plus fort en babélien ; elle le localise à cinq mètres au-dessus des mimosas, en état de lévitation, les mains accrochées à son turban pour ne pas le perdre. Il promet à Ouranos la raclée du siècle s'il ne le fait pas redescendre immédiatement.

Leur école. Ils ont grandi si vite… trop vite. Ils ont déjà tous dépassé Eulalie en taille, mais ce ne sont encore que des enfants. Hélène ne peut se déplacer sans ses roulettes. Belisama a fait accidentellement pousser un eucalyptus dans son lit. Midas a transmuté toute l'argenterie des cuisines en bouse de zèbre. Vénus a caché un élevage de boas constricteurs dans les toilettes du quatrième étage. Artémis a reproduit parfaitement à l'identique la tête de la statue du soldat, devant l'école, avant de le décapiter à nouveau. Le phare est en réfection depuis que Djinn, Gaia et Lucifer se sont mis à trois pour inventer un nouveau phénomène météorologique. Janus… Où est-il encore passé, celui-là ?

Eulalie renifle.

Elle se mouche sans parvenir à désencombrer son nez. Cette insatisfaction, dont elle ne peut s'expliquer la cause, lui semble plus forte dès que son attention se porte sur l'école. Elle contemple l'océan et, au loin, rougeoyant dans le couchant, le continent encore et toujours en reconstruction. La guerre n'est pas loin. Où que l'on aille, la guerre n'est jamais loin.

Eulalie songe qu'il leur faudrait un gardien pour protéger l'école. Un épouvantail. Elle prendra prochainement le bateau pour retourner à l'observatoire. Tout le monde est mort là-bas, depuis le grand bombardement, comme l'Autre le lui avait prédit. La Corne d'abondance est cachée quelque part sous les ruines, dans un lieu connu d'Eulalie seule désormais. Elle s'était promis de ne plus rien convertir, mais les enfants vont avoir besoin d'une protection jusqu'à leur pleine maturité. Le concierge, qui jure encore au-dessus des mimosas, n'est plus tout jeune.

Quant à Eulalie, elle a peut-être perdu la moitié de son espérance de vie, mais le temps va bientôt s'arrêter pour elle. Sa réalité tout entière va changer.

Elle remarque, sur le chemin de sa promenade, un grand château de sable ; probablement celui de Pollux, d'après la recherche esthétique de la réalisation. Elle se rend compte alors, un peu décontenancée, qu'elle est tentée de donner un coup de pied dedans.

– Dilleux ?

Eulalie relève la tête vers Odin. Elle ne l'a pas entendu venir. Il se tient en retrait, le regard sur le côté, les épaules voûtées, comme s'il se sentait en trop, son grand corps éclaboussant de blanc la plage rouge. Il est superbe… et tellement imparfait. Eulalie a envie de le chasser et de l'enlacer à la fois ; elle ne fait ni l'un ni l'autre.

– Je voudrais te soumettre quelque chose.

Il s'exprime dans la langue maternelle d'Eulalie, celle que parlaient ses parents déportés, celle d'une famille disparue et d'un lointain pays dont elle ne se souvient presque plus. Cette langue deviendra un jour, si tout marche selon ses plans, celle de l'humanité entière. Parce que la guerre, c'est lorsqu'on cesse de se comprendre.

– Avec ta permission, ajoute Odin face à son silence.

Eulalie renifle.

Cet enfant est aussi prompt à réclamer son avis qu'à le remettre en question. Quand apprendra-t-il à enfin se définir indépendamment d'elle?

– Soumets-le-moi, répond-elle.

Odin se redresse lentement, se grandissant davantage, ses yeux translucides plissés par la concentration, pareil à un élève de piano qui s'apprête à exécuter devant son professeur une partition cent fois répétée. Entre ses mains presque jointes, une brume prend progressivement consistance jusqu'à devenir un objet tangible. Une boîte. Il s'efforce de ne rien en montrer mais Eulalie constate, à l'infime relâchement de ses sourcils, qu'il est soulagé.

Elle lui prend la boîte des doigts, éprouve sa solidité, la retourne, puis l'ouvre. Elle est vide, évidemment.

– Et? C'est tout?

Odin semble pris au dépourvu par la réaction d'Eulalie. À dire vrai, elle ne l'est pas moins. C'est la première fois qu'il parvient à stabiliser une illusion, il a dû beaucoup s'entraîner pour forcer ainsi les limites de sa pauvre imagination.

Elle doit l'encourager, il est sur la bonne voie.

– Passe-moi ton Livre, dit-elle à la place.

La figure d'Odin se décompose comme de la neige, mais déjà il extrait du revers de son habit l'ouvrage dont il ne se sépare jamais. Il essaie vainement de contenir ce geste de son autre main, soumis à une lutte intérieure perdue d'avance. Comme ses frères et sœurs, il est programmé pour obéir à ses ordres. Eulalie est bien placée pour le savoir puisque c'est elle-même qui a créé cette ligne d'instruction dans chaque Livre.

Elle tire de sa poche son fidèle stylo-plume et dévisse le capuchon avec les dents.

– Tu es en colère, Dilleux ?

Dans le regard qu'Odin prend soin de maintenir de côté, Eulalie surprend une lueur de haine et d'amour enchevêtrés. Il est malheureux de l'avoir déçue autant que d'être déçu par elle.

Elle tourne les pages du Livre, consciente qu'elle touche là à ce qu'Odin possède de plus intime. Elle connaît par cœur chacun des milliers de signes qui composent le code qu'elle a inventé. Telle section contrôle la motricité d'Odin, telle autre sa capacité à analyser, telle autre sa perception des couleurs. Elle fait son choix et enfonce la plume de métal dans la chair du Livre, ignorant le cri étouffé d'Odin, acceptant la douleur qu'elle inflige à son propre enfant. Elle raye une ligne de code de façon à ne rien entamer d'autre que ce qu'elle souhaite.

– Tu mangeras sans y prendre goût, dit-elle en lui rendant son Livre. Aucune caresse ne te paraîtra douce. Je t'ai privé de ton droit à éprouver du plaisir.

Odin serre son Livre censuré contre la poitrine. Le vent de l'océan soulève ses longs cheveux polaires. Il écarquille des yeux pleins de dégoût et d'adoration, mais il veille à ne pas regarder Eulalie en face. En dépit de ce qu'elle lui a fait, il ne veut pas la blesser avec ce pouvoir qu'il ne contrôle pas.

– C'est de l'encre ordinaire, commente Eulalie en vissant le capuchon de son stylo-plume. Elle s'effacera avec le temps. Emploie-le à m'aider à sauver le monde.

Odin s'enfuit, laissant derrière lui l'empreinte de ses souliers dans le sable.

Eulalie renifle.

Elle ôte ses lunettes, plus insatisfaite que jamais sans comprendre pourquoi. Alors qu'elle souffle sur les verres pour les essuyer, le soleil couchant s'y réfléchit et, tout à coup, elle le voit : son reflet lui adresse un clin d'œil complice.

Bientôt, dit l'Autre.

Eulalie jette ses lunettes le plus loin possible. Ses tempes battent à toute vitesse. Ses sinus lui font mal. Sa tête va exploser. Qu'est-elle en train de devenir ? À force de se prendre pour Dieu, se perd-elle de vue ?

Ce n'est pas son atelier qu'elle fuit. C'est le miroir qui s'y trouve.

– Bientôt, murmure-t-elle d'une voix tremblante. Mais pas encore.

Ophélie renifla.

Elle s'était réveillée en sursaut, essoufflée comme si elle avait couru, saisie par une brutale sensation de chute vers le haut. Pendant un instant, elle crut que l'observatoire était en train de s'effondrer à son tour. Elle se redressa, engourdie de s'être assoupie sur les dalles. Elle ne sentait plus ses pieds.

– QUI ES-TU ? QUI ES-TU ? QUI ES-TU ? continuait de ressasser le perroquet.

La chapelle était toujours là, inébranlable, sa porte obstinément close. La même lumière diaphane filtrait à travers le vitrail de l'oculus, à croire que le soleil avait suspendu sa course. Les seules variations d'éclairage étaient dues aux réflecteurs mécaniques de la coupole qu'Ophélie s'efforçait de ne surtout pas regarder. Elle se sentait migraineuse et assoiffée. Elle ne conservait qu'un souvenir approximatif de son rêve, mais elle en était ressortie avec un rhume carabiné.

– Tu n'as pas de mouchoir, je suppose ? demanda-t-elle au transi.

Depuis combien de temps était-elle enfermée dans cette chapelle ? Elle avait lutté contre le sommeil avant d'être fauchée par lui.

Et Thorn qui attendait son retour...

Un bruit de gonds attira son attention vers le bas de la porte. Une main gantée était en train de se faufiler par un battant pour déposer un bol sur le sol. Ophélie se précipita pour bloquer du pouce le passe-plat avant qu'il ne se fût refermé. Elle n'avait pas été discrète, mais il n'y eut aucune protestation et déjà le claquement des sandales s'éloignait. Ophélie compta jusqu'à cent, puis elle souleva le battant le moins maladroitement possible. L'ouverture était étonnamment large pour un passe-plat. Elle se contorsionna pour passer sa tête, jeta un regard de part et d'autre de la nef : elle était déserte, pour ce qu'elle pouvait en voir.

Elle rampa à travers le passe-plat, centimètre par centimètre. Si elle avait été moins menue, ça lui aurait été impossible. Elle n'était pas dépourvue de rondeurs pour autant. Elle entendit ses habits se déchirer. Chaque fois qu'elle se coinçait, elle vidait ses poumons pour gagner un peu de place. L'acoustique de la nef était si sensible que les gonds du passe-plat produisaient un vacarme épouvantable.

Ne surtout pas éternuer maintenant.

Ophélie fut presque étonnée de se retrouver de l'autre côté de la porte sans avoir ameuté tous les observateurs des environs. Elle s'était râpé la peau, mais elle avait réussi.

Et maintenant, dans quelle direction aller ?

À gauche ? Des colonnes, des chapelles, des rosaces.

À droite ? Des colonnes, des chapelles, des rosaces.

« Gauche », décida Ophélie. Elle courut à travers les fume-rolles qui s'élevaient des encensoirs, avec le sentiment de se perdre dans une éternité de marbre et de verre. Sa myopie ne jouait pas en sa faveur. Si elle croisait des observateurs, elle ne les verrait qu'au dernier moment. Elle ne retrouva pas l'escalier par lequel elle avait été amenée de force. En revanche, au bout d'une course interminable, elle reconnut un morceau de sa tunique coincé dans le passe-plat d'une porte de chapelle. Le son étouffé de sa propre voix s'en échappait :

– QUI ES-TU ? QUI ES-TU ? QUI ES-TU ?

Elle avait avancé tout droit, elle n'avait pris aucun virage et, contre toute logique, elle était revenue au point de départ. Cette nef était contenue dans un espace en boucle. Le doute n'était plus permis : une telle malice architecturale ne pou-vait être que l'œuvre de la Mère Hildegarde.

Ophélie partit dans l'autre sens, déterminée à trouver la faille. Il en existait nécessairement une pour permettre aux initiés d'aller et venir à leur guise. Elle se plaqua contre un pilier, aussi massif qu'un arbre, le temps de reprendre son souffle. Ses yeux rencontrèrent alors, renfoncée dans un bas-côté, entre deux chapelles, une forme aux rideaux jaunes.

Un confessionnal. Si elle pouvait atteindre le miroir à l'intérieur comme la dernière fois, elle serait sauvée.

Elle s'élança sans plus se soucier d'être entendue. La vitesse primait désormais sur la discrétion. Elle heurta son genou contre l'agenouilloir et tomba dans le confessionnal plus qu'elle n'y entra.

Elle chercha son reflet mais, à la place du miroir, il y avait une grille. Et derrière la grille, un profil.

Un adolescent feuilletait placidement un album illustré.

– Tout de même, mademoiselle, dit-il en réprimant un bâillement. J'avais estimé que ça vous prendrait moins de temps.

Il tourna vers Ophélie ses lunettes en culs de bouteille et son visage barré d'une grande croix noire.

LE RÔLE

La dernière fois qu'Ophélie avait vu le chevalier, c'était trois ans auparavant, à la cour de Farouk. Il avait été jugé, mutilé, puis envoyé de force à Helheim, un établissement de sinistre réputation où finissaient les enfants terribles du Pôle.

– Je n'y suis plus.

L'adolescent avait devancé la question en se léchant les doigts pour tourner une nouvelle page de son illustré. Ophélie ne reconnaissait pas sa voix, tant elle avait mué. Elle n'avait de lui qu'une vision parcellaire à cause de la grille de séparation, mais il lui parut considérablement grandi. Ses cheveux déversaient d'abondantes bouclettes blondes sur ses épaules. En dépit de la croix noire et des épaisses lunettes en travers de sa figure, Ophélie devinait le développement osseux qui avait absorbé les rondeurs enfantines. Elle put vérifier par elle-même qu'il se reflétait bien dans le bois laqué du confessionnal, prouvant ainsi qu'il n'était ni Eulalie Dilleux ni l'Autre.

Le chevalier n'aurait pas dû être là. Sa présence dans cette nef, dans cet observatoire, dans cette partie du monde était tout bonnement impossible.

– C'était toi, souffla Ophélie. Toutes ces mises en scène, l'échantillon du musée, l'automate déguisé comme ma mère… Tu leur as livré mon passé sur un plateau.

Le sourire du chevalier dévoila un appareil dentaire.

– Bien sûr. Je le leur ai promis.

– À qui ?

Les oreilles d'Ophélie bourdonnaient. Elle n'avait plus conscience ni de l'écoulement de son nez ni de l'enflure qui se formait autour de son genou. Le chevalier avait été dépossédé de son pouvoir familial, il ne pouvait plus lui imposer ses illusions empoisonnées, mais il n'en était pas moins nocif. Elle aurait dû fuir ce confessionnal au plus vite.

– Qui ? insista-t-elle d'une voix dure. Qui t'a fait quitter Helheim ? Qui commande vraiment cet observatoire ?

Le chevalier referma son illustré, ôta ses lunettes et se colla contre la grille jusqu'à ce que le treillis métallique se fût enfoncé dans sa chair. Il écarquilla des yeux aussi pâles que sa croix était sombre.

– Ceux, mademoiselle, qui voient les choses en infiniment plus grand ! Ils m'ont parlé comme aucun adulte ne m'avait jamais parlé. Ils m'ont accordé la deuxième chance que mon propre clan m'a refusée.

Ophélie se recula contre la cloison quand les doigts du chevalier traversèrent la grille pour s'y cramponner.

– J'ai attendu si longtemps… J'ai compté chaque jour dans cet horrible établissement. Avez-vous la moindre idée de *combien* j'ai eu froid, là-bas ? Je pensais qu'elle, au moins, elle me rendrait visite.

«Elle», dans la bouche du chevalier, ne pouvait désigner que Berenilde. Ophélie remarqua ses ongles rongés jusqu'au sang. L'obsession qu'il lui vouait n'avait pas faibli avec le temps.

– Elle n'est pas venue, dit-il en écrasant son sourire contre la grille. Elle m'a abandonné mais, moi, son chevalier, je ne l'abandonnerai jamais. Le jour approche où je pourrai combler tous ses besoins. Ils m'ont promis l'abondance! Nous possédons au moins cela en commun, mademoiselle, n'est-ce pas? Un être cher à protéger.

Ophélie appréciait de moins en moins la tournure que prenait cette conversation – si tant est qu'il y eût une conversation. Le chevalier excellait dans les monologues; en cela non plus, il n'avait pas changé.

Elle souleva le rideau de son compartiment et constata, non sans grande surprise, que le confessionnal était cerné par des silhouettes jaunes. Quelle sotte elle avait été! Elle avait joué son rôle à la perfection. Ils avaient tout anticipé, de son évasion par le passe-plat à son refuge dans le confessionnal. Le message était clair : quoi qu'elle fît, l'observatoire aurait toujours une longueur d'avance sur elle. Un écho d'avance, en fait. Les dessins prémonitoires de Seconde n'y étaient probablement pas étrangers.

Le chevalier remit ses lunettes et recouvra, avec elles, un peu de retenue.

– Tout ceci fait évidemment partie du Projet, expliqua-t-il sur un ton d'une excessive politesse. Vous y participez depuis plus longtemps que vous ne le croyez. Vous êtes spéciale pour eux – bien que vous restiez, à mon humble opinion, désespérément quelconque. Ils étaient déjà très bien renseignés à votre sujet, vous seriez étonnée! Ils n'attendaient de moi que des détails plus… disons plus *significatifs* de votre passé. La valeur du musée d'Anima à vos yeux, votre dernier jour de travail là-bas, votre relation compliquée avec votre mère, ce genre de petites choses.

Incommodé par la chaleur étouffante du confessionnal, le chevalier s'éventa avec l'illustré. Ophélie devina des chiots roses sur la couverture. Elle prit sur elle pour ne pas montrer à quel point elle se sentait salie.

– Je ne me suis jamais confiée à toi.

– Mais vous vous êtes confiée à votre grand-oncle. J'ai lu chacune des lettres que vous lui avez écrites quand vous étiez au Pôle. Ce que je sais n'est pas très important, assura le chevalier alors qu'Ophélie contractait les mâchoires. Ce qui compte, c'est ce qu'*eux* savent. Ils savaient, par exemple, que vous viendriez à l'observatoire de votre propre initiative. Ce n'était qu'une question de temps, disaient-ils, nous n'avions qu'à patienter. Cela devait être *votre* décision, vous comprenez, mademoiselle ? Toute l'expérience en dépendait. Comme elle dépend de ce que vous allez décider maintenant. Soit vous retournez bien sagement dans votre chapelle, soit nous causons du tort à M. Thorn. Ou Sir Henry, peu importe. Ma dame a plutôt mal vécu que je décime son clan ; j'aimerais autant ne pas nuire à son neveu.

Ophélie avait l'impression que son sang entier s'était mis à l'arrêt. Les mots du chevalier lui creusaient des trous dans la poitrine. Elle aurait dû fuir avec Thorn quand ils le pouvaient.

– Je veux lui parler.

– C'est impossible, mademoiselle. Ils se sont engagés à ce qu'aucun mal ne lui soit fait tant que vous y mettrez de la bonne volonté. Ils tiennent toujours leurs promesses. Croix de bois, croix de fer !

Du pouce, le chevalier avait redessiné les lignes verticale et horizontale qui lui noircissaient le visage.

– De la bonne volonté pour quoi ?

– Pour expier, pour cristalliser et pour obtenir la rédemption. Ils disent que vous y êtes *presque*, mademoiselle, mais nous ne pouvons pas achever ce travail-là à votre place.

– Je n'ai aucun crime à expier, j'ignore ce qu'est la cristallisation et je n'ai que faire de votre rédemption.

La voix d'Ophélie était aussi desséchée qu'elle. La colère consumait le peu d'eau encore contenue dans son corps.

La réponse du chevalier fut impassible :

– Ils disent que tout ceci, vous allez le découvrir par vous-même.

– Et Mediana ? Je sais qu'elle était ici, s'impatienta Ophélie au mépris de toute prudence. A-t-elle cristallisé ? A-t-elle trouvé la rédemption ? Qu'avez-vous fait d'elle ?

Le chevalier secoua ses bouclettes blondes d'un air ennuyé.

– Vos questions sont dénuées d'intérêt. Je n'en vois, moi, qu'une seule qui mérite d'être posée. «Mlle Ophélie», «petite d'Artémis», «Mme Thorn», «Miss Eulalie», énuméra-t-il avec un sourire grandissant, ça représente beaucoup de rôles pour une seule personne. Sans eux, qui êtes-vous réellement ?

Il assena trois coups sur le bois du confessionnal. Un gant releva aussitôt le rideau du compartiment d'Ophélie; l'entretien était terminé. Le chevalier s'était déjà replongé dans la lecture de son illustré en grignotant ce qu'il lui restait d'ongles.

Ophélie fut raccompagnée sous bonne escorte jusqu'à sa chapelle. Son genou enflé la faisait claudiquer, mais elle mit un point d'honneur à se tenir droite et à garder la tête haute. Elle ne leur montrerait pas combien elle était ébranlée; ça non, elle ne leur accorderait pas cette satisfaction.

Une fois la porte refermée à clef, elle demeura debout dans les couleurs mouvantes de la chapelle, aussi immobile que le transi, répondant aux «QUI ES-TU ?» du perroquet par un silence buté. Elle avait déjà vécu toutes sortes d'expériences qui avaient mis son ego à mal. Elle avait été rabaissée par les Doyennes d'Anima, humiliée par les courtisans du Pôle, rejetée par la cité de Babel…

Jamais elle ne s'était sentie à ce point ridiculisée.

Devant le passe-plat, le bol l'attendait toujours. Un bouillon de riz refroidi. Ophélie dut le soulever à deux mains à cause de son tremblement. Elle aurait voulu le jeter à travers le judas; elle le but. Elle aurait voulu hurler jusqu'à être entendue de Thorn; elle se tut.

Elle retourna le bol vide. Le repas avait été aussi infect que tous ceux du premier protocole. Si elle avait été en possession d'une loupe, elle aurait peut-être pu deviner des caractères microscopiques imprimés sur la porcelaine. À chaque bouchée, elle avait ingéré un ancien écho converti en matière. Son ventre protesta. Cette Corne d'abondance était décidément loin d'être parfaite.

Et si les observateurs finissaient par l'atteindre, cette perfection? S'ils se révélaient capables de produire à volonté de la nourriture comestible, de l'eau potable, des objets fonctionnels ou encore des terres qui ne s'effondreraient pas? S'ils décidaient de se transformer eux-mêmes en de nouveaux dieux? Ils seraient dès lors aussi puissants qu'Eulalie et que l'Autre. Aussi dangereux également.

Mais qui était réellement leur tête pensante, à la fin?

– QUI ES-TU? QUI ES-TU? QUI ES-TU?

Le bol glissa des doigts d'Ophélie pour se morceler à ses pieds. Il s'évapora aussitôt, retourné à l'état d'aerargyrum à présent que son code était brisé – exactement comme le vieux balayeur du Mémorial quand la balle de fusil avait perforé sa plaque. À nouveau, Ophélie eut faim et soif, comme si elle n'avait jamais avalé de bouillon. Elle eut beau frotter sa langue contre son palais, le goût désagréable avait disparu.

Elle contempla le dallage où dansaient les lumières irisées. Elle comprenait à présent que cette chapelle était une version améliorée de la cave au téléphone. Ce qui avait pris des mois à Eulalie Dilleux se produirait ici en accéléré. À l'instant où Ophélie lèverait les yeux vers les réflecteurs mécaniques, elle condamnerait son ombre. Y survivrait-elle ?

Elle se rappela soudain cette étrange vapeur qui avait quitté le corps du chevalier lorsque Farouk lui avait repris son pouvoir familial. Avait-elle vu alors de l'aerargyrum sans le savoir ? Était-ce cela, cristalliser ? Renoncer à une part de soi ? En quoi cela permettrait-il de parfaire la Corne d'abondance ? Ophélie avait pensé jusqu'ici que l'observatoire se servait des inversés pour attirer l'Autre en recréant les conditions de sa rencontre avec Eulalie Dilleux, mais il n'y avait ici ni cave ni téléphone.

Rien qu'un perroquet, songea-t-elle avec un regard pour l'automate soudé aux mains du transi. Une machine condamnée à répéter imbécilement le même écho.

– QUI ES-TU ? QUI ES-TU ? QUI ES-TU ?

Ophélie s'allongea sur le dallage, à côté du transi. Elle se tenait si près de lui qu'elle voyait des asticots de pierre lui sortir des cavités nasales. La dernière fois qu'elle avait été confrontée de force à elle-même, c'était dans l'isoloir de la Bonne Famille. Elle avait dû faire face à la culpabilité et à la lâcheté qui l'empêchaient d'avancer. Elle n'avait aucune envie de revivre cela une seconde fois.

Ophélie se détourna de la coupole dans une ultime résistance, puis elle pensa à Thorn.

« Ils tiennent toujours leurs promesses. »

Elle ouvrit les yeux en grand sur le kaléidoscope géant au-dessus d'elle. Elle se cambra sous l'effet du choc optique. Sa myopie transformait les figures géométriques en une mélasse de couleurs. C'était comme si on lui introduisait un arc-en-ciel par les pupilles, puis qu'on continuait de le lui enfoncer jusqu'au tréfonds du crâne.

– QUI ES-TU ? QUI ES-TU ? QUI ES-TU ?

S'il était resté du bouillon dans l'estomac d'Ophélie, elle l'aurait vomi. Elle cracha une bile brûlante à la place. Elle respira profondément et, quand les spasmes se furent calmés, elle se rallongea sur le dos. Au-dessus d'elle, les milliers de miroirs fragmentés amplifiaient le vitrail de l'oculus, réinventant de nouvelles rosaces encore et encore et encore. Elle se serait crue face à une galaxie frappée de folie.

Ce fut le début d'un très long spectacle, à la fois sublime et atroce. Ophélie passa des heures couchée sur le dallage, irradiée de couleurs. Elle se redressait lorsque la migraine devenait trop intense, que son nez se mettait à saigner ou que la tête lui tournait, mais elle finissait toujours par se remettre à sa place. Elle reprenait alors le calvaire là où elle l'avait interrompu.

Contrairement à ce que le chevalier lui avait affirmé, la décision de continuer ou d'arrêter ne lui revenait en rien. Pas si Thorn en dépendait.

La nuit ne tombait jamais sur la chapelle ; Ophélie perdit bientôt toute notion du temps. Elle avait très vite renoncé à compter les innombrables « QUI ES-TU ? » du perroquet. Elle s'était donc rabattue sur les bols qu'on lui glissait par le passe-plat, mais leur nombre croissant ne la rassurait pas.

Sa propre odeur non plus. Depuis quand ne s'était-elle pas lavée ?

Elle s'octroya des pauses aussi brèves qu'il lui était physiquement possible afin de dormir et de manger un peu. Elle pensait que plus longtemps elle s'exposerait au kaléidoscope, plus tôt elle aurait accompli sa part du marché.

Comment savoir qu'elle était sur la bonne voie ? Le cliquetis du judas lui parvenait de temps à autre, l'informant qu'elle faisait l'objet d'une observation continue, mais on ne lui parlait jamais. Pas une directive, pas un encouragement, rien.

Pourtant, Ophélie constatait des changements. Et ils étaient déplaisants.

Elle s'était ainsi aperçue que les dalles s'effritaient inexplicablement sous son corps, là où elle avait pris l'habitude de s'allonger. Ce furent ensuite les bols qui se désagrégèrent en quelques instants entre ses mains, l'obligeant à engloutir son bouillon en toute hâte avant qu'il ne disparût. Son animisme n'était plus seulement déréglé, il était devenu destructeur. Utiliser le pot de chambre était cauchemardesque.

L'impatience d'Ophélie atteignit son paroxysme lorsque ce fut à son pouvoir de Dragon de se retourner contre elle. Ses bras et ses mollets se couvrirent petit à petit de griffures, comme si elle traversait des ronces invisibles.

Expiation.

L'idée la révoltait. De quoi était-elle punie? C'était à cause d'Eulalie et de l'Autre si tout allait de mal en pis. Une humaine prétentieuse et un écho insatiable. Ils avaient sacrifié une partie du monde sous prétexte d'en sauver une autre, avaient conclu leur petit accord entre eux, à l'insu de tous, et ils en changeaient les clauses aujourd'hui.

Non, ce n'était pas la faute d'Ophélie si l'Autre s'était servi d'elle, si elle ressemblait à Eulalie, si les arches s'effondraient et si Octavio avait perdu la vie. Ce n'était pas sa faute si elle avait dû abandonner sa famille. Ce n'était pas sa faute si elle ne pouvait en fonder une.

Ce n'est pas ma faute.

Ophélie s'écarquilla tout entière. À l'instant, qu'est-ce que c'était? Elle s'était sentie comme dissociée de sa propre pensée. De nouvelles fractales se formaient toutes les secondes à travers la coupole de la chapelle. Chaque combinaison lui provoquait un sursaut de souffrance, mais elle ne parvenait plus ni à cligner des yeux ni à détourner la tête.

– QUI ES-TU? QUI ES-TU? QUI ES-TU?

Je ne suis pas eux et ils ne sont pas moi.

Les lumières, les couleurs et les formes dansaient. Elles n'étaient plus seulement là-haut. Elles se faisaient et se défaisaient dans chaque molécule du corps d'Ophélie.

– QUI ES-TU?

Je ne suis plus une Animiste.

– QUI ES-TU?

Je ne suis pas la fille que maman désirait.

– QUI ES-TU?

Je ne serai jamais une mère moi-même.

– QUI ES-TU?

Avec Thorn, j'étais « nous ». Sans lui, je ne suis que « je ».

– QUI ES-TU?

Qui est je?

Emportée par le tourbillon kaléidoscopique, Ophélie était devenue la spectatrice des pensées. Elle avait une conscience aiguë du dallage friable sous son dos, de l'espace autour d'elle et au-dedans d'elle. Plus elle se définissait en creux, plus elle se sentait exister différemment.

«Ils disent que vous y êtes *presque*.»

Un début de compréhension se fit jour. Tout ce que l'observatoire faisait subir aux inversés du programme alternatif ne visait pas au détraquement de leur pouvoir familial et à la déchirure de leur ombre. Ce n'étaient que les effets secondaires d'un divorce bien plus profond. Le renoncement de Mediana. La contrepartie d'Eulalie.

CRISTALLISATION.

Non, au fond, Ophélie n'était véritablement ni petite d'Artémis, ni Mme Thorn, ni Eulalie, ni l'Autre, ni même Ophélie. Parce qu'elle était tout cela à la fois, et bien plus encore.

«Il existe une frontière en chacun de nous, l'avait prévenue Blasius. Ils essaieront de vous faire franchir cette frontière. Quoi qu'ils vous disent, la décision vous reviendra.»

Ma décision.

Notre décision.

Il n'y a plus de couleurs.

Elles ont toutes fusionné en blanc, un blanc de papier, une page de livre où Ophélie ne tient plus qu'en sept lettres.

Juste un nom qui s'efface.

Un simple rôle.

Et la page se déchire.

RÉDEMPTION.

Le quai

– QUI EST JE ? QUI EST JE ? QUI EST JE ?

Ophélie remua mollement les orteils. Elle se sentait si engourdie qu'elle avait l'impression de faire corps avec le sol. Avait-elle perdu connaissance ? Elle desserra une paupière. Là-haut, les réflecteurs mécaniques du kaléidoscope s'étaient immobilisés. Elle pivota les yeux vers le transi couché à sa droite. Le crâne, au lieu de contempler la coupole, fixait Ophélie de ses orbites vides.

La sculpture avait changé de position. D'accord.

– QUI EST JE ? QUI EST JE ? QUI EST JE ?

Ophélie se hissa sur les coudes. Tout autour d'elle, la chapelle s'était métamorphosée. Du dallage avaient jailli d'immenses pétales minéraux, imbriqués les uns dans les autres en une éclosion d'une formidable complexité, à croire que les projections du kaléidoscope s'étaient reproduites en bas.

Cela prit un moment à Ophélie pour réaliser que c'était elle, et elle seule, qui en était responsable. Son animisme, qui faisait à peine tituber un vase, venait d'interrompre un mécanisme à distance, de remodeler une statue antique et de pétrir plusieurs mètres cubes de marbre comme de la pâte à modeler.

Le regard d'Ophélie glissa le long des côtes décharnées du transi jusqu'à localiser, entre des mains désormais grandes ouvertes, le perroquet de métal.

– QUI EST JE ? QUI EST JE ? QUI EST JE ?

Ce nouvel écho, en revanche, n'était pas dû à l'animisme.

Ce fut alors qu'elle remarqua l'ombre au milieu de la floraison du dallage. L'inconnu du brouillard, l'intrus du columbarium se tenait debout devant elle. Ophélie fut traversée par un frémissement. Elle eut beau lui chercher un visage, elle n'en trouva pas. Il était composé de matière noire, comme si la lumière naturelle de l'oculus n'avait aucune prise sur lui.

L'ombre était ce qu'elle avait toujours paru être : une ombre.

Ophélie tenta de se relever, sans succès.

– Tu es l'Autre ?

L'Ombre dodelina de la tête – ou de ce qui lui en faisait office. *Non*, répondait-elle en silence, *je ne suis pas l'Autre.* Clouée au sol, Ophélie la fixa durement, longuement. Elle n'avait pas envie de croire l'Ombre, non seulement parce qu'elle l'avait trouvée sur sa route à chaque effondrement, mais aussi parce qu'elle faisait un coupable tout désigné. Il est épuisant de haïr quelqu'un que l'on n'a jamais en face de soi. Non, Ophélie n'avait vraiment aucune envie de croire l'Ombre. Et pourtant, elle la crut. La familiarité qu'elle lui inspirait n'avait rien en commun avec son lointain souvenir de jeunesse, avec cette présence sous la glace de sa chambre, avec « Libère-moi ».

– Entendu. Tu es l'écho de quelqu'un que je connais ?

L'Ombre hésita, puis haussa les épaules dans ce qui n'était ni vraiment un oui ni tout à fait un non.

– Mais toi, tu connais l'Autre ?

L'Ombre pointa, non sans une certaine malice, un doigt de ténèbres sur Ophélie.

– Je connais l'Autre, moi ?

L'Ombre fit oui.

– Je l'ai rencontré ?

L'Ombre fit oui.

– Depuis que je l'ai libéré du miroir ?

L'Ombre fit oui. Plusieurs fois.

– J'ai vu l'Autre et je ne l'ai pas reconnu ?

L'Ombre fit oui. Ophélie était de plus en plus déconcertée.

– À quoi ressemble l'Autre ?

L'Ombre pointa à nouveau son doigt sur Ophélie. Quelqu'un qui lui ressemblait. Voilà qui ne l'avançait pas beaucoup.

– Mais toi, insista-t-elle, qui es-tu ? Un autre Autre ?

L'Ombre fit non. Son doigt, cette fois, glissa en direction du perroquet.

– QUI EST JE ? QUI EST JE ? QUI EST JE ?

Ophélie écouta l'écho en boucle avec davantage d'attention. C'était sa voix, et pourtant ce n'était plus vraiment la sienne. La dissociation qu'elle avait expérimentée, cette déchirure qui l'avait scindée en deux, le sentiment de délivrance qui avait suivi, tout cela avait induit une déviation. L'éveil d'une conscience étrangère. Un écho intelligent.

Eulalie Dilleux n'avait pas rencontré l'Autre : elle l'avait *engendré*, exactement comme Ophélie venait de le faire.

– J'ai créé un autre Autre ? murmura-t-elle, stupéfaite.

L'Ombre leva les deux pouces en signe de félicitation. L'instant suivant, elle s'était dissoute dans la lumière du vitrail.

– Reste !

Ophélie se précipita jusqu'à l'endroit où l'Ombre avait disparu. Prise de vertiges, elle retomba à genoux. Elle était si faible et si vibrante à la fois ! Elle ne se serait pas sentie différente si, après avoir passé sa vie avec une colonne vertébrale désaxée, on lui avait remis tous les os en place d'un seul coup.

En attendant, qui que ce fût, l'Ombre était partie. Encore.

– QUI EST JE ? QUI EST JE ? QUI EST JE ?

Ophélie descella une dalle du sol qui s'était brisée entre deux éclosions de pierre. Elle la souleva au-dessus du perroquet. Elle était venue ici pour réparer les erreurs d'Eulalie, certainement pas pour les reproduire. Ce petit automate, qui avait tout du jouet pour enfant, était devenu une bombe à retardement. Il fallait le détruire avant de permettre à l'écho de s'émanciper davantage.

– QUI EST JE ? QUI EST JE ? QUI EST JE ?

Les doigts d'Ophélie se mirent à trembler autour du bloc de marbre. Il pesait trop lourd pour elle, et pourtant elle ne parvenait pas à le lâcher. Cet écho n'était qu'un balbutiement de conscience, mais c'était une conscience tout de même, une conscience qui était née de la sienne et qui s'en était affranchie. Le tremblement se communiqua à tout le corps d'Ophélie. Une émotion, plus impérieuse qu'un dilemme moral, lui remua les organes.

Elle ne pouvait pas.

Des gants de cuir lui prirent délicatement la dalle des mains. Ophélie était dans un tel état de confusion qu'elle n'avait pas remarqué que la chapelle avait été investie par les observateurs. Ils l'éloignèrent sans la brusquer, se rassemblèrent autour du perroquet, prirent des notes et sortirent toute une panoplie d'instruments. Certains allèrent jusqu'à se prosterner contre le sol.

Ophélie fut entraînée hors de la chapelle, loin de l'écho. De son écho. Elle se débattit, mais les forces lui manquaient ; elle avait l'impression d'être faite en tissu. Des bras étrangers la contraignaient autant qu'ils la soutenaient. Il lui sembla apercevoir fugacement, au milieu du brouillard jaune des observateurs, le sourire du chevalier et son appareil dentaire. Elle se retrouva, sans trop savoir comment, en train de descendre un escalier, puis un autre, puis un autre encore. On l'avait fait sortir de la nef. Les hommes et les femmes qui l'escortaient lui tendaient des mains mi-pressantes mi-prévenantes. Chaque contact avec leurs gants suscitait en Ophélie des émotions qui n'étaient pas les siennes. Fébrilité, exaltation, espoir : elle *lisait* à nouveau.

Après une quantité étourdissante d'escaliers, on la mena jusqu'à une crypte et on la plongea de force dans l'eau bouillonnante d'un baptistère. Elle fut savonnée, rincée, essuyée, huilée, massée, parfumée, nourrie par une foule anonyme qui se retira ensuite en silence, la laissant nue et hébétée au milieu des mosaïques.

Un portail se referma dans un vacarme de fer. Ophélie venait d'être transférée d'une prison à une autre.

Des affaires étaient soigneusement apprêtées sur un coussin. C'étaient celles qu'on lui avait confisquées le jour de son admission, ainsi que de la lingerie de rechange. Ophélie vit parmi elles les lunettes et les gants de substitution que Thorn avaient déposés dans son casier.

Thorn. Combien de nuits l'avait-il attendue aux appartements directoriaux ? Il était peut-être en train de se mettre en danger en ce moment même pour la retrouver.

Elle s'habilla aussi vite que le tournis le lui permettait. Lacer la toge et les sandales lui parut étonnamment facile. Sa main gauche et sa main droite ne se faisaient plus la guerre ; en dépit de leur tremblement, l'une complétait les gestes de l'autre avec une harmonie dérangeante. En fait, d'aussi loin qu'elle s'en souvînt, elles n'avaient jamais été aussi habiles. Ophélie avait néanmoins la conviction qu'il lui manquait quelque chose de très important. Qu'est-ce que cet observatoire lui avait fait ?

Elle eut sa réponse quand elle surprit son reflet dans une magnifique psyché. C'était son visage, c'était son corps, mais elle avait l'impression de regarder une étrangère.

Elle n'était plus une passe-miroir.

Ophélie le sut de toutes les fibres de son être avant même d'avoir touché la surface de la glace et d'en avoir éprouvé toute la résistance. Elle avait déjà fait l'expérience d'un blocage ou d'une perturbation, mais ce qu'elle éprouvait en cet instant était incomparable. C'était comme constater l'absence soudaine d'un bras sous une manche de chemise.

On l'avait mutilée.

– *Thank you.*

Ophélie s'était crue seule dans la crypte. La femme au scarabée se tenait solennellement assise sur un banc de pierre.

– Parlons un peu, *miss*.

Elle lissa la soie jaune de son sari et, dans une invitation qui n'avait plus rien de professionnel, lui fit signe de s'installer à côté d'elle. Il sembla à Ophélie que les fondations de l'observatoire tout entier tanguaient sous ses sandales, mais elle demeura debout. La femme au scarabée n'en parut pas offensée. Le petit automate qui étincelait sur son épaule donnait l'impression perturbante que, des deux, c'était lui le véritable observateur.

– Dès notre première rencontre, j'ai su que nous aurions cette conversation vous et moi. Une vraie conversation, j'entends, sans censure ni faux-semblants.

– Après des semaines de cachotteries, dit Ophélie d'une voix aigre.

– Nous devions interférer le moins possible dans votre cheminement intérieur. C'est la procédure pour le programme alternatif. Vous l'auriez su si vous aviez lu plus attentivement la convention que vous avez signée, jeune *lady*.

– Et ce que vous m'avez fait subir dans cette chapelle? Ce n'était pas de l'interférence? Vous m'avez amputée de mon pouvoir familial.

– D'un morceau seulement. Cela aurait pu être pire. Cela aurait pu être un morceau de votre vie. Et, sans vouloir vous offenser, c'est à vous que revenait la décision finale de renoncer à cette part de vous-même. Nous vous en sommes *very* reconnaissants.

Ophélie sentit son pouls s'accélérer. L'écho s'était dissocié d'elle en emportant avec lui une partie de son ombre? Elle avait donc peut-être encore une chance de retrouver son pouvoir.

– Vous devriez vous aussi être reconnaissante, fit remarquer la femme. Vous n'avez jamais été aussi vous-même que maintenant! Grâce à nous, vous vous êtes enfin réalignée. Les derniers décalages s'estomperont peu à peu. Après tout, vous avez vécu avec une sérieuse dissymétrie pendant des années.

En écoutant ces mots, Ophélie réprima un geste instinctif vers son ventre. Sa première pensée n'avait été que pour cette malformation qui n'avait pourtant rien de prioritaire.

– *Sorry*, dit la femme au scarabée. Vous ne pourrez jamais enfanter. Votre corps est inchangé, seule votre perception l'a été. L'Autre vous a marquée dans votre jeunesse, n'est-ce pas? enchaîna-t-elle avec une intense curiosité. Il a fait pour ainsi dire de vous un reflet de Dieu à part entière. D'Eulalie Dilleux si vous préférez, rectifia-t-elle en voyant Ophélie froncer les sourcils. C'était un point de départ convenable, mais, si vous étiez venue à nous trop tôt, l'expérience aurait été un échec. Il fallait que ce soit votre choix, votre expiation et votre rédemption. Vous ne les remettez pas?

La femme indiqua les lunettes et les gants restés sur le coussin. Ophélie s'obligea à les enfiler, même si ces accessoires n'étaient adaptés ni à sa vue ni à ses mains. Seul Thorn détenait les originaux. Les observateurs en savaient suffisamment sur leur compte, ils n'avaient pas besoin de savoir aussi qu'Ophélie et lui s'étaient rencontrés à leur insu pour fouiller dans leurs tiroirs.

– Avez-vous tenu votre promesse ? Vous ne lui avez causé aucun tort ?

– À quoi faites-vous allusion ?

Très droite sur son banc, la femme souriait. Était-ce sa manière de signifier que le secret de Sir Henry était intact ou ignorait-elle en quoi consistait le chantage du chevalier ? C'était abominablement frustrant, mais Ophélie n'allait pas courir le risque de compromettre la couverture de Thorn si celle-ci le protégeait toujours. Elle n'insista pas.

– Qu'allez-vous faire de l'écho ?

– Allons, *miss*. Vous savez que nous savons que vous savez.

Ophélie sentit son cœur palpiter. Oui, elle savait que les observateurs chercheraient à établir un dialogue avec cet écho, comme Eulalie Dilleux l'avait établi jadis avec l'Autre. Elle savait qu'ils l'étudieraient jusqu'à le comprendre de l'intérieur, assimiler à travers lui le langage des échos et obtenir enfin une conversion viable. Elle savait également, même si cela lui coûtait, que Thorn et elle avaient eux aussi besoin d'une Corne d'abondance en parfait état de marche.

Elle savait tout cela, mais ce n'était pas sa question.

– Je reformule. Qu'allez-vous faire de la Corne d'abondance ?

La femme au scarabée expira un soupir plein d'indulgence.

– Vous avez accompli un miracle, *miss*. Aucun candidat avant vous n'avait réussi de cristallisation. Nous veillerons à ce que votre miracle accomplisse de nouveaux miracles à son tour.

– Quels nouveaux miracles ?

– Il ne relève pas de nos fonctions d'en décider.

– Qui, alors ? Qui décide vraiment ici ? Qui pense à votre place ?

– Il ne relève pas de nos fonctions de vous le dire.

Le cœur d'Ophélie ne palpitait plus. Il cognait à grands coups.

– Un Dieu qui domine le monde et un Autre qui le détruit, ça ne vous suffisait pas ?

La femme ôta son pince-nez. Ophélie remarqua alors les rides qui rayonnaient autour de ses yeux fatigués. Elle n'était plus une observatrice, mais une simple Babélienne marquée par le soleil et par la vie. Avait-elle perdu elle-même un proche au cours des deux derniers effondrements ?

– Détruit ou purifié, *miss*, tout est une question de point de vue. L'ancien monde était un enfer gangrené par la guerre, murmura-t-elle en atténuant la voix sur ce dernier mot, comme si l'Index était valable ici autant qu'ailleurs. Grâce à l'Autre, Eulalie Dilleux a créé une nouvelle humanité dirigée par des tuteurs émérites et ils s'efforcent tous ensemble de purger le vice dans nos âmes, génération après génération. En toute honnêteté, j'ignore pourquoi l'Autre a aujourd'hui dévié du plan originel. Peut-être estime-t-il que le nouveau monde n'est pas encore digne d'être sauvé ? Voilà pourquoi notre devoir à nous est de pousser plus loin la quête de perfection, reprit la femme avec une ferveur accrue. Vous avez, quant à vous, déjà rempli le vôtre.

Et voilà. C'était très exactement ce qu'Ophélie redoutait. Quelle que fût la tête pensante de l'observatoire des Déviations, elle suivait Eulalie Dilleux à la trace, en creusait plus profondément le sillon même. Son intention n'était pas de libérer les hommes et les femmes d'une dictature souterraine, mais de ramener les brebis égarées dans le droit chemin. Il s'agissait encore et toujours de leur imposer une façon de voir, une manière de faire, un mode d'emploi pour la vie. L'enfance perpétuelle, en somme.

Ophélie ne croyait pas un instant que ce fût cela que l'Autre attendait de l'humanité pour mettre un terme à son apocalypse.

– Le vrai problème de ce monde, poursuivit la femme, à qui ses réticences n'échappaient pas, est qu'il reste désespérément incomplet. Nous sommes tous incomplets, *in fact*, et certains plus encore que d'autres.

Ophélie n'était pas d'humeur à se lancer dans de nouvelles considérations philosophiques. Elle exigeait du concret.

– Que sont les ombres? Que sont les échos? Que sont les Autres? Que sont-ils réellement?

La femme marqua une hésitation, puis son expression se fit rêveuse.

– L'air que vous respirez, *miss*, n'est pas le seul air qui soit. Il s'y mélange un autre air, ici même, tout autour de vous, en cet instant précis. Inodore. Indétectable. Nous l'appelons aerargyrum, littéralement «air-argent». Vous y imprimez votre corps entier, et votre pouvoir familial si vous en possédez un. Cet air est suffisamment dense par endroits pour que vous puissiez l'entrapercevoir, dotée des bons instruments. Vous y propagez chacune de vos actions, chacune de vos paroles et quelquefois, quand cet air est troublé par certaines circonstances particulières – un grand effondrement, un infime décalage –, il vous les renvoie dans un retour d'onde.

Ophélie bloqua instinctivement les poumons. Quand elle avait regardé les laboratoires à travers le prisme de la lentille, elle avait cru que seuls les ombres et les échos étaient composés d'aerargyrum. Elle réalisait maintenant son erreur d'interprétation. L'aerargyrum était partout. Ce qu'elle avait visualisé ne correspondait qu'à l'écume d'un océan invisible.

– Imaginez à présent, poursuivit doucereusement la femme, que l'un de ces retours d'onde se mette à réfléchir par lui-même. Réfléchir... Un verbe en l'occurrence *perfectly* appro-prié. Imaginez-le donc : ce double de vous-même, entièrement fait d'aerargyrum, qui prend soudain conscience de lui-même, qui se cristallise autour de cette pensée, qui s'approprie votre langage et qui ne demande qu'à vous parler de tout ce qui voile votre perception. C'est cela, un Autre.

Ophélie songea à l'Ombre, qui lui avait rendu visite dans la chapelle, à l'insu de l'observatoire, et qui se donnait beaucoup de mal pour se faire comprendre d'elle. Une condensation d'aerargyrum dépourvue de corps, mais dotée d'une volonté et qui, néanmoins, prétendait ne pas être l'Autre.

Non, décidément, l'essentiel lui glissait encore entre les doigts.

– Votre aerargyrum, dit Ophélie, d'où vient-il ?

La femme au scarabée désigna, de son pince-nez, une arcade de pierre tout au fond de la crypte. La lumière clignotante des ampoules ne dissipait pas les ténèbres qui régnaient là-bas.

– Si vous voulez le savoir, *miss*, franchissez la dernière porte.

Jusqu'à présent, il avait été difficile pour Ophélie de bien se concentrer sur la conversation. Les lunettes étrangères lui faisaient mal aux yeux et ses doigts s'imprégnaient du passé de ses faux gants de *liseuse*, lui imposant des visions de son précédent propriétaire – un certain «Gégé», du programme classique, qui souffrait d'une obsession pour les briquets et les yaourts.

Cette histoire de porte attisa toute son attention.

Elle s'avança à pas comptés vers l'impressionnante arcade en accolade qui surplombait l'obscurité. De belles lettres, semblables à celles des portes OBSERVATION et EXPLORATION qu'Ophélie avait passées le jour de son admission, étaient gravées dans la pierre :

COMPRÉHENSION

Ils avaient décidément le sens de la majuscule ici.

Ophélie plissa les paupières pour sonder les ténèbres sous l'arcade. Au bout de quelques instants, elle devina deux lignes parallèles. Des rails. Ce que l'observatrice appelait une porte était en fait un quai souterrain. Les rails se perdaient au fond d'un tunnel qui s'enfonçait dans les profondeurs de la terre.

– C'est le troisième protocole ?

– Oui.

La femme l'avait rejointe au bord du quai. Elle mit sa main autour de son oreille pour la convier à écouter. Ophélie perçut une rumeur ferroviaire. Des phares l'éblouirent. Sa toge lui claqua les cuisses sous l'effet d'un souffle chaud. Un train composé d'une seule voiture s'arrêta et une porte automatique s'ouvrit devant elle.

– Chaque candidat ayant été admis au deuxième protocole a eu le privilège de franchir la dernière porte, déclara la femme en se signant. Peu importe qu'aucun d'eux n'ait cristallisé avant vous, ils nous ont aidés à parfaire le programme alternatif. Nous n'avons donc pas été ingrats. À l'instant où nous parlons, ils ont percé les derniers secrets de l'univers. Bénis soient-ils.

Ophélie considéra pensivement le train à l'arrêt.

– Ils sont tous morts.

– Personne n'est mort.

– Alors pourquoi ne reviennent-ils jamais ?

– Oui, *miss*. Pourquoi ?

Ophélie soutint le regard troublant de la femme. Insinuait-elle qu'ils avaient *choisi* de ne pas revenir ? C'était difficile à croire.

À l'intérieur de la voiture, les sièges élégants étaient recouverts de velours. Les abat-jour diffusaient une lumière douce. Il n'y avait personne dans le compartiment, pas même un conducteur. Le marchepied de la portière paraissait attendre Ophélie.

– Je suis censée monter dans ce train ?

– *Of course.*

Ophélie eut un coup de lunettes pour le portail fermé de la crypte. Peut-être était-ce d'avoir avalé un vrai repas ou peut-être était-ce le sentiment d'être en danger, mais ses forces se réveillèrent et, avec elles, ses deux pouvoirs familiaux. Elle n'était plus une passe-miroir et elle doutait d'être capable de réitérer les prodiges que son animisme avait accomplis dans la chapelle, sous l'effet de la cristallisation. Toutefois, elle pouvait sentir les trépidations de la mosaïque sous ses pieds et le réseau nerveux de la femme qui lui faisait face.

Celle-ci rechaussa son pince-nez avec un sourire.

– Votre ombre se hérisse à vue d'œil, dit-elle d'un air amusé en tapant son ongle contre l'une de ses lentilles noires. Envisagez-vous de vous servir de votre animisme et de vos griffes contre moi pour vous échapper ?

– Donnez-moi une seule raison de ne pas le faire.

Cette femme semblait redoutablement confiante. Ophélie se demanda une fois encore quel était le sien, de pouvoir familial.

– À votre avis, *miss*, en quoi consiste le troisième protocole ?

Ophélie retint son souffle. D'après la légende babélienne qu'Octavio lui avait racontée, la Corne d'abondance avait jugé les humains indignes d'elle et s'était enterrée là où personne ne pourrait la trouver. Enterrée. Thorn et Ophélie l'avaient cherchée dans tous les étages du columbarium : c'était *sous* l'édifice qu'elle était enfouie. Et ce train souterrain menait droit à elle.

La femme étudia sa réaction avec sympathie.

– La curiosité vous ronge de l'intérieur, n'est-ce pas ? Vous avez cela en commun avec tous les autres candidats. C'est cette curiosité qui a fait de vous une *liseuse* si douée, qui vous a placée au musée d'Histoire primitive d'Anima, qui vous a guidée jusqu'au Mémorial de Babel et qui a fini par vous mener dans cette crypte. Tant que vous ne connaîtrez pas l'entière vérité, vous ne vous sentirez jamais entière vous-même. Ce train conduit à toutes vos réponses.

Ophélie ressentit, à ces paroles, un mélange d'exaspération et d'agitation.

– Tous ceux qui ont approché la Corne d'abondance ont contemplé la vérité en face ! insista la femme avec une ardeur non feinte. Une vérité qui n'a pas uniquement modifié leur conception de la réalité, mais qui les a changés, eux, intimement. J'ai vu des hommes et des femmes partir à bord du train tant de fois... J'ai perdu le compte ! Il est toujours revenu vide. Personne n'a fait le choix de remonter.

– Vous voulez dire que vous n'avez, vous, jamais vu la Corne d'abondance ?

Ophélie était stupéfaite.

– Je n'en ai pas le droit, *miss*. Pas encore. Nous, les observateurs, avons encore un travail à accomplir, ici, à la surface. Mais le jour approche, oui, où nous prendrons le train à notre tour.

Les yeux de la femme brillaient derrière leurs verres noirs. Le scarabée sur son épaule déploya une tige articulée pour lui tapoter la joue.

– *What ?* Ah oui, je devais vous remettre ceci de la part de Miss Seconde.

La femme sortit une feuille de papier qu'elle gardait dans un repli de son sari. Sans surprise, c'était un dessin : un portrait d'Octavio semblable à tous ceux que Seconde avait reproduits, le mettant en scène au milieu de papiers déchirés. Ses yeux – toujours cet horrible crayon rouge – exprimaient une détresse indicible. Un appel à l'aide qu'Ophélie n'avait pas réussi à entendre. Elle se sentit trembler jusqu'au fond du ventre. Seconde avait prévu ce qui allait advenir de la Bonne Famille, elle avait maintes et maintes fois essayé de les mettre en garde et, une fois de plus, elle ne s'était pas fait comprendre à temps.

– Quelquefois, murmura la femme au scarabée, un écho nous parvient avant la source qui l'a causé. Ces échos-là échappent à nos lentilles, mais jamais à Miss Seconde. Cette petite a l'œil, si je puis m'exprimer ainsi. Elle m'a également chargée de vous réitérer ceci : «Mais ce puits n'était pas plus vrai qu'un lapin d'Odin.»

– Qu'est-ce que ça signifie, à la fin ?

– Je n'en ai pas la moindre idée, assura la femme avec un sourire amplifié. Miss Seconde a prononcé ces mots juste avant votre arrivée à l'observatoire des Déviations et elle les a répétés plusieurs fois depuis, ce qui est passablement inhabituel. J'ai supposé qu'ils vous évoqueraient peut-être quelque chose.

Absolument rien, songea Ophélie. Et, non contente de répéter cette phrase absurde, Seconde l'avait illustrée dans un dessin qu'elle avait tenu coûte que coûte à remettre à Thorn. Elle en porterait la cicatrice toute sa vie.

– Vous vous servez d'elle.

La femme au scarabée frotta son menton, comme si elle considérait sérieusement cette accusation.

– Je ne prétends pas la cerner, mais je pense que Miss Seconde se sert toute seule. Elle nous est essentielle, admit-elle toutefois de bon gré. Elle voit quand une cristallisation est latente chez un individu. Le premier protocole nous permet de dissocier autant que possible un sujet de son ombre, les inversés étant particulièrement enclins à cette dissociation, mais la déchirure est un phénomène spontané. Miss Seconde perçoit à l'avance une ombre sur le point de se fissurer. À l'époque où elle n'était pas encore parmi nous, lorsque nous ne pouvions nous fier qu'à nos lentilles, notre dépistage était tardif : le temps de transférer le sujet au deuxième protocole, l'ombre se rompait d'elle-même, hors de tout contrôle et de tout réceptacle, et l'écho enfanté se perdait sans cristalliser. De même, si nous procédions à un transfert prématuré et que ni le sujet ni son ombre n'étaient préparés à l'étape supérieure, l'issue leur était fatale. Tous ces échos mort-nés, tous ces esprits frappés de folie… un beau gâchis. Oh oui, Miss Seconde a *really* été pour nous une bénédiction. Certes, nous avons encore enchaîné les échecs depuis son arrivée, beaucoup de cristallisations avortées, mais nous avons pu ainsi corriger nos protocoles petit à petit, de sorte que, le jour où vous êtes entrée dans mon bureau, *miss*, nous étions enfin prêts !

Ophélie regarda plus attentivement le train à l'arrêt devant elle, sa portière ouverte, son marchepied déployé, les sièges de velours à l'intérieur, la lumière tendre de ses abat-jour qui ne perçait pas l'obscurité du tunnel.

– Ce que vous dites est contradictoire. Comment un même phénomène pourrait être à la fois spontané et prévisible ?

La femme au scarabée se fendit d'un sourire sibyllin qui irrita davantage Ophélie, puis lui montra le portrait d'Octavio qui se froissait de plus en plus entre ses doigts.

– Nous maîtrisons encore mal la cristallisation, mais nous avons au moins saisi une chose à son sujet. La perte y joue un rôle crucial. C'est ce que nous appelons «l'effet de compensation».

Ophélie aurait engendré un écho conscient pour remplacer le vide laissé par Octavio ? Et Seconde aurait eu conscience de cela ? Elle aurait compris que l'éclosion d'un nouvel Autre était conditionnée par la mort de son propre frère ?

Ophélie déchira le dessin. Aujourd'hui plus que jamais, l'idée de prédestination lui était répugnante. À quoi bon dessiner des ombres, des fissures, des frères, des clous, des vieillardes et des monstres si rien n'appartenait au hasard ?

– Vous avez tellement de questions ! s'attendrit la femme au scarabée qui scrutait le visage d'Ophélie avec un intérêt presque jaloux. Permettez-moi de vous en soumettre une de plus. Que donneriez-vous pour voir le monde à travers les yeux de l'Autre ?

Ophélie contempla le dessin déchiré entre ses mains, comme l'avait été son ombre. Eulalie avait eu une gigantesque révélation lorsqu'elle avait conçu l'Autre dans ce combiné téléphonique. Sa vision du monde en avait été changée à jamais. Ophélie, elle, se sentait aussi ignorante qu'avant. Elle eut une pensée pour le perroquet, et à nouveau cela lui procura un sentiment d'inconfort. QUI EST JE ?

La femme remua malicieusement ses sourcils, tandis que son scarabée agitait son bras articulé vers le train dans une invitation à monter.

– Quand vous aurez cette réponse, *miss*, vous aurez toutes les réponses.

Sur ces mots, au grand effarement d'Ophélie, la femme s'éloigna tranquillement, se signa en passant devant le baptistère, ouvrit le portail de fer et gravit l'escalier sans refermer derrière elle.

Pas de menace, pas de chantage. Ophélie avait seulement une décision à prendre : le train ou l'escalier.

– Ça ne peut pas être aussi facile !

La protestation d'Ophélie se perdit parmi les statues religieuses. La femme et son scarabée étaient déjà loin.

Sur le quai, la portière était toujours ouverte. Monter dans ce train signifiait pour Ophélie trouver enfin la Corne d'abondance, mais peut-être aussi ne plus pouvoir – ne plus *vouloir*, même si cette idée paraissait folle – revenir en arrière. Remonter l'escalier signifiait revoir Thorn, qui l'attendait depuis des jours, ou, ce qui était plus probable, être coincée à jamais dans un nouvel espace en boucle. Chaque choix comportait la promesse d'une récompense et le risque d'une condamnation.

Le train ou l'escalier ?

Ophélie avait une furieuse envie de yaourt.

Elle se débarrassa des gants de Gégé, étant donné qu'elle n'avait plus besoin de faire illusion. En revanche, elle garda les lunettes : adaptées ou pas, c'était toujours mieux que n'y rien voir. Elle expira pour faire le vide en elle et saisit, sans monter dans le train, la rampe de la portière à main nue.

Elle cessa d'être elle-même pour se glisser dans une autre peau, incrustée de pierreries, amaigrie et déshydratée, une peau de perdante, une peau de défaite, une peau qui n'a pas su obtenir la rédemption, mais qu'importe, *signorina*, puisque je te devance. Ce train de la dernière chance, je le prends la première. Réussiras-tu là où j'ai échoué ? Je m'en contrefiche, parce que je découvrirai la vérité avant toi et ça, *signorina*, c'est la seule chose en ce bas monde qui compte vraiment !

Ophélie sentit lui pousser sur les lèvres un sourire triomphal qui n'était pas le sien. C'était la première fois que quelqu'un déposait délibérément une pensée sur un objet pour lui adresser un message personnel. Mediana était montée dans le train de son propre gré et le lui faisait bien savoir. Ophélie aurait eu bien des choses à lui demander, mais elle se sentit aussitôt emportée par le flot d'un temps contraire, remontant de plus en plus loin dans le passé de toutes les femmes et de tous les hommes à avoir empoigné cette rampe pour gravir le marchepied. Une foule d'âmes, impatientes pour certaines, effrayées pour d'autres, avec pour point commun de n'avoir aucune idée de ce qui les attendrait au fond du tunnel tout en étant consumées par la curiosité.

Ophélie relâcha la rampe et plongea les yeux dans le tunnel. Le noir. Le plus noir des noirs. Tous ces gens étaient convaincus que ce train les mènerait jusqu'aux réponses. L'ancien informateur des Généalogistes avait-il été l'un d'eux?

«Tant que vous ne connaîtrez pas l'entière vérité, vous ne vous sentirez jamais entière vous-même.» C'était vrai. Ophélie brûlait de donner une signification à ce qui n'en avait pas, de retrouver celui qui avait déchiré le monde – son monde – et d'obtenir enfin sa revanche sur lui. Thorn aussi en avait besoin. Il restait trop de questions sans réponses, trop de victimes sans responsable.

Elle gravit le marchepied et prit place dans le train. La portière se referma aussitôt avec un claquement mécanique. Le cœur d'Ophélie produisit à peu près le même bruit. Elle prit une profonde inspiration, prête à affronter le mystérieux terminus de ce train. Elle se jura de ne pas laisser d'elle à Thorn une fausse urne funéraire. Elle reviendrait avec la Corne d'abondance. Elle récupérerait son écho et son pouvoir de passe-miroir. Ensemble, ils viendraient à bout de tous leurs adversaires.

Elle fut projetée vers l'avant quand le train se mit en branle. Il ne descendait pas. Il la ramenait à la surface.

LE RENIEMENT

Ophélie ne comprenait plus rien à rien. Le train remontait les entrailles de l'observatoire à une vitesse vertigineuse, l'éloignant à chaque seconde de sa destination, de la Corne d'abondance et de toutes les réponses. Puis il freina brutalement. Plaquée sur son dossier, elle sentit ses poumons se vider de leur air. Les abat-jour vacillèrent autour de toutes les lampes du compartiment.

La portière s'ouvrit. Le marchepied se déploya. Ophélie était arrivée.

Elle attendit un moment, au cas où le train se déciderait à redémarrer, dans la bonne direction cette fois, mais elle finit par admettre qu'il ne le ferait pas. Elle descendit sur un quai aussi obscur que le tunnel qu'elle avait quitté. Elle se trouvait toujours dans les sous-sols de l'antique cité impériale.

Le train repartit comme il était venu. Absurdement.

Ophélie évolua à tâtons dans un labyrinthe d'escaliers. Elle était de plus en plus déboussolée. À la désorientation s'ajoutait une difficulté nouvelle : réapprendre à marcher. Après des années de décalage, il n'y avait soudain plus à réfléchir, plus à se demander quelle jambe élancer en premier, dans quel ordre plier les genoux et comment maintenir son équilibre.

Se mouvoir dans l'espace était devenu d'une désarmante sim-plicité. Ophélie avait si peu confiance en ses propres pieds qu'elle était incapable de s'en remettre aveuglément à eux, mais, dès qu'elle cherchait à les corriger, immanquablement, elle dégringolait.

Elle était tenaillée par un mauvais pressentiment. Il se fit plus fort quand, parvenue à un carrefour, elle trouva enfin une source de lumière. Toutes les ampoules étaient en panne à l'exception d'une seule qui, d'un halo clignotant, indiquait la voie à suivre. Cela se reproduisit à chaque intersection, chaque bifurcation : un escalier était éclairé ; les autres, enténébrés.

Après une éternité de marches, Ophélie distingua enfin le jour. Le soir, en fait. Un crépuscule orageux, brûlant comme un feu de forge, filtrait à travers les soupiraux d'une cave. Les stridulations des grillons se mêlaient à une odeur de végétation humide.

La liberté semblait trop proche, trop possible. Si ce train conduisait à toutes les réponses, alors pourquoi avait-il ramené Ophélie au point de départ ? Pourquoi l'avait-on guidée vers la surface, ampoule après ampoule ? Elle en savait beaucoup trop, l'observatoire l'empêcherait de rejoindre la civilisation. On ne la laisserait certainement pas parler à Thorn.

On ne la laisserait jamais le revoir.

Ophélie battit des paupières, éblouie par le soleil couchant. Le dernier escalier qu'elle venait de gravir, à bout de souffle, avait débouché sur une splendide véranda dont les vitres étaient envahies de nuages sulfureux. Parmi les citronniers en pot, trois silhouettes à contre-jour se tenaient assises au bout d'une très longue table. Elles s'étaient toutes tournées vers Ophélie, mais elle ne remarqua que la plus grande d'entre elles.

À en juger par la manière dont Thorn s'était redressé, sa surprise égalait la sienne.

– Prenez place, déclara un homme en désignant une chaise à l'autre extrémité de la table.

Ophélie s'assit dans un état second. Elle reconnut l'observateur au lézard mécanique qu'il portait sur son épaule : c'était lui qui l'avait giflée devant tout le monde, le premier jour. Sa fossette avait pris un pli déplaisant. Il ne paraissait ni satisfait ni étonné de la voir ici.

– Ce n'est pas elle.

Ophélie chercha la provenance de cette voix à l'autre bout de la table. Sous l'effet combiné de la concentration, de l'appréhension et d'un animisme décidément très en forme, les lunettes de substitution lui permirent de distinguer, après quelques instants de mise au point, Lady Septima installée sur un siège d'honneur. Ses yeux, plus rouges que jamais, la décortiquaient à distance de sous sa frange ; la ressemblance était si frappante qu'Ophélie la vécut comme un coup en plein ventre. Jamais Octavio ne lui avait paru plus absent qu'à cette table. Il y avait, sur le visage de sa mère, une lutte déchirante entre la haine et la peine, comme s'il lui était intolérable que cette petite étrangère ne fût pas tombée dans le vide à la place de son fils.

– Ce n'est pas elle, *indeed*, dit l'observateur, mais elle représente une bonne compensation. Elle a été votre élève, après tout.

– Quelle compensation ? demanda Ophélie.

Elle dut se faire violence pour ne pas se raccrocher à Thorn, qu'elle devinait du coin des lunettes, assis légèrement en retrait. Si elle le regardait, ici et maintenant, elle serait incapable de faire semblant et trahirait la vraie nature de leur relation.

– Mon élève ? siffla Lady Septima. Elle ne l'aurait jamais été si Lady Hélène, paix à son âme, ne me l'avait imposée. De toute façon, c'est hors sujet. J'ai été missionnée par Sir Pollux en personne pour mettre tous ses descendants en sécurité au centre-ville. Les arches mineures ne sont plus sûres, nous devons procéder à l'évacuation de nos citoyens.

L'homme au lézard acquiesça en frottant son pince-nez dans sa toge.

– Les familles qui en ont exprimé le désir ont pu repartir avec nos hôtes aujourd'hui même.

– Pas tous.

– Miss Seconde est un cas à part.

Ophélie s'efforçait de suivre cette conversation qu'elle avait interrompue. Ainsi, Lady Septima venait soudain de se rappeler qu'elle avait une fille. Il lui semblait toutefois que ce n'était pas vraiment la mère qui parlait ici à travers elle. Plutôt une propriétaire.

– Nous vous exprimons toutes nos condoléances, *milady*, dit l'observateur d'un ton compréhensif, mais Miss Seconde appartient au programme alternatif. Vous pourrez la voir dans le cadre des visites autorisées.

Lady Septima pinça les lèvres. Elle agissait en maîtresse des lieux, flamboyante dans l'uniforme de LUX et altière dans son fauteuil, mais Ophélie sentit que des deux c'était l'homme au lézard qui avait l'avantage. En ce qui la concernait, elle les trouvait aussi redoutables l'un que l'autre. Malgré le soulagement qu'elle avait éprouvé en voyant Thorn, le mauvais pressentiment ne la quittait pas. Peut-être était-ce à cause du parfum des citronniers, mais l'atmosphère qui régnait dans cette véranda était des plus piquantes.

Et puis, il y avait autre chose. Des débris de carreaux étincelaient sur le sol, comme s'ils étaient restés là depuis la grêle consécutive au dernier effondrement. Quand Ophélie jeta un regard à travers les vitres fêlées, elle aperçut des allées encore humides malgré la touffeur du soir. Les fenêtres des élégants bâtiments du programme classique étaient presque toutes cassées et pourtant, comme ceux de la véranda, leurs éclats n'avaient toujours pas été débarrassés. Elle surprit un essaim de dirigeables en train de s'éloigner dans le ciel. Le seul aéronef encore amarré aux jardins était surveillé par la garde familiale et portait l'emblème solaire de LUX.

Ophélie serra ses mains l'une contre l'autre, tant pour se calmer que pour s'empêcher de *lire* sa propre toge. Était-il possible que ce qui lui avait paru durer des jours au sein du deuxième protocole n'eût été l'affaire que de quelques heures ici ? Le temps s'écoulait-il différemment dans un espace en boucle ? La chute de la Bonne Famille ne remontait donc qu'à ce matin ?

Son attention fut ramenée à l'intérieur de la véranda, lorsque Lady Septima fit impatiemment claquer sa langue contre son palais.

— Les circonstances ont changé ; la place de Seconde est désormais auprès de LUX. Ne m'obligez pas à vous ordonner d'aller la chercher.

— En dépit de tout le respect que nous vous devons, *milady*, l'observatoire des Déviations n'a plus aucun ordre à recevoir de LUX.

La voix de l'homme au lézard était douce, mais implacable. Lady Septima avait beau ne pas être pâle au naturel, Ophélie la vit blêmir de l'autre bout de la table.

— Vous avez bénéficié de subventions plus que généreuses…

— Des subventions dûment employées ; Sir Henry, ici présent, pourra en témoigner. L'observatoire a été reconnu d'utilité familiale, il a contribué à redresser grand nombre de déviations et à former des citoyens exemplaires. Nous sommes irréprochables. Tel n'a pas été votre cas, et nous le déplorons.

Ophélie s'étrécit sur sa chaise, luttant plus que jamais contre la tentation de regarder Thorn. Elle aurait dû s'en douter ! Les observateurs allaient les dénoncer à Lady Septima. Et s'ils lui annonçaient ici, maintenant, que non seulement Thorn n'était pas un Lord, mais qu'en plus il avait défiguré sa fille ? que l'élève qu'elle avait personnellement formée ne lui avait jamais donné son véritable nom ? Fini, Sir Henry ; finie, Eulalie ; bas les masques. Le mensonge constituait un délit à Babel ; le leur avait la gravité d'un crime. Ils finiraient en prison, à un cheveu de l'ultime secret d'Eulalie Dilleux et de l'Autre, alors que le monde pouvait s'écrouler à tout instant.

Pourquoi, nom de nom, ce train ne l'avait-il pas conduite jusqu'à la Corne d'abondance ?

L'homme au lézard agita une cloche. Répondant à l'appel, un collaborateur qui patientait dehors pénétra dans la véranda. Avec des gestes résignés, il ôta sa capuche grise de manière à révéler une tête échevelée. Elizabeth. Ses yeux étaient aussi abîmés que les vitres de l'observatoire et sa bouche n'avait pas désenflé depuis le coup de coude de Cosmos. Elle faisait pitié à voir. Ce fut pourtant avec une posture bien droite qu'elle claqua des talons et porta le poing à sa poitrine :

– La connaissance sert la paix.

Lady Septima s'enfonça dans son siège. Toute talentueuse qu'elle était, Elizabeth n'avait jamais eu ses faveurs.

– Allez-vous convoquer tous mes anciens élèves ?

– Celle-ci a enfreint le principe de confinement et divulgué des informations confidentielles, dit l'observateur sans se départir de sa fossette. Elle l'a fait pour le compte de LUX.

Les doigts de Lady Septima cessèrent de pianoter sur les accoudoirs. Son étonnement semblait sincère.

– C'est une accusation *very* sérieuse.

– C'est une accusation *very* fondée. Voici des rapports que nous avons interceptés et qu'elle vous destinait.

L'homme remit à Lady Septima un dossier qu'elle feuilleta

du bout des doigts, comme si elle craignait que sa réputation ne fût souillée par ce simple contact.

– Avant-coureuse, qu'avez-vous à dire pour votre défense ?

– L'accusation est méritée, *milady*. J'ai rompu le secret professionnel.

Ophélie dévisagea Elizabeth, dont les taches de rousseur s'éteignaient en même temps que le soleil. C'était tout ? N'allait-elle pas leur expliquer qu'elle l'avait fait parce que les Généalogistes, et par conséquent LUX à travers eux, le lui avaient ordonné ? Ce n'était plus de la loyauté ; c'était de la bêtise.

La fossette de l'homme s'accentua davantage sans qu'aucun sourire vînt soulever ses lèvres.

– Vous comprendrez que cet incident porte atteinte au lien de confiance entre l'observatoire des Déviations et les Lords de LUX. Nous n'attendrons désormais plus de vous aucune subvention comme vous n'aurez plus aucun droit de regard sur nos activités. Croyez bien que nous en sommes les premiers navrés.

C'était une véritable déclaration d'indépendance. En fait, cet homme ne paraissait pas navré du tout et Ophélie comprit que c'était à elle qu'il devait ce sentiment de supériorité. L'observatoire des Déviations n'avait plus besoin ni du mécénat de LUX ni des services d'Elizabeth. En lui fournissant un nouvel Autre, Ophélie lui avait donné des possibilités infinies. Un pouvoir bien trop grand pour des mains bien peu dignes.

Elle se leva avec une telle vivacité que sa chaise, sous l'effet de l'animisme, partit au galop.

– J'ai moi aussi une déclaration à faire.

– Ah oui, la coupa l'observateur, revenons un peu au cas de Miss Eulalie. Elle a été admise ici avant que nous soit parvenu le nouveau décret sur les autorisations de séjour à Babel. Nous avons accordé l'hospitalité à une hors-la-loi. Afin de maintenir des rapports cordiaux avec LUX, en dépit de nos différends, et vous prouver que nous ferons toujours preuve de coopération au nom de l'intérêt général, nous réparons aujourd'hui cette faute. Nous vous livrons Miss Eulalie.

D'un geste nonchalant, il tendit un autre dossier à Lady Septima. Ophélie mit à profit leur bref échange de regards pour enfin chercher celui de Thorn. Il lui intima en silence de se taire. Il se tenait lui-même figé comme un pupitre, comprimant sa montre du poing, comme s'il craignait que le moindre grincement de métal, le moindre cliquetis de couvercle ne rendît la situation plus catastrophique encore.

Sur son uniforme, il ne demeurait rien du sang de Seconde à l'exception d'une toute petite tache que son animisme n'avait pas purgé. Une tache écarlate qui n'avait pas eu le temps de ternir. Si fou que cela pût paraître, le passage d'Ophélie dans la nef du deuxième protocole s'était bel et bien déroulé en l'espace d'une seule journée.

– Sir Henry, dit l'observateur en tendant à Thorn une main polie, ceci met également un terme à votre inspection. Transmettez toutes nos amitiés aux Généalogistes.

Lady Septima se dirigea vers la sortie, signifiant elle-même la fin de l'entrevue. Elle claqua des doigts pour enjoindre Ophélie, Elizabeth et Thorn de la suivre, sans n'avoir plus pour eux ni un mot ni un regard. Dehors, la garde familiale forma une allée d'honneur qui se referma inexorablement dans leur sillage.

Ophélie quittait un piège pour un autre. Elle se sentait à la fois dupée et stupide.

À côté d'elle, Elizabeth avançait d'un pas discipliné. Elle se débarrassa de son froc monacal sur la pelouse, révélant la redingote bleu nuit et argent des virtuoses qu'elle n'avait jamais cessé de porter en dessous. Citoyenne jusqu'au bout des bottes. Qu'importait la punition qu'on lui réservait, elle l'avait déjà acceptée.

Tel n'était pas le cas d'Ophélie. Elle échafaudait des stratégies plus hasardeuses les unes que les autres. Elle pensa douloureusement à son pouvoir perdu de passe-miroir en voyant le crépuscule se réfléchir dans les flaques d'eau. Poussée par la garde, elle monta la passerelle du dirigeable et leva discrètement les lunettes vers le grand dos de Thorn. Avait-il un plan, lui ?

À bord du dirigeable, il y avait beaucoup de civils avec des valises pleines à craquer. Leurs conversations cessèrent à l'instant où Lady Septima promena sur eux son regard flamboyant. Il était déconcertant de voir une aussi petite femme détenir une aussi grande emprise. Elle n'eut aucun ordre à donner pour procéder au décollage, chaque représentant de la garde familiale appliquait la procédure, puis regagnait son poste dans un silence absolu.

Thorn fut le seul à oser le rompre :

– Déposez-moi en ville avec vos deux élèves. Les Généalogistes auront des questions à leur poser et je dois moi-même leur faire mon rapport.

Lady Septima examina l'insigne épinglé à son uniforme, puis la minuscule tache de sang à son flanc.

– Votre tenue n'est pas réglementaire, Sir Henry.

Ce fut son seul commentaire. Elle indiqua une banquette à Ophélie et à Elizabeth, puis elle se mit elle-même au poste de pilotage. Elle eut pour l'observatoire des Déviations un dernier regard, où trembla comme un regret, puis elle empoigna le gouvernail avec une rage maîtrisée.

Ophélie se colla au hublot. Dans l'ombre de plus en plus étendue du colosse, elle aperçut les observateurs qui s'étaient rassemblés pour assister au décollage. Ils souriaient tous. Presque tous. La jeune fille au singe adressait de grands gestes d'adieu à Thorn, qui ne la remarqua pas derrière la vitre, entièrement concentré sur la nouvelle équation qui se présentait à lui.

Les dernières amarres furent larguées. L'aéronef prit son envol avec un froufrou d'hélices.

EN COULISSES

Titan a perdu trois gratte-ciel, Pharos ses stations de plaisance, Totem ses fermes de chimères, Plombor son quartier industriel, et la Sérénissime le quart de son réseau fluvial. Il bondit d'une arche à l'autre (tiens, Héliopolis n'a plus sa gare du Sud). Où qu'il aille, les terres se disloquent, le temps accélère, l'espace se résorbe. Une foule d'hommes, de femmes, d'animaux et de plantes a été emportée par les trous (adieu les grandes éoliennes de Zéphyr). Ceux qui restent n'osent plus sortir de chez eux. Quitte à disparaître, autant le faire convivialement, en famille, avec sa maison et le chien. Décidément, de son point de vue, les événements deviennent de plus en plus intéressants (et les déserts de Vespéral de plus en plus désertiques).

Il songe à Ophélie, à son regard plein de colère et de confusion. Elle l'a pris pour un destructeur de monde, lui, vraiment, quelle drôle d'idée... Elle a été si proche de tout découvrir, de tout comprendre! Fort heureusement, elle a échoué – encore. Les défaites d'Ophélie sont plus décisives que ses victoires.

Il enjambe plusieurs milliers de kilomètres et retourne sur

la lointaine Babel, à l'observatoire des Déviations, au sommet du colosse, à l'intérieur des appartements directoriaux.

Il arrive à point nommé. Les observateurs se sont réunis au complet pour se congratuler. Au centre de la salle trône une grosse cloche en verre d'où parvient le son étouffé d'un petit perroquet artificiel :

– QUI EST JE? QUI EST JE? QUI EST JE?

Autour de lui, on se serre les mains, on se flatte les épaules, on lève sa tasse de thé en l'honneur des directeurs, qui brillent par leur absence. Dans cette assemblée, toute de jaune vêtue, la moitié ignore que les directeurs n'existent pas et l'autre moitié ne sait pas pour autant qui tire les ficelles.

Lui, si. Sans fausse modestie, peu d'éléments manquent à ses connaissances.

Il prend soin de se cacher là où personne ne le remarquera. Sans leurs pince-nez à verres sombres, les observateurs ne voient pas plus loin que le bout de leur nez ; avec eux, cependant, ils y voient un peu trop bien. Ils découvriraient non seulement sa présence, si subtile soit-elle, mais aussi sa véritable apparence. Il a pris goût à l'anonymat.

Il avise deux jeunes invités à part, assis sagement au milieu des observateurs. Le chevalier est avalé par ses épaisses lunettes, son tatouage en croix et son appareil dentaire ; Seconde disparaît derrière sa frange mal égalisée, un énorme pansement en travers du visage et la feuille de papier sur laquelle elle dessine.

Il en rirait presque.

Peu à peu, les effusions s'espacent, les conversations se tarissent. Mieux vaut ne pas veiller ce soir, messieurs dames, demain le vrai travail commence enfin ! Les observateurs s'en vont les uns après les autres, non sans un dernier regard plein d'espérances pour le perroquet sous sa cloche de verre.

– QUI EST JE? QUI EST JE? QUI EST JE?

Bientôt, dans les appartements directoriaux, il ne demeure plus que l'homme au lézard, la femme au scarabée, le chevalier, Seconde et l'écho. Et lui, évidemment.

L'atmosphère a perdu en jovialité; voilà qui s'annonce encore plus intéressant. Il prend le risque de franchir davantage la frontière des coulisses, de se coller au plus près de cette réalité qui n'est pas vraiment la sienne. Seconde le surprend presque du coin de l'œil, marque une légère hésitation, puis poursuit son dessin avec application. À part elle, personne ne le perçoit.

Le chevalier repose sa tasse de thé avec des manières qui se veulent aristocratiques.

– Parlons affaires. Si cet écho a dévié, c'est un peu grâce à moi. J'ai rempli mon contrat, j'exige ma part d'abondance. Voici mes exigences.

Il tend une enveloppe à la femme au scarabée, qui prend connaissance de son contenu.

– Une arche entière?

– Qui ne s'effondre pas, précise le chevalier.

– Cela fait un grand territoire pour vous seul.

– Oh, je n'y vivrai pas sans compagnie. Quand il ne restera plus rien du Pôle, dame Berenilde y aura ses entrées. Sans sa fille, de préférence.

La femme au scarabée et l'homme au lézard échangent un regard neutre.

– Il faudra faire preuve de patience, *young man*. Notre écho n'est pas assez mûr pour nous livrer tous ses secrets. Il manque encore de vocabulaire.

– QUI EST JE? QUI EST JE? QUI EST JE?

Seconde, exceptionnellement mutique, dessine en écarquillant les yeux, possédée par une nouvelle vision de l'avenir.

Le chevalier se lève sans un regard ni pour elle, ni pour personne.

– J'attendrai un peu, mais pas trop. J'irai chercher l'abondance par moi-même s'il le faut. Après tout, je sais où la trouver. Bonne nuit.

Ils ne sont plus que quatre. L'homme au lézard, la femme au scarabée, Seconde et l'écho. Cinq avec lui, témoin invisible, spectateur inconsistant, Ombre parmi les ombres.

– Était-ce le bon choix, très cher confrère ? demande soudain l'observatrice. La livrer, *elle*, à Lady Septima ? Sachant tout ce qu'elle pourrait divulguer aux Lords de LUX ?

– La Corne d'abondance l'a rejetée, très chère consœur. Que sa volonté soit respectée.

La réponse de l'homme au lézard claque comme une évidence. Au même instant, toutes les lampes des appartements s'éteignent et se rallument. Acquiescement électrique.

– Une telle chose ne s'était jamais produite auparavant, admet la femme. La Corne d'abondance a toujours accepté les candidats qui sont montés dans le train. C'est bien la première fois… Mais tout de même, très cher confrère, se ressaisit-elle en rajustant son pince-nez, étiez-vous obligé de livrer également cette collaboratrice ? Miss Elizabeth était sur le point de décoder les Livres.

– Justement, je nous ai débarrassés d'elle avant qu'elle n'en sache trop. La dernière fois que les Généalogistes nous ont envoyé un espion, notre tort a été de le mettre dans le train du troisième protocole. Il n'était pas digne d'un tel honneur et sa disparition a renforcé l'attention des Généalogistes. Soyez tranquille, très chère consœur, Miss Elizabeth n'a plus aucune importance. Ses travaux nous feront gagner un temps considérable. Nous n'aurons plus qu'à y mettre le point final sans elle… et avec lui.

L'homme au lézard pose une main, respectueuse et possessive, sur la cloche en verre emplie du même écho.

– QUI EST JE? QUI EST JE? QUI EST JE?

La femme au scarabée contemple pensivement les rosaces où décroît la lumière du jour.

– Allons, allons, très chère consœur, vous n'avez rien à craindre de ces jeunes dames. Elles ne pourront plus nous nuire hors de nos murs. Regardez donc Miss Seconde! Elle est sur ce dessin depuis des heures.

Les deux observateurs se penchent. Lui aussi. Sous le crayon méticuleux de Seconde, un navire volant tombe du ciel.

Il sourit à sa vue. Tout est parfait. L'histoire d'Ophélie, leur histoire à tous, va pouvoir connaître enfin sa véritable conclusion. Il doit se tenir prêt pour le grand dénouement.

Mais avant, il a une dernière petite chose à accomplir ici.

– QUI EST JE? QUI EST JE? QUI EST JE?

Il profite de l'inattention des observateurs pour approcher la grande cloche en verre et se glisser à l'intérieur comme l'ombre qu'il est. Il donne une pichenette à l'écho piégé dans le mécanisme de l'automate. Envole-toi, l'ami.

– QUI EST JE? QUI EST...

L'homme au lézard se décompose. La femme au scarabée blêmit. Seconde suspend son dessin.

Le perroquet s'est tu.

LE DIRIGEABLE

Derrière le hublot, l'observatoire des Déviations ne se résumait plus qu'à une île bordée par une mer houleuse de nuages.

Ophélie était atterrée. Elle laissait derrière elle une Corne d'abondance introuvable, une ombre non identifiée, un écho émancipé et un terrible sentiment d'inachevé. Pourquoi l'observatoire des Déviations lui avait donné l'illusion du choix si c'était pour aller à l'encontre de sa décision ? Pourquoi lui avoir parlé de toutes ces choses dans la crypte ? Pourquoi lui avoir montré le train ? Pourquoi lui avoir fait miroiter la réponse à toutes ses questions ?

Sa frustration était si grande qu'elle la sentait gronder en elle comme un animal en cage. Ces observateurs s'étaient moqués d'elle jusqu'au dernier moment.

Dehors, la nuit tomba pour de bon. Les hublots se transformèrent en miroirs. Le reflet d'Elizabeth, assise à côté d'elle, était d'une inexpressivité exaspérante. Pour sa part, Ophélie ne tenait pas en place. Elle se retourna pour dévisager les passagers. Si elle s'en référait au code vestimentaire, il y avait ici des descendants de Pollux, mais aussi, ce qui était surprenant, plusieurs sans-pouvoirs.

Sur un signe de Lady Septima, un garde abaissa un commutateur, éteignant toutes les lumières à bord. Ophélie comprit pourquoi quand, après un moment d'adaptation, elle distingua les étoiles par le hublot. À cause des échos, les radiocommunications n'étaient plus fiables ; il fallait naviguer à vue. Il était plus facile de repérer les terres sans projeter partout de la lumière.

Au bout d'un silence interminable, l'aéronef accosta une petite arche qu'Ophélie reconnut pour l'avoir visitée à deux reprises. C'était le quartier des sans-pouvoirs, où résidait auparavant le professeur Wolf et où le Sans-Peur-Et-Presque-Sans-Reproche était mort d'épouvante. Ophélie avait dormi quelque part sur l'un de ces toits, dans une serre abandonnée, avec Octavio. Ils étaient devenus amis cette nuit-là.

Elle se détourna brutalement pour empêcher le souvenir de s'installer.

Elle fronça les sourcils en entendant des protestations étouffées dans le noir, derrière elle. Avec une diligence méthodique, la garde familiale avait abaissé la passerelle et incité plusieurs passagers à débarquer. Tout s'était déroulé à une rapidité extrême ; l'aéronef reprenait déjà de l'altitude. Ophélie essuya la buée que son souffle avait déposée à la surface du hublot. Sur le quai où ils avaient fait escale, des hommes, des femmes et des enfants avaient l'air complètement désemparé au milieu de leurs malles. Le halo des lampadaires dévoila la blancheur de leurs habits. C'étaient les sans-pouvoirs qu'elle avait vus à bord. Lady Septima les avait délogés du centre-ville pour les confiner dans un seul et même quartier – une arche mineure qui, selon son propre aveu, avait plus de chances de s'effondrer que l'intérieur des terres. Ces personnes étaient nées sur le sol de Babel, elles y vivaient depuis des générations, mais leur tort était de ne pas avoir du sang de Pollux dans les veines.

Les passagers restés à bord réprimèrent des toux gênées. Ophélie ne se sentit pas meilleure qu'eux. Son esprit de contestation s'était coincé dans son œsophage.

À la barre, Lady Septima écarquillait des yeux incandescents. Ce n'était plus la manifestation de son pouvoir de Visionnaire, mais celle du volcan qui bouillonnait en elle. Dressé à sa droite, Thorn se détachait à peine de l'obscurité ambiante. Il ne bougeait pas, ne disait rien.

Ils passèrent dans le voisinage du Mémorial, dont la tour titanesque, agrippée à son petit bout de terre, débordante sur le vide, brillait de mille feux. Il n'y avait probablement plus personne à l'intérieur à cette heure-ci, mais les ampoules n'étaient pas conçues pour s'éteindre. Elles illuminaient le dôme, laissant deviner à l'intérieur le globe terrestre qui y flottait en suspension.

«Et dedans, pensa Ophélie, la chambre secrète d'Eulalie Dilleux et le miroir suspendu où elle conversait avec l'Autre.»

C'était là que l'ancien monde s'était achevé et que le nouveau avait commencé, là qu'Eulalie s'était transformée en Dieu, là que l'Autre avait cessé d'être un innocent petit écho. Il était rageant de ne toujours pas savoir *comment*.

L'éclairage du Mémorial était si vif qu'en dépit de la nuit on pouvait voir les mimosas environnants, la statue du soldat sans tête devant l'entrée et la différence d'âge entre la moitié la plus ancienne de l'édifice et celle qui avait été reconstruite après la Déchirure.

Ophélie se tourna vers Elizabeth, dont elle percevait la respiration dans la pénombre. Sous la paupière gonflée, un œil morne. Ni le débarquement des sans-pouvoirs – dont elle faisait elle-même partie – ni la vue du Mémorial – qui lui devait pourtant sa modernisation – ne l'avaient remuée. Elle avait construit sa vie autour d'Hélène, servant ses intérêts et cherchant sa reconnaissance, mais cette existence-là était finie.

L'aéronef survola enfin le centre-ville de Babel, où la marée de nuages avait atteint une amplitude inégalée. N'en émergeaient que les derniers étages des édifices, les cheminées des potensfactures et le sommet d'une pyramide. Lady Septima les fit atterrir sans un accroc malgré l'absence de visibilité. La garde familiale descendit à terre pour manœuvrer le dirigeable au sol et l'encorder fermement.

– Veuillez tous sortir dans le calme, ordonna Lady Septima en s'adressant enfin à ses passagers. Un tramway vous attend dehors. Vous allez être transportés jusqu'à vos logements temporaires. Vous y serez en *perfect* sécurité.

– Quand pourrons-nous rentrer chez nous ? demanda timidement l'un d'eux.

– Vous êtes chez vous, Fils de Pollux. Babel entière est votre demeure. Quelle différence que ce soit ici, au cœur de la cité, plutôt que sur une petite arche mineure ?

Personne ne répondit. La passerelle donnait sur un brouillard si dense que la nuit était blanche. Les civils s'y engloutirent un par un avec leurs valises. Quand l'évacuation fut terminée, les phares du tramway s'éloignèrent.

Sur un claquement de talons militaire, Lady Septima pivota vers Thorn.

– Restez à bord, *sir*. Je vous escorterai moi-même jusqu'auprès des Généalogistes, mais j'ai une dernière formalité à remplir ici. Vous deux, avec moi.

Elle s'était adressée cette fois à Elizabeth et à Ophélie, qui dut décoller sa toge moite de la banquette.

– Qu'allez-vous faire d'elles ?

La question de Thorn avait pris l'inflexion d'un avertissement, mais il ne reçut pour toute réponse que le choc des talons de Lady Septima sur la passerelle. Elizabeth la suivit docilement. Ophélie, à l'inverse, eut un mouvement de recul instinctif qui attira sur elle les gardes familiaux et leurs gantelets de métal.

Thorn les devança en lui empoignant l'épaule.

– Je m'en charge.

Il se plongea avec Ophélie dans les nuages. Les gardes familiaux faisaient retentir un bruit de talons ferrés. Ils étaient devant, derrière, partout. Où les conduisait-on ? Les seuls points de repère se trouvaient au ras du sol : des pavés, des rails, un caniveau et, çà et là, quelques tracts piétinés.

ET VOUS, COMMENT FÊTEREZ-VOUS LA FIN DU MONDE ?

Ophélie ne pouvait parler à Thorn mais elle sentait ses doigts cramponnés à elle. Elle fouilla le brouillard, espérant que l'Ombre en jaillirait pour les aider à s'échapper cette fois encore. À la place, les prunelles rouges de Lady Septima les accueillirent au terme de leur marche.

– Je vous avais dit d'attendre à bord, *sir*.

Les doigts de Thorn se contractèrent. Ophélie comprit pourquoi quand un vent nocturne dispersa les nuages les plus proches. Ils se trouvaient sur ce qu'il restait du marché aux épices, là où s'était produit le premier effondrement. Un dirigeable, considérablement plus grand que celui qu'ils venaient de quitter, était amarré au bord du vide. Un long-courrier. Une quantité effroyable de mains tapait contre les vitres de son immense nacelle.

Au sol, près de l'embarcadère, les gardes en faction étaient tous munis de fusils à baïonnette. De véritables fusils.

Ce ne fut qu'à leur vue que les paupières d'Elizabeth consentirent enfin à se soulever. Pour la première fois, elle parut gagnée par le doute. Elle ouvrit une bouche hésitante, mais ce fut Thorn qui prononça le mot défendu :

– Des armes. C'est illégal.

Lady Septima grimaça, comme s'il avait proféré une obscénité.

– Du matériel de prévention de la paix. Vous êtes resté trop longtemps enfermé dans cet observatoire, Sir Henry. Comme je l'ai déjà dit, les circonstances ont changé. Les lois aussi. L'Index n'en est pas moins toujours de rigueur.

Ophélie se rendit soudain compte qu'elle ne ressentait aucun étonnement pour sa part. Au fond d'elle, à l'instant où elle avait vu Lady Septima dans cette véranda, elle avait su que ça se finirait ainsi. Son fils était mort, il lui fallait des boucs émissaires. Et il lui fallait les sacrifier au plus vite, en pleine nuit et en plein brouillard, à seulement quelques pas du tramway qui avait conduit les bons citoyens dans leurs nouveaux domiciles.

– Combien de personnes avez-vous entassées dans cet appareil? demanda Thorn.

– Le nombre nécessaire, répondit Lady Septima. Et deux de plus : Miss Eulalie, Miss Elizabeth, vous avez déshonoré feu Lady Hélène et vous vous êtes rendues indignes d'être ses Filleules. Je vous condamne au bannissement.

– Je ne l'ai pas déshonorée.

Même si ce n'était qu'un murmure pathétique, Elizabeth s'était enfin décidée à réagir.

– Accusez-moi de tous les torts, mais pas de celui-là, implora-t-elle. Pas de celui-là.

– Je vous laisse le choix, ex-virtuose. Vous montez cette passerelle dans l'exemplarité ou dans l'indignité.

Elizabeth dépassait Lady Septima d'une bonne tête, pourtant elle eut l'air soudain toute petite face à elle. Ses lèvres contusionnées tremblèrent. Elle ploya la nuque en signe de reddition, porta le poing à sa poitrine dans un ultime salut réglementaire, puis monta à bord du dirigeable.

La main de Thorn raffermit sa prise sur Ophélie. Ses paroles dures achevèrent de la transformer en gélatine :

– Cet aérostat n'a pas été conçu pour transporter autant de passagers, sans mentionner les problèmes de radiocommunication. Ces gens n'arriveront pas à destination et vous le savez.

– Ce que je sais, Sir Henry, c'est que vous n'êtes pas un authentique Babélien.

Lady Septima avait énoncé ce constat sans daigner lever les yeux jusqu'à lui. Elle examinait l'armature dont il avait besoin pour tenir debout. Autour d'eux, les papillons de nuit faisaient entendre leurs chocs contre les lanternes de la garde familiale.

– Vous êtes une erreur qui s'est infiltrée dans nos rangs. Les Généalogistes vous ont octroyé une chance que vous n'avez cessé de gâcher, mais ça, admit Lady Septima à contrecœur, il ne m'appartient pas d'en juger. Allez donc remplir votre devoir en leur faisant votre rapport et laissez-moi accomplir le mien en me confiant le sort de Miss Eulalie. *Now.*

Ophélie contempla les vitres du dirigeable, battues par tous ces poings, puis le vide – l'abyssal, l'insondable vide – qui les attendait.

Elle pouvait presque percevoir, à travers les doigts de Thorn, le sang courir à toute vitesse sous sa peau pour irriguer sa mécanique cérébrale. Elle ne possédait pas, sans doute, sa maîtrise des mathématiques, néanmoins elle pouvait dire que leurs adversaires étaient trop nombreux et trop armés. Si Thorn se servait de ses griffes ici et maintenant, ils tourneraient leurs fusils contre lui. L'animisme d'Ophélie n'était pas performant au point d'arrêter les balles.

– J'y vais, décida-t-elle.

D'un mouvement d'épaule déterminé, elle se dégagea des doigts de Thorn. L'un d'eux au moins devait se sortir de cette situation sain et sauf.

Et puisque ce ne serait pas elle, autant avoir le moins de regrets possibles :

– Vous avez sali la mémoire d'Octavio.

Elle avait articulé chaque syllabe en contemplant le feu qui brûlait dans le regard de Lady Septima. Celle-ci pouvait la sonder jusqu'à la moelle de ses os, mais, pour la première fois, ce fut Ophélie qui vit limpidement à travers elle. Ses mots l'avaient atteinte. La rage meurtrière qui consumait cette femme était avant tout dirigée contre elle-même. Elle ne se pardonnait pas d'avoir perdu son fils et abandonné sa fille, mais, étant donné qu'elle était aveugle à ses propres sentiments, elle cherchait ailleurs un coupable.

– Montez, *little girl*.

Ophélie fit un pas vers le dirigeable ; au suivant, elle s'étala sur les pavés. Ses sandales s'étaient animées à son insu, nouant leurs lanières entre elles pour l'empêcher de partir. Elle pouvait jouer les braves, son animisme n'était pas dupe. Lady Septima émit un claquement de langue mais Ophélie eut beau se tortiller, elle ne pouvait ni défaire le nœud ni ôter ses sandales. On allait la traîner sur la passerelle à coups de baïonnette.

– Restituez ceci aux Généalogistes de ma part.

C'était la voix de Thorn. Sa voix véritable, sa voix du Nord.

Il avait décroché son insigne de LUX pour le remettre à Lady Septima. Puis, dans un grincement de métal, il s'agenouilla auprès d'Ophélie. Les lignes à haute tension qui électrifiaient sa figure s'étaient toutes relâchées. Il n'y avait plus de courants contradictoires, juste une seule et unique évidence qui luisait dans ses yeux au cœur de la nuit.

– Ensemble.

Il souleva maladroitement Ophélie dans ses bras et monta avec elle à bord du long-courrier.

TOURBILLON

Victoire avait toujours été fascinée par le judas de la maison. Combien de fois n'avait-elle pas surpris Maman en train d'y coller son œil, même quand personne ne venait frapper à la porte? Combien de fois n'avait-elle pas désiré contempler à son tour l'extérieur, au-delà des vrais murs et des faux arbres de la maison?

Aujourd'hui, Victoire avait l'impression d'être passée de l'autre côté du judas. Du monde, elle ne devinait que des images miniatures et des sons minuscules. Elle était tombée si profondément dans la grande baignoire, remplie d'ombres, qu'elle ne pouvait rien remuer ni rien ressentir. Elle n'avait pas peur. Elle était, en fait, à peine consciente de sa propre existence, se diluant comme ces cachets d'aspirine que Maman plongeait dans son verre. Et de plus en plus souvent, elle se demandait qui étaient au juste cette Maman et cette maison auxquelles ses pensées la ramenaient continuellement. Elle se demandait aussi, par la même occasion, qui était cette Victoire qui pensait à cette Maman et à cette maison.

Un bruit, brouillé par les échos, ramena son attention vers le petit judas du monde, tout à la surface de la baignoire.

Pas vraiment un bruit, plutôt une voix. La voix de Parrain. Qui était Parrain ?

Victoire s'était maintenue jusque-là entre deux eaux – mémoire et oubli, forme et informe – mais elle savait que, si elle employait ce qu'il lui restait de forces pour revenir à la surface, la chute qui s'ensuivrait l'entraînerait tout au fond de la baignoire, d'où elle ne reviendrait jamais.

Voir Parrain une dernière fois. Avant de l'oublier tout à fait.

Elle se concentra tout entière sur le judas, sur la voix qui s'en échappait, sur les couleurs qui prenaient du sens à mesure qu'elle élargissait son regard. Un homme raccommodait les nombreux accrocs de sa chemise. Il était mal rasé, mal peigné, mal habillé, mais chacun de ses gestes était empreint d'intensité. Il chantonnait. Le fil rouge qu'il avait choisi pour son travail de couture jurait sur la blancheur de l'étoffe et quand il reboutonna sa chemise, son rafistolage achevé, l'air très satisfait de lui, Victoire aurait dit que son corps était écorché de plaies. Il lui semblait se rappeler que c'était lui, Parrain, mais moins Victoire se sentait elle-même et plus sa perception de lui, que ne limitaient plus ses yeux et ses mots d'enfant, s'approfondissait. L'avait-elle trouvé beau auparavant ? Comment n'avait-elle pas pu voir à quel point il était abîmé sous son sourire ? Elle ne l'en aima que plus fort. Cet homme faisait partie d'elle depuis qu'il s'était penché sur son berceau et – quelque chose en Victoire s'en souvenait soudain mieux qu'elle – depuis qu'il lui avait chuchoté : «Personne n'est digne de toi, mais j'essaierai quand même. »

– C'est ta joie dévouée... à toi de jouer, ex-ambassadeur.

La perception de Victoire s'élargit davantage à travers le judas, de façon à englober la femme qui se tenait en face de Parrain. La Petite-Dame-À-Lunettes. Ils étaient assis tous deux sur un mélange de coussins et de tapis, séparés l'un de l'autre par un plateau de jeu. La Petite-Dame-À-Lunettes attendait sans hâte apparente, inexpressive derrière ses longs cheveux sombres, mais les ombres grouillaient frénétiquement sous son corps.

Parrain empila trois pions noirs sur le plateau et, d'une envolée de main, emporta tous les pions blancs.

– Tu inventes des règles, ex-ambassadeur.

– Je m'adapte à l'adversaire, ex-madame.

Victoire les voyait, mais elle voyait aussi les émanations qu'ils produisaient d'eux-mêmes à chaque mouvement, chaque parole, comme autant de ronds dans l'eau de la baignoire. Quelques-uns revenaient parfois en échos.

Victoire élargit encore sa perception. Ils se trouvaient dans un immense cabinet de curiosités où s'amoncelaient des objets des quatre coins des arches : des chimères empaillées, des chaises en apesanteur, des livres parfumés, une grande carte des vents, des nuages sous cloche, des bilboquets électromagnétiques, un tableau animé où un navire ballottait de gauche à droite en pleine tempête de mer. Victoire se surprit à pouvoir attribuer à tous une identité, bien au-dessous des mots, comme si elle avait toujours connu chaque chose intimement, comme s'il y avait au fond d'elle quelqu'un qui en savait beaucoup plus et qui n'attendait que sa propre dilution pour pouvoir émerger. Sa perception du lieu était si pleine, à présent, qu'elle pouvait le concevoir dans son intégralité, ses moindres recoins, ses pièces imbriquées ; elle ressentait même, au-delà des dernières parois, le décalage spatial qui isolait cet endroit du reste de l'univers.

– Vous ne mangez jamais ?

Parrain était à présent occupé à découper tranquillement une conserve avec un ouvre-boîte, mais ses yeux clairs interrogeaient la Petite-Dame-À-Lunettes à l'autre bout du plateau de jeu.

– Je ne suis plus soumise à l'organisation cavalière... à l'aliénation organique depuis des siècles, ex-ambassadeur.

– Ce qui ne vous empêche pas d'être piégée ici avec nous, ex-madame.

Parrain plissa les paupières, comme si ça lui permettait de mieux deviner la Petite-Dame-À-Lunettes derrière son visage rond, ses lèvres roses, ses longs cils et son étrange robe d'où pointaient deux genoux nus.

– J'ai vraiment du mal à me faire à votre véritable apparence. Vous ressemblez à notre petite Mme Thorn, à un point que c'en est troublant.

– C'est plutôt elle qui me ressemble.

L'ouvre-boîte se figea entre les doigts de Parrain.

– Comment diantre en êtes-vous venue à voler le visage des gens ? Votre joli minois ne vous satisfaisait plus ?

La Petite-Dame-À-Lunettes haussa mollement une épaule.

– Je vois, murmura Parrain avec un regain de sourire. Vous ne l'avez pas choisi, c'est arrivé comme ça. Vous avez joué avec des forces qui se sont retournées contre vous. Mais pourquoi votre don de duplication n'opère-t-il pas sur les esprits de famille ? Ce sont vos propres créations, après tout.

– Sans leurs Livres, les esprits de famille ne sont rien, dit la Petite-Dame-À-Lunettes. Et je ne peux pas prendre le village d'un cidre... le visage d'un Livre.

Parrain ouvrit la boîte de conserve d'un geste décidé.

– J'ai changé d'avis. Vous et Mme Thorn n'avez aucun point en commun.

Dans une pièce voisine, il y eut une bordée de jurons, un jaillissement d'eau et un miaulement protestataire. Une autre femme, moitié brune, moitié blonde, claqua la porte derrière elle sans se soucier de la flaque d'eau qu'elle répandait autour d'elle. Son corps propageait partout des émanations de rage.

C'était la Dame-Aux-Drôles-D'yeux, Victoire se le rappela vaguement. Le chat qui la suivait – «Andouille», se rappela aussi Victoire – s'ébroua furieusement.

Boîte de conserve à la main, Parrain libéra ce qui était à la fois un soupir et un sourire.

– Pitié. Ne me dites pas que nous n'avons plus de commodités, ex-mécanicienne. Je ne me porte pas garant du dénouement de ce repas.

– Je cherche une issue, moi.

– Vous n'en trouverez ni dans les toilettes ni nulle part ailleurs. Je ne vais tout de même pas vous apprendre, à vous, la petite préférée de notre regrettée Hildegarde, ce qu'est un non-lieu. Je n'ai pas réussi à invoquer un seul raccourci vers le monde extérieur et Dieu en personne, ricana-t-il en désignant son adversaire, n'a pas pu sortir d'ici en dépit de ses milliers de pouvoirs! Patientons, ma chère.

La Dame-Aux-Drôles-D'yeux abaissa un regard méprisant sur le plateau de jeu, mais Victoire sut, à la façon dont ses vibrations inondaient la Petite-Dame-À-Lunettes, que c'était à elle que sa haine était entièrement destinée.

– Continuez vos amusettes. Je démantèlerai cet endroit brique par brique s'il le faut.

– Tu m'avais promis le serre môme... le même sort, lui dit la Petite-Dame-À-Lunettes.

La Dame-Aux-Drôles-D'yeux décrocha un javelot d'un arsenal sportif. Elle le planta férocement dans la nuque de la Petite-Dame-À-Lunettes avant de s'en aller sur un autre claquement de porte. Victoire ne ressentit ni surprise ni horreur face à la violence de la scène; juste une profonde curiosité. Bientôt, elle retomberait tout au fond de la baignoire, là où elle ne ressentirait plus rien du tout.

– Vous ne l'avez pas volé, dit Parrain en suçant un doigt

plein de pâté. Prendre la place de Renard, c'était une vraie mauvaise idée.

La Petite-Dame-À-Lunettes observa pensivement la pointe du javelot qui ressortait par sa gorge. D'une contorsion grotesque du bras, elle saisit le manche qui pendait dans son dos et l'arracha d'un coup sec. La plaie à son cou se referma aussitôt sans verser de sang.

– Peu importe si je l'ai tué ou si je l'ai épargné. Cette pauvre enfant ne croit rien de ce qui borde ma souche... sort de ma bouche. Elle a déjà essayé de me tuer à quarante-trois reprises. Toi, jamais. Pourquoi ?

Avec une expression malicieuse, Parrain réagença les pions sur le plateau de jeu.

– Parce que, en nous enfermant ensemble dans ce non-lieu, Janus a fait de moi votre châtiment. Je m'évertue donc à vous rendre ma compagnie le plus ennuyeuse possible.

La Petite-Dame-À-Lunettes posa le javelot sur le tapis, à côté du coussin où elle était assise. Ses gestes étaient calmes, mais les ombres s'agitaient de plus en plus vite sous son corps.

– Tu y excelles.

– Moins que Thorn, murmura Parrain en glissant, de son doigt plein de pâté, un pion sur le plateau. J'aimerais qu'il soit ici avec nous ! Il n'a pas son pareil pour vous gâcher une fête.

La Petite-Dame-À-Lunettes avança un pion à son tour. Victoire, qui n'était décidément plus elle-même, voyait naître sur le plateau tous les échos des coups à venir. Elle s'aperçut qu'elle connaissait déjà l'issue de cette partie qui venait à peine de débuter.

– Je te le répète, ex-ambassadeur : j'ai dédié ma vie à sauver le monde. Chaque seconde que je perds dans ce non-lieu laisse mes enfants dehors sans protection, et ils en ont besoin aujourd'hui plus que jamais. Tu traînes ton permis... tu te trompes d'ennemi.

Les lèvres de Parrain s'étirèrent jusqu'aux oreilles.

– L'Autre, hum? Sans façon, ex-madame. Un peu trop abstrait pour moi. C'est à cause de *vous* que le baron Melchior a assassiné mes invités. C'est à cause de *vous* que la vieille Hildegarde s'est suicidée. C'est à cause de *vous* que mon lien avec la Toile a été rompu et que j'ai été renié par mes sœurs. Sauver le monde, vous dites? Vous avez détruit le mien.

La Petite-Dame-À-Lunettes scruta Parrain avec une lointaine attention. Les yeux sous ses verres – remarqua Victoire à qui aucun détail n'échappait plus – ne reflétaient pas la lumière des lampes. La Petite-Dame-À-Lunettes ne se reflétait elle-même ni sur le plateau vitrifié du damier, ni sur le siphon à eau posé sur la table. Elle ne se reflétait jamais nulle part.

– C'est à ce jeu-là que tu veux te prêter, ex-ambassadeur? Très bien. (Son pion avala, les uns après les autres, ceux de Parrain comme l'avait anticipé Victoire.) Le baron Melchior a assassiné tes invités en mon nom, mais n'était-ce pas ton devoir de les mettre à l'abri? La Mère Hildegarde s'est suicidée pour me priver de son pouvoir, mais lui as-tu jamais donné une raison de vivre? Quant à tes sœurs, n'as-tu pas envisagé un instant qu'elles n'attendaient qu'un prétexte pour se détourner d'un frère trop envahissant? Je crois, moi, que tu es traduit… que tu as détruit ton monde tout seul. Tu as laissé derrière toi une ambassade chaotique, des épouses honteuses et des maris outragés. Tu n'as jamais été qu'un embarras pour ta famille, pour *notre* famille. Lorsque tu mourras, tu ne manqueras à personne et personne ne te manquera.

Parrain contempla le plateau où s'étalait sa défaite. Il souriait toujours.

– Lorsque je mourrai, répéta-t-il à voix basse. Vous savez, n'est-ce pas? Depuis quand êtes-vous au courant?

– J'ai pris ton visage et j'ai été toi, dit la Petite-Dame-À-Lunettes.

Pas longtemps, mais suffisamment pour sentir dans ma chair cette maladie qui te ronge. Une maladie qui a emporté tes parents et qui grandit désormais en toi, jour après jour. Nous savons tous les deux que ton conte est tenté… que ton temps est compté. Et nous savons tous les deux que, si tu fuis tes sœurs, c'est parce que tu trembles à l'idée que le leur soit compté aussi.

Victoire n'avait jamais compris les conversations des grandes personnes ; à présent, quelque part en elle et autour d'elle, quelqu'un comprenait tout. Mais ce n'était pas ce quelqu'un qui avait soudain envie de crier. C'était Victoire. Pour la première fois depuis longtemps, la Petite-Dame-À-Lunettes tourna la tête dans sa direction, paupières plissées, comme si elle devinait enfin son silence hurlant.

Parrain eut un petit rire en frottant la larme noire entre ses sourcils.

– Ma propre transparence s'est retournée contre moi. Je suis forcé d'admettre que vous avez raison, ex-madame, sauf sur un point : il y a au moins une personne qui me manquera.

Victoire n'entendit pas la fin de la phrase. Le non-lieu fut comme saisi d'un grand hoquet. Les tableaux se décrochèrent des murs, le plateau de jeu se renversa et Parrain tomba dans les bras de la Petite-Dame-À-Lunettes.

– Allons bon, dit-il en se dégageant. Qu'est-ce que l'ex-mécanicienne a encore cassé ?

– Ce n'était pas moi, grogna la Dame-Aux-Drôles-D'yeux.

Elle venait d'ouvrir la porte par laquelle elle était sortie un peu plus tôt, une perceuse mécanique dans chaque main, Andouille sur les talons.

– C'est ça.

Elle montra le trou, de la taille d'une assiette, qui était apparu au beau milieu du tapis. Ils se penchèrent tous au-dessus. Le trou donnait sur une obscurité sans étoiles, mais ce qu'aucun d'eux ne semblait voir, c'était le tourbillon qu'il avait engendré. Une tempête d'échos. Victoire se sentit aspirée, comme si on avait tiré sur une bonde et qu'une force ne l'entraînait plus seulement au fond de la baignoire, mais bien en dessous encore.

– Les effondrements, dit la Petite-Dame-À-Lunettes. L'Autre est en train de fissurer l'espace, même le non-lieu n'y résiste pas. Tu me crois, à présent, Janus ?

Elle se tourna vers l'homme-femme gigantesque qui se dressait là où, une seconde plus tôt, il n'y avait personne. Il contemplait lui aussi le trou au milieu du tapis, le doigt enroulé dans une de ses longues moustaches, l'air très contrarié.

– Je n'ai pas vraiment le choix. Il y a de plus en plus de vide et de moins en moins de terre. Si vous n'avez pas quitté ce non-lieu, *señora* Dilleux, c'est donc que le problème est ailleurs.

– Donne-moi le dernier pouvoir qu'il me manque, Janus. Permets-moi de retrouver l'Autre avant qu'il ne précipite le monde entier, ton arche incluse, dans les abîmes.

– Votre «Autre», *señora*, est plus insaisissable encore que moi. J'ai demandé à mes meilleurs Aiguilleurs de le localiser. Aucun n'y a réussi.

– Il faut savoir ce qu'on cherche pour pouvoir le trouver. Vous ne connaissez pas l'Autre comme moi je ne loquais… je le connais. Fais de moi ton Aiguilleuse, Janus, et tout rentrera dans l'ordre.

– Idée désastreuse, dit Parrain.

– Idée dégueulasse, dit la Dame-Aux-Drôles-D'yeux.

Victoire ne sut pas quelle fut la réponse de l'homme-femme. Elle n'entendait plus rien. Le tourbillon avalait les sons et les formes. La Petite-Dame-À-Lunettes parut soudain l'apercevoir et toutes les ombres contenues sous ses pieds lui tendirent leurs bras. Des milliers de bras et aucun ne rattrapa Victoire. Le tourbillon l'emporta loin de la surface, vers des profondeurs où il n'y avait plus de frontières entre ce qui était elle et ce qui n'était pas elle.

Elle oublia Parrain, Maman et la maison.

Elle oublia Victoire.

LA DÉRIVE

À l'époque où Ophélie faisait son apprentissage à la Bonne Famille, il y avait une corvée qu'elle craignait plus qu'aucune autre : le nettoyage du siphon des douches. Tout ce qu'un corps sécrète de moins réjouissant s'y agglutine sous forme d'une bouillie filandreuse qu'il faut régulièrement décoller des bondes pour éviter les bouchons, en particulier lorsque les douches sont partagées par une communauté d'hommes et de femmes de tout âge. L'odeur que dégageaient les siphons du Foyer était inqualifiable.

C'était cette même odeur qui régnait à l'intérieur du long-courrier.

Les cabines, les soutes et les toilettes débordaient de passagers. Ils serraient contre eux les rares effets personnels qu'ils avaient pu emporter au moment de la rafle ; un homme étreignait rageusement un grille-pain, mettant quiconque au défi de le lui prendre. Certains étaient si épuisés qu'ils s'étaient couchés au sol, ne protestant même plus quand des pieds les heurtaient en les enjambant.

La chaleur ambiante était animale.

Depuis que la porte d'embarquement avait été refermée, Thorn était resté figé sur le seuil du dirigeable. Chaque passager

381

représentait pour lui une variable algébrique qui venait s'ajouter à une équation de plus en plus complexe. Il était déjà en train de déboucher son désinfectant, compulsivement.

– Suis-moi, lui dit Ophélie.

Elle était enfin venue à bout des sandales récalcitrantes. Elle leur fraya un chemin, priant les personnes de s'écarter pour les laisser passer, ce qui lui valut plus d'un grognement. Elle ne marchait pas droit depuis qu'elle s'était réveillée dans la chapelle, ne pouvant s'empêcher de corriger des mouvements qui n'avaient plus à l'être. Malgré ses efforts pour éviter les contacts, elle *lisait* les vêtements et s'imbibait de toujours plus de frayeur, toujours plus de colère et toujours plus de chagrin. Les accents familiaux de presque toutes les arches se mélangeaient les uns aux autres. Parmi les veilleuses, l'encre alchimique faisait luire les fronts des clandestins qui s'étaient échappés de l'amphithéâtre, et certainement de bien d'autres encore. Ce qu'il restait du cosmopolitisme et de la diversité de Babel avait été concentré ici.

Voûté sous les plafonds, Thorn s'employait à ne pas se laisser approcher. Il suffisait d'un croche-pied pour déclencher un coup de griffes fatal.

Ophélie aperçut Elizabeth assise au fond d'un vestiaire surchargé, mais celle-ci ne répondit pas à son signe. Elle avait ramené ses longues jambes contre elle, résignée, pareille à une planche à repasser qu'on aurait pliée et rangée au placard pour un bon bout de temps.

Ce fut un véritable exploit d'atteindre les baies de la promenade arrière : elles étaient toutes prises d'assaut par des hommes et des femmes qui frappaient le double vitrage. Ils juraient à grand renfort de mots prohibés. Ceux-là ne portaient aucun sceau sur le front, mais leurs toges dépareillées et tape-à-l'œil ne respectaient pas le code vestimentaire.

Les Sales Gosses de Babel.

Au moins Thorn put-il ici s'adosser à une vitre de façon à garder tout le monde dans son champ de vision. À travers la baie, on ne distinguait qu'un bout de quai embrumé et les silhouettes des gardes en faction, sourds aux appels des passagers, les baïonnettes de leurs fusils étincelant à la lueur des lanternes.

– Qu'est-ce qu'ils attendent ? demanda Ophélie. D'autres clandestins ?

Thorn avait attrapé une serviette de table sur un buffet. Il s'en servit pour frotter minutieusement le gras déposé par une multitude de doigts sur la vitre, puis montra dehors une manche à air. Elle était en berne.

– Le Souffle de Nina.

– Et c'est ?

– Le nom que les Babéliens donnent au vent du sud. Il se lève chaque nuit pendant la saison sèche.

– Mais pourquoi l'attendre ? C'est un dirigeable, pas un ballon.

Thorn tira d'une poche les gants qu'Ophélie lui avait confiés. Il les lui enfila lui-même, une main après l'autre, allant jusqu'à les lui boutonner aux poignets. C'étaient des gestes d'une extrême intimité. Thorn agissait tout à coup comme si la foule agitée était devenue abstraite. Quand il eut remplacé les lunettes de substitution par les originales, alors seulement il cloua un regard de fer dans celui d'Ophélie.

Il n'eut rien à lui dire. Elle avait compris. Il n'y aurait ni pilote ni équipage.

– Tu aurais dû rester à quai, murmura-t-elle.

La bouche sévère de Thorn s'étira. Ce fut un rictus aussi bref qu'un claquement d'élastique, mais Ophélie le trouva plus réconfortant que n'importe quelle parole.

– Tiens-toi à la rampe, lui dit-il.

La soudaine pression du vent fit grincer toute la structure de la nacelle. Dehors, la manche à air venait de se soulever. La garde familiale largua les amarres. Les rares lampadaires de Babel qui perçaient le brouillard disparurent aussitôt. Les protestations des passagers montèrent dans les aigus à travers tout le dirigeable, emporté au large par le Souffle de Nina, ballotté comme un sac en papier.

À la dérive sur la mer de nuages.

Les passagers tombèrent les uns contre les autres dans une réaction en chaîne. Ophélie n'osait pas imaginer ce que ça aurait été de se cramponner à cette rampe sans ses gants pour l'empêcher de la *lire*. Elle avait l'impression d'être dans un manège du programme alternatif.

– Nous devons prendre… le contrôle de l'appareil, articula-t-elle entre deux chocs de dents.

L'armature de Thorn avait adopté un angle préoccupant, mais il parut bien plus ennuyé par la gomme à mâcher qui s'était collée à son coude d'uniforme.

– Je doute que Lady Septima ait poussé l'amabilité jusqu'à rendre la navigation possible.

Il déplia son long bras pour agripper Ophélie au moment où elle perdait l'équilibre. Le dirigeable était en train de pencher. Il y eut une flambée de jurons; ce n'était certainement pas de cette façon que les Sales Gosses avaient prévu de fêter la fin du monde. Alors que chacun se raccrochait à ce qu'il pouvait, ce qu'Ophélie prit d'abord pour un chariot de service dévala le parquet. C'était Ambroise. Ses mains inversées cherchaient à actionner le frein de son fauteuil sans grand succès. Enroulée à son cou, l'écharpe était hérissée de toute sa laine. Lui paraissait plutôt calme au contraire; son visage s'éclaira même tout à fait à l'instant où il croisa le regard ébahi d'Ophélie.

– Vous ici, *miss*? Comment avez...

Le reste de sa question se perdit avec lui pendant qu'il poursuivait sa descente inexorable le long de la promenade.

Le dirigeable eut un mouvement de bascule. Nouveaux jurons. Soumis aux caprices du roulis, Ambroise débaula en sens contraire. Thorn l'attrapa par l'écharpe quand son fauteuil repassa devant eux, puis l'immobilisa brutalement.

– Que fichez-vous là?

C'était presque une accusation. Décontenancé, Ambroise battit plusieurs fois de ses longs cils d'antilope. En pleine fournaise nauséabonde, sa peau dorée, ses cheveux noirs et ses habits blancs avaient préservé tout leur soyeux.

– Les clandestins que j'hébergeais... Je n'ai rien pu y faire, *sorry*. Les Olfactifs de la garde familiale avaient mémorisé leur odeur, ils les ont suivis à la trace jusque chez mon père. Ordre de Lady Septima. Nous avons tous été arrêtés et séparés il y a des jours. Je ne sais même pas s'ils sont à bord, eux aussi. Ce long-courrier est gigantesque, je ne les ai pas trouvés. C'est vrai, ce qu'on raconte? La Bonne Famille s'est effondrée à son tour?

Sans se soucier ni des oscillations ni des exclamations autour d'eux, Thorn resserra sa prise autour de l'écharpe, de plus en plus remuante, contraignant Ambroise à le fixer dans les yeux. La douceur de l'un exacerbait la dureté de l'autre.

– Qu'est-ce que vous nous cachez, votre père et vous?

– Je ne saisis pas, *sir*...

– Je pense que vous saisissez très bien, au contraire.

Dès leur première rencontre, Thorn avait vu en Ambroise un potentiel espion de Lazarus et, à travers celui-ci, d'Eulalie Dilleux. La découverte de son urne funéraire dans le grenier du columbarium n'avait pas amélioré son opinion.

Ophélie, elle, n'avait plus d'opinion. Elle dévisagea le reflet penaud d'Ambroise sur la baie vitrée de la promenade, comme elle l'avait si souvent fait dernièrement pour s'assurer qu'elle n'était pas en présence de l'Autre, mais qu'est-ce que cela prouvait au fond? Les miroirs ne révélaient pas toutes les impostures. Ophélie ne savait peut-être pas qui était véritablement Ambroise, mais elle était sûre de deux choses : la première était que l'écharpe lui faisait confiance, la seconde que ce n'était pas l'heure des explications.

– Vous êtes chauffeur, intervint-elle. Sauriez-vous piloter ce dirigeable?

Ambroise secoua la tête, à moitié étranglé, jusqu'à ce que Thorn consentît à le relâcher.

– Il paraît que la passerelle de commandement a été sabotée. Et ce n'est pas la plus mauvaise nouvelle, *miss*. D'après l'orientation et la vitesse du Souffle de Nina, nous ne trouverons aucune arche où atterrir. Père m'a enseigné la cartographie : il n'y a rien dans cette direction. Juste des nuages.

Ophélie commençait à avoir franchement la nausée. Une secousse enfonça la rampe de la promenade entre ses côtes, lui coupant net la respiration.

Elle repensa à ce train qui avait refusé de l'amener au troisième protocole. À toutes les réponses demeurées à Babel, dont Thorn et elle s'éloignaient un peu plus à chaque seconde. À ce monde en miettes où ils n'avaient pas su trouver leur place, elle la fugueuse, lui le fugitif. Au passé qu'Eulalie Dilleux avait bouleversé et à l'avenir dont l'Autre voulait les priver. À l'observatoire des Déviations qui était, en cet instant précis, en train de reproduire les mêmes erreurs avec *son* écho.

QUI EST JE?

Non, Ophélie ne le permettrait pas. Elle aspira une grande bouffée d'air, reprit conscience de la puanteur, des cris, des cahots et, plus prégnante que tout le reste, de la grande main de Thorn accrochée à la sienne. *Tac tac*. La montre à gousset se balançait hypnotiquement au bout de sa chaîne de chemise, son couvercle s'ouvrant et se fermant à la vitesse d'un battement cardiaque.

À sa vue, une idée folle traversa Ophélie.

– Où est-elle, cette passerelle de commandement ?

Ambroise éprouvait les plus grandes difficultés à stabiliser son fauteuil. Avoir la moitié des membres montés à l'envers ne lui facilitait pas les choses.

– À l'autre bout de la nacelle, *miss*, mais elle a été sabotée, comme je vous l'ai...

– Nous devons y aller, dit Ophélie.

Dos au vitrage, Thorn étudia d'un regard perçant le désordre de plus en plus extravagant qui régnait sur la promenade. Les bousculades tournaient tantôt en empoignades, tantôt en embrassades. Des passagers organisaient des paris pour prédire l'heure exacte de leur mort – les moins optimistes ne s'accordant pas plus de quinze minutes. Dès qu'un homme hurlait de panique, les Sales Gosses se jetaient sur lui en riant comme des déments et lui fourraient leurs tracts dans la bouche. Des musiciens avaient sorti leurs saxophones pour se lancer dans d'ébouriffantes improvisations de jazz ; l'un d'eux se brisa les dents lorsqu'une secousse le fit tomber par terre. Une vieille dame complètement nue dansait sur une table au rythme du roulis.

Thorn plissa son grand nez. À la vive surprise d'Ambroise, il saisit les poignées arrière du fauteuil roulant et se mit en marche en le poussant droit devant.

– Et moi qui croyais que vous ne m'aimiez pas, *sir*.

– Je ne vous aime pas, maugréa Thorn. Je vous utilise.

De fait, il manœuvra le fauteuil à la façon d'un brise-glace pour fendre la masse compacte des passagers. Ophélie ferma la marche pour s'assurer qu'il n'y eût personne pour surprendre les griffes de Thorn à revers. Sans doute était-ce une extension de son propre pouvoir de Dragon, mais elle appréhendait de plus en plus distinctement l'ombre de Thorn, crépitante comme du barbelé électrifié. Se contenir dans pareilles circonstances devait représenter pour lui un défi de chaque instant.

Ils traversèrent ensemble les flots anarchiques de la foule, luttant contre le tangage, remontant les coursives malodorantes, les dortoirs bondés, les cuisines pillées, les quartiers d'équipage assaillis. Les lampes s'éteignaient et se rallumaient continuellement. Dans cette alternance de nuit et de jour, les sanglots se mêlaient aux fous rires. C'était l'hystérie.

Puis ce fut le silence.

Il était tombé sur le dirigeable avec la lourdeur d'un couvercle de cercueil, si soudain que Thorn freina le fauteuil d'Ambroise au milieu de la salle de ventilation. Ophélie allait demander ce qui se passait, mais sa question se figea en même temps qu'elle. Elle l'avait ressentie jusque dans ses entrailles : la certitude de se trouver là où elle n'aurait jamais dû se trouver.

Les hublots avaient blêmi. Ils étaient en train de sombrer sous la surface de la mer de nuages.

Dans le grand vide entre les arches.

Jamais Ophélie n'avait été envahie par un tel sentiment de rejet, le besoin si viscéral d'être ailleurs. C'était comme quand elle avait été enfermée dans la chambre de l'incinérateur, ou quand Farouk avait déversé sur elle toute l'étendue de son emprise psychique, ou quand elle avait entrevu le néant face au balayeur du Mémorial. Non, c'était bien pire encore.

C'était interdit.

– Ophélie.

Thorn avait lâché le fauteuil d'Ambroise pour se pencher sur elle. Ses pouces s'appuyaient contre ses joues et hissaient son regard jusqu'au sien, étonnamment stable. La transpiration qui ruisselait le long de ses cicatrices tomba en gouttes épaisses sur les lunettes.

Ophélie n'aurait jamais dû l'entraîner avec elle. Elle ne reconnut pas le sifflement qui sortit de sa propre gorge :

– Le vide... Nous ne devrions pas être là.

Parler était devenu aussi anormal que respirer.

– Continue d'avancer, dit Thorn. Nous y sommes presque.

Ophélie remarqua, sous les énormes tuyaux en cuivre de la ventilation, les silhouettes recroquevillées d'hommes et de femmes. Plus personne à bord ne pleurait ni ne riait. Englouti dans son fauteuil trop grand, dérivant à travers la salle, Ambroise écarquillait des yeux bouleversés. L'écharpe s'était roulée en boule contre lui.

– La mémoire planétaire, la mémoire planétaire..., répétait-il.

Derrière lui, tout au fond d'une ultime coursive, miroitait l'immense vitrage de la passerelle de commandement.

Thorn avait raison, ils y étaient presque.

Ophélie se déplaça avec des mollets pétrifiés. Elle était en conflit avec son corps entier, un conflit plus redoutable que ses années de décalage, plus déroutant que son réalignement. Elle se sentait en trop. Ils étaient tous en trop. Aucun d'eux n'avait le droit de se tenir là où il y avait eu, autrefois, avant de partir en poussière, la terre de l'ancien monde.

À la passerelle de commandement, les tableaux de bord avaient été vidés de leurs cadrans, le poste de pilotage amputé de son gouvernail et de tous ses leviers. C'était encore plus désastreux qu'Ophélie ne se l'était figuré. La mer de nuages s'infiltrait déjà dans les interstices des vitres, répandant son brouillard à l'intérieur de la cabine. La sensation d'oppression était insoutenable.

– Nous ne pourrons rien faire ici avant d'avoir repris de l'altitude, dit Thorn.

Il repoussa sans ménagement un homme qui s'était sclérosé autour d'une console radiophonique et prit sa place. Il coupa la radio et se colla au cornet d'un tube acoustique. Il déglutit plusieurs fois, en lutte lui aussi contre la totalité de ses atomes, puis sa voix résonna gravement à travers tous les pavillons du dirigeable.

– Écoutez, tous. Nous sommes trop lourds.

Les échos se superposaient à ses mots, aussi ménagea-t-il une pause entre chacun d'entre eux. Il se débarrassa de sa veste d'uniforme. Sa chemise était trempée, révélant le relief de sa colonne vertébrale qu'il tordait pour se tenir à hauteur du cornet. Il ne prenait plus aucune précaution pour atténuer son accent natif.

– Nous sommes originaires de familles différentes. Vous êtes cyclopéens? Mettez-vous en apesanteur. Vous êtes fantômes? Transformez-vous à l'état gazeux. Vous êtes colosses? Réduisez votre masse. S'il y a des Zéphyrs à bord, invoquez des vents ascendants. Vous n'êtes peut-être plus des citoyens de Babel, vous n'en êtes pas moins ce que vous êtes. Chacun d'entre vous peut contribuer à tous nous ramener à la surface.

Lorsque les innombrables échos se furent tus, il y eut un très long blanc. Le brouillard se densifiait de seconde en seconde. La structure métallique de la nacelle poussa alors un sinistre gémissement. C'était à peine perceptible, mais Ophélie eut l'impression de peser plus lourd. Paradoxalement, l'intolérable culpabilité qui l'écrasait s'allégea petit à petit. Ils remontaient.

– Ça fonctionne, déclara Thorn dans le cornet acoustique. Continuez.

Des cris de soulagement jaillirent de toutes parts lorsque le long-courrier émergea dans une vaste nuit d'étoiles. Thorn lui-même s'autorisa un soupir.

Ophélie contempla ce grand escogriffe qu'elle avait épousé malgré la désapprobation de leurs deux familles. Elle se sentit fière de lui comme jamais. Il se racla la gorge en surprenant le regard qu'elle levait vers lui – raclement que les échos reproduisirent dans les tubes acoustiques de tout le dirigeable.

– Ce n'est qu'un sursis, dit-il en bouchant le cornet. Nous sommes toujours au milieu de nulle part, à la merci des vents. Que doit-on faire ?

Thorn possédait un tempérament autoritaire ; c'était toujours lui qui donnait des directives. De le voir attendre ses ordres, avec une absolue confiance en plus de cela, impressionna Ophélie. Elle se secoua. Elle n'avait aucune envie de revivre une nouvelle plongée dans le vide et de perdre tous ses moyens.

– Je vais animer le long-courrier.

Même à ses oreilles, cela sonnait insensé. Thorn arqua les sourcils.

– Enfin, pas le long-courrier à proprement parler, rectifiat-elle, mais son mécanisme de pilotage. Lady Septima n'a saboté que les instruments de commande manuelle.

– Ton animisme peut faire ça ?

– Bien sûr, puisque je n'ai pas le choix.

Ophélie se posta devant le socle central où aurait dû se trouver la barre, face aux grandes vitres noires de nuit qui lui renvoyèrent son reflet. Une toute petite femme, diminuée d'une partie de son pouvoir, à la tête d'un paquebot volant.

« Pas n'importe quelle petite femme, songea Ophélie en soutenant son regard. Le capitaine. »

Elle ancra ses pieds dans le sol, se tint bien droite et souleva les mains autour d'un gouvernail imaginaire. C'était le moment de faire un usage intelligent de son ombre réalignée. Tous les membres de sa famille avaient du talent pour donner une deuxième vie aux objets abîmés : elle allait prouver qu'elle n'en était pas dépourvue non plus.

Elle effectua un mouvement de rotation vers la gauche, visualisant les rouages et les câblages intérieurs comme s'il s'agissait de ses propres muscles. Après un temps de latence, le dirigeable changea lentement de cap. Elle fit un mouvement inverse pour exclure une coïncidence; le dirigeable vira à droite.

Ophélie n'était peut-être plus une passe-miroir, elle n'était pas impuissante pour autant.

Il y eut un applaudissement enthousiaste derrière elle. Ambroise les avait rejoints sur la passerelle de commandement; le choc de ses mains inversées, dos contre dos, avait une sonorité un peu étrange.

– Vous feriez un tac-si *very* honorable, *miss*! Il ne nous reste plus qu'à choisir une destination.

– À vous de nous guider, admit Thorn à contrecœur. Lazarus vous a enseigné la cartographie. Mes connaissances encyclopédiques ont leurs limites.

– Il est difficile de déterminer avec précision où le Souffle de Nina nous a amenés, *sir*. Nous ne trouverons de terres nulle part ici. Peut-être devrions-nous faire demi-tour pour Babel?

– Vous êtes tombé sur le turban, jeune homme!

Ophélie haussa les sourcils. C'était la voix grondante du professeur Wolf. Sa veste noire s'arracha de la pénombre de la coursive, tandis qu'il s'avançait péniblement vers eux. Sa barbiche dégoulinait de sueur au bout de sa minerve. Il portait sur le dos le corps inconscient de Blasius, dont le long nez en pointe pendait par-dessus son épaule.

– Laissez, grommela Wolf en voyant Ophélie se décomposer

d'inquiétude. Il a tourné de l'œil à cause de l'odeur. Olfactif, tout ça. Dans l'immédiat, la priorité est de ne *surtout pas* nous ramener à Babel. Les choses sont en train de très mal tourner là-bas, la cité est au bord de la guerre civile. Une guerre où des gens comme nous, dit-il en relevant sur son dos le poids inerte de Blasius, sommes devenus les ennemis à éradiquer.

– Je suis également d'avis que nous cherchions asile ailleurs, intervint une passagère qui s'était jusque-là tenue prostrée dans un recoin de la cabine. Totem est l'arche la plus proche de Babel ; nous pourrions nous réfugier là-bas.

L'homme que Thorn avait repoussé se mêla à son tour à la discussion en jaillissant de sous la console radiophonique.

– Totem ? C'est beaucoup trop loin, nous n'arriverons jamais jusque-là ! Pas avec des communications défaillantes et sans un pilote professionnel. Le *boy* en fauteuil a raison, nous devons retourner à Babel.

En moins de quelques instants, la passerelle de commandement fut envahie de passagers qui avaient tous des avis contradictoires sur la destination à prendre. Le ton ne tarda pas à monter. Ophélie avait de plus en plus de mal à rester concentrée sur son poste de pilotage. Elle ne devait surtout pas rompre le lien d'empathie qu'elle avait créé avec la machine, sinon elle ne conduirait personne nulle part.

Alors qu'elle se détournait pour réclamer le calme, elle ramena subitement toute son attention sur la vitre devant elle. Son reflet renvoyait d'elle une tête échevelée au regard interrogatif. Pourquoi avait-elle été traversée par le besoin urgent de s'y raccrocher ?

– Éteignez les lampes, ordonna-t-elle. Vite.

Thorn ne lui posa aucune question, ce qui était tant mieux car elle n'aurait pas su quoi lui répondre. Il arracha un tabouret de ses fixations et brisa l'ampoule du plafonnier, à la stupeur générale.

Le vitrage cessa de réfléchir l'intérieur de la passerelle et révéla, à peine visible sur le fond obscur de la nuit, la flèche d'un beffroi. Le dirigeable fonçait droit dessus.

L'ARCHE

Il n'y eut plus de beffroi, plus de dirigeable. Ophélie avait effectué un pas hors du présent. Ce n'était pas une nouvelle page du passé d'Eulalie Dilleux. Ce n'était pas non plus la vision d'un avenir sanglant. Non, cette fois, c'était sa propre mémoire, sa propre enfance. Elle se regardait dans la glace murale de sa chambre d'Anima. Ses yeux somnolents n'étaient pas encore myopes, ses cheveux ébouriffés n'avaient pas encore bruni. Son corps vacillait entre enfance et adolescence. Un appel l'avait tirée du lit.

Un appel de détresse.

Libère-moi.

– Pardon ? chuchota Ophélie tout bas.

Elle ne voulait pas réveiller Agathe, qui dormait à côté. Peut-être aurait-elle dû. Peut-être aurait-il été plus raisonnable d'appeler les parents. Ophélie était accoutumée aux objets à forte personnalité mais un miroir parlant, c'était quand même un peu particulier.

Libère-moi.

En y regardant mieux, il sembla à Ophélie qu'il y avait quelqu'un derrière son reflet. Une silhouette dont le pourtour débordait légèrement du sien. Elle se retourna, mais il n'y avait personne dans son dos.

– Qui es-tu ?

Je suis qui je suis. Libère-moi.

– Comment ?

Traverse.

Ophélie frotta ses paupières, lourdes de sommeil. Elle n'avait jamais encore passé de miroir. Son père le faisait souvent dans sa jeunesse, ça ne devait pas être compliqué. Mais était-ce souhaitable ?

– Pourquoi ?

Parce qu'il le faut.

– Mais pourquoi moi ?

Parce que tu es qui tu es.

Ophélie étouffa un bâillement, et son reflet l'imita. La silhouette, dissimulée derrière lui, ne remua pas. Rien de tout ceci ne semblait réel. En fait, Ophélie n'était pas vraiment certaine d'être éveillée.

– Je peux essayer.

Si tu me libères, ça nous changera : toi, moi et le monde.

Ophélie hésita. Sa mère ne lui avait jamais laissé changer quoi que ce fût. Il en allait ainsi sur Anima. C'étaient les mêmes objets domestiqués, les mêmes petites habitudes, les mêmes traditions qu'on reproduisait de génération en génération. La vie d'Ophélie avait à peine débuté, et elle pouvait déjà prédire de quoi la sienne serait faite : d'un travail honnête, d'un bon mari et de beaucoup d'enfants. Dans le monde tel qu'elle le connaissait, rien ne changeait jamais. Et pour la première fois, parce qu'une voix inconnue avait conjugué ce verbe au futur, Ophélie sentit une curiosité nouvelle grandir en elle.

– D'accord.

Ophélie concentra tout son animisme sur le mécanisme du gouvernail, forçant le dirigeable à virer de bord. Elle évita de justesse le choc frontal avec le beffroi, mais pas l'impact. Il y eut un tremblement et une vibration de cloche et des cris et les bras de Thorn. Ophélie sentit, à la façon dont son estomac remonta, qu'ils étaient en train de tomber. Elle ne savait plus à quoi s'attendre – une collision fatale avec le sol? une chute sans fin dans le vide? – mais elle ne s'était certainement pas préparée au «plouf» moelleux qui fit à peine claquer ses mâchoires.

Ils ne bougèrent plus. C'était terminé.

Des murmures ahuris s'élevèrent de toutes les salles du dirigeable. Ophélie se dégagea prudemment de Thorn, dont le squelette s'était refermé sur elle comme une cage, cherchant l'étincelle de son regard à travers la pénombre. Il semblait aussi déconcerté qu'elle d'être encore en vie. Des roseaux chatouillaient le vitrage de la passerelle de commandement.

Avaient-ils atterri au milieu d'un marais?

– C'est *definitely* impossible, souffla la voix d'Ambroise. Il ne devrait pas y avoir d'arches dans cette partie du monde, les cartes sont formelles.

Thorn se redressa dans un grincement de ferraille. Il suivit des yeux la gigantesque silhouette de baleine qui se perdit parmi les dernières étoiles, loin au-dessus des roseaux. L'accrochage avec le clocher avait séparé la baudruche de la nacelle.

– Où que nous soyons, dit-il, nous y sommes pour un moment. Procédons à l'évacuation.

Les passagers se ruèrent sur les issues de secours et se plongèrent jusqu'aux genoux dans le marais. Les uns tendirent aux autres des mains secourables. Les Sales Gosses s'y mirent à plusieurs pour soulever le fauteuil roulant d'Ambroise et lui permettre d'atteindre la terre ferme, tandis que lui-même serrait l'écharpe contre lui pour ne pas la laisser tomber dans l'eau. Peut-être ces gens avaient-ils un peu honte de la folie qui les avait frappés durant le vol, mais ce qui s'était passé à bord resterait à bord.

Pas pour Ophélie.

Immobile entre les nénuphars, elle contempla le long-courrier qui évoquait désormais un vaisseau échoué dont on aurait coupé les voiles. Elle n'était pas bien sûre de ce qui s'était passé, dans cette vitre du poste de pilotage, mais cela avait fait remonter en elle un souvenir qui lui battait encore les tempes.

Plus tard ; elle réfléchirait plus tard.

Devant elle, Thorn ploya des roseaux aussi hauts que lui pour dégager la voie vers la rive. Le beffroi se dressait au cœur de l'aube comme une majuscule emboutie.

– Si tu ne l'avais pas évité, nous serions morts.

Il avait énoncé cela sur le ton du constat, sans états d'âme, mais en guettant la réaction d'Ophélie du coin de l'œil. Elle n'en eut aucune. Elle fendait silencieusement l'eau glauque de ses sandales. Elle ne se dérida même pas lorsque Blasius, qui venait enfin de reprendre connaissance sur le dos de Wolf, se répandit aussitôt en excuses, à la profonde exaspération de celui-ci.

Les naufragés se regroupèrent autour du beffroi. Quand ils en poussèrent les portes, seule la résonance des cloches répondit à leurs appels.

– Là ! s'exclama quelqu'un.

Ophélie la distingua à son tour, dans le petit matin : une route de campagne sinuait entre des vignobles. Tout au bout, presque à perte de vue, les reliefs d'un village hérissaient l'horizon. Elle eut alors un coup de lunettes en arrière, vers le marais où baignait ce qu'il restait du long-courrier, et, à peine plus loin, vers les nuages du vide auquel ils avaient eu tant de mal à échapper. La falaise qui servait de frontière entre ciel et terre était si étendue qu'on n'en voyait pas le terme de part et d'autre.

– Ceci, commenta Thorn, n'est pas une arche mineure.

Ils se mirent tous en marche vers le village, tel un peuple en exode. Les moins patients filaient à vive allure, mais beaucoup étaient éreintés par leur nuit mouvementée et prenaient le temps de croquer des raisins. L'air, de plus en plus chaud, vibra bientôt du chant des premières cigales. Ils contournèrent un tracteur arrêté en pleine route. Jamais Ophélie n'avait vu un modèle tel que celui-ci. Il semblait en bon état et, pourtant, son conducteur l'avait laissé au milieu de la voie.

Le goudron craquelé qui recouvrait la route arrachait un hoquet au fauteuil d'Ambroise à chaque nid-de-poule.

– Pensez-vous... que nous soyons... sur Arc-en-Terre ? demanda-t-il joyeusement. Après tout... c'est la seule arche... à ne figurer... sur aucune carte. Père dit que les Arcadiens... sont introuvables pour qui les cherche... mais peut-être ont-ils fait... une exception pour nous ?

Ophélie se posait les mêmes questions, et bien d'autres encore. Elle s'en posait tellement qu'elle ne savait plus où donner de la tête. Le seul fait d'avoir pour compagnon de route un adolescent dont la date de décès remontait à quarante ans était perturbant. Elle eut un coup d'œil pour l'écharpe pelotonnée sur les genoux d'Ambroise. Elle savait qu'il leur faudrait avoir une sérieuse conversation, mais il y avait pour le moment trop de monde autour d'eux et pas assez de clarté en elle.

– Miss Eulalie ?

Blasius s'était approché d'elle avec un pli navré au coin des lèvres qui s'accentua quand il vit l'estampille « PA » à son bras, comme s'il avait une responsabilité dans tout ce qu'elle avait pu subir à l'observatoire des Déviations. Il serra la manche de son uniforme de mémorialiste, qui dissimulait une histoire qu'ils avaient désormais en commun.

– Je ne devrais pas l'être, car ça signifie que les choses n'ont pas tourné au mieux pour vous, mais je suis *really* heureux de vous revoir.

Ophélie lui sourit, consciente de ne rien éprouver de ce qu'elle aurait dû éprouver.

Plus tard ; elle ressentirait plus tard.

Elle ralentit le pas en s'apercevant que Thorn était resté en arrière. Il boitait. L'armature de sa jambe avait souffert du voyage, mais il ne paraissait pas vraiment s'en préoccuper. Il scrutait les vignobles environnants avec une telle concentration qu'il donnait l'impression de convertir chaque grappe en donnée chiffrée.

– Il y a quelque chose d'anormal, dit-il à Ophélie.

Elle acquiesça. Elle aussi le percevait, sans être capable de définir de quoi il s'agissait exactement. Il n'était toutefois pas facile pour elle d'être objective, puisque son propre corps n'avait plus rien de normal ; ou peut-être était-il devenu trop normal, au contraire, à ne plus trébucher sur chaque aspérité, à ne plus se cogner au premier obstacle ou à ne plus abîmer les objets dès qu'elle relâchait sa vigilance. Cueillir un fruit réclamait naguère toute sa concentration ; c'était devenu à présent un geste évident. La femme au scarabée avait dit vrai sur un point au moins : les décalages s'estompaient déjà. La cristallisation avait réussi là où des années de rééducation avaient échoué.

Le soleil était à son zénith lorsque enfin ils arrivèrent aux abords du village. Des cris enthousiastes jaillirent à la vue des bâtisses en pierre, des ruelles pavées, des terrasses remplies de poteries, puis l'euphorie retomba.

Il n'y avait aucun habitant nulle part.

Les Sales Gosses de Babel appuyèrent sur plusieurs boutons de sonnette, mais personne ne leur ouvrit. Ils poussèrent alors des jurons hargneux en assenant des coups de pied aux stores baissés des commerces.

– Très intelligent, grinça le professeur Wolf. Si ces gens se cachent de nous, voilà qui leur inspirera incontestablement confiance.

Il s'était posé sur un banc, son veston noir sur le bras, épongeant son front que le soleil avait rendu écarlate. Assis dos à lui, Blasius huma l'air de son grand nez pointu. Sa figure d'éternel tourmenté se plissa davantage sous l'effet du dégoût.

– Ça sent la nourriture périmée. Partout.

Ophélie parcourut les enseignes des rues. Elles ne portaient aucune mention écrite, pas de «Mercerie & bonneterie» ni de «Chirurgien-barbier». Un panier en fer-blanc se balançait paresseusement au-dessus de ce qui devait être l'épicerie. Ambroise s'approcha, autant que le permettait son fauteuil, de la grille articulée qui protégeait la vitrine des intrusions. Il regarda mélancoliquement les étalages de fruits et de légumes en décomposition.

– Ils ne se cachent pas, dit-il d'une voix déçue. Ils sont partis.

– Peut-être ont-ils fui eux aussi les effondrements ?

Cette hypothèse, prononcée dans un murmure rauque, avait été émise par Elizabeth. Ophélie l'avait complètement perdue de vue depuis leur embarquement dans le long-courrier. Et pour cause : la figure creusée par la fatigue, les bras serrés le long du corps, les cheveux collés à sa redingote, elle s'était tellement aplatie qu'elle ne se résumerait bientôt plus qu'à un trait fondu dans le décor. En l'espace d'une journée, la citoyenne modèle avait perdu son meilleur des mondes et

Ophélie n'avait pas la plus petite idée de ce qu'elle pourrait lui dire pour rendre cette perte acceptable.

Plus tard; elle s'exprimerait plus tard.

Thorn entreprit de frapper méthodiquement à toutes les portes, même s'il ne paraissait plus s'attendre à rencontrer qui que ce fût. Sa démarche d'automate cassé se faisait lugubrement entendre à travers les ruelles désertes. Ophélie le suivit en silence. Dans l'entrebâillement de certains volets, elle devina des salons aux fleurs fanées, des essaims de mouches autour d'assiettes oubliées et des meubles vidés de leurs affaires. Il y avait beaucoup de poteries, mais pas d'affiches, pas de photographies, pas de gazettes, pas de plaques, pas de noms. Les villageois avaient quitté leurs domiciles sans rien laisser de leur passé.

Sur un regard appuyé de Thorn, Ophélie retira ses gants. Elle n'aimait pas *lire* un objet sans permission, mais elle comprenait que les circonstances étaient exceptionnelles. Elle se brûla les doigts aux poignées de porte, chauffées à blanc par le soleil. Elles étaient toutes contaminées par la même aigreur qui, s'il avait fallu la traduire en mots, aurait pu donner quelque chose comme : «Je ne veux pas m'en aller je ne veux pas m'en aller je ne veux pas m'en aller je ne veux pas m'en aller…» Les poignées ne portaient aucun autre témoignage, aucune autre strate de vécu, à croire que l'intensité fatidique de cet instant-là avait effacé tous ceux qui l'avaient précédé.

Ophélie eut un signe de dénégation. Les yeux de Thorn se firent plus inquisiteurs par-dessous ses sourcils, mais il n'insista pas et renonça à poursuivre son porte-à-porte.

Ils rejoignirent les autres, qui s'étaient tous rassemblés sur la place du village pour se désaltérer à la fontaine publique et manger des raisins. Ici, la lumière de la fin d'après-midi était assourdie par les platanes. Des guirlandes de fanions, reliques d'une vieille fête, dansaient d'une toiture à l'autre. Il régnait un silence gêné où chacun fixait son voisin avec une expression circonspecte. Ils étaient des âmes sans foyer parmi des foyers sans âme. Alors que le jour s'atténuait, un saxophoniste sortit son instrument et lança quelques notes. Des voix l'accompagnèrent. Un rire finit par éclater. Les corps s'animèrent. Bientôt, on chanta, on valsa, on siffla : on était vivant ici et maintenant.

Assis sur la margelle de la fontaine, Thorn déclina deux invitations à danser et consulta sept fois sa montre. Son index grattait sa lèvre inférieure, d'une minceur qui la rendait presque invisible, tandis que son front se faisait de plus en plus bas. Lui se souciait uniquement du lendemain.

– Les villageois n'ont pas prévu de revenir, maugréa-t-il entre ses dents. En tout cas, pas avant longtemps. Je ne suis pas convaincu que cette arche soit Arc-en-Terre. La question est : où que nous soyons, comment en repartir ?

À côté de lui, Ophélie mâchait passivement du raisin. Elle regarda ces anciens Babéliens autour d'eux qui n'avaient pas la moindre idée de l'endroit où ils se trouvaient et qui, pourtant, célébraient leur nouvelle terre d'accueil. Elle regarda Ambroise, dont le fauteuil tournoyait au milieu des danseurs. Elle regarda Blasius et Wolf, dont les épaules, continuellement alourdies par l'inquiétude, s'allégeaient peu à peu. Elle regarda Elizabeth, retranchée mélancoliquement dans un coin, dos à la fête. Enfin, elle se regarda elle-même en train de regarder.

D'un geste décidé, elle se passa la tête sous le bec de la fontaine. L'eau froide lui nettoya les pensées.

Cette fois, il était temps.

– Je dois te parler, dit-elle à Thorn.

Il rangea aussitôt sa montre et se leva, comme s'il avait attendu ces quatre mots toute la journée. Ils s'éloignèrent du village, gravissant une colline d'oliviers jusqu'à ce que les éclats de voix fussent réduits à l'état de murmures. Depuis la crête, ils découvrirent de nouvelles étendues d'herbe et d'eau qui scintillaient jusque très loin encore. Une route les fendait de son vieux goudron morcelé. Au pied de la colline, ce qui ressemblait à un arrêt de bus avait été envahi par les orties.

Ophélie contempla cette arche pleine de mystères qui avait failli les tuer et qui leur avait pourtant sauvé la vie.

– J'ai commis deux énormes bêtises, annonça-t-elle.

Elle s'assit dans les hautes herbes, jaunies par la chaleur, les yeux vers le ciel. C'était un maelström de soleil et de nuages qui changeait d'aspect de seconde en seconde.

– J'ai donné naissance à un écho. Non seulement j'ai été incapable de trouver la Corne d'abondance, mais en plus j'ai fourni à l'observatoire la dernière chose qui lui manquait pour reproduire les mêmes fautes qu'Eulalie : un nouvel Autre. J'y ai sacrifié mon pouvoir de passe-miroir. Plus j'essaie de faire mes propres choix, plus j'entre dans leur jeu.

Thorn partageait l'immobilité quasi minérale de l'olivier contre lequel il s'était épaulé. Fidèle à lui-même, s'il était étonné ou impressionné, il n'en montrait rien.

– Et la deuxième bêtise ?

Ophélie frotta sa langue contre son palais, encore imprégné du goût sucré du raisin.

– J'ai délivré l'Autre du miroir. Délibérément. Je me suis enfin rappelé cette fameuse nuit. Sa voix, surtout, si on peut appeler cela une voix. Elle était si triste… L'Autre m'a prévenue que ça allait me changer et que ça allait changer le monde. J'ignorais à quel point, mais j'ai quand même agi en connaissance de cause. Au fond, c'est ce que je désirais : que les choses soient différentes. Si les arches s'effondrent, s'il y a eu des morts et s'il y en aura encore, c'est parce que je ne voulais pas devenir comme ma mère.

Avalé par les nuages, le soleil s'éteignit comme une lampe. Les couleurs éclatantes du paysage prirent une douceur pastel. Ophélie était étonnée par son propre calme; le vent faisait frémir toute la colline, sauf elle. Elle prêta soudain attention à la démangeaison de ses cheveux humides sur ses épaules; des cheveux qui auraient dû être d'or et qui, du jour au lendemain, centimètre après centimètre, s'étaient mis à pousser dans une nuit qui n'était pas la leur.

– Tout ce temps, je me suis sentie abîmée par l'intrusion de l'écho d'Eulalie dans mon corps et dans mon esprit. C'était ma souillure. Quand nous avons commencé à comprendre ce qu'était la Corne d'abondance, j'ai… Disons que ma motivation était plus égoïste que la tienne. Nous libérer, moi et le monde, ça a toujours été ton unique aspiration. Tu as tout de suite pensé à la façon dont cette Corne d'abondance pourrait reconvertir Eulalie et l'Autre en ce qu'ils étaient à l'origine. Pour ma part, j'ai surtout pensé à la façon dont elle pourrait me reconvertir, moi, en celle que j'aurais été sans eux. Sauf qu'à présent je sais que ce changement était mon choix depuis le début.

Elle se tut, vidée de son souffle.

Avec des mouvements compliqués, Thorn prit place à côté d'elle. Si son corps n'était pas sculpté pour la plupart des chaises, invariablement trop basses, il l'était encore moins pour la terre ferme. Il fixa d'un air indécryptable le goutte-à-goutte qui s'écoulait des cheveux d'Ophélie.

– Tu n'en as absolument pas conscience, n'est-ce pas? (Il laissa passer les rires aigus de la fête, remorqués par une bourrasque de vent.) De notre rivalité.

Ophélie le dévisagea avec incompréhension.

– Je m'en suis rendu compte très tôt pour ma part, enchaînat-il d'un ton brusque. Cette volonté qui ne cesse de grandir en toi et qui prend de plus en plus de place. Tu veux ton indépendance. Même l'obsession que tu portes au passé – tes *lectures*, ton musée, tes réminiscences –, ça a toujours été, au fond, pour pouvoir mieux t'en affranchir. Tu veux ton indépendance, répéta-t-il en détachant chaque syllabe, et je veux, moi, t'être indispensable.

Ses pupilles s'étaient dilatées au fil de son discours, comme si une obscurité intérieure l'envahissait petit à petit. Ophélie se recroquevilla autour de ses genoux, mais Thorn ne lui laissa pas le temps de réagir.

– Tu mentionnais mon aspiration à vous libérer, toi et le monde. Je n'aspire à rien du tout. J'ai besoin que tu aies besoin de moi, c'est aussi élémentaire que ça. Et je sais pertinemment que, dans ce conflit d'intérêts qui nous oppose, je suis condamné à être le perdant. Parce que je suis plus possessif que tu ne le seras jamais et parce qu'il y a des choses que je ne peux pas remplacer.

Il sortit le flacon de désinfectant et, après une hésitation qui le contracta tout entier, au lieu de l'ouvrir, le tendit à Ophélie comme s'il renonçait à s'en servir.

– Voilà pour ma souillure à moi. Si tu peux vivre avec elle, alors moi aussi.

Ophélie s'empara du flacon sans cette maladresse dont on l'avait guérie malgré elle, mais en réalisant qu'il y avait bien d'autres manières de casser ce qui était précieux. Se taire plus longtemps était l'une d'elles.

– Je ne peux pas avoir d'enfant.

Voilà, elle l'avait dit. Elle l'avait dit et elle se sentait toujours aussi calme. Elle ne comprenait même pas pourquoi elle s'en était fait tout un moulin, pas plus qu'elle ne comprenait pourquoi Thorn la considérait maintenant avec appréhension.

– Et c'est entièrement ma faute, ajouta-t-elle.

Elle pinça les lèvres pour réprimer leur tremblement inexplicable, mais il se propagea à ses dents, ses narines, ses paupières, sa chair entière. Le flacon de désinfectant lui échappa des mains pour rouler dans l'herbe, dévaler la pente et se perdre dans les orties de l'arrêt de bus, tout en bas.

– Excuse-moi.

Elle ne se sentait plus calme du tout, son ventre lui faisait mal. Vivre lui faisait mal. Octavio, Hélène et tous les autres auraient dû eux aussi avoir leur place sur cette colline, devant ce ciel, sous ces oliviers.

– Excuse-moi, bredouilla-t-elle faute de mieux. Excuse-m...

Sa voix mouillée se noya dans la chemise de Thorn. Dans un crissement de ferraille, il avait pressé Ophélie contre lui, rudement, comme s'il voulait contenir sa souffrance avec la même violence qu'il se faisait pour dompter ses propres griffes, mais les excuses continuèrent de déborder d'elle, en sanglots désordonnés, encore et encore et encore.

Les étrangers

Ophélie se réveilla au milieu des étoiles. La nuit touchait à sa fin. Sa première pensée, à la vue de toutes ces constellations, fut qu'elle ne connaissait le nom d'aucune d'entre elles, mais que ça ne l'empêchait pas de les trouver époustouflantes. Elle n'avait jamais vraiment approuvé l'intérêt que leur portait Artémis. Pourquoi un esprit de famille préférait-il les étoiles à ses descendants ? Elle la comprenait mieux à présent : les secrets du ciel étaient moins effrayants que ceux de sa propre existence. Ophélie avait du mal à croire qu'elle partageait le sang d'une personne qui avait été originellement un écho et elle avait plus de mal encore à croire qu'elle avait donné elle-même naissance à un écho qui pourrait bien devenir une personne à son tour.

Des vies impossibles surgissaient du néant. D'autres y étaient plongées ou n'en sortiraient jamais.

Un amalgame de culpabilité, de curiosité et de crainte souleva la poitrine d'Ophélie. Les larmes avaient libéré ses émotions, douloureuses comme des éclats de verre ; nécessaires, aussi. Elle ne pouvait prétendre se sentir bien, mais au moins elle sentait.

Au-delà de la colline d'oliviers où elle s'était endormie, épuisée d'avoir trop pleuré, les voix de la fête s'égosillaient. Les rires s'étaient faits gras, les chansons paillardes. Les Sales Gosses avaient dû trouver du vin dans la cave d'un villageois. Ainsi qu'un feu d'artifice : il y eut un sifflement dans le ciel qui explosa en une unique gerbe de lumière et de fumée, plutôt décevante au demeurant, puis à nouveau des rires et des chansons.

– Ces idiots vont finir par provoquer un incendie.

Ophélie tourna ses lunettes vers la silhouette à demi penchée sur elle, immobile au milieu du balancement des herbes. De Thorn, elle ne devinait que des contours anguleux et une respiration vigilante. Il ne dormait évidemment pas ; à l'instar de ses griffes comme de sa mémoire, il ne se reposait jamais.

– À quoi réfléchis-tu ? murmura-t-elle.

Ce n'étaient pas les sujets qui faisaient défaut. Ophélie lui avait raconté dans les moindres détails tout ce qui s'était passé au deuxième protocole : la chapelle, le perroquet, le confessionnal, le chevalier, la cristallisation, l'Ombre, sa Mutilation partielle, la femme au scarabée, ce train, enfin, qui aurait dû la conduire au troisième protocole et qui ne l'avait pas fait...

Il y aurait eu de quoi devenir fou.

La réponse de Thorn fut pragmatique :

– À la façon de retourner à Babel. Ce ne sera pas simple, indépendamment du fait que nous ayons perdu tout moyen de locomotion. LUX a placé la cité entière sous surveillance et nous ne survivrons pas à une deuxième expulsion. Plus encore que Lady Septima, ce sont les Généalogistes dont je me méfie : il nous faudra coûte que coûte éviter de croiser leur route. Quant à l'observatoire des Déviations, dans l'éventualité où nous parviendrions jusqu'à lui au mépris de toutes les statistiques, je doute qu'il nous laisse faire main basse sur sa Corne d'abondance sans contre-attaquer. Voilà, dans les grandes lignes, conclut Thorn après cet exposé monocorde, ce à quoi je réfl...

– Nous pourrions rester ici.

Le souffle de Thorn resta en suspens. Sitôt les mots sortis, impulsifs, Ophélie les regretta.

– Sauf que nous ne devons pas, s'empressa-t-elle de poursuivre. Moi moins que quiconque. Maintenant que je sais que j'ai libéré l'Autre de mon plein gré, il me faut en assumer les conséquences. S'il nous retrouve avant que nous ayons, nous, retrouvé la Corne d'abondance, il ne nous accordera aucune chance de refaire de lui un simple écho.

Elle avait beau dire, elle mesurait toute l'étendue de son ignorance dès qu'il s'agissait de l'Autre. L'Ombre lui avait révélé qu'elle l'avait déjà rencontré, plusieurs fois, sans jamais le reconnaître. Où ? Sur Anima ? Au Pôle ? À Babel ? Était-ce quelqu'un avec qui elle avait parlé ? Un écho doté d'un nouveau corps, d'un nouveau visage, peut-être même d'un nouveau reflet ? Si oui, alors cela pourrait être n'importe qui. Cela pourrait être Ambroise, l'énigmatique Ambroise qui n'était rien de ce qu'il semblait être, ni adolescent, ni fils de Lazarus. Non. Inimaginable. Il était impossible pour Ophélie d'associer Ambroise au vide grandissant. Et puis n'avait-il pas cru lui-même, à un certain moment, que c'était elle, l'Autre ?

Retour à zéro.

Ophélie s'était représenté l'Autre comme un ennemi invisible, monstrueux et impitoyable, mais son souvenir d'enfance, en se déverrouillant, avait bouleversé cela aussi. Cet appel à l'aide dans la glace de sa chambre et la sincérité de son avertissement rendaient l'Autre plus difficile à détester. Avait-il manipulé Ophélie ou sa détresse était-elle sincère ? Cela n'excusait rien. Jamais elle ne lui pardonnerait, pas plus

410

qu'elle ne se pardonnerait à elle-même, ce qu'il avait fait à Octavio et au monde. Ce qu'il continuait peut-être de faire en ce moment même.

Au-dessus d'elle, la moitié des étoiles disparut. L'ombre de Thorn, immense, les avait absorbées comme la promesse d'un orage.

– Ne te trompe pas de coupable. Ce n'est pas toi mais Eulalie, l'unique responsable. Où est-elle, cette femme si soucieuse du sort de l'humanité, pendant que ses élus se débarrassent des indésirables et que son reflet déchire notre monde ? Elle se cache de l'autre côté de cet immense échiquier qu'elle a créé et où toutes les pièces – LUX, Généalogistes, observateurs – jouent depuis longtemps leur propre partie avec leurs propres règles.

Les cheveux mélangés aux herbes, Ophélie fixa cette vaste ossature qui la surplombait dans la nuit et qui, comme l'Ombre, était dépourvue de figure.

– Comment gagner contre eux, alors ?

– En ayant conscience du jeu. Nous trouverons la Corne d'abondance, nous réduirons Eulalie et l'Autre à l'impuissance, puis nous briserons l'échiquier.

Même si Thorn ne pouvait certainement pas plus voir Ophélie qu'elle ne le voyait elle-même, elle hocha la tête. L'infatigabilité de cet homme balayait ses doutes, son acharnement emballait son cœur. Un décalage persistait entre eux, néanmoins. Thorn était une flèche focalisée sur sa cible. Ophélie ne venait pas à bout du sentiment qu'il existait une autre cible bien plus grande qu'Eulalie et l'Autre, une vérité bien plus insensée et bien plus fondamentale. L'observatoire des Déviations lui avait fait des révélations étonnantes, mais il lui semblait qu'elle était passée à côté de la plus importante de toutes : un dévoilement dont elle avait besoin pour s'affranchir définitivement du passé.

Ophélie était obsédée par ce train qui avait failli la mener aux dernières réponses, elle brûlait de remonter à son bord, avec Thorn cette fois, mais elle avait peur aussi de ne pas revenir indemne de cette destination. Elle avait déjà perdu son pouvoir de passe-miroir, devrait-elle faire d'autres sacrifices ?

Une fois de plus, Ophélie renia cette apocalypse qui lui était apparue dans la vitrerie-miroiterie et dans la fenêtre du columbarium, comme elle renia le dessin de Seconde, la vieillarde, le monstre et son corps couvert de crayon rouge.

Nous briserons l'échiquier.

– Et après ? demanda-t-elle. Une fois qu'il sera brisé ?

Ils n'en avaient jamais parlé encore.

– Après, répondit Thorn sans la moindre hésitation, je me rendrai à la justice. Une vraie justice cette fois, avec un vrai tribunal et un vrai procès. Je m'acquitterai de ma dette envers nos deux familles et je procéderai à l'annulation de notre mariage – sa validité juridique est devenue franchement douteuse.

Ophélie avait espéré un tableau un tantinet plus rose de leur avenir.

– Et après ? insista-t-elle.

– Après, ce sera ta décision. J'attendrai que tu fasses ta demande.

Elle eut une toux étranglée. De mémoire de Chroniqueurs, il n'y avait historiquement jamais eu aucune femme au Pôle à avoir posé un genou à terre, bague en main.

– *Notre* décision, corrigea-t-elle.

Un couplet particulièrement obscène, échappé de la place du village, passa entre eux.

– Je n'ai pas encore dit que j'accepterai.

Ophélie écarquilla les yeux sous ses lunettes. Elle n'osait pas bouger, de peur de déclencher un coup de griffes involontaire,

412

mais elle aurait donné cher pour distinguer l'expression de cette figure qu'elle avait toujours connue exagérément sérieuse. Était-ce là, comme elle peinait à le croire, une authentique tentative d'humour ? Thorn essayait-il bel et bien de lui rendre le sourire ? Elle mesura l'étendue du chemin qu'ils avaient parcouru l'un et l'autre depuis cette sinistre rencontre sous la pluie d'Anima, lui avec sa pelisse d'ours, elle avec son timbre de moineau.

– À moi de me montrer persuasive.

Thorn descendit sur elle, remplaçant toute la nuit du ciel par celle, plus brûlante encore, de son corps. C'était un mouvement gauche, un peu tremblant, comme s'il était toujours embarrassé d'imposer à Ophélie ses os trop prononcés.

– Quand ma tante a perdu ses enfants, je ne lui ai pas suffi.

Il y avait, dans cette confidence abrupte, une altération qu'Ophélie avait déjà surprise en de rares occasions chez Thorn. Ça ressemblait à de la colère sans en être.

C'était presque un défi :

– Est-ce que je te suffirai ?

Ophélie contempla ce trou noir qui avait emporté jusqu'aux dernières étoiles. En réponse, elle lui abandonna sans retenue tout ce qu'elle possédait de tendre. Thorn était, à plus d'un titre, un homme inconfortable, mais elle se sentait tellement présente avec lui ! L'Autre l'avait changée, oui. Il avait fait d'elle la plus maladroite de tous les Animistes. Et c'était parce qu'elle était la plus maladroite qu'elle s'était efforcée de devenir la meilleure *liseuse*. Et c'était parce qu'elle était devenue la meilleure *liseuse* que sa trajectoire avait croisé celle de Thorn.

Elle pouvait avoir des regrets, mais pas celui-là.

Ce fut toutefois avec une certaine gêne qu'elle émergea des hautes herbes, un peu plus tard, tandis que l'aurore enflammait la nature. Une jeune fille se tenait au pied de leur colline, assise sur le banc de l'arrêt de bus. Les lunettes d'Ophélie s'empourprèrent. Depuis combien de temps était-elle là ? Les avait-elle entendus ? La jeune fille manipulait, avec des gestes précautionneux, le flacon de désinfectant qui avait dégringolé la pente la veille au soir et qu'elle avait apparemment pris soin de dégager des orties. Ophélie était à peu près certaine qu'elle ne faisait pas partie des passagers du long-courrier. Elle portait des vêtements noircis de terre et une simple paire d'espadrilles, mais ses yeux étaient spectaculairement vifs. Ils se levèrent vers Ophélie, dès qu'elle rajusta discrètement sa toge, comme aimantés par son mouvement. La jeune fille posa aussitôt le flacon, se leva du banc et gravit la colline.

– Thorn. Une personne approche.

– J'ai vu, maugréa-t-il en reboutonnant sa chemise jusqu'au col et en aplatissant, d'un glissement de paume, ses cheveux épars. Et elle ne vient pas seule. Un peu plus que cela, même.

En effet, des hommes, des femmes, des enfants, des vieillards arrivaient par la route et par les champs. Ils étaient innombrables. Ophélie se demanda comment elle avait fait pour ne pas les remarquer, jusqu'à ce qu'elle prît conscience de leur extrême discrétion. Ils se déplaçaient sans bruit et sans hâte, mais avec une détermination implacable. Ils avaient les mêmes habits terreux et le même regard étincelant que la jeune fille.

– Qui êtes-vous ? leur demanda Thorn.

Malgré l'autorité de la question, les nouveaux arrivants ne lui répondirent pas. En revanche, ils se dirigèrent droit vers lui. La colline d'oliviers serait bientôt submergée de monde.

Ophélie savait que Thorn et elle étaient les étrangers ici, mais elle jugea tous ces paysans très envahissants.

– Prévenons les autres, murmura-t-elle.

Ils regagnèrent le village en descendant le versant opposé de la colline, talonnés par cette marée humaine dont l'amplitude grandissait d'instant en instant. Sur la place, ils ne trouvèrent que des corps assoupis à l'ombre des platanes, une quantité déraisonnable de bouteilles vides et une étourdissante odeur d'alcool. Une grande tache sombre avait été soufflée sur le sol par l'allumage du feu d'artifice. La seule personne éveillée était Ambroise, dont une roue s'était coincée entre deux pavés et qui réclamait poliment de l'assistance depuis ce qui semblait être un bon petit moment. L'écharpe tirait de toute sa laine sur sa jambe inversée pour essayer de dégager le fauteuil.

Il eut un sourire de soulagement en apercevant Ophélie et Thorn, puis un hoquet de sourcils en découvrant la foule qui pointait au loin.

– Ce sont les villageois ?

– Espérons que non, dit Ophélie en débloquant sa roue. Je nous vois mal leur raconter comment les caves à vin ont été pillées. Il faut vite réveiller tout le monde.

Thorn jeta des seaux sur les dormeurs sans se préoccuper des éructations protestataires qu'il déclenchait autour de lui. Plus délicat, Ambroise servit de l'eau fraîche à Blasius, qu'une seule gorgée d'alcool avait rendu malade, mais lorsqu'il voulut faire de même avec le professeur Wolf, la cravate de celui-ci le gifla, contaminée par un animisme particulièrement hargneux.

Ophélie, pour sa part, dut longuement secouer l'épaule d'Elizabeth, qu'elle avait dénichée sous un banc public, recroquevillée en position fœtale. Les paupières gonflées s'entrouvrirent sur deux fentes injectées de sang.

– Oh, ma tête... Les Sales Gosses m'ont forcée à boire. J'avais jamais avant... Hmm. Je crois bien que j'ai affublé Lady Septima de plein, plein de mots interdits. Ça va faire beaucoup de péchés à confesser.

Ophélie l'aida à se relever.

– Plus tard. Nous avons de la visite.

Les paysans étaient en train d'affluer des rues et des vignes jusqu'à encercler la place du village, rendant toute retraite impossible. Le réveil fut brutal pour les Babéliens. Il y eut un long face-à-face durant lequel les deux peuples s'entreregardèrent, l'un titubant et mal dessoûlé, l'autre bien campé et scrutateur.

Œil vitreux contre œil perçant.

Les habitants de cette arche attendaient-ils des explications ? des excuses ? Allaient-ils renvoyer les clandestins d'où ils étaient venus, sans dirigeable cette fois ? Ophélie échangea un regard tendu avec Thorn. Elle avait l'impression qu'un seul mot suffirait à déclencher les hostilités.

– Il n'y a vraiment de paix nulle part.

La voix du professeur Wolf avait fendu le silence comme un couperet. Il mordait une cigarette à laquelle il essayait péniblement de mettre le feu avec un vieux briquet. Ce n'était pas l'un de ses sarcasmes habituels. Il semblait juste déçu.

– La paix est partout et ici plus encore qu'ailleurs ! Allons, *dear friend*, quand guérirez-vous de votre déplorable pessimisme ?

La cigarette du professeur Wolf tomba à ses pieds.

Ophélie n'en crut pas ses lunettes en voyant Lazarus se frayer un chemin parmi les paysans. Sa belle redingote blanche était couverte de terre et ses cheveux d'argent poisseux de sueur, mais il irradiait de joie. Ce vieil homme conservait décidément en toute circonstance des allures de prestidigitateur, prêt à jaillir là où on ne l'attendait pas. Son nom circula sur les lèvres des Babéliens à travers la place du village : de tous les sans-pouvoirs, il était le plus mondialement célèbre en tant qu'explorateur et en tant qu'inventeur. Walter, son majordome mécanique, était d'ailleurs à son côté, si ralenti que Lazarus sortit une énorme clef pour le remonter.

– Père !

Ophélie se tourna vers Ambroise, frappée par la spontanéité de ce cri. Qu'il eût ou non une urne funéraire vieille de quarante ans, il était sincère dans son rôle de fils. Lazarus le fut beaucoup moins dans celui de père. Il dépoussiéra ses bésicles roses sans un regard pour lui. Au contraire, il passa en revue les autres visages qui l'entouraient, s'attardant amicalement sur ceux de Blasius et de Wolf, ses anciens élèves, puis de Thorn, dont la méfiance mal dissimulée parut grandement l'amuser, avant de s'immobiliser sur celui d'Ophélie, dans un déploiement de sourire, à croire que c'était le sien qu'il espérait trouver.

– *Well, well, well*, vous ici ? Quelle adorable coïncidence !

– Coïncidence ? répéta-t-elle.

Elle n'en croyait rien. Si Ambroise était un imposteur, qu'était-il, lui ? Il lui avait parlé de l'observatoire des Déviations, mais il avait omis de préciser qu'il en avait été lui-même un très ancien pensionnaire.

Comme si la scène n'était pas assez irréelle, tous les paysans s'approchèrent de Lazarus, irrésistiblement attirés, pour toucher ses bras, ses joues, ses oreilles, ses cheveux sans que cela parût l'indisposer. Selon toute évidence, il en avait l'habitude.

Tel n'était pas le cas des Babéliens, qui reculèrent à l'approche de tous ces doigts noirs de terre.

– Ne vous laissez pas intimider par mes nouveaux amis, dit Lazarus. Ils n'ont pas le sens de l'intimité, mais ils sont *absolutely* inoffensifs. En fait, c'est la civilisation la plus fascinante qu'il m'ait été donné d'étudier. Je partage leur quotidien depuis des jours… à moins que ce ne soient des semaines ? s'interrogea-t-il en massant son menton glabre. J'ai perdu le compte. Ils m'ont accueilli parmi eux avec un inégalable sens de l'hospitalité. Leur curiosité est aussi insatiable que la mienne! Ce qui leur fait office de campement se situe par-delà les champs. Nous étions en train de contempler ensemble les étoiles quand nous avons surpris votre feu d'artifice. Mes amis se sont aussitôt mis en route; j'ai dû marcher avec eux pour ne pas rester en arrière. J'ai laissé le lazaroptère au campement. Walter! s'exclama-t-il, tandis que sa voix s'enrouait. De l'eau!

De tous ses automates, Walter était à la fois le plus fidèle et le moins abouti : il poussa Lazarus dans la fontaine. Les paysans avaient assisté à la scène sans seulement essayer de le retenir, en dépit de leurs mains tendues, mais leurs yeux s'étaient agrandis. Ophélie les trouvait franchement incongrus.

Blasius et Wolf s'y mirent à deux pour sortir Lazarus de la fontaine et l'asseoir sur la margelle.

– Père, dit Ambroise en lui tendant ses bésicles tombées dans l'eau avec lui, vous étiez ici pendant tout ce temps? Je suis rassuré de vous voir en bonne santé. J'avais peur qu'un effondrement ne vous ait emporté.

– Un effondrement? s'étonna Lazarus quand il eut fini de cracher et de tousser. Il y a eu un effondrement à Babel?

– Deux, corrigea le professeur Wolf avec amertume. Ça nous a valu à tous, ici présents, d'être expulsés.

– C'est *very* regrettable...

Lazarus avait déclaré cela en essorant ses longs cheveux, mais Ophélie surprit un infime mouvement de rides sur son front quand il remarqua les cadavres de bouteilles sur les pavés.

Les Babéliens se pressèrent autour de lui.

– Professeur, où sommes-nous?

– Professeur, qui sont ces gens?

– Professeur, quelle est cette arche?

– Je n'en ai pas la moindre idée! s'exclama-t-il d'un ton pétillant. Le soir de mon départ, je me suis laissé surprendre par le Souffle de Nina. Ce n'est pas la première fois que ça m'arrive, mais c'est la première fois que je suis entraîné jusqu'à une nouvelle terre, habitée de surcroît! J'ai d'abord cru que j'avais *miraculously* découvert l'emplacement caché d'Arc-en-Terre, le rêve de tout explorateur qui se respecte. J'ai vite compris qu'il n'en était rien. Ceci, mes enfants, déclara-t-il en écartant les bras comme s'il voulait embrasser le village entier, est officiellement la vingt-deuxième arche majeure de notre planète! Une arche sans esprit de famille, peuplée par une humanité qui a évolué en marge de notre civilisation depuis la Déchirure, vous rendez-vous compte? Vous pensez bien que je suis resté pour approfondir mes connaissances anthropologiques.

Il sortit, d'une poche intérieure de sa redingote, un calepin qui dégoulina d'eau sur ses souliers. Pendant qu'il tenait conférence sur le rebord de la fontaine, les autochtones s'étaient mêlés aux Babéliens afin de palper leurs habits ou de caresser leur peau. Ils s'intéressèrent tout particulièrement aux mains inversées d'Ambroise, aux lèvres tuméfiées d'Elizabeth, au nez pointu de Blasius et à la minerve du professeur Wolf. Thorn, dont les cicatrices les fascinaient au plus haut point, déployait de grands efforts pour les tenir à distance respectueuse de ses griffes.

Ophélie faisait surtout l'objet de l'attention de la jeune fille qu'elle avait vue à l'arrêt de bus. Ses yeux étaient braqués sur elle comme des lentilles de télescopes et, passé le malaise d'être aussi crûment dévisagée, ils la firent se sentir, oui, importante. C'était le même regard que Domitille, Béatrice, Léonore et Hector avaient écarquillé sur elle quand elle s'était penchée sur le berceau de chacun de ses frère et sœurs, à l'époque où ils n'étaient encore qu'une présence observatrice incapable de traduire le monde en pensées. C'était aussi avec ce même regard, cela étant, qu'ils fixaient le mobile animé qui tournoyait sans fin au-dessus de leur tête.

— Professeur, dit Blasius en se tordant les doigts d'un air coupable, nous… nous avons trouvé ce village désert. Appartient-il à ces personnes ?

Lazarus secoua la tête avec fougue, comme si sa propre ignorance le comblait de bonheur.

— Là encore, je n'en ai aucune idée ! Il y a d'autres villages tels que celui-ci à des kilomètres à la ronde. J'en ai visité plusieurs et tous étaient à l'abandon, mais, quand je questionne mes chers amis à leur sujet, ils ne me répondent pas. Ils ne répondent jamais. Depuis le temps que je les côtoie, je ne les ai pas entendus parler ni vus écrire une seule fois. Ils sont d'une simplicité désarmante ! Il ne règne parmi eux aucune hiérarchie, personne ne se repose sur le travail d'un autre. La domestication de l'homme par l'homme n'existe tout simplement pas ici. Ils se nourrissent de ce qui leur tombe sous la main, fruits, racines, insectes, et passent leurs journées à… ressentir, décida Lazarus qui paraissait chercher le terme approprié. Nous avons tellement à apprendre d'eux.

En prononçant cette dernière phrase, il avait tourné ses bésicles vers Ophélie, sur les lettres «PA» à son bras surtout. Au même moment, elle perçut derrière cet épais vernis de gaieté qui enduisait chacune de ses manières toute la gravité dont il était réellement empli. Elle saisit alors cette évidence qui n'avait cessé de se trouver sous son nez : Lazarus n'était pas pour l'observatoire des Déviations un simple fournisseur d'automates. Il n'était pas non plus un ancien pensionnaire parmi tant d'autres.

C'était lui, sa tête pensante.

Thorn, qui en était arrivé à la même déduction, et ce probablement bien avant elle, s'avança en boitant jusqu'au vieil homme pour se pencher à son oreille. Ophélie put deviner les mots sans les entendre. *Nous devons avoir une conversation tous les trois.*

Ce à quoi Lazarus acquiesça en souriant.

– Sans l'ombre d'un doute, chers partenaires.

LE COMPTE

Ils quittèrent la place le plus discrètement possible, ce qui ne fut pas une mince affaire au cœur de la foule. Lazarus exerçait un pouvoir d'attraction hors du commun. À l'exaspération de Thorn, il répondit encore à quantité de questions, se perdit dans d'interminables digressions et donna l'accolade à beaucoup de personnes avant de pouvoir laisser les deux civilisations faire connaissance sans avoir à servir d'intermédiaire.

Il indiqua à Ophélie une bâtisse, toute de pierres et de tuiles, qui se distinguait des autres uniquement par son toit : un drapeau, gonflé par un vent déjà brûlant, claquait à son sommet.

– Si ce village est identique à ceux que j'ai visités, c'est l'équivalent d'un Familistère. Nous y causerons confortablement sans avoir à nous introduire chez des particuliers. D'autant que, je ne sais pas pour vous, dit-il en marchant d'un pas plus alerte, mais je ne serais pas fâché d'utiliser enfin des toilettes dignes de ce nom.

– Père ? Je peux venir avec vous ?

Ambroise s'engagea dans l'étroite rue pavée qu'ils étaient en train de descendre, cognant son fauteuil à tous les perrons.

– Non, mon garçon, lui répondit Lazarus. Retourne donc auprès de nos amis, je ne serai pas long !

Ambroise ouvrit, puis referma la bouche. La flamboyance de Lazarus le plongeait dans une ombre bien plus étouffante que celle qui régnait en ce petit matin entre les façades de pierre. Il posa un regard trouble sur Walter, qui continuait d'avancer seul dans la rue, d'une démarche saccadée, sans s'apercevoir que son maître ne le suivait plus.

– Il vous accompagne partout. Pourquoi pas moi ? Pourquoi jamais moi ?

– Walter, c'est différent, voyons ! Tu es bien plus important. Tu l'as toujours été. Je ne serai pas long, répéta Lazarus, attends-moi.

Ophélie remarqua la façon dont l'écharpe s'était resserrée autour d'Ambroise, tandis que celui-ci effectuait une laborieuse marche arrière, la tête rentrée dans les épaules. Elle avait vu ce garçon repousser les limites de son propre monde et construire de vraies relations avec de vraies personnes – des personnes qui n'étaient pas des automates –, mais rien n'y faisait : dès que Lazarus était là, il ne savait plus où était sa place.

Ophélie s'obligea à ne pas se retourner vers Ambroise, tandis qu'elle suivait Lazarus et Thorn jusqu'à la bâtisse au drapeau. Étant donné ce qui allait bientôt se dire entre ces murs, mieux valait qu'il ne fût pas avec eux.

La porte n'était pas verrouillée. Ils pénétrèrent dans une vaste salle qui, si l'on faisait abstraction des plantes mortes, possédait une certaine prestance avec sa longue table de réunion, son régiment de chaises et ses lampes sur pied. Le temps y semblait suspendu. Lazarus disparut quelques instants derrière une porte d'où s'échappa un bruit de chasse d'eau. Ophélie fit quelques pas le long du plancher. Pourquoi les habitants de cette arche préféraient-ils vivre dans les champs plutôt que dans les villages ?

Il n'y avait ici non plus ni affiches ni pancartes, mais une impressionnante collection de poteries aux bordures des fenêtres. Elle sourcilla en surprenant, collée à l'un des carreaux, la jeune fille de l'arrêt de bus ; elle les avait suivis, mais sa curiosité ne la poussait pas jusqu'à l'intérieur.

Thorn tira tous les rideaux, déclenchant une envolée de poussière. Il cala une chaise contre la porte d'entrée pour empêcher toute intrusion, puis se tourna vers Lazarus dans un grincement de jambe. Son expression était terrible, mais il ne prononça pas un mot. Ophélie le fit pour eux deux :

– Menteur.

Lazarus reposa avec dépit le bocal de biscuits dont il s'était emparé lorsqu'il s'aperçut qu'ils étaient moisis.

– Par omission seulement. Je n'ai jamais déformé la vérité, mais je ne l'ai pas révélée en entier non plus. C'est là une notable différence. Je vous sens mécontente, dit-il avec un sourire en coin. Est-ce parce que vous n'avez pas encore retrouvé l'Autre ? Ne vous mortifiez pas, *my dear*, vous avez fait bien mieux. Walter ! s'exclama-t-il en claquant dans ses mains. Disque n° 118 !

L'automate, qui penchait une théière vide sur une tasse tout aussi vide, se mit à produire un borborygme mécanique qui donnait l'impression que ses entrailles étaient en train de changer de place. Au bout de quelques secondes, deux voix éraillées lui jaillirent du ventre :

– QU'ALLEZ-VOUS... VOUS FAIRE DE... DE LA CORNE D'ABONDANCE ? demanda la première.

– VOUS AVEZ ACCOMPLI... ACCOMPLI UN MIRACLE, *MISS*, répondit la seconde. AUCUN CANDIDAT... CANDIDAT AVANT VOUS N'AVAIT RÉUSSI... RÉUSSI DE CRISTALLISATION. NOUS VEILLERONS À CE QUE... À CE QUE VOTRE MIRACLE ACCOMPLISSE... ACCOMPLISSE DE NOUVEAUX... NOUVEAUX MIRACLES À SON TOUR.

– Merci, Walter, ça suffira.

Les lunettes d'Ophélie avaient jauni sur son nez.

– C'était ma dernière conversation avec l'observatrice. Comment avez-vous… C'est le scarabée ?

Lazarus sourit euphoriquement.

– Mes automates sont tous reliés les uns aux autres. Secret de fabrication, précisa-t-il avec un clin d'œil. Je peux ainsi garder une oreille sur l'observatoire, et au-delà, tout en poursuivant mes explorations.

Il sembla à Ophélie qu'elle rencontrait le vrai Lazarus pour la première fois. Ce vieil homme à la gestuelle excessive, pétillant jusqu'à l'émail des dents, avait cessé d'être un pion sur l'échiquier. Il en était devenu une pièce maîtresse. Depuis le début, il savait. Il savait que ce Dieu qu'il servait était Eulalie, que l'Autre était son écho et certainement bien des choses encore dont ni Ophélie ni Thorn n'avaient la plus petite idée. Des choses qu'il leur avait tues délibérément.

Walter tira des chaises de la table de réunion pour permettre à chacun de prendre ses aises – il en tira beaucoup trop, en fait –, mais Lazarus fut le seul à s'asseoir.

– La dernière fois que nous nous sommes vus, je vous avais affirmé que les échos étaient la clef de tout. Je suis flatté de voir que vous avez suivi ma piste jusqu'au bout. J'étais sincère quand je vous ai dit que je voulais me mettre au service de Lady Dilleux – je présume que nous sommes tous ici unis par le secret de sa vraie identité, alors appelons-la correctement. Je veux rendre son *perfect* monde plus *perfect* encore ! Un monde où l'homme n'aura plus jamais à être ni domestiqué par l'homme ni aliéné par les contingences matérielles. D'où viennent les guerres ? Quelle est l'origine des conflits ? De l'insatisfaction. Derrière les idéologies, il y a toujours une motivation matérielle.

Lazarus croisait, décroisait et recroisait les jambes, ses pouces tournoyant l'un autour de l'autre dans une excitation grandissante. Il ne s'adressait qu'à Ophélie, comme si Thorn était à elle ce que Walter était à lui.

– La Corne d'abondance, murmura-t-elle, ça a toujours été vous.

– Pas toujours et pas seulement moi, la contredit Lazarus d'un ton modeste. Tous les observateurs que vous avez rencontrés sont des sans-pouvoirs. Nous nous sommes fédérés. Fut même une époque, que je n'ai *unfortunately* pas connue, où Miss Hildegarde travaillait de concert avec l'observatoire, mais elle s'en est ensuite désolidarisée pour divergence d'opinions.

Ophélie repensa à la femme au scarabée, à l'homme au lézard et à la jeune fille au singe. Tous des sans-pouvoirs, donc. Voilà pourquoi l'observatoire des Déviations s'était doté d'une fausse direction. Babel était l'une des arches les plus égalitaires, elle l'avait été avant les effondrements en tout cas, mais rares étaient les sans-pouvoirs qui accédaient là-bas à des postes à responsabilités.

– Le chevalier, c'était vous aussi, dit Ophélie. Vous étiez au Pôle au moment de son arrestation. Vous l'avez retiré de Helheim pour le recruter.

– Un garçon des plus intéressants ! Son pouvoir familial souffrait d'une forme de déviation très particulière avant sa Mutilation. Je lui avais rendu visite par curiosité à Helheim. Je suis, tel que vous avez appris à me connaître, *extremely* curieux de tout. (Les yeux de Lazarus se mirent à briller derrière ses verres roses.) Nous avons longuement discuté, lui et moi. De vieux sans-pouvoirs à nouveau sans pouvoirs. N'y voyez pas d'offense, mais je cherchais à me renseigner sur vous. Nous venions d'apprendre que vous étiez liée à l'Autre et ce jeune garçon s'était étonnamment bien renseigné à votre sujet. Je me suis fait la réflexion qu'il serait davantage à sa place dans notre observatoire.

« D'un », pensa Ophélie.

– Et Blasius, ajouta-t-elle à voix haute. Il m'a raconté une fois que vous aviez été son professeur et son confident. Que vous le trouviez *intéressant,* lui aussi. C'est vous qui avez fait en sorte qu'il soit inscrit au programme alternatif ?

Lazarus acquiesça avec un enthousiasme à peine plus modéré.

– J'ai toujours pensé, et je pense encore, qu'il existe une connexion entre sa malchance et les échos, mais son séjour à l'observatoire n'a pas été révélateur. Je ne suis pas du tout étonné que vous soyez vous-même devenue proche de lui ! Je vous l'ai dit et je le maintiens : nous sommes tous, nous les inversés, tissés à la même destinée.

« De deux. »

– Et Elizabeth, enchaîna-t-elle. Cette proposition de poste à l'observatoire que les Généalogistes voulaient qu'elle accepte pour eux, ça émanait de vous.

Là encore, Lazarus acquiesça. Son entrain manqua de faire basculer sa chaise en arrière.

– J'ai assisté à sa remise du prix d'excellence et j'ai pensé combien ses talents nous seraient précieux. J'ai beau être au service de Lady Dilleux, elle ne m'a pas révélé le secret de son code. Si Miss Elizabeth n'avait pas été si soumise aux Généalogistes, elle aurait pu être ralliée à notre cause... comme vous l'avez été vous-même.

Il paraissait heureux, sincèrement heureux, de pouvoir enfin lui parler sans détour et répondre à ses questions. Impatient, aussi, d'aborder avec elle le sujet qu'elle retardait sciemment. Thorn, pour sa part, avait vissé son regard à sa montre comme s'il comptait chaque mouvement d'aiguilles. Ophélie s'étonna de son mutisme, lui qui l'avait habituée à mener les interrogatoires, mais, tout comme lui, elle comptait en silence.

« De trois. »

– Et Ambroise ?

– *What*, Ambroise ? s'étonna Lazarus.

– Nous avons trouvé son urne funéraire.

Lazarus décroisa les jambes pour planter ses deux souliers blancs sur le plancher. Sa figure n'exprima aucune déconvenue, juste une fulgurante mélancolie.

– Je vois. Dans ce cas, il n'est plus nécessaire de vous taire ce qu'il est vraiment. Je vais vous demander une faveur au préalable : ne lui parlez pas de ce que je vais vous dire. Il est d'une telle sensibilité !

Ni Ophélie ni Thorn ne firent de promesse. Ils attendirent debout, silencieux et tendus.

Lazarus eut un coup d'œil vers la porte d'entrée, bloquée par la chaise.

– Ambroise est un écho incarné. Plus précisément, il est l'écho d'un vieil ami à moi. Un ami avec lequel j'ai cofondé le programme alternatif. Un ami qui s'est investi corps et âme dans le projet Cornucopianisme. C'est son urne funéraire à lui que vous avez trouvée.

– Un écho incarné, répéta Ophélie d'une voix épaissie. Comme les objets ratés de votre Corne d'abondance ?

Lazarus porta une main à son ventre en riant, à croire qu'il avait reçu un coup en traître.

– Ratés, comme vous y allez ! Perfectibles, dirons-nous. Ambroise a ouvert la voie à des possibilités vertigineuses dont vous ne mesurez peut-être pas encore toutes les implications.

Ophélie se mordit la langue à s'en faire mal. Cette conversation lui remuait les organes.

– Il a un code, lui aussi ?

– Il en a un, oui. Dans le dos, de façon qu'il ne puisse ni le voir ni y toucher. Ce code fait pâle figure comparé à celui inventé par Eulalie Dilleux, mais il lui permet de se stabiliser sous sa forme matérielle. De grâce, ne le mentionnez jamais devant lui! insista Lazarus. Ce code l'empêche également de prendre connaissance de sa nature et de sa longévité. Je suis suffisamment peiné quand il me pose des questions au sujet de cette mère qu'il n'a jamais connue – et pour cause.

«De quatre.»

– Et l'Ambroise originel, votre ami, qu'est-il devenu? Il est mort?

Un sourire étincela sur la peau, brunie par le soleil et par la boue, de Lazarus.

– Oh non, *my dear*, je suis convaincu qu'il est toujours bien vivant.

C'était une réponse un peu étrange, mais Lazarus prit Ophélie de court en lui désignant le côté droit de sa propre poitrine, à l'endroit où battait son cœur inversé. Son expression était si passionnelle qu'elle redouta presque une déclaration d'amour.

– Je vous ai parlé de mon *situs transversus*. La symétrie de mon organisme est inversée, ce qui m'a valu à moi aussi, il y a bien longtemps, avant d'être approché par Lady Dilleux, avant même d'intégrer la Bonne Famille, d'être un sujet de l'observatoire. Je n'étais qu'un enfant. À cette époque, cet établissement avait pour seule vocation de corriger les déviations et je jugeais ça tellement dommage! Je ne voulais pas être «rectifié», bien au contraire. Je vous ai dit que mon inversion me rendait réceptif aux autres inversés, tels que vous, qu'elle me soufflait des intuitions. Elle me rend aussi réceptif aux échos et l'observatoire en est empli! Je suis *absolutely* certain que vous les avez sentis aussi, ces échos du passé. Vous n'êtes pas une *liseuse* pour rien.

Ophélie devait admettre qu'elle avait eu ses visions les plus immersives là-bas. Ses mains étaient alors peut-être détraquées, mais son corps entier s'était transformé en diapason.

– Ce sont les échos de l'observatoire qui m'ont appris son histoire, déclara Lazarus d'une voix de plus en plus vibrante, celle d'Eulalie Dilleux, la naissance de l'Autre et ce projet que j'ai décidé de reprendre à zéro, avec mon vieil ami Ambroise, quand nous avons pris la tête de l'observatoire. Il y avait tant à faire pour débarrasser notre monde de ses dernières impuretés... Ah, quarante ans déjà ! soupira Lazarus sur sa chaise, alors que ses bésicles s'embuaient d'attendrissement. Ça ne me rajeunit pas.

Ophélie fut envahie par une aversion qui lui hérissa toute la peau. Quarante ans. C'était à peu près à cette époque que les collections d'armes et les documents de guerre avaient été purgés à Babel comme sur Anima. Lazarus n'avait peut-être pas parlé à Eulalie Dilleux de son intention de recréer une Corne d'abondance, il n'en avait pas moins influencé sa politique en radicalisant la censure à travers toutes les arches. Il s'était servi du passé pour empêcher l'humanité de connaître le sien.

Oh oui, ce vieil homme aux bésicles roses et aux manières ridicules était redoutable. Le musée d'Ophélie avait été mutilé, comme elle l'avait été elle-même dans son pouvoir familial, par sa faute.

« De cinq. »

– Les échos d'hier ne sont pas les seuls à être source d'enseignement, reprit Lazarus d'une voix chaleureuse, imperméable à l'antipathie qu'il lui inspirait. Les échos d'avance le sont tout autant, sinon plus.

Ophélie fut très agacée de se rendre compte à quel point Lazarus était doué pour exacerber sa propre curiosité. Plus il parlait, plus elle avait envie de le faire taire et de l'écouter à la fois. Thorn s'était, quant à lui, totalement replié sur sa montre ; il ne disait rien, ne bougeait pas.

Lazarus leva l'index dans une attitude professorale.

– Si vous avez correctement mené votre enquête comme je le crois, vous savez déjà un peu de quoi je parle. Nous sommes environnés par un gaz que j'ai personnellement baptisé « aerargyrum ». Cet air-là n'a aucune propriété commune avec l'oxygène qui vous maintient en vie. *In fact*, il ne ressemble à aucun élément chimique connu. Il est excessivement difficile à étudier et rares sont les scientifiques qui ont connaissance de son existence. Il est d'une telle subtilité que nos meilleurs instruments d'observation ne peuvent le déceler que sous sa forme condensée, par exemple quand nous y produisons des vagues et que celles-ci nous reviennent en échos. D'une telle subtilité, insista Lazarus en appuyant sur chaque mot, que le tissu même du temps y est différent. Vous ressentez les échos du passé. Moi, tout sans-pouvoirs que je sois, je ressens les échos de l'avenir. Un écho d'avance m'a soufflé en rêve que nous nous retrouverions sur une terre inconnue. En d'autres termes, je vous attendais.

Les pattes-d'oie de Lazarus se creusèrent autour de ses yeux. Tout à sa joie, il accepta la tasse que lui servit Walter sans remarquer qu'elle avait été remplie avec des cadavres de mouches.

– Si je suis resté ici tout ce temps, ce n'est pas seulement pour étudier les autochtones. C'est aussi et surtout parce que je savais que nos chemins allaient y converger. Parce que je savais que j'étais destiné à vous raccompagner à Babel et à vous révéler, personnellement, le secret du troisième protocole.

Ophélie se demanda comment Thorn faisait pour rester si calme. Elle repoussa sans ménagement la tasse de mouches que lui tendit Walter.

– Votre observatoire m'a livrée à Lady Septima qui m'a mise dans un dirigeable qui a échoué sur cette arche… afin que vous me rameniez vous-même au point de départ ? Ça n'a aucun sens.

Lazarus hocha le menton pour approuver chaque mot, mais ses yeux s'étaient voilés durant une fraction de seconde, avant de retrouver toute leur brillance, et cela suffit à Ophélie pour en puiser de la satisfaction. En dépit des apparences, il doutait lui aussi.

– La logique des échos n'est pas la nôtre, affirma-t-il avec une conviction exagérée, mais soyez sûre qu'il y a une raison. Une raison que nous ne discernons pas encore. *Blast !*

Lazarus recracha les mouches qu'il avait sirotées par mégarde. La silhouette sans visage de Walter se tenait impassiblement en retrait, tel un majordome inexpressif. Ophélie les trouvait aussi absurdes l'un que l'autre. En fait, tout lui paraissait absurde, soudain : ce que Thorn et elle avaient affronté à l'observatoire, l'enquête qu'ils avaient menée au risque de se compromettre pendant que le monde s'effondrait autour d'eux, la mort qu'ils avaient frôlée dans ce long-courrier…

« De six et de sept. »

– Pourquoi nous dire ça seulement ici et seulement maintenant ?

La voix d'Ophélie avait changé. Lazarus dut le percevoir, car sa voix à lui aussi changea quand il lui répondit :

– Le processus entier dépendait des choix que vous feriez. Il était de mon devoir, au nom de notre intérêt à tous, le vôtre inclus, de taire tout ce qui pouvait influencer votre cristallisation.

Il prit appui sur ses genoux pour se lever de sa chaise, comme si ses os accusaient brusquement le poids des années.

– Et vous avez réussi. Vous avez créé un nouvel Autre.

Personne, pas même mon vieil ami Ambroise, n'y était parvenu. Tous ces échos convertis en matière, ce pauvre garçon que j'appelle «fils» et les esprits de famille eux-mêmes ne sont pas moitié aussi parfaits que ce à quoi vous avez donné naissance.

Il s'avança vers elle, déposant l'empreinte de ses semelles sur le plancher. Sa redingote blanche, encore humide de sa chute dans la fontaine, lui pesait sur le corps. Et pourtant, il émanait de lui une ardeur qui donnait l'impression que sa peau ridée reposait sur de la lave.

– Si vous saviez combien je brûle de faire la connaissance de votre écho! Vous croyez peut-être que je détiens toutes les vérités, mais il me manque la plus considérable de toutes : celle qui détient le secret des échos et de notre monde, celle que mon vieil ami Ambroise a emportée avec lui, celle qui me permettra de donner à l'humanité ce qui lui fait défaut pour se sentir enfin comblée. Pour me sentir enfin comblé, moi. Voyez ce que Lady Dilleux est devenue, seule, grâce à son écho! Imaginez ce que vous pourriez devenir à votre tour, ce que nous pourrions tous devenir, ensemble cette fois, grâce au vôtre! Voilà qui donnerait du sens à ce qui a été sacrifié, vous ne pensez pas?

Du sens à ce qui a été sacrifié. Ophélie retourna ces mots jusqu'à être retournée par eux.

Eulalie Dilleux avait perdu, d'abord toute sa famille, puis la moitié de son espérance de vie, et de ces cendres était né l'Autre. Elle avait obtenu de lui en retour un savoir qui l'avait affranchie des limites imposées par un corps vieillissant. S'il y avait bien une chose dont Ophélie n'avait aucune envie, c'était de se transformer en Mille-faces ou de permettre à d'autres de le devenir. Non, rien de cela ne donnerait du sens à la mort d'Octavio. Ce qui était tombé dans le vide était irremplaçable.

Elle trouva déplaisante cette façon que Lazarus avait de la dévorer du regard tout en s'avançant, pas après pas, mains tendues. Il y avait quelque chose de possessif dans son comportement, comme si elle et son écho lui appartenaient.

– Non, vraiment, *my dear*, ne vous reprochez surtout pas de n'avoir pas encore trouvé l'Autre, chuchota-t-il en enveloppant ses épaules nues de ses paumes, aussi chaudes et aussi tendres que l'était sa voix. En vérité, tout ce par quoi vous êtes passée était destiné à vous rapprocher de lui. Il est là, tout près de vous désormais ! Je peux presque sentir sa présence, conclut-il dans un souffle exalté. Et je suis persuadé que vous la sentez aussi.

Ce qu'Ophélie sentait, c'était l'haleine de Lazarus. Il n'avait pas dû utiliser de dentifrice depuis des semaines.

– Avez-vous terminé ?

Un silence tomba sur la salle, aussi dense que l'air qui y stagnait depuis l'abandon du village. C'était Thorn qui venait de poser cette question, tandis que le couvercle de sa montre se refermait de lui-même.

Lazarus, toujours accroché aux épaules d'Ophélie, parut seulement se rappeler son existence.

– Oh, je n'ai jamais vraiment terminé, s'esclaffa-t-il. Je suis un incorrigible bavard !

Un rayon de soleil empourpra un rideau, transperça la poussière en suspension et projeta sur la figure de Thorn une lumière sang.

– Vous êtes exactement comme elle, articula-t-il d'une voix qui lui venait des profondeurs du ventre. Vous êtes comme Eulalie Dilleux. Vous êtes une nuisance.

Ophélie fut glacée par le regard qu'il posa sur Lazarus. C'était le regard du clan de son père ; d'un chasseur face à une Bête. Thorn menait depuis des mois, des années, une lutte acharnée contre ses propres griffes. Pour la première fois, Ophélie vit qu'il avait envie de leur céder, même s'il les méprisait et même si, chaque fois qu'il y avait recours, il se méprisait un peu plus lui-même.

Elle s'était promis de changer ce regard-là.

Lazarus étudia Thorn à travers ces bésicles qui lui faisaient voir le monde en rose. Lui permettaient-elles de dépister les ombres, elles aussi ?

– Allons, allons, mon garçon, je sais qu'en dépit des apparences vous détestez autant la violence que moi. Vous vous êtes déjà sali les mains pour votre petite épouse. Je suis sûr qu'elle détesterait que vous recommenciez.

Ophélie était au moins d'accord avec ça. Elle se relia de toutes ses griffes au système nerveux de Lazarus qui lui lâcha les épaules sous l'effet de l'électrochoc. Elle ne lui laissa pas le temps de se remettre de sa surprise en lui envoyant un deuxième électrochoc qui le repoussa en arrière. Puis un troisième qui le renversa contre Walter. Puis un quatrième qui le fit rouler sur le plancher. Puis un cinquième qui l'empêcha de se relever.

À chaque poussée, Ophélie énumérait intérieurement.

« Le chevalier. »

« Blasius. »

« Elizabeth. »

« Ambroise. »

« Mon musée. »

Elle projeta Lazarus contre le mur du fond et toutes les étagères, gagnées par l'animisme qui se communiquait à la salle, déversèrent sur sa tête les poteries qu'elles contenaient.

« Thorn et moi. »

Ophélie fut envahie par un profond écœurement en contemplant ce vieillard recroquevillé sur le sol. L'argent de ses cheveux était devenu rouille. C'était elle qui lui avait fait ça. Elle eut beau se répéter qu'il le méritait, un goût âcre lui remonta dans la bouche. Elle le ravala dès qu'elle croisa le regard de Thorn, qui s'était vidé de toute rage meurtrière et qui la dévisageait avec stupeur.

Non, ce n'était pas toujours à lui de se salir les mains. Elle assumait son acte.

– Vous allez nous reconduire à Babel et nous mener à la Corne d'abondance, ordonna-t-elle à Lazarus.

Celui-ci leva vers elle un visage tordu de douleur, mais d'où la peur était absente. Même ainsi, rampant au milieu des débris de poteries, il était consumé de curiosité, comme si l'expérience prenait une tournure encore plus passionnante que prévu.

– *Of course!* C'était mon intention, Miss Oph…

– Là-bas, le coupa-t-elle sèchement, vous me rendrez mon écho. Il n'est pas et ne sera jamais la propriété de l'observatoire. Fin de la partie.

À cet instant précis, alors que Walter passait un dérisoire coup de plumeau sur le crâne en sang de son maître, une voix inattendue lui jaillit du ventre :

– QUI EST JE?

La réunion

Le banc se trouvait dans l'ombrage d'un énorme figuier. Ophélie y reconnut les dos de Blasius et de Wolf, encore qu'il lui fallût quelques secondes pour en être tout à fait sûre : le premier se tenait beaucoup moins voûté qu'à l'ordinaire ; le second, beaucoup moins guindé au contraire. Ils ne se parlaient pas. Ils restaient assis côte à côte, vestes sur le bras, et contemplaient ensemble les vignes qui se déployaient aux abords du village. Ils se poussèrent légèrement l'un et l'autre, sans un mot, pour permettre à Ophélie de s'asseoir entre eux. Il régnait une telle paix, sur ce banc, qu'elle en oublia un instant ce qu'elle était venue leur dire. Elle observa avec eux le défilé langoureux des nuages, respira avec eux l'odeur sucrée des raisins et des figues, sentit avec eux les miettes de soleil qui perçaient le feuillage et accueillit avec eux la brise qui se faufilait dans ses cheveux, sous sa toge, entre ses sandales.

– Vous nous manquerez, Miss Eulalie.

Les yeux humides de Blasius semblaient sur le point de déborder, mais il aurait été difficile de déterminer si c'était de tristesse ou de joie, ou des deux à la fois. Ophélie n'avait pas eu à prononcer un mot.

– Vous ne devriez pas retourner à Babel, gronda le professeur Wolf. Si le monde est voué à s'effondrer sous nos pieds, autant que nous soyons sur ce banc, un verre à la main.

Il tendit à Ophélie ce qui était vraisemblablement de la liqueur volée. Venant de lui, ça se rapprochait d'une véritable déclaration d'amitié, aussi accepta-t-elle d'en boire une gorgée. Elle se surprit à apprécier.

– Vous savez, lui murmura Blasius, ma malchance ne s'est pas manifestée une seule fois depuis notre atterrissage en catastrophe sur cette arche. Les tuiles restent sur les toits, les bancs ne se cassent pas et il fait un temps *fabulous*! Je commence à reprendre espoir et à croire en un avenir sans effondrements ni expulsions. Un avenir, Miss Eulalie, conclut-il en serrant sa petite main dans la sienne, où nous nous reverrons.

Ophélie aurait voulu leur dire, à lui et à Wolf, que c'était justement pour mettre un terme aux effondrements qu'elle repartait pour Babel, mais il aurait fallu pour cela leur avouer toute la vérité – une vérité encore incomplète, une vérité qui salirait la confiance qu'ils avaient placée en Lazarus – et elle n'en avait plus le temps. Ils la méritaient pourtant, cette vérité.

– Je m'appelle Ophélie. Je reviendrai, promit-elle face à leurs lèvres entrouvertes, et je vous raconterai le reste de l'histoire.

Elle quitta le banc et la sérénité qu'elle y avait ressentie. Alors qu'elle traversait le village fantôme, elle fut frappée par l'animation nouvelle qui régnait dans ses rues. On jouait de la musique, on distribuait des fruits, on se courtisait, on se chamaillait. Les exilés de Babel s'étaient lancés dans des dialogues de mime avec les autochtones, faute de pouvoir discuter avec eux. Ils vidaient leurs fonds de poche pour leur montrer fièrement des spécialités de chez eux : une fourchette en apesanteur, un rasoir phosphorescent, une souris-caméléon… Un homme avait même réussi l'exploit, alors que la garde de Pollux venait le chercher, de réduire sa maison à la taille d'un dé à coudre pour l'emporter avec lui – mais, avoua-t-il d'un air penaud, il craignait d'avoir laissé son chat enfermé à l'intérieur.

Ophélie devait admettre que les habitants de cette vingt-deuxième arche étaient d'excellents interlocuteurs. Ils montraient le plus vif intérêt pour tout ce qu'on leur mettait sous le nez, examinant, palpant, reniflant chaque chose, yeux écarquillés, comme si rien au monde n'était plus extraordinaire, et cela sans aucun instinct de possession.

Elle ralentit l'allure en passant devant une faïencerie, abandonnée comme toutes les maisons.

Elle n'eut pas un regard pour les belles assiettes qui prenaient la poussière. Elle ne voyait que son reflet sur la vitrine. Elle leva une main ; il leva une main. Elle recula ; il recula. Elle tira la langue ; il tira la langue. Il se comportait comme un reflet normal. Et pourtant.

QUI EST JE ?

L'écho n'était pas resté à l'observatoire des Déviations comme Ophélie l'avait cru. Il l'avait suivie à son insu, telle une deuxième ombre, jusque dans l'appareil phonographique de Walter.

Elle comprenait à présent qu'elle lui devait la vie.

Dans le dirigeable, c'était lui qui avait attiré son attention sur le beffroi, juste avant un impact qui leur aurait été fatal, à elle et à tous les passagers. Elle trouvait frustrant de ne pas parvenir à communiquer avec lui, effrayant aussi d'y réussir, jubilatoire surtout d'imaginer les observateurs en train de frapper un petit perroquet de métal désormais muet.

Mais si Lazarus avait raison ? songea-t-elle tandis que son visage se troublait sur la vitrine de la faïencerie. Si elle était en train de suivre la même voie qu'Eulalie Dilleux ? Si, en insufflant une part de son humanité à son écho, celui-ci allait lui transmettre un peu de sa nature en retour ? Si elle se mettait à reproduire l'apparence de chaque personne qu'elle croiserait ?

Ses yeux glissèrent de son reflet à celui d'Elizabeth, derrière elle. Elle ne l'avait pas remarquée, mais la jeune femme était juchée sur le muret de vieilles pierres qui gardait le jardin de la villa d'en face. Une jambe repliée contre elle, l'autre pendante, elle ressemblait à la sauterelle, posée sur son genou, qu'elle fixait d'un air songeur.

– Je viens d'une famille nombreuse.

Ophélie se demanda un instant si c'était à elle ou à la sauterelle qu'Elizabeth s'était adressée. Ses paupières lui tombaient lourdement sur les yeux ; elle semblait suspendue entre le sommeil et l'éveil.

– Je n'étais ni la plus jeune ni la plus âgée. Je me rappelle notre maison, toujours très bruyante, les bousculades dans les escaliers, les odeurs de la cuisine, les éclats de voix. Une maison épuisante, soupira-t-elle, mais c'était chez moi. Je le croyais.

Elizabeth se détourna de la sauterelle pour dévisager Ophélie. Ses longs cheveux fauves, qui étaient ce qu'elle possédait de plus beau, auraient eu grandement besoin d'être lavés.

– Une nuit, je me suis réveillée chez de parfaits inconnus. Ma famille s'était débarrassée de moi. Une bouche de moins à nourrir, tu comprends ? Je me suis enfuie dans la rue. J'y serais encore sans Lady Hélène.

Elle donna au muret un léger coup de botte, comme pour faire tinter les ailes d'avant-coureuse qui ne s'y trouvaient plus.

– J'étais si proche de décoder son Livre, si proche de lui rendre la mémoire... Je me moque bien de savoir ce que sont réellement les esprits de famille. Je voulais juste qu'elle se souvienne de mon nom.

Elizabeth se mordit la lèvre, révélant une incisive manquante là où le coude de Cosmos l'avait heurtée. Elle avait perdu cette dent pour tirer Ophélie d'affaire ; celle-ci aurait dû lui en être reconnaissante, mais elle ne ressentait que l'envie de la faire descendre de force de ce muret.

– C'est vraiment ce que tu veux ?

Elizabeth haussa les sourcils, prise au dépourvu par la dureté de la question.

– Hmm ?

– Rester ici : c'est ce que tu veux ?

– Je ne sais pas.

– Tu veux rentrer à Babel avec nous ?

– Je ne sais pas. Je ne sais plus où est ma place.

Ophélie songea qu'elles avaient au moins ça en commun mais, contrairement à Elizabeth, la personne qui lui servait de point d'ancrage était toujours de ce monde.

Elle se radoucit.

– Il y a encore vingt esprits de famille à qui tu pourrais rendre la mémoire.

– Je ne sais pas, se contenta de répéter Elizabeth en ramenant un regard indécis sur la sauterelle.

Ophélie la laissa à ses hésitations et gagna la grande jachère qui fleurissait à l'arrière du village. Ambroise avait stationné son fauteuil au milieu des pissenlits montés en graine. Il avait dû en souffler une quantité considérable pour tromper l'attente : l'écharpe à son cou était pleine d'aigrettes. Il tressaillit à l'approche du pas d'Ophélie. Elle scruta le ciel avec la même application que lui, ce qui leur épargnait à l'un comme à l'autre de se regarder en face. Il était encore un peu tôt pour voir arriver le lazaroptère. Le campement où le professeur Lazarus avait laissé sa machine volante se situait au-delà des champs et Thorn, méfiant, avait tenu à l'accompagner en dépit de ses problèmes de jambe.

– C'est une *big* bosse que mon père avait sur la tête.

Sans détacher ses lunettes du ciel, Ophélie roula les yeux dans leur angle mort, vers cette présence aux contours embrouillés. C'était la première fois qu'Ambroise faisait entendre sa voix depuis leur conciliabule avec Lazarus. Il s'était exprimé doucement, presque timidement, comme s'il sentait que quelque chose avait changé entre eux.

Devait-elle lui dire qu'il était l'écho d'un homme porté disparu depuis quarante ans et que son père n'avait jamais été son père ?

– Je me suis un peu emportée.

– Il n'avait pas l'air fâché contre vous. Bien au contraire.

Ce n'était rien de le dire. Lazarus avait embrassé Ophélie sur les deux joues dès l'instant où son écho s'était manifesté à travers Walter. Il ne l'avait pas du tout prise au sérieux quand elle lui avait dit de ne pas compter sur elle pour ses utopies. Mais après tout, du moment qu'il les menait, Thorn et elle, jusqu'à la Corne d'abondance…

Les yeux d'Ambroise descendirent sur ses babouches à l'envers.

– Père se confie peu à moi, mais je sais qu'il attend beaucoup de vous. Trop, sans doute. Je n'ose pas imaginer la pression que vous devez vous mettre toute seule pour retrouver l'Autre depuis le premier effondrement. Quand je pense, dit-il avec un certain embarras, que j'ai cru à une époque que c'était vous.

Ophélie ne put réprimer un coup d'œil sur le petit aperçu de sa nuque, entre le noir brillant des cheveux et la vieille écharpe tricolore. Quelque part sur ce dos, un code dont Ambroise n'avait pas conscience le maintenait incarné dans la matière. Elle aurait dû se sentir mal à l'aise. Elle n'éprouvait que du chagrin, non pas à cause de ce qu'il était réellement, mais parce qu'il était sans doute plus heureux en ne le sachant pas. Au fond, Ambroise n'était pas si différent de Farouk qui, malgré les tensions politiques qu'il avait engendrées pour déchiffrer son Livre, était juste une créature en quête de réponses – des réponses amèrement regrettées par la suite. Ils étaient deux échos qui ne devaient leur venue au monde qu'à quelques lignes écrites, l'un sur son dos, l'autre dans un Livre.

Est-ce que l'écho d'Eulalie avait besoin lui aussi d'un code pour se matérialiser ? Ou était-ce cela, la différence fondamentale entre un écho né spontanément d'une cristallisation et tous ceux qui avaient été incarnés artificiellement ?

– J'ai déjà trouvé l'Autre, déclara Ophélie à la vive surprise d'Ambroise. Je l'ai trouvé et je ne m'en suis même pas rendu compte.

Si elle en croyait l'Ombre, du moins. Quelqu'un qui lui ressemblait.

« Et si c'était vraiment moi, l'Autre ? »

Le sourire de dérision qu'Ophélie eut à cette hypothèse retomba vite. *Traverse*. Cette nuit-là, quand elle avait rencontré l'écho d'Eulalie Dilleux pour la toute première fois dans le miroir de sa chambre, elle était entrée en lui et lui en elle.

Était-il vraiment ressorti ?

Pieds dans les pissenlits, Ophélie ne bougea plus. Pétrifiée. Son cœur lui cogna dans la gorge. Ses mains devinrent glaciales sous ses gants. Elle eut d'abord très chaud, puis très froid, comme si son organisme venait de prendre brutalement conscience de l'invasion d'un corps étranger.

– Miss, vous allez bien ? s'inquiéta Ambroise.

Ophélie l'entendit à peine par-dessus le chaos de sa respiration. Non, elle ne pouvait pas être l'Autre, parce qu'elle s'en serait forcément rendu compte, parce que les effondrements s'étaient toujours produits à son insu et parce qu'elle ne le voulait pas, tout simplement. Elle roula cette pensée en boule comme elle l'aurait fait d'une feuille de papier et la jeta le plus loin possible. Elle avait déjà un écho en trop collé à la peau, elle n'avait pas besoin d'un deuxième.

– Ça ira mieux quand tout sera terminé, répondit-elle.

Elle fut soulagée d'entendre le vol du lazaroptère. Sa grosse silhouette de libellule se découpa bientôt sur le bleu intense de l'après-midi. Le souffle de ses hélices éparpilla les aigrettes de pissenlit aux quatre vents pendant qu'il atterrissait dans la jachère. Walter déploya la passerelle mécanique.

– *Welcome* à bord! s'exclama Lazarus du poste de pilotage.

L'intérieur du lazaroptère était aussi sombre, grinçant et exigu que devait l'être une coque de sous-marin. Aveuglée par la différence d'éclairage, Ophélie trouva Thorn en se cognant au bras qu'il lui tendait pour la guider jusqu'à son harnais. Il était lui-même installé sur un siège à ressort, une main cramponnée à la poignée de sécurité du plafond, les jambes pliées à l'extrême de façon à ne pas se faire écraser les pieds par le fauteuil d'Ambroise. Le voyage promettait d'être long.

– Attendez!

C'était Elizabeth, qui se hissa sur la passerelle que remontait Walter, envahissant le peu d'espace qu'il leur restait. Sous le rabat de ses paupières étincelait un nouvel orgueil.

– Je suis une citoyenne de Babel. Ma place est là-bas.

Ils décollèrent. Ophélie avait déjà voyagé en miroir, en dirigeable, en train, en sablier, en ascenseur, en tramoiseaux et en fauteuil roulant : le lazaroptère fut le moyen de transport le plus incommodant de tous. Les vibrations des hélices se propageaient dans les harnais de sécurité, secouaient les os, dissuadaient toute conversation.

Mais le lazaroptère était rapide et Babel fut en vue au bout de quelques heures.

– *By Jove!* jura Lazarus.

Ophélie, Thorn, Ambroise et Elizabeth détachèrent leur harnais et se contorsionnèrent vers le pare-brise où les essuie-glaces bataillaient contre l'humidité. La mer de nuages était prise de folie, élevant ici des murailles de vapeur, creusant là des puits de néant. En l'espace de deux nuits et deux jours, Babel était devenue méconnaissable. Des trous béants étaient apparus au beau milieu de l'arche majeure, l'un d'eux emportant avec lui une moitié de pyramide.

– Les effondrements s'accélèrent, dit Thorn.

Elizabeth serra des lèvres livides.

– Lady Septima a promis aux citoyens qu'ils seraient en sécurité au centre-ville. Elle… elle avait tort.

À travers le marécage des nuages, leurs cris absorbés par les hélices du lazaroptère, les Babéliens se bousculaient dans les rues et leur adressaient de grands gestes désespérés. La terre sous leurs pieds était devenue leur pire ennemie.

«Pas la terre, songea Ophélie. L'Autre.»

Elle refusa de se demander pourquoi elle n'avait pas encore été capable de l'identifier. Ne pas penser à la feuille roulée en boule au fond de son esprit.

En attendant, elle ne voyait nulle part où atterrir en ville pour déposer Ambroise et Elizabeth, conformément à ce qui était prévu. Ils ne savaient ni l'un ni l'autre qu'ils avaient tous deux été les jouets de Lazarus, chacun à sa manière. Ophélie n'avait pas envie de les entraîner davantage dans les rouages de l'observatoire.

– Regardez!

Ambroise se tordit dans son fauteuil pour signaler des formes derrière le pare-brise, délayées par la bruine. Elles gravitaient toutes autour de la tour immense, encore intacte, du Mémorial de Babel.

Lazarus, qui actionnait infatigablement leviers et manivelles, colla sa figure à un périscope.

– Des aérostats, dit-il, et pas n'importe lesquels. Ils portent les armoiries des esprits de famille de Corpolis, de Totem, d'Al-Ondalouze, de Flore, de Sidh, de Pharos, de Zéphyr, du Tartare, d'Anima, de Vespéral, de la Sérénissime, d'Héliopolis, de Plombor, de Titan, de Séléné, du Désert et même du Pôle. Une réunion interfamiliale de cette ampleur à Babel, c'est du jamais-vu!

Le pouls d'Ophélie avait battu plus vite aux mots « Anima » et « Pôle ».

– Nos esprits de famille sont ici?

Depuis la fondation du nouveau monde, aucun n'avait jamais quitté l'arche dont il était responsable. Lazarus avait raison : c'était du jamais-vu.

– Ils sont probablement là pour Lady Hélène, expira Elizabeth, coincée contre la charpente inconfortable de Walter. Ils ont dû ressentir sa disparition. Les esprits de famille sont reliés par leurs Livres, ça fait partie des rares choses que j'ai comprises en étudiant ce code.

Ophélie se sentait hypnotisée par les taches mouillées derrière le pare-brise. L'une d'elles était le dirigeable d'Artémis, une autre celui de Farouk. Ils avaient dû faire appel à toutes les ressources imaginables, technologiques et surnaturelles, pour parcourir une telle distance en si peu de temps. C'était une torture de ne pas pouvoir les rejoindre et leur demander si sa famille allait bien.

Thorn se pencha sur elle autant que le permettait l'étroitesse du lazaroptère. En dépit des poils drus qui lui rongeaient la mâchoire et des cernes qui lui dévoraient les yeux, il se consumait d'énergie.

– Tenons-nous-en au plan, lui dit-il à l'oreille. Si tous les esprits de famille sont au Mémorial, Eulalie Dilleux ne va pas tarder à sortir des coulisses – et peut-être son écho par la même occasion. C'est maintenant plus que jamais qu'il nous faut la Corne d'abondance. Conduisez-nous directement à l'observatoire, ordonna-t-il à Lazarus en haussant la voix.

– L'observatoire ? s'étonna Elizabeth. Ils se sont débarrassés de nous, ils ne souhaitent certainement pas nous voir revenir.

Lazarus lui adressa un clin d'œil depuis le poste de pilotage.

– *Don't worry*, j'ai mes entrées là-bas. Nous y serons en sécurité. Après tout, je suis leur fournisseur d'automates préféré.

Ophélie admira malgré elle l'aplomb avec lequel ce vieillard s'appuyait sur le vrai pour dissimuler le faux. La bosse n'en finissait plus de pousser sur son front ; c'était à Ophélie qu'il la devait, et pourtant il continuait de se comporter en vainqueur. Elle avait beau se répéter qu'ils avaient besoin d'unir leurs forces pour sauver ce qui pouvait l'être encore, elle n'avait aucune confiance en lui. Là-bas, à l'observatoire, ils seraient sur son territoire.

Ce fut en tout cas ce qu'Ophélie pensa en apercevant le colosse au cœur d'un tourbillon de nuages. Elle le pensait encore quand le lazaroptère se posa au sommet de sa tête, sur une plateforme d'atterrissage dont elle ignorait l'existence jusque-là. Elle le pensait toujours lorsque Lazarus leur fit emprunter un ascenseur secret qui descendait directement dans le crâne de la statue. Elle n'envisagea de revoir sa position qu'une fois à l'intérieur des appartements directoriaux.

Enlacé dans un fauteuil de travail, un couple dégustait des gâteaux au safran.

– Nous voilà enfin réunis ! se réjouirent les Généalogistes d'une seule voix.

L'ABONDANCE

Une pluie entremêlée de soleil pianotait sur les rosaces qui faisaient office de prunelles au colosse. L'ombre des gouttes coulait sur le sourire des Généalogistes. Ils s'étreignaient si passionnément qu'ils ne formaient qu'un seul et même corps. Leur or éclipsait le monde autour d'eux, si bien qu'Ophélie mit un moment à réaliser qu'ils n'étaient pas seuls dans les appartements directoriaux.

La garde de Pollux vidait les bibliothèques de leur contenu. Dossiers des internés, imageries médicales, tout y passait. Ils avaient suspendu leurs gestes, prêts à s'emparer de leurs fusils à baïonnette, qu'ils portaient en bandoulière, dès que le compartiment secret de l'ascenseur s'était ouvert sur Lazarus, Ophélie, Thorn, Ambroise, Elizabeth et Walter. Ils n'attendaient qu'un ordre des Généalogistes.

L'homme leur fit signe de poursuivre en agitant nonchalamment sa part de gâteau pendant que la femme se léchait les doigts.

– Quelle agréable surprise de recevoir votre visite !

– Nous commencions à nous sentir un peu seuls ici.

– Il n'y a plus âme qui vive dans cet établissement.

– Pas un observateur.

– Pas un collaborateur.

– Pas un sujet.

– Pas un chat.

Ophélie jeta un regard par la rosace la plus proche. En contrebas, les cloîtres et les jardins étaient en effet déserts. Où était passé l'homme à la fossette ? Et la femme au scarabée ? Et les autres inversés ? Et Seconde ? Et le chevalier ?

À côté d'elle, Thorn ne laissa transparaître aucune émotion, mais il sembla à Ophélie que sa montre avait cessé de tictaquer dans sa poche. Il avait voulu prendre de vitesse ces Généalogistes avec qui il avait conclu, puis rompu un pacte ; et il avait échoué. Le picotement électrique de ses griffes, auquel Ophélie avait fini par s'habituer, s'était soudainement arrêté. À la seule idée qu'il pût avoir peur, lui qui avait si souvent tutoyé la mort, elle se sentit prise de panique.

Ambroise lui-même parut impressionné, caressant l'écharpe pour calmer son agitation grandissante.

Une menace flottait alentour comme une odeur de gaz. Quelque chose de terrible allait se produire ici, mais quoi ?

Lazarus, pour sa part, n'eut l'air ni surpris ni inquiet par l'intrusion des Généalogistes dans son observatoire. Il était, comme à l'accoutumée, exagérément confiant, les pouces calés dans ses goussets de redingote.

D'un mouvement synchrone, les Généalogistes tournèrent leur regard sur Elizabeth, qui recula aussitôt d'un pas.

– C'est un soulagement de vous voir saine et sauve, virtuose.

– Vous obliger à monter dans ce long-courrier était une insulte à votre talent.

– Lady Septima s'est montrée *really* indigne de sa fonction.

– Par sa faute, les émeutes se sont généralisées à Babel.

– Elle en paie d'ailleurs le prix à l'instant où nous parlons.

– Nos braves concitoyens l'ont jetée dans le vide.

— Plus dure sera la chute ! conclurent-ils en chœur.

Ophélie les trouvait inhumains. Même quand ils souriaient, aucune ride ne venait altérer l'or de leur peau, probablement une conséquence de leur pouvoir familial. Elle songea à Lady Septima en train de sombrer sans fin vers cet abîme qui avait englouti son fils.

Ophélie comprit, à la contraction de ses ongles sales autour des manches de son uniforme, qu'Elizabeth partageait son effroi. Ses paupières s'étaient levées comme des rideaux, alors qu'elle suivait des yeux les allées et venues de la garde qui emportait dans des caisses la vie privée de centaines de patients. Les Généalogistes avaient mis le chaos à profit pour investir par la force cet endroit qui leur avait toujours été interdit. Babel agonisait et ses plus hauts dignitaires restaient là, confortablement assis dans un fauteuil qui ne leur appartenait pas.

— Les esprits de famille, articula Elizabeth avec difficulté. Ils sont tous au Mémorial pour faire face à la crise. Pourquoi n'êtes-vous pas avec eux ?

Ophélie n'aurait jamais imaginé que, de toutes les personnes présentes dans cette salle, ce serait celle-là qui tiendrait tête aux Généalogistes.

Ils se levèrent comme un seul corps.

— Parce que c'est à vous qu'incombe désormais cette tâche.

— Babel a besoin d'une citoyenne exemplaire et dévouée.

— Comme Sir Pollux a besoin de nous, aujourd'hui plus que jamais.

— Quelqu'un doit lui servir de mémoire vivante et lui faire savoir, à lui comme à tous les esprits de famille, quelle est sa véritable place.

— Vous voilà hissée au rang des Lords de LUX !

Incrédule, Elizabeth contempla le soleil que les Généalogistes venaient d'épingler à sa poitrine. Cet insigne était, Ophélie l'aurait juré, celui-là même que Thorn avait restitué à Lady Septima. Ce n'était pas une promotion ; c'était une aliénation.

– Un aérostat est amarré dans l'enceinte, dit l'homme.

– Prenez-le et rendez-vous au Mémorial, dit la femme.

– *Now*, dirent-ils ensemble.

La garde de Pollux, qui venait de vider la dernière bibliothèque, forma une haie d'honneur jusqu'à la porte, caisses en mains. Une voie toute tracée. Elizabeth n'avait jamais apprécié ni le poids des responsabilités ni les feux de la rampe. Ce nouveau titre ressemblait à une mauvaise plaisanterie.

Elle quitta les appartements, suivie par son escorte armée, avec un dernier regard en arrière pour Ophélie.

Après son départ, il ne resta plus que cinq gardes sur place : deux postés à l'entrée des appartements, deux postés devant l'ascenseur secret et un dernier qui tenait en respect Lazarus, toujours excessivement souriant, comme s'il était le plus dangereux parmi eux. Ça faisait encore cinq fusils de trop pour envisager une fuite. Ophélie pouvait deviner, à la façon dont les longs doigts de Thorn frémissaient, qu'il passait en revue toutes les options pour renverser la situation. Depuis leur sortie de l'ascenseur, il ne l'avait plus ni regardée ni approchée, comme à l'époque où il voulait faire croire à tous que sa fiancée n'était rien pour lui. Elle-même évitait de lever les lunettes vers lui, de peur de déclencher une explosion dans ce gaz délétère qui se condensait autour d'eux.

Les Généalogistes reportèrent soudain toute leur attention sur Ambroise. Vénéneux jusqu'aux yeux. Il tressaillit lorsque la femme, dans un froissement de soie, se pencha sur son fauteuil roulant. Un tigre face à une antilope.

– Quelle fascinante difformité… Vous n'êtes pas ordinaire, mon garçon, et je ne parle pas seulement de vos membres.

– Père? appela doucement Ambroise.

Lazarus, toujours tenu en joue par le garde, lui sourit à distance.

– N'aie aucune crainte. Tout ira pour le mieux.

– Tout ira pour le mieux, répéta la femme.

Elle caressa les paumes d'Ambroise, en souligna chaque ligne et, bientôt, leurs bras à tous deux se recouvrirent de chair de poule. La femme, qui se servait de son pouvoir de Tactile pour interroger cet épiderme étranger, eut soudain une détente de sourcils, comme si elle avait trouvé ce qu'elle cherchait. Lentement, sensuellement, elle glissa ses doigts d'or sous les cheveux d'Ambroise, sous l'écharpe qui se hérissa à ce contact, sous le col de la tunique blanche.

Ophélie comprit trop tard ce qui allait se produire. Ambroise eut un hoquet de surprise; un simple hoquet. L'instant d'après, il ne restait plus rien de lui dans le fauteuil roulant, hormis l'écharpe qui battait l'air avec hébétude et un rayon de soleil entrecoupé de pluie.

Évaporé comme une fumée.

La femme tenait à présent, entre le pouce et l'index, une vieille plaque d'argent où était gravée une inscription microscopique : le code qui, des décennies durant, avait maintenu un écho ancré dans la matière et qu'elle avait ôté comme une simple étiquette.

Tout s'était déroulé si vite qu'Ophélie n'avait pas eu le temps de respirer et, encore maintenant, elle ne retrouvait plus son souffle. Ses poumons, son cœur, son sang s'étaient figés.

– Ah, là, là, soupira Lazarus. Vous avez endommagé le code. Était-ce *really* nécessaire?

Les gardes demeurés dans la salle fixèrent un point imaginaire devant eux, sans ciller, comme pour se convaincre qu'ils n'avaient rien vu.

D'un même geste, les Généalogistes leur désignèrent Walter.

– Laissez-nous et emmenez cet automate.

Les gardes obéirent. Au moment de quitter les appartements avec Walter, qui se laissa manœuvrer en les aspergeant d'eau de toilette, leurs visages trahirent du soulagement.

Dès que la grande porte d'ébène se fut refermée, Ophélie sentit un contact dur contre chacune de ses joues. Deux pistolets d'or. D'une pression, ils la forcèrent à lever le visage vers Thorn.

– La garde de Pollux n'est pas la seule autorisée à porter du matériel de prévention de la paix, l'avertirent les Généalogistes.

– Vous avez fait un grand inspecteur familial bien décevant.

– Nous fermions les yeux sur vos nombreuses cachotteries.

– Tant que vous étiez des nôtres dans cet observatoire.

– Mais vous avez déserté votre poste pour cette petite Animiste.

Ophélie n'avait vraiment conscience ni des deux armes pointées sur elle, ni de la promiscuité des Généalogistes, dont les cheveux d'or se mélangeaient aux siens, ni même de l'immobilité prédatrice de Thorn. Elle ne voyait que la vacance à l'autre bout de l'écharpe. Ambroise était là et, le moment suivant, il n'y était plus. Il l'avait accueillie, guidée, nourrie, hébergée, conseillée... et il n'y était plus.

Sans relâcher la pression de son pistolet, la femme lança à Lazarus la plaque de code qu'elle avait arrachée.

– Nous sommes honorés de rencontrer le véritable auteur du projet Cornucopianisme.

– Pour être sincères, professeur, jusque récemment nous ne vous jugions pas digne d'intérêt.

– *Of course*, nous savions qu'Eulalie Dilleux avait fait de vous un autre de ses serviteurs.

– Mais à aucun moment nous ne vous avons cru capable de la concurrencer.

– Il nous est dernièrement apparu à quel point nous vous avions sous-estimé.

Lazarus détacha les yeux de la plaque entre ses mains. L'ombre d'un sourire était toujours là, accrochée au coin de ses lèvres. La disparition brutale d'Ambroise ne l'avait pas ébranlé.

– Qu'est-ce qui vous a amenés à changer d'avis ?

Ophélie ne pouvait pas voir l'expression des Généalogistes, qui la serraient de près. En revanche, elle vit Thorn se contracter jusqu'aux pupilles quand ils enfoncèrent davantage leurs deux canons dans ses joues.

– Cette petite Animiste que nous avons croisée par hasard.

– Pendant le recensement, à un comptoir du Mémorial.

– Nous avons jeté un coup d'œil à ses papiers.

– « Eulalie » n'est *really* pas un nom répandu à Babel.

– Et celui-ci est spécialement lourd de signification.

– Nous avons donc mené une petite enquête sur elle.

– Et appris qu'elle habitait chez vous en votre absence.

– Et ainsi découvert l'existence de votre prétendu fils.

– Un fils qui ne figurait nulle part sur votre branche généalogique.

– Que vous preniez grand soin de cacher dans votre ombre.

– Dont nous avons fini par trouver, à force de persévérance, une trace dans nos archives.

– Un simple sans-pouvoirs né dans le quartier de votre enfance.

– Interné avec vous ici même, dans cet observatoire.

– Et qui n'a plus vieilli d'un cheveu depuis quarante ans.

– Lady Septima, décidément bien mal inspirée, l'a expulsé sans nous permettre de le rencontrer.

– Fort heureusement, achevèrent-ils ensemble, c'est vous qui êtes revenus à nous !

Lazarus avait placidement acquiescé à chaque affirmation des Généalogistes.

– Et si vous me disiez ce que vous attendez de moi et de mon modeste observatoire ?

Les pistolets frissonnèrent d'excitation contre les mâchoires d'Ophélie. Elle ne pouvait plus remuer une vertèbre.

– L'abondance ! répondirent les Généalogistes.

– La seule qui compte vraiment.

– Une abondance de temps.

– L'immortalité.

L'écharpe s'obstinait à chercher, au fond du fauteuil roulant, un corps qui ne s'y trouvait plus. Ophélie ne pouvait en détacher le regard. Ces Généalogistes n'avaient rien compris à ce que représentait la Corne d'abondance. Ils avaient détruit Ambroise sans savoir ce qu'il était vraiment. Ils ne méritaient pas l'immortalité.

Ils ne méritaient pas la vie.

Prise dans l'étau des pistolets, Ophélie ferma les paupières pour se relier à leur moelle épinière. Elle ne voulait pas les repousser. Elle voulait leur faire mal, planter ses griffes dans leur chair aussi profondément que son pouvoir le lui permettait.

Elle n'y parvint pas.

Elle pouvait deviner, en serrant fort les dents pour étendre sa perception au maximum, le système nerveux de Thorn et de Lazarus, mais pas celui des Généalogistes. Leur peau était une forteresse impénétrable.

Elle rouvrit les yeux en grand et croisa, tout là-haut, ceux de Thorn qui lui intimaient de ne rien faire. Elle comprenait à présent pourquoi il les craignait. Tuer et être tués n'était pas un problème pour eux.

Leur souffle lui brûla les oreilles.

– Nous ne vieillissons pas en apparence, mais ce n'est là qu'une façade.

– Sous la peau, nos corps meurent à chaque seconde.

– Nous sommes fatigués de gaspiller du temps.

– Et nous sommes fatigués de fouiller cet endroit.

Ophélie fut traversée par un espoir en voyant l'aérostat de LUX s'élever derrière les rosaces, mais l'engin poursuivit son ascension et disparut au loin, en direction du Mémorial de Babel. Elle ne voyait pas comment Elizabeth aurait pu faire autrement qu'obéir aux Généalogistes, mais elle se sentit abandonnée quand même.

– Je m'incline, déclara alors Lazarus en penchant humblement la tête. Je vous conduis à la Corne d'abondance. À une condition : nous y allons tous ensemble. Ne causez pas de désagrément à mes partenaires, d'accord ?

Les Généalogistes firent signe à Lazarus de les guider, à Thorn de le suivre et ils poussèrent Ophélie de leurs armes. Elle dut forcer l'écharpe à lâcher le fauteuil roulant pour ne pas la laisser en arrière. Contenir contre elle cette laine remuante lui donnait l'impression que c'était son propre cœur qui lui était sorti de la poitrine.

Elle ne se faisait plus aucune illusion. Sitôt maîtres de la Corne d'abondance, les Généalogistes se débarrasseraient d'eux.

Lazarus n'appela pas le grand ascenseur de l'antichambre. Il leur fit descendre l'escalier dérobé qu'Ophélie et Thorn avaient déjà emprunté lors de leur rendez-vous clandestin. Ils s'enfoncèrent tous dans les entrailles de la statue, loin du soleil et de la pluie. Le cliquetis des ampoules mélangea leurs ombres aux toiles d'araignée.

Lazarus prenait tantôt un virage à droite, tantôt un couloir à gauche en sifflotant. N'était-il pas en train de les perdre dans les labyrinthes de l'observatoire ? Ophélie n'aurait su dire qui, de lui ou des Généalogistes, lui inspirait le moins confiance. Il prétendait qu'Ambroise était important, mais sa disparition brutale, atroce, ne lui faisait ni chaud ni froid. Il sacrifierait ses propres partenaires sans un regret s'il le fallait.

Ophélie sentait sur elle, plus pressante encore que les pistolets, l'attention muette de Thorn qui analysait, quantifiait, évaluait et recommençait ses calculs en boucle.

Après d'interminables méandres, ils parvinrent à un quai souterrain où un train semblait les attendre depuis toujours. Quand Ophélie monta à son bord, un pistolet dans chaque flanc, elle constata que c'étaient les mêmes sièges de velours et les mêmes lampes à abat-jour que lors de son premier trajet. La destination serait-elle autre, cette fois ?

– Je vous recommande de vous asseoir, dit Lazarus en montrant l'exemple. La pente est raide.

À peine eut-il prononcé ces paroles que la portière du compartiment se referma et qu'ils entamèrent leur descente dans le tunnel. Ophélie venait d'une arche où les calèches et les tramways n'en faisaient parfois qu'à leur tête, mais ce train était réellement investi d'une volonté propre. Était-il un écho incarné, lui aussi ? Installée d'autorité entre les Généalogistes, elle se concentra en vain sur les armes qui lui faisaient mal aux côtes. L'or était un matériau doté d'une forte personnalité, même face à un Animiste ; il était plus facile de manœuvrer un dirigeable que de faire entendre raison à cette mécanique.

Alors qu'elle hasardait un coup de lunettes à travers les vitres du train, elle surprit un sourire sur son propre reflet. Elle crut d'abord à un rictus nerveux avant de comprendre que ce n'était pas elle qui souriait, mais son écho. Il était là.

Il continuait de la suivre. Cette vision ne dura qu'un instant et, bien vite, le sourire disparut de la vitre, mais Ophélie se sentit étonnamment réconfortée.

Elle serra l'écharpe contre elle et croisa le regard acéré de Thorn, assis sur la banquette d'en face. Il était aussi farouchement déterminé qu'elle à s'en sortir. D'une façon ou d'une autre, ils trouveraient une solution. Ensemble.

Une secousse brutale indiqua l'arrêt du train.

Au début, une fois descendu le marchepied, Ophélie ne vit pas grand-chose, mais elle fut assaillie par une odeur extrêmement dense. C'était comme inhaler de la roche. Il ne faisait pas sombre ici, bien au contraire. Plus elle battait des cils, moins Ophélie appréhendait les contours de cet espace. Il s'agissait d'une caverne à la hauteur de plafond vertigineuse. Ses parois étaient criblées de galeries d'où arrivaient et repartaient sans cesse des convois de wagonnets. La taille des stalactites et des stalagmites donnait la sensation d'avoir échoué dans la gueule d'une Bête.

Ophélie en aurait presque oublié les pistolets.

Elle plissa les yeux vers les deux miroirs paraboliques qui se dressaient de part et d'autre de la caverne, orientés l'un vers l'autre, immenses comme des cyclopes, tournoyant comme des moulins. C'étaient des kaléidoscopes encore plus fous que tous ceux qu'elle avait vus à l'observatoire et, à en juger par leurs nervures de câbles, c'étaient eux qui dévoraient la quasi-totalité de l'électricité.

– La Corne d'abondance ! murmurèrent les Généalogistes, chacun tourné vers une parabole.

Lazarus, dont les yeux étaient éclipsés par l'éclat de ses bésicles, se fendit d'un rire indulgent.

– *In fact*, non. Ces machines ne sont là que pour l'optimiser. La seule véritable Corne d'abondance, c'est elle !

Avec sa gestuelle de vieux prestidigitateur, il désigna une cage au milieu de la caverne, à l'intersection des deux paraboles. La cage avait l'allure d'une volière. Hormis sa taille, de belle envergure, elle n'était pas bien impressionnante en elle-même, mais ce qu'elle contenait l'était encore moins.

Il n'y avait rien à l'intérieur.

La chute

Ce ne fut qu'une fois proche de la cage, entraînée par les Généalogistes, qu'Ophélie comprit qu'elle n'était pas si vide que cela. Un scintillement infime, à peine plus épais qu'une pointe d'aiguille, flottait en son milieu. Elle pensa à ces particules de poussière qui accrochent le soleil devant les fentes des persiennes, sauf que celle-ci ne batifolait pas dans tous les sens. Elle était immobile et immuable. Et prisonnière : un cadenas fermait la cage.

Les Généalogistes se contractèrent autour d'Ophélie ; elle pouvait sentir leurs muscles, leurs respirations, leur poudre, presque leurs pensées.

– Ouvrez.

Leurs voix avaient perdu toute lascivité. Ils étaient du désir à l'état brut.

– Patience, patience !

Lazarus fouilla une par une les poches de sa redingote avant de se frapper le front en s'esclaffant, puis en extrayant une clef de sa chaussette gauche. Ophélie n'arrivait pas à croire qu'il avait tout ce temps caché sur lui, en particulier à cet endroit, quelque chose d'aussi précieux. Il existait forcément un double en la possession de quelqu'un d'autre. Elle hissa les yeux vers l'entrelacs de rails qui charriait des wagonnets à travers les galeries minières de la caverne. Même s'il n'était pas aisé de discerner avec précision tout ce qui n'était pas éclairé par les arcs-en-ciel mouvants des deux kaléidoscopes géants, elle devinait des débordements d'objets et, plus encore, les craquements de meubles, les entrechocs de vaisselle, toutes ces sonorités fêlées propres aux défauts de fabrication. C'était une minuscule étincelle qui avait créé cela ?

Le déclic du cadenas ramena son attention sur Lazarus, qui ouvrit en grand la porte, haute comme lui, de la cage.

– Avant d'aller plus loin, se rengorgea-t-il, j'aimerais faire une déclaration.

D'un mouvement à la symétrie parfaite, les Généalogistes décollèrent leurs pistolets des flancs d'Ophélie pour les pointer sur lui. Deux détonations. Deux balles d'or en pleine poitrine. Sous la force de l'impact, Lazarus fut projeté loin de la cage tandis que résonnait, interminablement, le double coup de feu. Ophélie eut la sensation que c'était en elle que ce bruit se répercutait. Thorn l'attira brusquement en arrière pendant que les Généalogistes, d'un élan inverse, s'avançaient vers la cage ouverte, main dans la main, leurs canons fumants au bout de leur autre bras. Ils n'accordèrent plus un battement de cils au corps de Lazarus, gisant dans les couleurs fluctuantes des paraboles, figé en plein sourire. Il n'y avait plus personne entre eux et la Corne d'abondance désormais.

– Il avait un plan, murmura Thorn à l'oreille d'Ophélie. Il en avait logiquement un.

Les Généalogistes entrèrent dans la cage, tels deux phénix prêts à renaître, leurs profils levés vers cette si petite étincelle pleine d'infini. Ils n'avaient qu'à tendre la main.

– Donne-nous l'éternité.

Ce n'était pas une prière. C'était un commandement.

Les Généalogistes ne bougèrent plus. Thorn avait cessé de respirer et l'écharpe de remuer. Lazarus était un cadavre sur le sol. La Corne d'abondance avait dilaté la trame même du temps en y injectant une surproduction de secondes, de minutes, d'heures, d'années. Ophélie l'aurait cru, du moins, si elle n'avait pas entendu son propre cœur cogner à pleine vitesse avant que quelque chose ne consentît enfin à se produire.

Ce quelque chose se manifesta sous la forme d'une auréole autour des Généalogistes, dont les yeux écarquillés d'extase assistaient à leur glorieuse métamorphose. L'auréole s'opacifia en un nuage doré qui envahit toute la cage. Leurs yeux s'agrandirent davantage, le nuage s'empourpra et Ophélie comprit soudain que c'étaient leurs corps – maquillage, peau, organes – qui s'éparpillaient en milliers de miettes. Aucun cri ne franchit leurs bouches béantes, et très vite il n'y eut plus de lèvres du tout. Les Généalogistes étaient devenus un brouillard que l'étincelle aspirait petit à petit, molécule après molécule, comme l'aurait fait une grille de ventilation, jusqu'à ce que la cage fût entièrement vidée.

La Corne d'abondance les avait dévorés.

L'étincelle se mit alors à briller d'un éclat plus vif. Elle diffusa dans la cage une nouvelle brume, argentée celle-ci. «De l'aerargyrum?» se demanda Ophélie avec une fascination morbide. Pour qu'il fût visible à l'œil nu, il devait y en avoir une concentration phénoménale. Petit à petit, la brume changea d'aspect, prit des couleurs, se solidifia jusqu'à matérialiser des hommes et des femmes. Les échos incarnés des Généalogistes. La cage en était remplie. Leurs corps étaient difformes, leurs visages méconnaissables. Des copies ratées.

Ophélie frissonna de toute son écharpe. C'était donc cela, le véritable pouvoir de la Corne d'abondance?

– Nous avons de la compagnie, lui dit Thorn.

Des pas s'élevèrent des profondeurs de la caverne, là où se superposaient toutes les ombres. Des gens approchaient. Quand ils franchirent l'orée de la lumière électrique des kaléidoscopes, Ophélie eut un choc encore plus fort que tous ceux qu'elle avait éprouvés jusqu'à maintenant. Ambroise se dirigeait vers eux. Il se contorsionnait plus qu'il ne marchait, mais il était là, debout, bien vivant, en chair et en sourire. Il ne venait pas seul. Un deuxième Ambroise le suivit dans la lumière, puis un troisième, puis un quatrième et ce fut bientôt une affluence de sosies qui émergea de l'obscurité. Ils se ressemblaient tous, et pourtant chacun d'eux souffrait d'une dissymétrie différente. Ils étaient tous les échos incarnés d'un Ambroise originel disparu quarante ans auparavant.

Ils n'eurent pas une parole pour Ophélie et Thorn, mais ils les saluèrent d'un hochement de tête aimable au moment de passer à côté d'eux. Beaucoup d'automates les escortaient, portant des plaques codées et des boîtes à outils. Ils se regroupèrent autour de la cage et, reproduisant des gestes mille fois répétés, ils évacuèrent les échos sans les brusquer, mais en prenant garde à ne surtout pas s'attarder dans l'enceinte de la grille, puis ils refermèrent le cadenas. Dès qu'un Ambroise posait une plaque sur le dos d'un écho, celui-ci changeait d'apparence. Les traits des Généalogistes s'effacèrent, nez, yeux, oreilles, cheveux, chair, muscles, jusqu'à abandonner leurs derniers résidus d'humanité.

– Des automates.

La voix d'Ophélie avait perdu toute intonation. Elle repensa à l'implosion d'Hugo dans l'amphithéâtre et à l'usine où ils s'étaient réfugiés pour échapper aux patrouilles. Rien de tout cela n'était authentique. Ce n'étaient que des artifices pour empêcher les citoyens de connaître la véritable nature des automates. Lazarus n'en avait probablement jamais créé un seul de sa vie. Il avait utilisé un simple code pour remodeler de vrais échos en fausses machines.

À présent qu'elle portait sur eux un regard différent, Ophélie réalisait que la morphologie de plusieurs automates ici présents lui était familière. Ceux-ci lui rappelaient Mediana, ceux-là le chevalier. Certains se frappaient l'oreille gauche, imitant une manie qui avait perdu tout son sens. D'autres encore portaient sur l'épaule une reproduction de l'animal mécanique de leurs anciens propriétaires : un scarabée, un singe, un lézard... Il y avait même parmi eux le perroquet mécanique, désormais muet, qui avait accueilli la cristallisation d'Ophélie dans la chapelle.

S'il ne restait plus personne à l'observatoire des Déviations, c'était parce que tous ses occupants avaient franchi la porte de la cage. Était-ce là l'ultime étape du programme alternatif ou un acte désespéré pour échapper à l'effondrement final du monde?

Ophélie avait épuisé sa capacité à s'étonner. Elle ne sourcilla même pas quand le cadavre de Lazarus se redressa en toussant et gloussant, pendant que des répliques d'Ambroise l'aidaient à se mettre debout.

– «Tout ce qui entre dans la cage se transmute.» Voilà ce que j'allais dire avant que ces deux impolis ne me coupent la parole.

Lazarus rajusta l'équilibre de ses bésicles roses sur son nez, puis il arracha un plastron de métal, dissimulé sous sa redingote. Les deux balles de pistolet s'y étaient logées sans parvenir à le transpercer.

– Vous le saviez, constata Thorn d'une voix lourde. Vous saviez exactement ce qui allait se produire.

Ce fut en l'entendant prononcer ces mots qu'Ophélie prit conscience du brutal retournement de situation, et celui-ci ne jouait pas en leur faveur. Ils se trouvaient sous terre, loin de tout, face à une étincelle imprévisible, environnés par une armée d'échos incarnés au service d'un seul homme – le plus redoutable d'entre tous. Le danger, ce n'était plus les Généalogistes, ça ne l'avait jamais vraiment été. Le danger, c'était Lazarus.

– Dans les grandes lignes seulement! répondit ce dernier avec une expression facétieuse. Je me suis surtout fié à mon petit doigt.

Il agita le petit doigt en question, faisant signe à quelqu'un derrière eux de venir. Seconde s'avança dans le marécage des arcs-en-ciel. Était-elle l'unique être humain de l'observatoire à n'avoir pas été transformé en automate pendant leur absence? Livrée à elle-même, elle avait perdu son pansement, révélant une balafre croûteuse qui lui fendait le nez, tel un sourire de sang. Thorn se contracta plus encore et Ophélie sut qu'il s'imposait de ne surtout pas détourner la vue. Il régnait pourtant une soudaine harmonie chez Seconde, comme si, en dépit de leurs contradictions, tous ses traits s'étaient enfin mis d'accord pour exprimer la même excitation.

Pour la première fois, elle ne portait sur elle aucun matériel de dessin, ni papier ni crayon.

Elle passa résolument entre Ophélie et Thorn, obligeant celui-ci à s'écarter en boitant pour éviter un nouvel accident de griffes, et se dirigea droit vers Lazarus. Elle écarquilla sur lui son œil blême.

– L'horizontalité outrancière s'échappe de toutes les veines du bas-côté...

Sans accorder la moindre importance à ce que marmottait Seconde, Lazarus posa fièrement une paume sur sa tête.

– Si je peux entrevoir en rêve certains échos d'avance, ce n'est rien comparé à ce regard-là. Seconde n'a jamais réussi à établir un dialogue avec les échos et induire une cristallisation, mais elle les décrypte mieux que quiconque. Lady Septima a vu la déviation de son pouvoir d'abord comme une honte, ensuite comme un prétexte pour infiltrer mon observatoire. Elle pensait ainsi servir la cause des Généalogistes, mais c'est à moi qu'elle a fait un cadeau *absolutely fabulous*!

– Et ils embrassent les guignes en percutant l'insomnie…, poursuivit imperturbablement Seconde.

Lazarus tira d'une poche intérieure son portefeuille, dont le cuir dégageait une odeur épouvantable, et en sortit une photographie délavée par le temps, la chaleur et l'humidité. Il la tendit à Ophélie. C'était le cliché d'un dessin punaisé sur un mur. Son réalisme était troublant. Il représentait très distinctement la cage de la Corne d'abondance, où brillait l'étincelle, ainsi que trois personnes à côté de sa porte grande ouverte : Lazarus, Seconde et une femme. Une petite femme en toge avec des lunettes et une écharpe.

Ophélie aurait voulu infliger à cette photographie ce qu'elle avait fait aux précédents dessins – la jeter aux toilettes, la déchirer en morceaux –, mais Lazarus la lui reprit pour la ranger dans son portefeuille.

– C'est grâce à ma petite Seconde que je n'ai jamais perdu foi en l'avenir. Je savais que ce que nous vivons aujourd'hui allait survenir tôt ou t…

– Vous êtes un hypocrite, le coupa Thorn. Mettre un terme à la domestication de l'homme par l'homme? Combien en avez-vous sacrifiés au passage?

Lazarus esquissa un sourire indulgent, mais ce fut à Ophélie qu'il le destina. Thorn n'avait pour lui aucune tangibilité.

– Je n'ai jamais sacrifié personne. Aucune des personnes qui a eu le privilège d'entrer dans cette cage n'en est morte. Elles existent encore, mais d'une façon que votre esprit et vos sens ne peuvent concevoir.

– Et ça dirige les espaces jusqu'à ce que se contracte la bouteille...

– Elles ont été converties en aerargyrum, ajouta Lazarus d'une voix exaltée qui couvrait celle de Seconde. Et les échos produits par cette transmutation ont été, eux, convertis en matière solide. Il en va toujours ainsi, je présume que c'est une question d'équilibre.

Ophélie avait mal aux yeux à force de les écarquiller. Elle imaginait les molécules des Généalogistes flottant tout autour d'elle à l'état gazeux. Peut-être même en respirait-elle. Ce que Lazarus décrivait était, à son sens, pire que la mort.

La voix du professeur prit soudain la texture du conte.

– Il y a de cela des milliers d'années, dans une Babel antique, une cité impériale a été bâtie au-dessus de nos têtes. Au cours des travaux, les constructeurs ont découvert une caverne et, dans cette caverne, une minuscule particule de lumière. Depuis combien de temps était-elle là? Personne ne le savait, mais quiconque s'en approchait était avalé par elle et régurgité sous forme de deux échos monstrueux. Une cage a été construite.

Deux? s'étonna silencieusement Ophélie. Les Généalogistes avaient produit bien plus d'échos.

– Nous ignorons l'usage que nos lointains ancêtres ont fait de cette découverte, mais ils ont fini par condamner la caverne. La Corne d'abondance est devenue une légende. Et un jour, bien plus tard, dans une Babel ravagée par la guerre, l'armée l'a accidentellement retrouvée alors qu'elle cherchait des gisements dans les sous-sols de l'ancienne cité impériale.

Lazarus récitait son histoire comme s'il se la racontait à lui-même, si rêveur qu'il en oubliait l'Index.

– Ç'a été le début d'expériences *extremely* poussées. L'armée s'est aperçue que, à proximité de matières réfléchissantes, la particule grossissait. (Lazarus désigna tour à tour les gigantesques paraboles qui faisaient tournoyer les kaléidoscopes.) Plus la particule grossissait, plus nombreux étaient les échos. Eulalie Dilleux elle-même s'est tenue ici ! s'exclama Lazarus en luttant contre l'envie de baiser le sol à ses pieds. Les bombardements ont mis un terme aux expériences, la Déchirure a fait voler l'ancien monde en éclats et la Corne d'abondance est à nouveau tombée dans l'oubli. Jusqu'à ce que je l'en sorte ! L'idée de la transmutation est difficile à accepter, admit-il. C'est la raison pour laquelle j'ai implanté une fausse fabrique au centre-ville, ainsi qu'un code d'autodestruction sur mes automates en vue de protéger leur secret de fabrication. Le jour où je pourrai enfin rendre mes recherches publiques sans choquer l'opinion est proche. Ambroise !

Les adolescents qui s'activaient autour des nouveaux automates pivotèrent aussitôt vers Lazarus.

– Procédons à une petite démonstration pour notre invitée.

– Oui, professeur.

Leurs voix douces résonnèrent comme une chorale sous la haute voûte de la caverne. Ophélie sentit l'écharpe se crisper en même temps qu'elle. Aucun d'eux ne serait jamais l'Ambroise qu'elles avaient appris à connaître. Ceux-là se contentaient de mimer un modèle disparu : leurs regards étaient vides, absents à eux-mêmes.

– Et le mur est un parfum blanc qui déraille…, déclama Seconde.

L'un des Ambroise sortit une clef qui circula de main difforme en main difforme jusqu'à un autre Ambroise qui se tenait près de la cage. Le cadenas fut rouvert. Dans une chaîne de gestes répétitifs, des objets furent apportés depuis un convoi de wagonnets.

Ce fut à chaque fois le même rituel. Ils déposaient un objet en parfait état à l'intérieur de la cage : une chaise, un sac de riz, une paire de souliers. Ils attendaient que la matière fût décomposée, puis recomposée par l'étincelle. Ils récupéraient ensuite des copies méconnaissables qui ne prenaient forme définitive qu'une fois un sceau apposé : des chaises bancales, du riz pourri, des souliers immettables.

Thorn analysa le processus avec une concentration intense. Encore maintenant, piégé dans les entrailles de l'observatoire, il ne réfléchissait qu'au moyen d'utiliser cette étincelle à ses propres fins.

Lazarus passa un délicat coup de mouchoir sur un barreau de la cage, comme s'il s'agissait du cadre d'une toile de maître.

– Le code ne sert qu'à stabiliser l'écho dans la matière et corriger ses imperfections, dans les limites du possible. Sans lui, il ne se maintiendrait pas longtemps. À partir d'une seule offrande, la Corne d'abondance produit une multitude de duplications. C'est très avantageux. *In fact*, elle peut même reproduire de nouveaux échos à partir d'un écho déjà matérialisé, mais, hélas, plus on s'éloigne du modèle original, plus les duplicata présentent des défauts de conception.

Pour illustrer son propos, il tapota le turban d'un Ambroise qui avait les yeux à la place des oreilles et le nez à l'envers.

– L'Ambroise qui a vécu chez moi toutes ces années appartenait à la première génération d'échos. Voyez-vous, mon vieil ami s'était porté volontaire pour entrer dans la cage. Il voulait être transmuté en aerargyrum, vivre l'expérience du dedans. Il était d'une curiosité scientifique inégalable ! En vérité, *my dear*, dit-il avec un clin d'œil pour Ophélie, cet écho de lui que vous avez côtoyé n'en était qu'une piètre imitation. Ressemblante, certes, émouvante aussi, mais une imitation tout de même. Il a été en quelque sorte mon tout premier automate, bien avant Walter. Rien que pour cela il me manquera beaucoup.

– Et il y a des rideaux qui pleuvent derrière chaque comète...

Ophélie se sentit envahie par la répugnance, une répulsion dont Lazarus seul était la cause. Il était si absorbé par son propre discours qu'il ne prêtait aucune attention à celui, sans queue ni tête, de Seconde.

– Mais c'est du passé ! s'exclama-t-il en se frottant les mains. Vous êtes des nôtres, à présent, *my dear*, vous et votre écho. Vous allez reproduire le miracle qu'Eulalie et l'Autre ont réalisé ici même, des siècles plus tôt : incarner des échos qui seront non pas des versions affadies de leurs modèles, mais qui les surpasseront en tout point au contraire. Si nos esprits de famille étaient des humains ordinaires à l'origine, songez aux prodiges que nous pouvons accomplir. De la nourriture délicieuse à volonté ! Des terres paradisiaques à perte de vue ! Une société d'hommes et de femmes qui n'auront qu'à s'adonner aux arts, à la philosophie et à l'accomplissement personnel ! Nos noms feront à jamais partie de l'Histoire, la grande Histoire, celle avec la majuscule.

Tout le poids d'Ophélie s'était logé dans ses sandales. Ce vieux sans-pouvoirs avait tout misé sur elle pour s'ériger en figure héroïque, mais elle n'avait pas la plus petite idée de ce qu'elle était supposée faire. Dialoguer avec un écho dont elle n'avait entraperçu l'existence qu'à quatre reprises ? En attendre un enseignement qui ferait d'elle une initiée aux plus grandes vérités de l'univers connu et inconnu ? Elle se demandait comment elle avait pu seulement envisager d'utiliser cette Corne d'abondance pour rendre son humanité à Eulalie Dilleux et renvoyer l'Autre dans le miroir.

Elle releva les yeux vers Thorn, qui se dressait de toute sa hauteur entre elle et la cage. Son ombre sans fin évoquait une coulée d'encre qui lui dégoulinait des talons. Il scrutait en silence la petite étincelle devant lui, toute proche et hors de portée. Il ne pouvait pas s'en emparer, ni même l'approcher, et pourtant son corps était tendu comme un arc incapable de renoncer à sa cible. Il cherchait coûte que coûte une solution.

Seconde, elle, s'était tue.

Ophélie fut alors secouée par une brutale évidence. Thorn ne figurait pas sur le dessin que Lazarus lui avait montré.

– Attention !

Ce fut comme si Seconde avait guetté ce signal. Elle se rua sur Thorn, qui pivota vers elle dans un grincement métallique, les sourcils arqués par la surprise. Il faisait deux fois sa taille et n'était pas un homme facile à déstabiliser. Si son assaillant avait été quelqu'un d'autre, il se serait servi de ses griffes sans le moindre scrupule, mais Ophélie surprit une fulguration sous ses paupières écarquillées – un choix immédiat à faire. Il se laissa pousser en arrière. L'armature de sa jambe explosa dans un vacarme d'acier, de vis et de boulons.

Thorn était tombé à l'intérieur de la cage.

Ophélie se détendit comme un ressort. Elle avait cessé de raisonner, elle n'était plus qu'un réflexe primal. Le sortir de là. Maintenant. *Maintenant.* Des bras la stoppèrent en plein élan. C'étaient les Ambroise qui, sur un claquement de doigts de Lazarus, l'avaient enlacée. Elle les chassa avec ses poings, avec ses dents, avec ses griffes, mais, dès qu'elle se défaisait d'un bras, deux autres prenaient la relève.

Maintenant.

– Relève-toi !

Ophélie voyait bien que Thorn s'y efforçait. Elle le voyait se démener contre son corps trop raide, empêtré dans un chaos de métal, ralenti par une jambe insoumise. Elle le voyait, oui, mais elle lui hurlait dessus malgré tout.

– Relève-toi ! Relève-toi !

Maintenant.

– Aidez-le !

Lazarus eut un haussement d'épaules impuissant. Sur le seuil de la cage, très satisfaite d'elle, Seconde fixait de son œil vide cet homme qui se tordait à ses pieds.

– Mais ce puits n'était pas plus vrai qu'un lapin d'Odin, lui dit-elle.

Thorn se figea. Une auréole se déployait tout autour de lui ; sa propre chair s'effritait. Il tourna sa longue figure osseuse vers Ophélie, qui se débattait à coups de coudes entre les Ambroise pour essayer désespérément de lui tendre une main. Il se plongea tout entier au fond de ses yeux, y cloua son regard le plus intransigeant, dans un ultime défi, puis il se volatilisa en milliers de particules.

Ophélie cessa de lutter, de crier, d'exister. Elle assista sans ciller à l'aspiration du brouillard – un brouillard entièrement composé de Thorn – par la minuscule étincelle et, quelques instants plus tard, à la diffusion de plusieurs échos, debout dans la cage, montre à la main. Des caricatures malformées et inexpressives qui n'étaient pas Thorn. Qui ne seraient jamais lui.

Alors que les Ambroise s'apprêtaient à appliquer la procédure habituelle, Lazarus les arrêta.

– Non, dit-il doucement. Pas ceux-ci.

Les échos, faute de code pour se maintenir dans la matière, se dissipèrent peu à peu. Il ne restait plus rien de Thorn ; pas même un bout d'ongle ou une moitié de cheveu.

Ophélie suffoquait. Ses veines brûlaient. Elle était en feu. Son instinct de survie lui dictait de reprendre sa respiration, de remplir ses poumons d'air, mais elle n'y parvenait plus. La mécanique vitale de son corps s'était cassée. Sa vision se brouilla et elle se sentit basculer à l'intérieur d'elle-même, loin, très loin en arrière, bien avant sa naissance, là où tout est froid, et calme, et oublié.

Plantée au milieu de la caverne, Eulalie essuie ses lunettes pour la sixième fois.

À chaque nouvelle bombe qui s'écrase sur l'observatoire, tout là-haut, à la surface, les stalactites déversent sur elle de la poudre de roche. Autour d'elle, il n'y a personne, mais le sol est jonché de fusils, de mitraillettes, de grenades, de lance-flammes et de mines antipersonnel. Du bout de sa botte militaire, Eulalie les écarte. Toutes ces armes sont des répliques inutilisables, des échos ratés. Elles ne tueront heureusement jamais.

Ceux qui voulaient les utiliser sont morts, quelque part là-haut.

Elle aurait dû comprendre plus tôt la véritable finalité du Projet, et son absurdité. Elle aurait dû savoir que ses supérieurs n'avaient jamais eu d'autre intention que de produire toujours plus d'armes. Leurs expériences étaient de toute façon destinées à échouer. Les échos n'ont pas vocation à combler les manques des êtres humains.

Eulalie secoue la poussière de roche qui se dépose sur ses verres. Elle a survécu à la déportation de sa famille, à l'exil de son pays d'origine, à la famine, aux maladies et aux bombardements. Chaque soir, avant de s'endormir, elle s'est répété que tout cela avait un sens, qu'elle était destinée à passer entre les mailles de toutes les catastrophes afin de sauver le monde de lui-même.

Aujourd'hui, elle comprend qu'elle a surtout eu beaucoup de chance. La plus grande a été de rencontrer son Autre dans un combiné téléphonique.

– Tu as changé mon point de vue sur les choses.

– *Changé les choses*, crachote son écho dans le talkie-walkie qu'elle porte à la ceinture.

Eulalie sourit.

– Prétentieux.

Elle ôte les bretelles de son cartable et en sort avec précaution un épais cahier. Son manuscrit le plus personnel : une pièce de théâtre. Elle y a tout mis d'elle. Il y a son sang et sa sueur dans la composition de l'encre, et elle s'est servie de ses cheveux pour coudre la reliure. Elle a rédigé cette pièce au cours des dernières semaines, sans machine à écrire, à l'insu de ses supérieurs. S'ils l'avaient découverte, qu'auraient-ils compris ? Elle a crypté le texte à partir d'un vieil alphabet de son invention, son préféré, celui avec les belles arabesques.

Le cahier plaqué contre sa poitrine, elle progresse lentement entre les deux kaléidoscopes géants dont les mouvements perpétuels éclaboussent sa peau de couleurs. À l'intersection de leurs rayonnements, à l'intérieur des barbelés improvisés, elle l'aperçoit enfin, à peine visible à l'œil nu : la Corne d'abondance.

« Une particule dont le champ gravitationnel déstructure la matière qui l'approche avant de la convertir en une substance modelable à volonté. » C'est la définition que lui en avaient donnée ses supérieurs. Grâce à l'Autre, Eulalie sait à quel point ils se sont trompés, elle sait pourquoi ils n'ont produit que des copies ratées d'armes et de soldats, et elle sait pourquoi elle ne fera pas les mêmes erreurs.

Elle dépose le manuscrit à l'intérieur des barbelés et se recule jusqu'à être hors de portée de l'étincelle. Déjà la reliure s'effrite en nuage de papier. Ces pages écrites de sa propre main, de son propre sang et de sa propre sueur contiennent le début d'une histoire, celle de ses futurs enfants. Voilà ce qu'Eulalie offre à l'étincelle : des mots. Elle en attend en retour une vie intelligente. Vingt et une vies, pour être exacte.

Car ses supérieurs avaient tort, la Corne d'abondance n'a jamais été une particule.

C'est un trou.

Ophélie inhala une profonde gorgée d'air; elle s'était rappelé comment respirer. Les Ambroise penchaient sur elle une pluralité de visages malformés. Parmi eux, Lazarus lui souriait.

– Je dois admettre, *my dear*, que vous m'avez presque inquiété. J'ai cru à une attaque. J'ai beau avoir une Corne d'abondance à ma disposition, vous êtes la seule personne au monde que je ne peux pas remplacer.

Ophélie reprit conscience du sol sous ses genoux, de l'écharpe remuante autour de son cou, du brouhaha des wagonnets dans les galeries, de l'odeur minérale de la caverne et des jeux de lumière des kaléidoscopes. Elle était là, à nouveau, et pourtant il lui manquait l'essentiel.

Lazarus lui offrit son coude avec sollicitude.

– J'envie un peu votre mari, vous savez? Il est en train de faire l'expérience que tout explorateur souhaite vivre un jour. Contempler notre réalité sous un angle qu'aucun humain ne pourra jamais adopter! Si nous n'avions pas tant de prodiges à accomplir, vous, votre écho et moi-même, je vous inviterais bien volontiers à nous joindre à lui.

Ophélie le fixa intensément, à travers le double vitrage de leurs lunettes.

– Ramenez-le.

Sa voix, abîmée par les cris, ne semblait pas à elle. Rien ne lui appartenait plus et elle n'appartenait plus à rien.

Lazarus eut un soupir compréhensif.

– Le processus est irréversible. *Honestly*, j'ignore pourquoi M. Thorn ne faisait pas partie de notre dessin, mais qu'y pouvons-nous? Les échos d'avance ne se trompent jamais.

Ophélie ne l'écoutait plus. Elle ignora le coude qu'il s'évertuait à lui offrir, se fraya un passage à travers tous les Ambroise et se dirigea vers Seconde, qui se tenait encore sur le seuil de la cage, dans le contre-jour de l'étincelle.

– Pourquoi ?

La jeune fille soutint son regard sans fléchir, de son œil normal et de son œil vide.

– Mais ce puits n'était pas plus vrai qu'un lapin d'Odin, répéta-t-elle.

Elle parut alors fournir un effort gigantesque avant d'articuler :

– Il... faut... retourner.

La Corne d'abondance flottait indifféremment au milieu des arcs-en-ciel. Les mots qu'Hélène avait prononcés, dans la tribune de l'amphithéâtre, revinrent à Ophélie. «Tu devras te rendre au-delà de la cage. Retourne-toi. Retourne-toi réellement. Là, et seulement là, tu comprendras.»

– Nous ne devrions pas gaspiller davantage de temps, lui dit Lazarus, dont les vertèbres craquèrent quand il se redressa. Il nous faut établir au plus vite une communication avec votre écho afin qu'il nous révèle le vrai mode opératoire de la Corne d'abondance. Téléphone, *please* !

Un automate apporta aussitôt sur un coussin un appareil dont le fil se déroulait interminablement depuis les entrailles de la caverne. Lazarus décrocha le cornet téléphonique pour le remettre à Ophélie. Il y avait une infinie tendresse dans chacun de ses gestes, chacun de ses regards.

– Je suis certain que votre écho n'attend qu'un mot de vous, *my dear*. Il vous confiera non seulement comment créer l'abondance, mais aussi comment dépasser vos propres limitations, afin que vous puissiez l'enseigner à votre tour à ce qu'il reste de l'humanité. Eulalie a manqué d'ambition en se contentant de nous doter des esprits de famille. Elle aurait dû guider chaque femme et chaque homme sur la voie de la cristallisation, leur enseigner comment éveiller leur écho à la conscience et s'élever eux-mêmes à l'état d'omnipotence !

Peut-être même est-ce la raison pour laquelle elle a perdu le contrôle de son Autre. S'il y a une seule personne au monde capable de l'arrêter à présent, c'est vous.

Ophélie s'empara du cornet téléphonique. Elle le raccrocha, poussa Lazarus dans la cage et y entra avec lui.

– Non!

Lazarus se jeta sur la porte qu'Ophélie était en train de refermer. Trop tard : elle avait déjà verrouillé le cadenas. Il était ironique de songer que, si l'observatoire ne l'avait pas guérie de sa maladresse, elle n'aurait probablement jamais réussi à le faire à temps.

Lazarus farfouilla dans sa redingote, à la recherche de la clef. Ses bésicles roses se décrochèrent de son nez pour se briser par terre.

– Vous ne pouvez pas! Le dessin! Vous ne devez pas!

C'était la première fois qu'Ophélie le voyait en proie à la fureur, mais cela n'était pas grand-chose en balance de ce qu'elle ressentait envers lui.

Ce fut donc à Seconde qu'elle adressa sa dernière phrase, à travers les barreaux :

– Je me retourne.

Un sourire radieux se dessina sous celui de la balafre. Pour la première fois, Seconde se sentait comprise.

Ophélie serra l'écharpe contre sa poitrine, honteuse et soulagée de l'avoir entraînée dans cette cage avec elle. Elle se demanda si elle allait souffrir, levant la tête vers l'étincelle qui la dominait de haut.

Pas une étincelle, non. Un trou.

Ophélie retint son souffle. Une brume s'élevait de sa toge et de ses gants. Elle s'apprêtait à faire entrer son corps à travers le chas d'une aiguille. Thorn était monté dans ce long-courrier pour elle ; à son tour.

Lazarus, qui cherchait encore la clef du cadenas dans toutes ses poches, se pétrifia en remarquant le dessin que Seconde exhibait sous son nez. C'était celui de son portefeuille. Elle le déchira.

Ce fut la dernière vision d'Ophélie avant de voler en éclats.

L'Envers

Une douleur suraiguë. La sensation de se retourner comme un vêtement. Puis la dégringolade.

Ophélie tombe vers le haut. Accrochée à son écharpe, elle traverse ce qui lui paraît être des strates d'atmosphère, et plus elle s'élève, plus la chute s'accélère. C'est pourtant sans un heurt ni un bruit qu'elle atterrit sur ses talons. Elle est environnée de brouillard. Elle n'a plus mal, mais elle ne sait pas si elle respire encore.

Où est Lazarus ? Il n'y a plus ni cage, ni caverne, ni Seconde : plus rien, hormis l'écharpe et elle. Ophélie regarde ses bras et ses jambes pour s'assurer qu'ils sont toujours à leur place. Sa peau a pris une coloration vert-de-gris, à croire qu'elle s'est changée en une statue de vieux cuivre. Elle tire sur les boucles de ses cheveux. Blonds. Elle tire sur sa toge. Noire. Même les couleurs de son écharpe ont été inversées. Un grain de beauté, qu'elle portait jusque-là au creux du coude gauche, est désormais niché dans celui de droite. Le plus troublant est de voir, sans recourir à des verres spéciaux, l'ombre de son pouvoir familial qui l'enveloppe tout entière comme une écume. Ophélie déboutonne un gant, devenu bleu ciel, et voit l'ombre s'amplifier autour de ses doigts de *liseuse*. Au moins a-t-elle été rassemblée dans le bon ordre et en un seul morceau, ce qui est déjà un miracle en soi. La Corne d'abondance était donc bel et bien un passage.

Mais un passage vers quoi?

Ophélie pivote plusieurs fois sur elle-même. Il y a du brouillard partout. Où est Thorn? Elle veut l'appeler, mais quelque chose en elle s'y refuse. Elle avance au hasard à travers cette blancheur impalpable qui ne connaît aucune délimitation. Elle croit discerner un rectangle au loin, blafard comme un astre derrière des nuages. À peine l'attention d'Ophélie se concentre-t-elle sur lui qu'il se met à grandir, grandir, comme s'il se précipitait vers elle, alors que cela aurait plutôt dû être à elle de venir à lui. Le rectangle est en réalité une porte entre-bâillée. Ophélie s'y faufile.

Elle pénètre dans une pièce si embrumée qu'elle devine tout juste le contour du mobilier et le scintillement des lampes. Brouillard mis à part, les couleurs du lieu sont naturelles, contrairement à celles d'Ophélie. La porte par laquelle elle est entrée appartient à une penderie. Sous un capharnaüm de dossiers mal rangés et une décoration chargée à l'excès, elle a les plus grandes difficultés à reconnaître l'intendance du Pôle. Elle a été transportée aux antipodes de Babel. Même les Roses des Vents interfamiliales n'effectuent pas de tels bonds à travers l'espace.

Au milieu des nappes de brouillard se dresse le grand bureau qui a tant impressionné Ophélie la première fois qu'elle s'est assise de l'autre côté. Il porte encore la tache de l'encrier qu'elle y a renversé.

Un homme y est installé. Un homme qui n'est pas Thorn. Le nouvel intendant? Ses couleurs à lui aussi sont normales. Ophélie veut s'annoncer, mais, cette fois encore, les mots se bloquent dans sa gorge. L'homme, coiffé d'une perruque trop poudrée, est avachi dans son fauteuil. Il y a une telle quantité de gazettes, de buvards et de dossiers en attente sur le bureau que l'ensemble forme une forteresse de papier devant lui. Il n'a pas un regard pour eux, pas plus qu'il ne remarque Ophélie qui se penche impoliment par-dessus son épaule. Il s'amuse à faire des mots croisés : c'est du charabia pour elle.

Elle a perdu non seulement son aptitude à parler, mais aussi sa capacité à lire.

En revanche, elle a développé un nouveau sens qui lui permet de percevoir l'imperceptible. Quelque chose d'infiniment subtil et de puissant à la fois fait onduler le brouillard ambiant. Le nouvel intendant projette à chaque instant son image, sa chimie, sa densité à travers tout l'espace. Ophélie est traversée par ces ondes, ce qui n'est ni agréable ni déplaisant. Elle ressent la forme de cet homme, ainsi que la forme de son odeur de poudre et du raclement de son crayon contre son menton. Il prête davantage intérêt à ses mots croisés qu'au téléphone, qu'il laisse sonner sur son bureau. L'appareil produit un bruit mouillé, lointain, mais Ophélie en éprouve chaque vibration comme si elle était faite de la même substance. D'une chiquenaude, elle parvient à insuffler un mouvement contraire à l'une des propagations. La sonnerie du téléphone libère alors un écho qui arrache un sourcillement au nouvel intendant.

Ophélie agite sa main pleine de fumée sous son nez, mais il n'a pas conscience de sa présence. Elle existe trop différemment de lui.

De toute façon, ce n'est pas cet intendant-là qu'elle cherche, il y a erreur sur la personne et sur le lieu.

L'espace se distend aussitôt sous les sandales d'Ophélie. Le nouvel intendant, le téléphone, les mots croisés, le bureau, la penderie s'éloignent d'elle jusqu'à se perdre dans le brouillard.

Cette blancheur envahissante, c'est de l'aerargyrum. Ophélie en est elle-même constituée de la tête aux pieds. Elle n'arrive plus à s'exprimer, et pourtant son esprit n'a jamais été aussi limpide. Elle comprend d'instinct des notions qui lui étaient étrangères jusque-là. Ce que Lazarus appelle de l'aerargyrum est en réalité de la matière inversée. La Corne d'abondance ne convertit pas ceux qui la traversent : elle les retourne sur eux-mêmes. Et les échos produits par cette inversion s'inversent à leur tour ; un code ne sert qu'à maintenir artificiellement la structure de leurs atomes mais, avec ou sans lui, l'équilibre est préservé.

De nouvelles formes émergent autour d'Ophélie. Des manèges immobiles. Elle est de retour à l'observatoire des Déviations, dans le vieux parc d'attractions du programme alternatif. L'aerargyrum voile le ciel et le sol.

Ophélie passe devant le stand du Fakir, à l'intérieur duquel elle s'était réfugiée avec Thorn. Si elle savait comment faire, elle crierait son nom.

Elle s'avance vers le carrousel aux tigres. Elle devine une silhouette qui s'est recroquevillée entre les fauves de bois. Mediana ! Les pierres précieuses incrustées dans sa peau vert-de-gris ont pris une coloration inhabituelle. Elle a été elle aussi aspirée par la Corne d'abondance et est devenue, tout comme Ophélie, un négatif d'elle-même. La fumée de son pouvoir familial flotte autour de son corps comme son pyjama trop ample. Contrairement au nouvel intendant du Pôle, Mediana prend conscience de sa présence et relève la tête vers elle. Les iris blancs se détachent sur la cornée noire de ses yeux écarquillés. Depuis combien de temps se cache-t-elle sur ce manège ? Sa bouche ne parvient à articuler aucun son. Elle tend une main qui ébranle Ophélie. Mediana a été un bourreau et une victime, mais jamais elle n'a réclamé son aide.

L'aerargyrum fait tomber un rideau laiteux entre elles. Ophélie ne voit plus ni Mediana ni carrousel. Elle erre seule à nouveau. Elle entraperçoit, çà et là, entre deux néants, d'autres silhouettes en négatif. Lazarus. Le chevalier. La jeune fille au singe. La femme au scarabée. L'homme au lézard. Ophélie les perd de vue à chaque fois en quelques instants. Elle a même une vision fugitive des Généalogistes, d'abord l'homme, puis la femme, qui se cherchent mutuellement dans le brouillard sans pouvoir s'appeler. Ils paraissent tous déboussolés par ces limbes qui ne mènent nulle part. Ils voulaient l'abondance, ils cherchaient l'ultime vérité et les voilà livrés à eux-mêmes dans un vagabondage d'absurdité.

Ophélie a beau persévérer, elle ne voit pas Thorn parmi eux. Elle commence à être gagnée à son tour par une peur aussi désincarnée qu'elle. L'écharpe se contracte de tous ses anneaux autour d'elle et, dans un même mouvement, l'aerargyrum l'enserre de plus en plus étroitement, engloutit les derniers restes du paysage, efface jusqu'à ses sandales.

Et si elle était condamnée à ne jamais retrouver Thorn ? Si elle était condamnée à ne jamais rien trouver du tout ?

Une silhouette apparaît soudain à travers la brume et se dirige vers Ophélie sans la moindre hésitation. Plus l'écart se réduit, plus la silhouette gagne en précision. Un dos ? L'individu qui vient vers elle se déplace à reculons. Il titube, tortille des genoux, plie et déplie ses bras. Même son apparence ne cesse de fluctuer et de se troubler. Quand enfin il virevolte sur ses talons, il s'avère être une petite demoiselle aux boucles désordonnées, aux lunettes en rectangles et à l'écharpe tricolore.

L'écho d'Ophélie.

Il se tient si proche qu'il la touche presque. Ses couleurs, d'abord fidèles à celles qu'avait Ophélie avant d'être aspirée par la Corne d'abondance, se font peu à peu le reflet de celles qu'elle possède maintenant. De rose, sa peau tourne au vert-de-gris; de bruns, ses cheveux virent au blond. Son écho lui ressemble tellement! À ceci près que son écharpe à lui ne semble pas animée. Et qu'il mâche quelque chose.

– Qui est je.

Il a prononcé ces mots entre deux masticiations, d'une voix à peine humaine; la voix d'Ophélie, malgré tout. Comment parvient-il à parler? Il attend, impassible. Que veut-il d'Ophélie? Que ressent-il envers elle? Et elle, qu'éprouve-t-elle pour lui? Elle voudrait surtout pouvoir lui demander où est Thorn.

Ophélie s'avance. L'écho s'esquive. Plus elle essaie de l'approcher, plus il s'éloigne à reculons dans l'aerargyrum. La fuit-il? Dans ce royaume des échos, elle est probablement l'unique personne à disposer d'un guide et elle n'a aucune intention de le laisser lui filer entre les doigts. Elle marche de plus en plus vite pour ne pas perdre de vue l'image absurde de son propre corps qui se contorsionne pour courir en marche arrière.

Au bout d'une interminable course à l'aveuglette, Ophélie jaillit hors de l'aerargyrum. Elle a quitté un monde blême pour une explosion de couleurs. Un océan rouge s'étale à perte de vue sous un ciel orangé. Ophélie contemple la plage de sable bleu dans laquelle ses pieds s'enlisent. Ce n'est plus seulement elle qui est en négatif, c'est désormais le paysage entier. Pourquoi? Il n'y a pas d'océan à Babel, et pourtant celui-ci paraît plus réel que l'observatoire des Déviations, demeuré à l'état brumeux derrière elle.

– Qui est je.

L'écho se tient en équilibre sur la surface mouvante de l'eau. Il mâchonne toujours, comme s'il avait en bouche un bonbon qui ne fondrait pas. Du doigt, il signale une île au loin, à la végétation violette. La distance qui sépare Ophélie de cet autre rivage se rétrécit instantanément jusqu'à ce qu'il n'y ait plus de distance du tout. La voilà maintenant sur l'île, en train de remonter une allée, plongée dans l'ombre lumineuse des arbres. Son écho continue de marcher à reculons devant elle, comme si tout ceci n'était pour lui qu'un jeu de trappe-trappe. Rien ici n'est normal, ni les couleurs invraisemblables, ni les odeurs abstraites, ni les bruits liquides, mais Ophélie a la certitude d'être déjà venue. Sa conviction se renforce lorsqu'elle aborde de majestueux bâtiments de verre et d'acier au milieu de la jungle. Elle a vécu entre ces murs. Si son cœur avait conservé une logique organique, il se serait mis à battre de plus en plus vite. Elle a peur ; peur d'espérer. C'est au tour de son écho de la suivre à distance, tandis qu'elle prend l'initiative de la visite et gravit un escalier. Elle est tombée ici même, se rappelle-t-elle en enjambant une marche. C'était son premier jour.

Elle franchit la porte d'un hémicycle universitaire. Une centaine d'apprentis en redingote jaune sont assis le long des gradins, penchés sur leurs cahiers, grattant frénétiquement le papier de leurs stylographes. Ils sont tous en négatif, comme Ophélie, mais aucun d'eux ne se soucie d'elle. Les ombres de leurs pouvoirs familiaux frissonnent d'hyperactivité. Ils semblent en proie à un tourment indescriptible, déchirant les pages de leurs cahiers avant de recommencer leurs travaux à zéro. À en juger par les boulettes de papier qui recouvrent la totalité du sol, ce cirque dure depuis un très long moment.

Ophélie défroisse une feuille au hasard. L'encre blanche sur le papier noir forme des gribouillis sans queue ni tête : même elle, qui est devenue une parfaite analphabète, voit bien que ce ne sont pas des mots. Pour ces jeunes gens, qui aspirent tous à intégrer l'élite, ne plus savoir ni parler, ni lire, ni écrire doit être un véritable cauchemar.

Ophélie éclate de rire. Sa voix déformée rebondit chaotiquement à travers l'amphithéâtre, ce qui lui attire les regards furieux des apprentis qu'elle déconcentre. Jamais elle n'a ri ainsi de toute sa vie. C'est un débordement de joie à l'état pur. Elle aimerait tant leur déclarer, à tous, à quel point ils sont vivants !

La Bonne Famille n'est pas tombée dans le vide.

Ophélie quitte l'amphithéâtre, court le long des corridors et bondit par-dessus les bancs. Son écho essaie de la poursuivre d'une démarche désarticulée, mais elle ne peut ralentir l'allure, propulsée par la puissance de sa prise de conscience, libérée d'un poids qui l'écrase depuis longtemps.

Il n'y a jamais eu d'effondrement.

Elle croise des élèves et des professeurs qui déambulent dans l'établissement. Ils ont tous l'air hagard, passant et repassant des portes, allant et venant sur les murs et les plafonds, fuyant le regard des autres.

Ophélie a envie de danser avec chacun d'eux. Elle s'élance dans un promenoir entre les colonnes duquel elle peut contempler l'océan rouge, les îles voisines et au loin, noyé par le brouillard, un continent hérissé de constructions. Où qu'elle regarde, la terre et l'eau dessinent une ligne d'horizon ininterrompue.

La Déchirure ne s'est jamais produite, en tout cas pas de la façon dont elle est racontée. L'ancien monde n'a pas éclaté en morceaux. Il est demeuré intact tout ce temps, comme la Bonne Famille, tapi derrière le vide, derrière les rêves d'Ophélie. Derrière derrière.

Il s'est retourné sur lui-même. Il s'est inversé.

La mer de nuages ? Des continents entiers à l'état d'aerargyrum ! Une formidable concentration d'aerargyrum.

Ophélie s'arrête en pleine course. Au milieu du promenoir,

devant un distributeur de gazettes, sous une longue frange blanche, elle a failli ne pas reconnaître Octavio.

Octavio... Elle voudrait pouvoir prononcer son nom à voix haute afin de se persuader qu'il est bien là, qu'il n'a jamais cessé de l'être. Il est si concentré sur le distributeur de gazettes qu'il ne lui prête aucune attention. Il abaisse le levier, récupère un exemplaire, le déchire, le jette dans un vide-ordures, abaisse encore le levier, récupère un autre exemplaire, le déchire, le jette dans le vide-ordures et recommence sans que jamais le distributeur désemplisse.

Ophélie saisit Octavio par l'épaule pour l'interrompre. Elle ne le sent pratiquement pas à travers son gant, comme s'il se trouvait très loin malgré la proximité. Il tourne vers elle des yeux non plus rouges, mais turquoise, projetant l'ombre de leur pouvoir comme deux faisceaux de fumée. Elle s'attend à ce qu'il soit aussi heureux qu'elle l'a été elle-même à sa vue, mais son visage n'exprime que de la douleur. Il lui tend une gazette, la suppliant silencieusement de l'aider à toutes les détruire, puis il reprend sa corvée, si absorbé qu'il en oublie aussitôt Ophélie. Il n'y a rien d'imprimé sur les gazettes. Ce n'est pas leur teneur qui compte, mais ce qu'elles représentent : les mensonges de Babel.

Toute l'euphorie d'Ophélie est retombée.

Octavio et les autres sont en vie, oui, mais à quel prix ? Ils ont été pris au piège de leurs obsessions, condamnés à répéter en boucle les mêmes rituels et à rester dans l'ignorance de ce qui leur est vraiment arrivé. Subira-t-elle le même sort si elle s'attarde trop longtemps parmi eux ? Elle se rappelle l'intolérable culpabilité qu'elle a ressentie lorsque le long-courrier a sombré dans le vide entre les arches. Elle sait à présent pourquoi : parce que la terre de l'ancien monde est toujours là, sur le revers de la trame spatiale. Et même maintenant qu'Ophélie a été inversée à son tour, elle réalise que sa présence ici reste une aberration.

Seconde le savait. Seconde le voyait.

Voilà pourquoi elle lui a montré tous ces portraits pathétiques d'Octavio. Elle ne décrypte pas seulement les échos d'avance : elle veut les empêcher. Et elle a toujours attendu d'Ophélie qu'elle sauve son frère de cet endroit – de cet Envers.

Mais comment ? Ophélie n'a pas réussi à retrouver Thorn et elle ignore comment se sauver elle-même. Elle scrute le promenoir de part et d'autre, à la recherche de son écho, qui lui a servi de guide jusque-là. A-t-elle fini par le perdre, lui aussi ?

Un écho. Ophélie réalise qu'elle en connaît un personnellement, ici même, à la Bonne Famille.

Elle adresse un dernier regard à Octavio, qui jette inlassablement une gazette après l'autre dans le vide-ordures. Elle le quitte à regret. Elle coupe à travers la jungle d'un jardin où elle aperçoit des oiseaux muets et des marsupiaux apathiques. Elle s'engouffre dans un bâtiment administratif et gravit les étages de marbre. Elle ne sait plus trop si c'est elle qui court ou si c'est l'architecture qui la transporte vers sa destination.

Elle franchit le seuil du bureau directorial.

Hélène est un écho incarné, comme tous les esprits de famille, mais elle est également la plus intelligente de la fratrie. Si quelqu'un peut aider Ophélie à percer les mystères de l'Envers, c'est elle. Les ampoules noires atténuent à peine la pénombre éblouissante qui règne dans le bureau. Il est désert. Ophélie a été convoquée à plusieurs reprises chez la directrice quand elle était apprentie virtuose ; la géante ne quittait presque jamais son poste, elle aurait dû être ici.

Ophélie se heurte à un chariot et entend un bruit humide sous ses sandales. Elle a marché sur du verre. En se penchant, elle reconnaît les lentilles d'un appareil optique. Quant au chariot qu'elle a bousculé, c'est en fait une crinoline à roulettes sur laquelle est cousue une énorme robe. Le bustier pend mollement sur la structure de soutien. Ophélie est effarée. Elle ouvre la vitrine de la bibliothèque où est exposé le Livre d'Hélène. Sur les pages de chair, la belle écriture d'Eulalie Dilleux s'est transformée en barbouillage. Il n'y a pas de langage cohérent dans l'Envers. En perdant son code, Hélène est retournée à son état originel. Informe. Tout ce qu'il en reste désormais est une robe vide.

– Qui est je.

L'écho se tient assis sur le fauteuil d'Hélène, beaucoup trop grand pour sa taille. Cela produit un drôle d'effet à Ophélie de surprendre une expression provocatrice sur son propre visage. Il mâche toujours son bonbon avec impertinence. À peine ébauche-t-elle un geste vers lui qu'il se dérobe d'un bond. Ophélie a la curieuse impression que cet écho veut à la fois lui venir en aide et la mettre à l'épreuve.

L'espace se déforme autour d'eux comme de la pâte à modeler. Ils sont maintenant entre deux cieux, un qui se déploie au-dessus de leurs têtes et un qui se reflète sous leurs pieds. Ophélie met quelques instants à réaliser qu'ils se tiennent sur le gigantesque dôme en verre du Mémorial de Babel, à son point culminant. La vue est vertigineuse. La Bonne Famille ne se résume plus qu'à un affleurement de terre au loin; le bâtiment où se trouve le bureau d'Hélène n'y est même pas visible. Ophélie a une vision panoramique de l'océan et du port, de l'ancienne et de la nouvelle Babel, des arches à l'endroit et des quartiers à l'envers. Elle a l'impression d'avoir sous les yeux une photographie qui aurait été mal développée. Ici, le paysage est brumeux et incomplet; là, il est polychrome et mélangé; il n'est harmonieux nulle part.

Mais ce qui la choque le plus, ce sont les navires qu'elle ne voyait pas de la Bonne Famille. Ils sont innombrables, tous à l'arrêt sur l'eau, figés dans le temps et dans l'espace. Une flotte de guerre vieille de plusieurs siècles, précipitée dans l'Envers avant d'avoir pu atteindre les rives de Babel.

Ophélie lève la tête jusqu'au soleil, qui obscurcit le ciel. Sa lumière noire se déverse dans ses lunettes, projette un éclairage paradoxal sur toutes ses pensées, et tant pis si elle n'est pas capable de les exprimer à voix haute. Elle est pleine d'un entendement qui n'a pas besoin de mots.

L'Endroit et l'Envers sont les deux plateaux d'une balance. Chaque fois que de la matière s'inverse d'un côté, une contrepartie s'inverse de l'autre. Pour toute matière transformée en aerargyrum, de l'aerargyrum s'incarne dans la matière, et pour tout écho incarné dans le monde à l'endroit, l'Envers a besoin d'une contrepartie. Une contrepartie symboliquement équivalente. Eulalie Dilleux a créé une génération de demi-dieux à partir d'un simple manuscrit, mais ce n'était en réalité que le premier acte de sa pièce. Ce jour-là, elle a conclu un contrat avec le monde à l'envers. Et des années plus tard, une fois que les esprits de famille ont grandi, Eulalie Dilleux s'est tenue presque exactement là où Ophélie se trouve maintenant. Elle a vu la guerre revenir à Babel. C'était la fois de trop ; elle a décidé d'honorer son contrat. Elle a précipité dans l'Envers toutes les forces armées, toutes les zones de conflit, toutes les nations incapables de maintenir la paix. Elle a sacrifié la moitié du monde pour sauver l'autre. Combien d'innocents, de soldats engagés contre leur gré, de civils pris dans les batailles ont-ils été ainsi inversés sans qu'il y ait eu personne pour leur expliquer comment et pourquoi ? Et comment Eulalie a-t-elle réussi à provoquer une inversion de cette ampleur, sans même recourir à la Corne d'abondance ?

Pour envoyer une telle quantité de matière dans l'Envers, il a fallu en extraire une nouvelle contrepartie, symboliquement équivalente, suffisamment puissante pour maintenir l'équilibre de la balance. Non?

Ophélie sent l'écharpe se hérisser. Elle se détourne de l'océan et de sa flotte de navires fantômes pour voir son écho brandir un bloc de marbre à bout de bras.

Prêt à l'abattre sur elle.

(ESÈHTNERAP)

Thorn marche dans le brouillard. De l'aerargyrum, selon toute évidence. Tout est blanc et cette blancheur le dérange (blanc, hiver, neige, Pôle). Il n'y a rien à quantifier ici, pas de distance entre les objets, pas de temps non plus. Sa montre s'est arrêtée (blanc, papier, intendance, Pôle). Il n'apprécie pas ce néant qui s'incruste dans les pores de sa peau, devenue absurdement vert-de-gris, et qui se propage à l'intérieur de son cerveau sous forme d'associations d'idées incontrôlables (blanc, Livre, Farouk, Pôle). Il n'apprécie pas davantage la symétrie inversée de son corps qui a perturbé l'agencement de ses cinquante-six cicatrices. Il apprécie moins encore cette ombre hérissée de griffes qui se colle à lui comme un champ de ronces et qui lui rappelle à chaque geste la laideur de son pouvoir familial.

Thorn accélère le pas à travers l'aerargyrum sans se préoccuper de comprendre comment il parvient encore à marcher. Il n'a ici en sa possession ni armature ni canne, et sa jambe adopte à chaque foulée des angles tout à fait illogiques. Il ne ressent aucune douleur, ce qui ne le réjouit en rien (blanc, amnésie, mère, Pôle). Les dissonances osseuses, les inflammations articulaires, les migraines mnésiques, toutes ces

492

informations organiques constituaient des contours qui ont disparu en même temps que le décor. Sans ces contours, sa mémoire déborde comme du liquide (blanc, émail, sourire).

Non.

Thorn refuse catégoriquement à ce souvenir-là, plus encore qu'à tous les autres, de s'imposer à lui. Il refuse cette porte devant laquelle il a attendu trois heures, vingt-sept minutes, dix-neuf secondes et qu'on ne lui a jamais ouverte. Il refuse ce trou de serrure juste à hauteur de son œil, à l'époque où son squelette n'avait pas entamé une croissance démesurée. Il refuse le rire de sa mère qui abreuve de compliments le nouvel ambassadeur de Farouk, à peine sorti de l'enfance, et qu'elle invite déjà à sa table. Il refuse ce garçon qui n'est pas lui et qui possède tout ce qu'il n'aura jamais : une naissance respectable, un avenir tout tracé, une beauté gravée dans chaque millimètre de sa peau et le sourire de sa mère. Par-dessus tout, vissé à ce honteux trou de serrure, il refuse la solitude qu'il surprend dans les yeux d'Archibald à la lumière des lustres, en tout point semblable à celle qu'il éprouve dans la pénombre de l'antichambre.

Blanc. Thorn force l'allure, se plongeant de plus en plus profondément dans l'aerargyrum et son manque de contours. Il ne sait ni où il est ni où il va, mais il continuera de marcher jusqu'à ce qu'il trouve la seule porte à ne pas lui être restée fermée et derrière laquelle il est véritablement attendu.

La porte d'Ophélie.

Dans un nouveau débordement (porte, chambre, Eulalie Dilleux, Déchirure), la mémoire de Thorn entraîne son esprit en arrière, de façon inversement proportionnelle au mouvement produit par ses enjambées. Plus il avance dans le blanc, plus il recule dans le temps, vers le passé de Farouk que sa mère lui a injecté de force.

Au commencement, nous étions un.

Mais Dieu nous jugeait impropres à le satisfaire ainsi, alors Dieu s'est mis à nous diviser. Dieu s'amusait beaucoup avec nous, puis Dieu se lassait et nous oubliait. Dieu pouvait être si cruel dans son indifférence qu'il m'épouvantait. Dieu savait se montrer doux, aussi, et je l'ai aimé comme je n'ai jamais aimé personne.

Je crois que nous aurions tous pu vivre heureux en un sens, Dieu, moi et les autres, sans ce maudit bouquin. Il me répugnait. Je savais le lien qui me rattachait à lui de la plus écœurante des façons, mais cette horreur-là est venue plus tard, bien plus tard. Je n'ai pas compris tout de suite, j'étais trop ignorant.

J'aimais Dieu, oui, mais je détestais ce bouquin qu'il ouvrait pour un oui ou pour un non. Dieu, lui, ça l'amusait énormément. Quand Dieu était content, il écrivait. Quand Dieu était en colère, il écrivait. Et un jour, où Dieu se sentait de très mauvaise humeur, il a fait une énorme bêtise.

Dieu a brisé le monde en morceaux.

Thorn revoit, dans une scène mentale mille fois rejouée, cette porte qu'Eulalie Dilleux a claquée derrière elle le jour de la Déchirure. Elle s'est enfermée dans sa chambre. Elle a interdit à quiconque de la suivre. Farouk, dont Thorn visualise la main tremblante autour de la poignée comme si c'était la sienne, a fini par lui désobéir. Il a ouvert ; il est entré ; il a regardé. La moitié de la chambre a disparu.

Thorn marche de plus en plus vite dans le blanc, tordant et détordant sa jambe, coincé sur le sillon de ce souvenir incomplet. Ce ne sont plus seulement des griffes qui poussent de son ombre, mais un imbroglio de racines et de branches correspondant aux ramifications intérieures de sa mémoire.

Eulalie était là, face à un miroir suspendu dans les airs, sur la partie du plancher encore intacte. (*Scelle tes charmes.*) Alors pourquoi Farouk s'est-il à ce point senti abandonné ? (*Sèche tes larmes*.) Pourquoi a-t-il éprouvé la même chose que Thorn devant son trou de serrure ? (*Dieu a été puni.*) Pourquoi Eulalie a-t-elle décidé d'arracher la page de son Livre, de l'amputer de sa mémoire, de condamner à l'amnésie les esprits de famille et, par incidence, toute leur descendance ? (*Ce jour-là, j'ai compris que Dieu n'était pas tout-puissant.*) Et à quoi rime ce miroir suspendu à mi-chambre, entre le parquet et le ciel ? (*Je ne l'ai plus jamais revu depuis.*)

Thorn s'immobilise au milieu du blanc et au milieu du souvenir, opérant un brutal arrêt sur image. Depuis le seuil de la porte, tétanisé, Farouk fixe le dos d'Eulalie Dilleux qui se tient elle-même tout au bord du vide, face au miroir suspendu, sa longue robe et ses épais cheveux gonflés par l'appel d'air. Elle accorde moins d'intérêt à l'apocalypse qui a déstructuré le monde qu'à ce miroir. Thorn contemple incrédulement la diapositive mentale que sa mémoire projette sur les parois de son crâne, à travers les globes oculaires de Farouk, par-dessus l'épaule d'Eulalie Dilleux. Un reflet s'est brièvement superposé au sien, aussi fugace qu'un éclair : Ophélie (Ophélie avec des lunettes brisées (Ophélie avec une toge en sang (Ophélie blessée à mort))).

Un écho d'avance. Thorn vient de voir l'avenir à l'intérieur d'un souvenir vieux de plusieurs siècles. Et ce qu'il a vu est inacceptable.

En pivotant sur lui-même à trois cent soixante degrés, il scrute l'aerargyrum autour de lui, à la recherche d'une issue. Où qu'il soit, s'il est parvenu à entrer, il peut mathématiquement en sortir. Et quand bien même il ne le pourrait pas, il le doit. Il forcera au besoin toutes les portes de toutes les arches et un peu plus que cela, même.

Il regarde plus aigûment ce qui ressemble enfin à des contours derrière une bonne épaisseur de brouillard. Allons donc. Thorn cherchait une porte ; il vient de trouver un puits. Il s'agit d'une construction ancienne à en juger par l'état déplorable du mortier et par la prolifération de mousse entre chaque pierre. Il n'y a ni seau, ni chaîne, ni poulie, mais il ne serait jamais venu à Thorn l'idée de boire une eau ayant été en contact avec tout ce que la nature peut produire d'anti-hygiénique. L'odeur dégagée par ce puits est indescriptible. S'il n'avait été l'unique élément du décor, Thorn se serait volontiers dispensé d'approcher davantage.

Il se penche par-dessus la margelle en prenant bien garde à ne pas s'y frotter. Les ténèbres qui règnent à l'intérieur sont paradoxalement claires, presque éblouissantes, et cette lumière ne lui épargne aucun détail : les champignons, les miasmes, les vers.

Et, tout au fond, une mioche.

Elle est immergée jusqu'à la taille dans l'eau (est-ce seulement de l'eau ?) et sa peau, ses cheveux, ses yeux sont si obscurs que Thorn ne discerne pas les traits du visage qu'elle hisse vers lui. Elle ne dit rien. Sur tout ce noir, seuls se détachent les cils, anormalement blancs, qui dessinent deux yeux ouverts en grand. Thorn n'a jamais rencontré cette mioche, il la reconnaît néanmoins sans hésitation. C'est la fille de Berenilde.

À sa vue, avant même de se demander raisonnablement comment elle a pu atterrir dans un endroit aussi improbable, à près de neuf mètres sous le niveau du sol, dans cette partie supposément inexistante de l'univers, Thorn est saisi d'un sentiment de détestation pure dont il est le premier surpris. Il n'avait pas réalisé jusque-là à quel point il s'est efforcé de nier l'existence de cette cousine qui, par sa seule venue au monde, a cessé de le rendre indispensable à sa tante ; à quel point il en a voulu à cette dernière de n'avoir pas pu se satisfaire de lui ; à quel point il s'est reproché à lui-même de n'être capable de combler le cœur d'aucune mère; à quel point, enfin, il s'est montré exigeant envers Ophélie en conséquence, au risque de l'entraîner au fond de son propre puits. Et maintenant qu'il croise le regard écarquillé de sa cousine, lui en haut, elle en bas, il mesure toute l'étendue de sa stupidité.

Il lui faut se dépêcher avant que l'avenir révélé par l'écho d'avance, dans le miroir du Mémorial, ne devienne le passé.

Thorn enjambe la margelle avec de grands mouvements embarrassés. Ce n'est pas parce qu'il ne ressent plus la douleur que ses os ne se briseront pas en cas de chute. Il prend appui sur les parois du puits (un mètre vingt-quatre de diamètre), calant ses bottes et ses ongles dans les défauts du mortier, dérapant sur la moisissure. Chaque contact avec la matière paraît abstrait, comme s'il était revêtu d'un scaphandre invisible, mais plus profondément il descend, plus forte est sa répugnance. Plusieurs fois, sa mauvaise jambe le trahit et manque de le déséquilibrer. Il s'interdit de réfléchir à ce que sera le trajet en sens inverse.

Parvenu en bas, il s'immerge jusqu'aux genoux dans une mélasse qui n'est définitivement pas de l'eau. Son ombre chargée d'épines, qui trahit le pouvoir honteux de ses griffes, ne contribue certainement pas à rendre son apparence plus engageante : sa cousine s'est plaquée contre la paroi. La voilà donc, cette grande rivale (quatre-vingt-neuf centimètres). Thorn distingue mieux son visage, même si cela l'oblige à courber le dos. En dépit de la noirceur de son épiderme, elle a indéniablement la morphologie de Berenilde; il espère qu'elle n'a pas le quotient intellectuel de Farouk. Les yeux qu'elle lève vers lui sont béants.

Comment s'adresse-t-on à une mioche de cet âge afin d'en être compris? Thorn prend soudain conscience qu'il ne le peut pas, et cela indépendamment du malaise qu'elle lui inspire.

Lui qui n'oublie jamais rien ne réussit à agencer aucune suite de mots cohérents, tant sur le plan sémantique que sur le plan syntaxique. Que lui aurait-il dit de toute façon ? Que même si elle le met en retard, en plus de le faire se sentir misérable, il ne peut se résoudre à l'abandonner dans ce puits ?

Il repense à Ophélie, à son sang. Faire vite.

Thorn, qui s'était juré de ne jamais adapter sa taille aux autres, s'accroupit dans la mélasse. Il tend les bras. La clarté accablante du puits fait ressortir la noirceur de ses cicatrices ; il aurait dû boutonner ses manches, les enfants s'impressionnent d'un rien. Il empoigne sa cousine, qui se laisse faire sans se débattre, ce qui est surprenant mais préférable. Les griffes se hérissent tout autour de lui à ce seul contact et l'arracher de la mélasse n'est pas une affaire simple. Thorn est pris au dépourvu par le poids de cette mioche – son absence de poids, en fait. Mais ce qui l'étonne davantage, au-delà de tout ce à quoi il s'était préparé, c'est l'impulsivité avec laquelle elle se cramponne à lui de tout son corps, comme si, en dépit des griffes hostiles et des gestes brusques, sa présence dans ce puits avec elle était la chose la plus réconfortante au monde.

Thorn a l'impression irrationnelle que cette absence de poids contre lui se propage entre ses côtes, se communique à travers tout ce qu'il est et le libère d'une lourdeur qu'il n'avait pas conscience de posséder.

Il veut retrouver Ophélie, mais il doit d'abord rendre sa fille à Berenilde.

À peine Thorn est-il traversé par cette évidence que l'espace se déforme autour d'eux. Le puits s'est soudainement élargi jusqu'à atteindre les proportions d'une salle et la mélasse s'est évaporée en une épaisse nappe d'aerargyrum. Des silhouettes s'agitent d'un pas nerveux sans remarquer Thorn et l'enfant qu'il maintient malaisément contre lui. Leurs voix et leurs couleurs sont étouffées. Ils lui évoqueraient des spectres s'il n'était pas convaincu d'en être devenu un lui-même. Quelle que soit cette salle, il comprend qu'ils se situent tous sur la même page du temps, ces gens au recto, Thorn au verso, sa cousine entre les deux, telle une petite tache d'encre qui aurait entamé le papier sans tout à fait le transpercer.

L'aerargyrum avale le décor entier, à l'exception d'un grand landau où repose une autre mioche. Elle est blanche de la tête aux pieds.

Thorn en était sûr. Ce qu'il a repêché, dans ce puits, est une projection mentale. Sa véritable cousine, physiquement parlant, est restée au recto du monde. Elle contemple d'un regard vitreux la capote de son landau déployée au-dessus d'elle et, à en juger par sa maigreur, elle ne doit pas peser bien davantage que la petite ombre qui s'agrippe de plus en plus fort à Thorn. Elle ne se reconnaît donc pas ? Il serait facile, pour ne pas dire expéditif, de la poser dans ce landau afin de la contraindre à réintégrer son corps.

Thorn passe en revue les silhouettes floues qui vont et viennent autour d'eux jusqu'à localiser la seule à rester immobile, très droite dans sa robe, suffisamment proche du landau pour le garder à portée de vue. Le brouillard ne permet pas de voir sa figure, mais Thorn n'en a pas besoin. Il montre cette silhouette à sa cousine qui ouvre aussitôt de grands cils blancs. Si elle ne reconnaît pas son propre corps, au moins reconnaîtra-t-elle sa propre mère. Thorn la sent frémir, prête à s'élancer, mais, contre toute attente et contre tout instinct, elle lui adresse un dernier regard. À lui. Thorn n'est guère sensible à l'œil humain (cet organe externe qui produit impunément croûtes, larmes, cils), mais ces yeux-là, noirs et profonds comme la nuit, paraissent déceler en lui une chose qu'il a toujours été incapable de voir.

L'instant d'après, sa cousine a disparu de ses bras comme une bulle de savon. Il n'y a plus ni landau, ni tante, ni salle, ni rien. Rien hormis un miroir qui renvoie de Thorn une image qu'il parvient, pour la première fois de sa vie, à trouver acceptable. L'ombre de son pouvoir familial a rentré toutes ses griffes. Il a la certitude immédiate, étourdissante, qu'il n'aura plus à subir leur dictature, parce qu'une mioche lui a accordé, à lui, ce qu'un être peut ressentir de plus absolu. Et parce qu'une autre mioche l'a poussé dans une cage.

Seconde ne s'est pas vengée de lui. Elle a fait en sorte qu'il soit au bon endroit, au bon moment. Elle a réparé l'homme qui l'a abîmée.

Thorn contemple ses bras désormais vides, et pourtant pleins d'une force nouvelle. Des bras capables de l'impossible. Un peu plus que cela, même.

Il a maintenant un écho d'avance à rattraper.

La contrepartie

Dans l'Envers, toutes les perceptions sont déformées. Les couleurs, les bruits, les odeurs, l'espace et le temps répondent à une logique différente. Tandis que son écho est sur le point de lui jeter une dalle à la figure, Ophélie se demande si cela va être aussi désagréable qu'il y paraît. Elle se demande aussi, par la même occasion, où il a bien pu dénicher un bloc de marbre au beau milieu d'un dôme composé exclusivement de vitres. Elle se demande, enfin, pourquoi il veut lui donner la mort après lui avoir sauvé la vie.

– Qui est je.

Le visage de l'écho, parfait reflet du sien, s'est fait interrogatif sous les lunettes, à croire qu'il attend un signe pour décider si, oui ou non, il doit lui fendre le crâne. Il n'a pas cessé un instant ses étranges mastications.

Il n'y a pas de signe. En revanche, sorti de nulle part, un frêle adolescent ôte délicatement la dalle des mains de l'écho. Quand il la laisse tomber à ses babouches, elle passe au travers du dôme sans en briser le verre. Cela accompli, l'adolescent s'incline pour saluer Ophélie et son écho, demeurés tous deux interdits. La décoloration de sa peau, de ses yeux et de ses cheveux n'a rien de naturel; tout comme sa présence au sommet du Mémorial, du reste.

C'est Ambroise. Un Ambroise aux couleurs inversées, sans chaise roulante ni difformité. L'Ambroise de l'urne funéraire au columbarium.

Le tout premier Ambroise.

Ses longs cils pâles couvent un regard lucide; il n'a pas l'expression égarée des autres personnes croisées dans l'Envers. Il adresse un hochement de turban à l'attention de l'écho, comme en remerciement de lui avoir amené Ophélie, puis il tourne son sourire vers celle-ci. C'est la même douceur dans les manières, la même curiosité dans les yeux. Elle est soulagée de ne pas pouvoir lui parler, il ne saura ainsi rien de la souffrance qu'il lui inflige par cette ressemblance et il ne saura pas davantage qu'il n'y aura jamais pour elle qu'un seul véritable Ambroise. Cet adolescent en face d'elle est un étranger qui, de surcroît, a quarante ans de plus qu'il en a l'air.

Il a été l'ami de Lazarus. Il ne peut donc être que l'ennemi d'Ophélie. Elle se crispe de toute son écharpe en le voyant hausser les poings, mais il se contente de lever les pouces, espièglement. Alors seulement, elle le reconnaît. Il est l'Ombre. C'est lui qu'elle a vu au bord de Babel, lui qui l'a guidée jusqu'à la fabrique d'automates, lui qu'elle a poursuivi dans le columbarium, lui qui lui a rendu visite à la chapelle.

Ambroise Iᵉʳ désigne Ophélie à son écho et l'écho à Ophélie, mime de ses mains une poignée de réconciliation, puis les invite d'un geste enjoué à le suivre, comme si l'incident était clos. La structure en verre prend aussitôt la consistance de l'eau sous les sandales d'Ophélie. Elle se sent glisser de l'autre côté, comme l'a fait la dalle de marbre, mais à aucun moment elle n'a vraiment la sensation de tomber. Ils sont maintenant tous trois en train de descendre un escalier qui s'enfonce dans le Mémorial ; un escalier qui n'est plus présumé exister depuis des siècles.

Ambroise Iᵉʳ ouvre la marche d'un petit pas guilleret. Pour un individu qui est resté coincé quarante années dans le monde à l'envers, il manque étrangement de retenue. Ophélie ignore si elle peut lui accorder sa confiance, mais elle sait qu'il est l'Ombre et ça lui suffit pour le moment. Il a réussi à entrer en communication avec elle depuis l'Envers, et cela à plusieurs reprises : il a prouvé par là que la frontière entre les mondes est perméable. Peut-être pourra-t-il les refaire passer de l'autre côté, Thorn et elle ?

Ophélie ne peut retenir des coups de lunettes nerveux par-dessus son épaule pour s'assurer que son écho, qui marche à reculons derrière elle, mâchonnant en silence, ne projette plus de lui fracasser la tête. Elle ne comprend pas quelle épingle l'a piqué sur ce dôme, mais elle ne peut venir à bout d'un senti-ment de déjà-vécu.

Alentour, l'architecture du Mémorial est encore plus folle que partout ailleurs dans l'Envers. La moitié du bâtiment est dissimulée par des vapeurs d'aerargyrum derrière lesquelles Ophélie identifie les milliers de bibliothèques, les transcen-dium et les salondenvers qui s'enroulent en étages autour du grand atrium. En revanche, l'autre moitié du Mémorial, en négatif, lui est inconnue. Ce ne sont que de vieux parquets, des chambres envahies de végétation et des salles de classe désertes. C'est là qu'ont grandi les esprits de famille.

Ophélie s'attarde devant une fenêtre vidée de ses car-reaux. Bien sûr. Après la Déchirure, une partie de la tour a été reconstruite au-dessus du vide, car les architectes de l'époque la croyaient effondrée avec le reste de l'île et de l'océan. Ils ignoraient qu'elle était toujours là, inversée. Ophélie se sou-vient de ne s'être jamais sentie à l'aise quand elle consultait les bibliothèques de cette section, un inconfort qu'elle mettait sur le compte du précipice sous cette partie-là des fondations. Elle comprend maintenant qu'il lui venait en réalité de la coexistence des deux espaces.

Et Ambroise Ier est en train de la mener là où ils sont le plus entremêlés : au cœur du bâtiment. D'un côté il y a le globe en apesanteur du Secretarium, où gravite un second globe à l'intérieur duquel a été emmurée la chambre secrète d'Eulalie Dilleux. De l'autre côté, c'est un enchevêtrement d'anciens escaliers en colimaçon. Les deux dimensions se chevauchent si bien que les parois des globes et les marches d'escalier sont transparentes comme des calques.

Par endroits, Ophélie voit sous ses pieds un sol qui se situe deux cents mètres plus bas. Elle remarque même des gens dans l'atrium, infimes comme des têtes de clou au milieu du brouillard. S'agit-il de la grande réunion interfamiliale qui se déroule actuellement dans le monde à l'endroit, sur un autre plan d'existence ?

Ambroise Ier s'arrête en une révérence. Sans transition architecturalement logique, Ophélie s'aperçoit qu'ils sont arrivés dans la chambre d'Eulalie Dilleux. Elle est déçue. Elle espérait y trouver Thorn, par un extraordinaire ricochet du destin, mais il n'y a personne. Une moitié de la chambre est immergée dans un mélange quasi aquatique de brume et de toiles d'araignée. L'autre moitié offre un contraste spectaculaire avec ses meubles cirés, son papier peint fleuri et tous les effets personnels d'Eulalie Dilleux, machine à écrire incluse, demeurés intacts dans l'Envers.

Et, entre ces moitiés de chambre, à califourchon sur les deux mondes, le miroir suspendu. Quand elle était dans l'Endroit, Ophélie l'a traversé deux fois par accident. Elle voit enfin le mur, inversé en même temps que l'ancien monde, auquel il n'a jamais cessé d'être accroché. Plutôt qu'un mur, c'est une cloison de séparation entre la pièce à coucher et l'atelier d'écriture d'Eulalie Dilleux. Combien d'heures a-t-elle passées assise là, à converser avec l'Autre, à refaire littéralement le monde ensemble ? Ophélie a presque l'impression de les revivre, ces heures, comme si deux mémoires se superposaient en elle, à l'instar des moitiés du Mémorial.

En attendant, elle n'est pas plus avancée. Elle se tourne vers son écho, qui s'amuse à pianoter au hasard sur la machine à écrire, dont les lettres ont disparu des touches, puis vers Ambroise Ier, qui attend passivement dans un coin de la pièce. Est-ce cela qu'il voulait lui montrer ? Une chambre vide ?

Il lui signale le miroir d'un sourire insistant.

Ophélie s'en approche. S'y regarde. Se pétrifie.

Elle a accepté l'idée que l'Envers soit régi par des lois singulières, plus symboliques que scientifiques, mais de voir son reflet – son *authentique* reflet – lui cause un choc terrible. Cette personne, dans le miroir, n'a rien en commun avec elle. Elle n'a ni ses traits, ni ses mensurations, ni ses yeux, ni ses cheveux. Et pourtant, elle est la dernière pièce qu'il manquait au puzzle.

Ça explique tout. Ça explique absolument tout. Ophélie sait désormais qui est l'Autre, elle sait quelle a été la contrepartie à l'inversion de l'ancien monde, elle sait le rôle que ce miroir a joué dans l'histoire et qu'il jouera encore. Elle sait aussi pourquoi il fallait qu'elle soit impérativement à bord du long-courrier, avec les expulsés de Babel, sans quoi le cours entier de l'histoire en aurait été changé à jamais.

Elle se précipite sur Ambroise Ier, lui montre le miroir, la porte, le sol et le plafond, essaie de lui faire comprendre à grandes gesticulations qu'il doit maintenant l'aider à retrouver Thorn, parce qu'ils ont quelque chose de très important à accomplir là-dehors, derrière derrière, ensemble !

Le vieil adolescent enveloppe ses mains dans les siennes pour contenir leur impétuosité. Les dents noires luisent dans la fente de son sourire, mais quelque chose au fond de son regard, de bien plus expérimenté qu'Ophélie, l'incite à se calmer. Elle réalise qu'il a, lui aussi, quelque chose de très important à lui transmettre, et ce depuis longtemps ; avant même leur première rencontre au bord de l'arche. Ophélie n'avait peut-être pas alors conscience de son existence, mais lui avait déjà conscience de la sienne, même s'il a dû attendre que l'interpénétration des deux mondes soit suffisante pour lui apparaître. Il lui explique tout cela sans prononcer une parole, avec les yeux.

Il fait délicatement pivoter les mains d'Ophélie, paume droite vers le haut, paume gauche vers le bas. Puis, dans un mouvement contraire, il les refait pivoter, paume droite vers le bas, paume gauche vers le haut. Et il recommence, vers le haut, vers le bas, vers le bas, vers le haut, de plus en plus vite. L'écho reproduit leur gestuelle, désarticulant ses coudes, comme s'il s'agissait d'un jeu dont il ne comprendrait pas les règles.

Ophélie, elle, a peur de les comprendre.

L'écharpe sursaute sur ses épaules. Un éclair vient de fendre l'atmosphère, comme si la foudre s'était silencieusement abattue au cœur même du Mémorial. Le temps d'un clin d'œil, la moitié de la chambre a disparu et réapparu, comme si elle essayait de rejoindre son autre moitié dans le monde à l'endroit. Ophélie interroge en silence Ambroise Ier, qui acquiesce, confirmant ses craintes.

Elle songe soudain à cette terre inconnue où le long-courrier a fait naufrage, à ce village sans écriture, à ces paysans muets, coupés de toute civilisation durant des siècles jusqu'à oublier le concept même de langage. Ils viennent de l'ancien monde. Ils sont l'ancien monde. Et si des arches s'inversent aujourd'hui, c'est parce que cet ancien monde est en train de se réinverser lui-même.

Ophélie contemple ses mains demeurées en suspens, enveloppées par l'ombre de son animisme. Paume vers le haut, paume vers le bas.

L'équilibre entre l'Envers et l'Endroit a été fragilisé par Eulalie Dilleux quand elle a inversé la moitié de l'ancien monde, mais c'est Ophélie qui lui a donné le coup de grâce, la nuit de son tout premier passage de miroir, en aidant une créature à s'échapper de l'Envers sans livrer à celui-ci une contrepartie symboliquement équivalente. Au début, ce déséquilibre est passé inaperçu. Ça n'a été probablement qu'un caillou qui s'inversait ici, un brin d'herbe qui se réinversait là. Aujourd'hui, et Ophélie change l'orientation de ses mains en illustration, ce sont des pays entiers qui permutent. De plus en plus de terres et de populations vont être précipitées dans l'Envers pendant que d'autres seront rapatriées dans l'Endroit, toutes soumises aux caprices d'une balance détraquée dont les mouvements d'amplitude se font de plus en plus rapidement et de plus en plus aléatoirement. Une réaction en chaîne qui finira par briser la balance elle-même, et tout ce qui existe avec elle.

Ophélie n'a plus ni le temps ni le choix. Elle doit retourner de l'autre côté et elle doit y retourner maintenant, seule, quitte à revenir chercher Thorn plus tard. Si elle ne le fait pas, il sera perdu de toute façon, où qu'il se trouve. Ils seront tous perdus.

Mais comment ? À quoi cela lui sert-il de tout savoir enfin si elle ne peut rien changer ?

Elle relève les yeux de ses mains pour interroger muettement Ambroise Ier, qui lui répond par le signe non. Il n'a jamais eu l'intention de lui faire quitter l'Envers, parce qu'il ne le peut pas lui-même. Il lui désigne à la place son écho qui a pioché un vieux peigne sur une étagère.

Ophélie ne saisit pas.

Ambroise Ier mime à nouveau une poignée de réconciliation. L'instant d'après, sur un dernier sourire, il a disparu. Parti comme il est venu. Peut-être a-t-il rejoint Lazarus dans les limbes de l'aerargyrum.

Ophélie se tourne vers son écho, qui essaie de passer le peigne, sans grand succès, dans ses boucles noueuses. Ce serait donc lui sa clef de sortie? Ambroise Ier a raison. Il y a un contentieux qui n'a pas été résolu entre eux et elle se rappelle à présent de quoi il s'agit. Cette dalle de marbre avec laquelle l'écho l'a menacée, c'est celle dont Ophélie a failli se servir contre lui, lorsqu'il n'était encore qu'une voix dans un perroquet mécanique.

Sans doute l'écho sent-il toute son attention sur lui, car il repose le peigne et, menton hissé, la met au défi d'approcher. Il mastique plus vite.

Pour chaque pas qu'Ophélie effectuera vers lui, il s'éloignera à l'avenant. Elle ne bouge donc pas. Elle le regarde bien en face, droit dans les lunettes, à travers la longueur de parquet qui les sépare. Leur immobilité dure une éternité mais, si pressée soit-elle, Ophélie s'abstient de rompre la sienne. Plus elle observe ce double d'elle-même, si familier et si étranger, plus elle appré-hende ce qu'ils sont véritablement l'un pour l'autre. Deux entités séparées qui n'en formaient qu'une à l'origine.

Son écho est la passe-miroir qu'elle a cessé d'être.

– Qui est je.

Ophélie ignore comment il s'y prend pour parler, alors qu'elle n'est capable de produire que des sons inarticulés. Peut-être est-ce parce qu'il est né d'une question dont il attend la réponse. Très bien. Avec des gestes lents, Ophélie les désigne, d'abord lui, ensuite elle.

Tu est je.

L'écho la considère en mâchant.

Ophélie reproduit le même geste en sens inverse. D'abord elle, ensuite lui.

Je est tu.

À peine a-t-elle donné sa réponse que l'écho s'avance enfin vers elle d'une démarche toute tordue, plus rodée aux reculades. Pour la première fois, il arrête ses mastications et tire la langue pour enfin lui montrer ce qu'il a en bouche : une minuscule étincelle de ténèbres.

La Corne d'abondance.

L'écho a profité du passage d'Ophélie dans l'Envers pour prendre la porte d'entrée avec lui ! Il a volé à l'observatoire des Déviations sa pierre angulaire, la source d'énergie qui a permis à Eulalie de créer les esprits de famille et à Lazarus plusieurs générations d'automates. Cette force indomptable qui a inversé tant de sacrifiés, à commencer par Thorn, est juste là, sur le bout d'une langue.

L'écho avale la Corne d'abondance comme une pilule et, sans laisser à Ophélie le temps de réagir, il l'empoigne par l'écharpe et se plonge avec elle dans le miroir de la chambre.

La sensation est atroce.

Ophélie est comme introduite de force dans une autre peau. La conscience individuelle de son écho se dissout dans la sienne. Ils ne forment plus qu'un à nouveau. Elle a l'impression contradictoire de doubler de volume, puis de s'aplatir du bout des orteils à la frange de l'écharpe. L'espace n'a plus ni devant ni arrière, condamnant Ophélie au surplace. Elle s'est coincée à mi-chemin entre Envers et Endroit. L'entre-deux. Un voile qui empêche chaque monde de se mélanger à l'autre et dont Ophélie, en dépit de ses innombrables passages de miroir, n'a jamais transpercé la trame ; pas toute seule, en tout cas. Il n'est pas en son pouvoir de créer une nouvelle Corne d'abondance. Comment, alors, est-elle censée se réinverser? Elle voudrait hurler à l'aide, mais sa gorge possède désormais l'épaisseur d'un buvard. Elle ne voit rien, n'entend rien. La seule chose dont elle a conscience est son pied gauche, qui lui fait horriblement mal, comme si une force invisible essayait de le lui arracher. La douleur remonte dans son mollet et, soudain, elle comprend que quelqu'un, là-dehors, est en train d'essayer de la tirer de l'entre-deux. Au loin, des cris flous lui parviennent. Les voix de sa famille. Elle veut la rejoindre, elle le désire de toutes ses forces, mais une résistance l'en empêche.

La contrepartie.

Pour revenir dans le monde à l'endroit, Ophélie doit consentir à céder au monde à l'envers une contrepartie symboliquement équivalente. Si elle ne respecte pas cette règle, alors elle ne fera qu'aggraver le cycle des inversions et des réinversions.

Marché conclu.

Ophélie se sentit déchirée quand, après une ultime traction, elle fut expulsée de l'entre-deux. Elle s'effondra de tout son poids au milieu d'une foule de jurons animistes. Les lunettes de travers et l'écharpe en panique, elle ouvrit de grands yeux hébétés. Elle considéra le visage constellé de taches de rousseur de sa sœur aînée, Agathe, écroulée sur le sol avec elle, accrochée à sa jambe; puis sa mère, rougeaude et décoiffée, accrochée à la taille d'Agathe; puis son père accroché à l'énorme robe de sa mère; puis la tante Roseline accrochée à son père; et enfin, accrochés à la tante Roseline comme les maillons d'une très longue chaîne, son beau-frère, Charles, ses petites sœurs, Domitille, Béatrice et Léonore, son petit frère, Hector, et même, chacun cramponné à une jambe d'Hector, ses jeunes neveux! C'était la conjugaison de toutes ces mains qui avait permis à Ophélie de revenir dans le monde à l'endroit. Il y en eut une de plus quand le grand-oncle lui présenta la sienne, les moustaches soulevées sous la poussée d'un sourire tel qu'elle n'en avait jamais vu sur son vieux visage.

– On ne change ni les vieilles habitudes, hein ? Tu donnes encore dans le coinçage de miroir ?

Ophélie cligna des paupières. Elle était mélangée, abasourdie, bouleversée et, en plus du reste, complètement désorientée. Elle avait retrouvé ses couleurs naturelles. Elle reconnut autour d'elle les toilettes publiques du Mémorial. Elle était sortie de l'entre-deux par la glace vissée au-dessus du lavabo, contre lequel elle s'était au passage à demi assommée. Ce qu'elle ne s'expliquait pas, c'était ce que sa famille entière faisait à cet endroit précis du monde. Un bébé nu hurlait sur ce qui semblait être une table à langer improvisée.

Il fallut à Ophélie tout ce qui lui restait de présence d'esprit pour s'emparer de la main que son grand-oncle continuait de lui tendre. Pour essayer, du moins ; ses gants, étrangement mous, ne saisissaient plus rien. Une vapeur argentée s'en échappait. Le sourire du grand-oncle retomba sous ses moustaches. Les exclamations joyeuses se transformèrent en hurlements horrifiés dans les toilettes du Mémorial.

Ophélie n'avait plus de doigts.

– Ah, oui, murmura-t-elle d'une voix enrouée. La contrepartie.

EN COULISSES

Et voilà. Il a joué son rôle dans l'histoire. Ah ça, ce n'était certes pas un rôle principal, mais il aura au moins permis à Ophélie de comprendre ce qu'il y avait à comprendre. Elle a quitté les coulisses, et ce qui l'attend sur scène, même lui l'ignore cette fois.

La fin des temps – du temps – approche. Il n'y a plus qu'un seul écho d'avance. Ophélie, la vieillarde et le monstre vont enfin se retrouver. Le reste n'est qu'une page vierge, recto verso, sur le point de se déchirer. Tout et son contraire sont simultanément possibles.

Oui, décidément, entrer dans cette cage fut une expérience des plus intéressantes.

L'IMPOSTURE

– Vite, asseyez-la ici ! Non, pas là : ici, dans le salon de lecture, sur le balcon, les sièges sont plus confortables. Ma fille, tu es pâle comme une ampoule... Charles, allez chercher un verre d'eau, potable de préférence ! Bon, ma fille, ôtons un peu tes gants, ce n'est peut-être pas aussi épouvantable que ça en a l'air... Nom d'un p'tit trombone ! Tes mains, ma fille, tes pauvres mains ! Agathe, cesse de chouiner, ça ne fera pas repousser ses doigts. Peut-être... peut-être sont-ils... simplement tombés ? Domitille, Béatrice et Léonore, retournez aux toilettes et cherchez les doigts de votre sœur ! Oh, ma fille, ces choses-là n'arrivent donc qu'à toi ? Et qu'as-tu fait à tes cheveux ? J'aurais tellement voulu arriver plus tôt, te protéger de tous les dangers, à commencer par toi-même. Pourquoi, mais pourquoi t'être enfuie de chez nous, ma fille ? Pas un télégramme ; j'ai cru mourir de tracasserie !

Ophélie regardait les lèvres de sa mère s'agiter. Elle était passée d'un monde sans langage à un maelström de paroles. Sa mère la questionnait, la plaignait, la grondait, l'embrassait tour à tour. Son père, plus discret mais moins dispersé, lui fit boire le verre d'eau, apporté par Charles, qu'elle ne pouvait pas tenir sans aide. Agathe sanglotait par-dessus les cris du bébé, son petit dernier, dont Charles était en train de changer les langes quand le pied d'Ophélie avait jailli du miroir. Quant à Hector, qui la dépassait à présent en taille, il la considérait avec le plus grand sérieux par-dessous la frange blond-roux de sa coupe au bol.

– Pourquoi tu as perdu tes doigts ?

– Je n'ai pas eu le choix.

– Pourquoi tu étais dans ce miroir ?

– C'est compliqué.

– Pourquoi t'es repartie de la maison ?

– Je le devais.

– Pourquoi tu n'as jamais écrit ?

– Je ne pouvais pas.

Chaque réponse exigeait d'Ophélie plusieurs déglutitions. Elle se rappelait à présent comment parler, mais ça ne lui venait pas naturellement pour autant. Hector plissa le nez, et toutes ses taches de rousseur coururent sur sa figure pour suivre le mouvement. Il y avait de la rancœur derrière chacun de ses « pourquoi », mais il finit par faire une entorse à sa propre règle et, d'une voix plus faible, demanda :

– Tu as mal ?

Ophélie appuya impulsivement sur les joues de son petit frère ses deux moitiés de mains. Elle contempla le gouffre à la place des doigts. La peau y était toute lisse, sans plaie ni cicatrice, comme si elle était née ainsi. Non, elle n'avait pas mal, mais était-ce préférable ? Si elle avait vécu la brisure de ses os et l'arrachement de sa chair, alors peut-être aurait-elle pu mieux réaliser ce qui lui arrivait. Ces dix petits bouts, qui avaient fait d'elle la meilleure *liseuse* de sa génération, étaient retournés dans l'Envers sitôt réincarnés. Elle nota tout de même que son grain de beauté était revenu à sa place initiale dans le creux de son coude gauche. Elle avait été parfaitement réinversée au cours de son passage transitoire dans l'entre-deux.

Domitille, Léonore et Béatrice, qui étaient revenues bredouilles des toilettes, se jetèrent sur elle. Trop grandes pour ses bras raccourcis, mais elle les serra fort quand même.

La tante Roseline s'était assise face à elle. De ses yeux aussi étroits que son chignon, ses longues dents visibles entre les lèvres, elle l'évaluait avec un mélange de désapprobation et de compassion. Son teint était plus jaune que jamais.

– Je préférais encore l'époque où tu abîmais tes gants.

Ce fut tout, mais ces simples mots suffirent à restituer à Ophélie toutes ses émotions. Elle fut soudain submergée de joie et de tristesse, et elle n'avait plus de doigts pour débarrasser ses cils des larmes qui s'y collaient. L'écharpe s'en chargea pour elle, bousculant ses lunettes.

Ophélie avait énormément de questions à poser, mais elle s'en tint à la plus importante dans l'immédiat :

– Où sont les esprits de famille ?

– Ici, au Mémorial, presque au complet. Renard est parti prévenir Berenilde de ton arrivée, ajouta la tante Roseline après s'être raclé la gorge. Oui, ils sont là, mais je préfère te prévenir que tu les trouveras changés eux aussi. Surtout notre pauvre petite Victoire. Elle ne va pas bien du tout.

Le grand-oncle se fraya péniblement un chemin jusqu'à Ophélie.

– Laissez-lui de l'air, bretelle ! Voyez pas qu'elle a besoin de raccorder les tuyaux ?

Ce n'était rien de le dire. Depuis le balcon intérieur où elle avait été installée, Ophélie pouvait voir les étages enroulés en anneaux autour de l'atrium et il y régnait une agitation tout à fait inhabituelle. Les mémorialistes couraient entre les bibliothèques, vidaient les vitrines, remplissaient des chariots entiers de livres rares. Certains criaient qu'il fallait évacuer, d'autres qu'il fallait rester. Le sanctuaire du silence s'était transformé en un vaste brouhaha. Pour ne rien arranger à la confusion, la marée haute avait répandu un voile de nuages partout.

Ophélie leva les yeux vers le globe du Secretarium, à l'intérieur duquel elle s'était trouvée peu auparavant et qui lévitait imperturbablement sous la coupole en verre. De l'Envers, elle conservait un souvenir aussi brouillon qu'un rêve et le sentiment d'être complètement à côté de ses sandales. La seule chose qu'elle percevait très clairement, c'était la culpabilité. Elle était revenue sans Thorn. Elle savait pourquoi elle l'avait fait, mais ce choix lui pesait sur le ventre. Il ne s'était pas écoulé plus de quelques heures depuis qu'ils étaient entrés dans cette cage, l'un et l'autre, mais chaque seconde creusait l'écart entre eux.

– Où sont les esprits de famille ? répéta-t-elle.

Alors qu'elle essayait de se mettre debout, repoussant délicatement ses sœurs et appuyant maladroitement ses mains incomplètes sur les accoudoirs du fauteuil, le grand-oncle la rassit de force.

– J'ai pas voulu te trahir, m'fille, je te jure. Ta maman m'a cuisiné chaque jour de chaque semaine de chaque mois depuis ton départ en fanfare avec M'sieur Chapeau-Percé et j'ai ni lâché un mot.

– Ah, ça, il n'y a vraiment pas de quoi se vanter ! intervint la mère d'un air pincé. Ma sœur déménage au Pôle, ma fille fugue à Babel, tout le monde me quitte sans une explication.

– Les arches ne tournent pas autour de toi, Sophie ! s'exaspéra la tante Roseline.

– Puis il y a eu les trous, poursuivit le grand-oncle d'une voix plus forte, comme s'il n'avait pas été interrompu. Anima est devenue une vraie passoire ! Des trous moins gros qu'ici, d'accord, mais des sacrés trous quand même, si profonds qu'on n'en voit pas le bout, même que la Rapporteuse a failli tomber dans sa cuisine, que ça aurait pas été tant pis.

– Un trou dans le champ de tonton Hubert, dit Hector.

– Un trou dans la cave de mamie Antoinette, dit Domitille.

– Un trou rue des Orfèvres, dit Léonore.

– Plouf, souligna Béatrice.

– On en a eu un à la fabrique de dentelles, dit Agathe en tapotant le dos de son bébé. N'est-ce pas, Charles? C'était a-bso-lu-ment effrayant!

– Au Pôle aussi, nous avons eu des effondrements, intervint la tante Roseline. Une forêt de sapins et un lac de glace ont disparu du jour au lendemain. Je ne sais pas si c'est à cause de ça, mais M. Farouk a soudain décidé de quitter le Pôle pour Babel. Il n'a voulu d'aucune escorte, pas de ministre, pas d'aide-mémoire. Juste Berenilde et, même s'il ne l'a pas explicitement mentionnée, sa fille. Ils sont tous plus déraisonnables que des baromètres, soupira-t-elle entre ses dents. Un tel voyage par les temps qui courent... Mais bon, ce n'est pas comme s'il y avait un seul endroit où se réfugier.

– On va mourir? demanda l'aîné d'Agathe.

Le grand-oncle jura dans ses moustaches pour inciter les autres à se taire et revint à Ophélie d'un air grave.

– Artémis aussi a été prise d'une zin. Elle nous a convoqué les Doyennes en pleine nuit pour leur confier Anima et s'est mise en tiesse d'aller au Mémorial de Babel. Pile là où t'étais censée faire ta petite enquête. J'ai compris que t'avais des ennuis ou que t'allais en avoir. J'ai pas pu tenir ma langue plus longtemps. J'ai dit à ta mère où t'étais. Ni une ni deux, on a pris nos cliques et nos claques, pis on s'est tous invités à bord du dirigeable d'Artémis. Un rafiot qu'elle a animé personnellement, m'fille, j'ai failli avaler mon dentier tant ça a filé vite!

Quand on est arrivés au Mémorial de Babel, on a bien vu que t'y étais pas, mais on a décidé de s'incruster quand même. Et on a plutôt bien fait, hein ?

Essoufflé d'avoir trop parlé, le grand-oncle plongea son regard dans celui d'Ophélie, évitant soigneusement ses mains sans doigts ; des mains qu'il avait personnellement formées et qui ne *liraient* jamais plus.

Elle sourit, à lui ainsi qu'à toute sa famille. Le dernier acte de son écho, avant de se dissoudre en elle, avait été de la ramener auprès des siens. Sans eux, elle serait restée coincée dans le miroir, pour de bon cette fois.

– Merci. D'être ici. D'aller bien.

Ils s'entreregardèrent tous, presque embarrassés par cette déclaration, comme s'ils ne savaient plus trop quoi ajouter après cela.

– Où sont les esprits de famille ? redemanda alors Ophélie en se mettant résolument debout. Je dois les voir.

Ce fut à cet instant que Berenilde fit son apparition dans le salon de lecture. Ophélie l'avait vue boire, fumer, céder à tous les excès sans jamais rien perdre de sa superbe. Elle était méconnaissable. Ses cheveux, dont elle avait toujours pris le plus grand soin en n'importe quelles circonstances, tombaient sur ses épaules amincies comme une pluie grise. Elle poussait un landau où reposait un petit corps pâle, immobile et silencieux. Les mains contractées autour de la poignée, elle semblait ne pas pouvoir tenir debout sans lui. Dès qu'elle le lâcha, la tante Roseline se hâta de lui offrir son bras, mais Berenilde le refusa d'un geste aimable et, en dépit de la maigreur qui étirait sa peau sur ses os, elle se tint très droite. Ses yeux s'agrandirent jusqu'à dévorer son visage, alors qu'elle passait en revue tous les Animistes, adultes et enfants, présents dans le salon avant de s'arrêter sur Ophélie.

– Comment va-t-il?

Berenilde ne s'était souciée ni d'elle ni de ses doigts, mais Ophélie se sentit envahie par une bouffée de gratitude. Elle était la seule à avoir eu une pensée pour Thorn et ne paraissait pas douter une seconde qu'Ophélie l'eût retrouvé. Que pouvait-elle lui répondre cependant? Qu'elle l'avait perdu à nouveau? Qu'il n'existait plus qu'à l'état d'aerargyrum, quelque part dans l'Envers? Qu'il n'y aurait bientôt plus ni Envers ni Endroit si les deux mondes continuaient leur collision? Que la seule personne capable d'empêcher la catastrophe était ici même, dans ce Mémorial, et qu'Ophélie devait absolument lui parler? Ça faisait beaucoup d'explications à fournir et le temps manquait.

Un murmure infime l'en dispensa :

– M'a.

Tous les regards tournoyèrent vers le landau. Victoire s'y était redressée, joues creusées, cernées, cireuses. Sa bouche se tordit en expirant d'une voix cassée le même mot, le tout premier qu'Ophélie lui eût jamais entendu :

– M'a !

Berenilde considéra cette petite fille dans le landau avec incompréhension, comme si on avait échangé son enfant contre un autre, puis son menton trembla et elle poussa un cri étouffé qui lui venait du fond des poumons. Elle souleva Victoire dans ses bras, vacilla sous son poids, tomba à genoux dans un ondoiement de robe et, la serrant contre elle avec un amour plein de rage, elle éclata de rire et de larmes.

– C'est incompréhensible, chuchota la tante Roseline d'une voix chancelante, les mains sur son ventre. Il y a une heure encore, nous pouvions à peine lui faire avaler une cuillerée de soupe.

Toute la famille se pressa autour de Berenilde et de Victoire. Ophélie mit cette diversion à profit pour leur fausser compagnie. Plus tard – s'il y avait un plus tard – elle fêterait dignement leurs retrouvailles.

Elle se faufila entre les bancs de brouillard et se heurta aux mémorialistes terrorisés qui remplissaient des chariots de livres par sens du devoir. Elle reconnaissait la section des brevets des inventions qu'elle avait passé des heures à catalographier avec ses camarades de division. Elle croisa plusieurs uniformes de la garde familiale et des Nécromanciens du service de sécurité, mais il n'y eut personne cette fois pour lui demander ses papiers d'identité. C'était l'affolement.

Ophélie se sentait gênée dans ses mouvements par sa toge, dont une agrafe s'était détachée et qu'elle ne pouvait pas remettre seule. Elle ne tenait pas spécialement à assister à la fin du monde en sous-vêtements.

Alors qu'elle se penchait à une rambarde qui donnait sur l'atrium, elle trouva le vide en contrebas. Le vrai vide. Il avait emporté l'entrée du Mémorial, ses hautes portes vitrées, un pan entier de mur, le parvis aux mimosas, la statue du soldat sans tête, jusqu'à la station de tramoiseaux. Les dirigeables interfamiliaux partaient à la dérive, leurs amarres rompues. Ophélie comprenait mieux la panique des mémorialistes. Les inversions prenaient des proportions cataclysmiques et toute sa famille était piégée sur un morceau d'arche qui s'effritait comme du sucre. Il ne resterait bientôt plus assez de sol pour supporter le poids de la tour. À travers cette brèche et deux vagues de nuages, au loin, la cité de Babel apparaissait plus morcelée que jamais, rongée par un mal invisible qui la mutilait quartier après quartier.

Ophélie pensa à Seconde là-dehors, quelque part dans un sous-sol, seule parmi une foule d'échos-automates, qui attendait que son frère fût sauvé. Elle avait certainement poussé Thorn dans cette cage pour une bonne raison. Mais laquelle?

Ophélie se pencha davantage à la rambarde. Elle trouva les esprits de famille tout en bas, au centre de l'atrium. Réunis sur le lieu de leur enfance pour la première fois depuis des siècles, ils formaient un cercle quasi parfait.

Si Ophélie n'avait pas fait d'erreur de calcul, la personne qu'elle cherchait était juste là, sous ses lunettes, parmi eux.

De l'étage où elle se situait, il lui était difficile de bien les distinguer, mais elle repéra Artémis à sa longue tresse rouge, Farouk à sa blancheur immaculée et Pollux aux étincelles que produisaient ses yeux, même à distance. Si elle n'avait jamais vu encore les autres esprits de famille, elle avait étudié leurs portraits et elle put les identifier un par un. Rê, Gaia, Morphée, Olympe, Lucifer, Vénus, Midas, Belisama, Djinn, Fama, Zeus, Viracocha, Yin, Horus, Perséphone, Ouranos…

Il ne manquait à l'appel qu'Hélène, perdue à jamais. Et Janus.

Ophélie fut envahie d'inquiétude. S'était-elle trompée, en fin de compte ?

– Ils attendent.

Renard venait de s'accouder à la rambarde, près d'Ophélie, accompagnant son regard en contrebas. La tante Roseline ne s'était pas montrée excessive : il avait vraiment changé lui aussi, mais là où Berenilde et Victoire s'étaient fragilisées, lui s'était solidifié à l'excès. Son corps semblait avoir absorbé leur substance, et davantage encore, pour devenir plus musculeux que jamais, au point de malmener sa boutonnière. Il portait sur lui une énorme carabine de chasse – un modèle destiné au gros gibier – qui lui aurait valu une arrestation immédiate à Babel si la situation n'avait été aussi chaotique. C'était la première fois qu'Ophélie le voyait armé. Renard était plutôt homme à se servir de ses mots ou, dans les cas plus extrêmes, de ses poings. Ce furent ses yeux qui la

LA TEMPÊTE DES ÉCHOS

frappèrent surtout, profondément engoncés sous les sourcils froncés, brûlant d'une force qui consumait leur vert comme un feu de forêt.

– Ils sont ainsi depuis notre arrivée à Babel. Un face-à-face interminable. On pourrait croire qu'ils se recueillent pour la mort de Mme Hélène, mais moi je sais qu'ils attendent encore quelqu'un à leur petite réunion. Le grand patron.

Renard avait prononcé ce dernier mot comme s'il lui faisait l'effet d'une rage de dents.

– Je l'attends aussi, ce grand patron, ajouta-t-il en scrutant chaque recoin du Mémorial depuis son poste d'observation. Oh, ça oui, je l'attends. Il sera bientôt parmi nous, il est peut-être déjà là.

– Vous l'avez rencontré, constata Ophélie.

Dans les yeux de Renard, la force se densifia.

– À la Citacielle, sur un coin de trottoir. Je montais la garde pendant que M. Archibald rendait visite à dame Berenilde. Nous venions de trouver Arc-en-Terre, monsieur voulait convaincre madame d'y aller aussi pour nous aider à influencer don Janus. Gaëlle... elle était restée là-bas. Elle y est toujours. Avec *lui*. Il a pris *ma* place, *ma* gueule, *mon* chat et je ne peux même pas les rejoindre.

L'accent du Nord ronfla de colère contenue dans sa voix.

– Et vous ? demanda Ophélie. Avez-vous été...

– Blessé ? Non, et c'est ça le pire. Il avait pris l'apparence d'un Narcotique. M'a endormi raide. Vous auriez vu la façon dont il m'a reluqué juste avant. Comme si... comme si j'étais pas vraiment une personne, comme si j'étais si insignifiant à ses yeux qu'il ne lui serait même pas venu à l'idée de se débarrasser de bibi. Je représentais rien pour lui, vous comprenez ? Niet. J'ai servi des nobliaux presque toute ma vie, mais jamais je ne me suis senti nié à ce point-là et j'ai pourtant déjà séjourné dans des oubliettes. Dès qu'il sortira de son trou, celui-là, je lui montrerai qui je suis vraiment.

Renard serra ses énormes mains pour se calmer, puis il observa brusquement celles d'Ophélie. La muraille de colère formée par ses sourcils s'amollit et, sans un commentaire, avec une tendresse un peu bourrue, il rajusta pour elle la toge qui menaçait de lui tomber sur les sandales.

– Et toi, gamin, tu vas faire quoi ?

– Rétablir une vérité, répondit Ophélie sans la moindre hésitation. En souhaitant que cette vérité rétablisse tout le reste.

De l'atrium lui parvint la voix minuscule, mais distincte d'Elizabeth. Au milieu du cercle des esprits de famille, sa silhouette paraissait plus malingre que jamais parmi leurs carrures imposantes. Aucun d'eux ne lui prêta attention, ni à elle ni à son insigne de LUX. Elle leur montrait avec insistance, mais sans aucune autorité, le gouffre dans le mur d'entrée. «Mon amie est restée là-bas... Elle est en danger...» Ophélie se mordit la lèvre. *Mon amie.* Elizabeth la croyait encore à l'observatoire des Déviations, avec Thorn et Lazarus, à la merci des Généalogistes. Elle ne l'avait pas abandonnée. Elle se souciait d'elle. Sincèrement.

Alors qu'Ophélie tournait la tête, à la recherche du transcendium le plus proche pour descendre les étages, elle se figea.

Thorn se dressait de toute sa hauteur entre les rayons des brevets. Il s'était heurté le front à l'une des lampes suspendues, dont l'abat-jour en cuivre oscillait comme un pendule, projetant une lumière affolée sur toutes les vitrines alentour.

Il était là. Il avait, lui aussi, réussi à quitter l'Envers.

Ophélie fut incapable de lui parler. Elle avait une éponge à la place de la gorge, du nez, des yeux ; elle se transformait tout entière en eau. Elle n'eut plus qu'une notion ouateuse de tout ce qui n'était pas Thorn, ici, maintenant. Elle le revoyait à l'intérieur de cette cage, disparaissant de sa vue dans une explosion de particules. Elle avait cru se déstructurer en même temps que lui.

Il la ramena à la réalité d'une seule question :

– L'as-tu trouvé ?

Il boita dans sa direction, s'appuyant durement aux bibliothèques au risque de les déséquilibrer. Sa jambe, privée d'armature, semblait disloquée, comme si toutes les fractures s'étaient rouvertes sous son pantalon. Il déplia un bras, son poignet maigre débordant d'une manche inadaptée à sa taille.

– L'Autre, articula-t-il avec difficulté. L'as-tu trouvé ?

Il allait tomber. Ophélie tendit vers lui ses mains sans doigts, mais Renard la devança. D'un moulinet, il projeta la crosse de sa carabine avec une telle violence que la tête de Thorn se renversa en arrière dans un craquement de vertèbres.

– Les vitrines, gamin !

Ophélie était horrifiée. Par le cou brisé de Thorn, d'abord. Par son absence de reflet sur les bibliothèques, ensuite. Cet homme à la jambe brisée et à la chemise trop courte était une version de Thorn vieille de trois ans, à l'époque où il était encore en prison. Le jour où « Dieu » était venu leur rendre visite.

Ophélie avait vu ce qu'elle avait envie de voir.

Avec une contorsion de bras et quelques bruits osseux, le faux Thorn remit sa tête en place. Il baissa sur Ophélie ses yeux pâles, dédaignant ostensiblement Renard, à croire qu'il accordait à son coup de crosse autant d'importance qu'à une piqûre d'insecte.

– Je voulais nous faire gagner du temps, mais tant pis. Décidément, rien ni personne ne m'aura fâché la tignasse... facilité la tâche pour sauver ce monde.

Ses formes anguleuses s'arrondirent jusqu'à adopter l'apparence d'une inconnue qui portait un uniforme extrêmement coloré, à la ceinture duquel pendait une douzaine de boussoles. C'était à présent une fausse Arcadienne qui se dressait entre les bibliothèques des brevets.

– Janus m'a fait cet utile, mais tardif petit cadeau, dit-elle en désignant son propre visage. Je vous présente Carmen.

Elle se dématérialisa pour se rematérialiser instantanément à la gauche d'Ophélie, collée à son oreille.

– Je détiens le dernier pouvoir…

Elle disparut et réapparut contre son autre oreille.

– … qu'il manquait à mon répertoire.

– Éloigne-toi d'elle ! gronda Renard d'une voix sourde.

Il avait épaulé sa carabine de chasse et on pouvait deviner, à toute sa posture, qu'il s'était entraîné mille fois à ce maniement. Il suffoquait de fureur.

– Si tu l'as touchée. Même effleurée. Je te jure.

Ophélie sut que ce n'était plus d'elle qu'il était question. Il suffisait à Renard d'un prétexte pour presser la détente. La fausse Carmen, peu disposée à le prendre au sérieux, lui signala un panneau clouté où était gravé «SILENCE, *PLEASE*». Ophélie vit les yeux de Renard s'exorbiter de rage, puis elle ne vit plus rien de lui. Il n'y avait plus de Mémorial. Un ciel éblouissant se reflétait sur des kilomètres de rizières en terrasses. Au milieu d'elles, crevant le paysage comme une gueule affamée, un précipice dégorgeait des trombes de nuages.

La fausse Carmen se tenait juste à côté d'Ophélie, plongée avec elle dans la boue d'une rizière jusqu'aux mollets. C'était son pouvoir familial qui les avait menées jusqu'ici.

– L'arche de Corpolis. Le coin était charmant, il n'y a pas encore si longtemps. Mais nous pourrons fixer un enduit… enfin discuter sans interruption. Jusqu'au prochain effondrement, du moins.

– Jusqu'à la prochaine inversion, corrigea Ophélie.

L'éponge dans sa gorge s'était complètement asséchée. Sans ses doigts, elle ne pouvait contenir les battements furieux de l'écharpe, contaminée par le tumulte de ses émotions. La fausse Carmen lui décocha un regard en biais. Ses iris, aussi noirs que l'étaient ceux de la Mère Hildegarde, ne réfléchissaient aucune lumière. Rien n'était authentique chez elle, ni sa façon grotesque de faire tinter ses boussoles ni sa voix dépourvue d'expressivité.

– Il est vraiment loin, le temps où je n'étais, comme toi, qu'une petite femme limitée. Je peux dorénavant faire n'importe quoi et aller n'importe où. Il n'existe qu'un seul angle mort à mon nouveau pouvoir et c'est là, dans cet Envers, qu'il a fallu que tu ailles te fourrer. J'ai dû patienter jusqu'à ce que tu daignes sortir de ta cachette. Je te sens crispée. Tu préfères un endroit familier ?

Une petite bruine automnale picora les joues d'Ophélie. Le changement de température était brutal. Elle se tenait à présent sur un banc public. La rue devant elle était déserte, mais elle la reconnut immédiatement. Elle se trouvait sur Anima. Un fiacre sans cheval, sans cocher et sans passager se débattait pour essayer d'extraire l'une de ses roues coincée dans un fossé. Il y en avait partout à travers la route et les jardins : d'innombrables cheminées souterraines d'où s'élevaient des vapeurs argentées. On aurait pu croire à un bombardement. En face du banc où Ophélie était assise s'alignaient les maisons, toutes de briques et de tuiles. Les lampes allumées derrière les rideaux indiquaient qu'elles étaient occupées, mais personne n'osait plus sortir, même s'il y avait des trous jusque dans les toits.

– C'était plus animé autrefois, commenta la fausse Carmen, assise sur le banc près d'elle. Je me souviens d'avoir apprécié mon séjour quand j'étais venue avec la Carnaval du caravane… la Caravane du carnaval.

Ophélie l'écoutait à peine. Une maison sous la pluie avait toutes ses lumières éteintes. Le foyer où elle avait laissé son enfance. Il y avait un cratère en plein dans l'allée. Son diamètre était tel qu'il aurait pu engloutir son frère et ses sœurs au premier faux pas.

– Tu as de la chance, mon enfant, ça reste un joli quartier. J'ai, pour ma part, grandi dans un orphelinat militaire. Je suppose que je ne t'apprends rien, tu as mené ta petite enquête sur l'Eulalie Dilleux que j'étais alors. C'est ta chambre, là-haut ? La petite fenêtre au premier, celle avec les volets clos ? C'est là que tu as libéré mon reflet du miroir ?

Ophélie se détourna du cratère devant sa maison pour regarder bien en face cette Arcadienne qui n'en était pas une.

– Tu as été incapable de localiser l'Autre malgré tous tes pouvoirs. Sais-tu pourquoi ?

La fausse Carmen demeura impassible sur le banc, mais Ophélie sentit qu'elle l'avait contrariée. Elle s'apprêtait à faire bien pire ; à risquer plus que ses doigts.

– Moi, je le sais, poursuivit-elle. Il était inutile de prendre l'apparence de Thorn pour me soutirer cette information. Il suffisait de me demander.

– Où est l'Autre ?

Il y avait plus que de l'impatience derrière cette question. Ophélie prit une inspiration pleine de bruine, puis répondit :

– Ici. C'est toi.

L'IDENTITÉ

L'Autre posait sur Ophélie un regard vide. La rotation de sa tête vers elle ne respectait en rien l'alignement du buste et des épaules, ce qui aurait provoqué un torticolis chez n'importe quelle personne normalement constituée. Même ses cils, où la petite bruine d'Anima venait s'accrocher en rangées de perles, ne remuaient pas.

– Insinues-tu, mon enfant, dit-il en appuyant sur chaque syllabe, que c'est *moi* que tu aurais libéré du miroir?

Ophélie avait désagréablement conscience du manque d'espace entre eux sur le banc public. Longtemps, elle avait cru l'Autre pris au piège d'un minuscule entre-deux. Elle ignorait alors l'existence de l'Envers, elle ignorait que l'Autre y était né et qu'il n'en avait jamais été le prisonnier.

– Non. La personne que j'ai libérée du miroir, celle avec laquelle je me suis mélangée, c'est la véritable Eulalie Dilleux. Elle était captive de l'Envers, de son propre gré, depuis la Déchirure. Vous avez échangé vos places durant tout ce temps. Pour qu'Eulalie inverse avec elle la moitié du monde, il fallait une contrepartie symboliquement équivalente, quelque chose qui sorte de l'Envers pour rééquilibrer la balance. C'était toi. Un écho doué de parole, conscient de lui-même, sorti du cycle de répétition, mais un écho tout de même.

– Où est mon Livre?

L'Autre se fendit d'un sourire impersonnel. Il se mit debout et, sans la moindre pudeur, dans un tintamarre de boussoles, se déshabilla sous la pluie afin d'exhiber le corps nu de Carmen. Sitôt ôté, l'uniforme s'évapora comme de la fumée. Ophélie remarqua les visages de plusieurs voisins – tous des parents à elle, plus ou moins éloignés – qui s'étaient collés aux fenêtres de la rue; la peur de sortir restait toutefois plus forte que la curiosité.

– Si vraiment je ne suis qu'un écho, comme tu le suggères, dit l'Autre en pivotant lentement sur les pavés pour ne rien cacher, où est le code qui me maintient incarné dans la matière?

– Je me le suis demandé, concéda Ophélie. Je pense que c'est ce qui te différencie fondamentalement des esprits de famille et de toutes les formes d'échos matérialisées. À force de dialoguer avec Eulalie Dilleux, tu t'es cristallisé. Tu t'es éveillé à toi-même alors que tu te trouvais encore dans l'Envers. Tu as développé *ta* pensée, avec *tes* mots, à l'intérieur d'une dimension dépourvue de langage propre. Tu n'as pas besoin de code. En revanche, tu as besoin d'Eulal…

Ophélie eut le souffle coupé. Le bras de l'Autre s'était brutalement allongé, dans un étirement surnaturel de muscles et de squelette, pour l'attraper par la gorge. Il arborait toujours le corps nu de l'Arcadienne, mais sa chair avait pris, à partir de l'épaule, la consistance caoutchouteuse d'un Métamorphoseur. Il ne serrait pas Ophélie au point de l'étrangler, mais quelle fermeté dans sa prise! C'était la force d'une foule concentrée en un seul individu.

– Je suis pacifiquement profond… profondément pacifique. Je me suis toujours dressé contre toutes les vielles en faïence…

toutes les formes de violence. Alors s'il te plaît, mon enfant, ne m'oblige pas à fêter la mère… te faire mal.

Le banc avait disparu ; Anima aussi. Ils se trouvaient maintenant tous les deux au cœur de ce qui semblait être une cour d'école sur l'arche de Cyclope. Les lieux avaient été évacués à la hâte. Des cerceaux, des billes et des cartables flottaient çà et là en état d'apesanteur, abandonnés sur place. Un gouffre de la taille d'un volcan avait englouti tous les bâtiments environnants.

Ophélie était seule face à l'Autre dont elle sentait chaque ongle contre sa gorge. Elle devait jouer des pieds pour ne pas se laisser déséquilibrer. Elle ignorait comment elle trouvait l'aplomb de lui parler encore, mais les mots déferlaient presque malgré elle :

– Tu crois sincèrement être la vraie Eulalie, n'est-ce pas ? Tu t'es approprié ses idées, ses contradictions, ses ambitions, tu appliques son scénario à la perfection depuis des siècles, mais ce n'est qu'un rôle que tu joues. Ce masque que tu portes, tu sais au fond qu'il ne recouvre que du vide. Tu es un reflet qui a perdu le sien. C'est pour cette raison que le visage d'Eulalie ne t'a pas suffi, que tu t'es mis à reproduire plus de visages, plus de masques, toujours plus…

L'Autre enfonça ses ongles dans la gorge d'Ophélie. Au bout de son bras élastique de Métamorphoseur, au sommet de son corps d'Arcadienne impudiquement cambré sur ses jambes, ce fut au tour de sa figure de changer d'aspect. Sa peau se mit à pâlir jusqu'au cou, ses cheveux se répandirent en boucles épaisses et des lunettes lui poussèrent sur le nez.

Cette tête de femme, qui ressemblait à Ophélie sans l'être vraiment, était celle d'Eulalie Dilleux.

– Qui es-tu pour cédiller… décider qui je suis et qui je ne suis pas ?

Ophélie commençait à manquer d'air, mais elle s'obstina :

– Demande-toi où elle est, *elle*.

Les yeux de l'Autre se contractèrent en même temps que ses muscles. Le décor lui-même se remit à fluctuer, les faisant passer d'une prestigieuse patinoire olympique à un grand magasin, puis d'un parc zoologique à une plage composée de mandalas. Ils se transportaient d'arche en arche, mais, quel que fût le lieu, le sol était vérolé de néants. Ces morceaux de monde partis dans l'Envers n'avaient laissé derrière eux que des vapeurs d'aerargyrum.

Suspendue à la poigne autour de sa gorge, des étincelles dans les yeux, Ophélie ne respirait plus. L'écharpe se débattait en vain pour la libérer. Se transformait-on en aerargyrum quand on mourait? Elle en doutait. Elle ne reverrait jamais Thorn.

L'Autre finit par murmurer à contrecœur, tête penchée en avant, comme s'il s'adressait au corps nu de Carmen :

– Conduis-nous à Eulalie Dilleux.

Ophélie s'écroula dans une débâcle d'écharpe. L'air s'engouffra dans ses poumons; elle toussa longtemps pour retrouver son souffle. Les étincelles se dispersèrent. Au-dessus d'elle, un globe gravitait sous un ciel de vitrages. Elle était de retour au Mémorial, en plein atrium, au milieu des esprits de famille.

Aux pieds de l'Autre.

Son polymorphisme s'était aggravé : en plus du corps nu d'Arcadienne, du bras disproportionné de Métamorphoseur et de la tête d'Eulalie Dilleux, il exhibait à présent un long nez d'Olfactif qui humait l'air à la recherche d'une odeur distincte. Il occupait le centre du cercle formé par les esprits de famille, promenant un regard méfiant sur chacun d'eux, comme si le coupable qu'il traquait se cachait à l'intérieur même de leur peau. Ils durent eux-mêmes le reconnaître sous son apparence éclatée, malgré leurs très mauvaises mémoires, car ils reculèrent tous à sa vue ; tous sauf Farouk qui, changé en statue de glace, fixait son visage avec fascination et répulsion.

En tant que patriarche de Babel, Pollux l'accueillit d'une révérence craintive.

– Bienvenue. Il me semble que nous vous attendions. À propos de... eh bien... de ceci.

Il désigna avec hésitation le vide dangereusement proche qui avait dévoré l'entrée du Mémorial, tandis qu'une douleur altérait l'or de son regard.

– Notre sœur... Ma sœur... J'ai déjà oublié son nom. Elle nous a quittés, mais je sais, oui, je sais qu'elle vous demanderait des explications si elle était encore là.

– Ce n'est pas lui.

Farouk parut le premier déconcerté par ses propres mots, comme s'il ignorait lui-même d'où ils lui venaient. Il les répéta toutefois avec une extrême lenteur :

– Ce n'est pas lui. Ce n'est pas Dieu. Pas le nôtre.

Il avait appuyé une grande main blanche sur son Livre, caché quelque part sous les épaisseurs de son manteau polaire. Une part de lui, profondément enfouie, se souvenait d'avoir déjà été profanée.

L'Autre ne prêta attention ni à Pollux ni à Farouk.

– Où est-elle ?

C'était un ordre, plus encore qu'une question, et il l'avait adressé à Ophélie uniquement. Elle essayait maladroitement de se remettre debout en s'appuyant sur ses moitiés de mains. Son cou lui faisait mal. Elle chercha autour d'eux la véritable Eulalie Dilleux sans la trouver. En relevant les yeux, elle croisa ceux d'Artémis, vaguement interrogatifs, comme si celle-ci soupçonnait un lien de parenté entre elles sans être capable de se rappeler lequel ; en les relevant davantage, elle avisa les gens qui s'étaient massés aux balustrades des étages et, parmi eux, au dernier anneau, sa famille qui l'appelait avec de grands gestes affolés.

Restez là-haut, avait-elle envie de leur hurler.

– Je ne vois pas ici d'Eulalie Dilleux, murmura l'Autre. M'aurais-tu empli le muet... manipulé?

Alors qu'Ophélie se demandait si elle survivrait à un nouvel étranglement, elle tressaillit en sentant un gros chat s'engouffrer entre ses mollets. Andouille?

– Allons, allons, la colère ne vous sied pas au teint.

Archibald était littéralement sorti de nulle part, son chapeau tournoyant autour de son index. Fidèle à lui-même en toute circonstance, il souriait. Gaëlle, qui n'était pas là non plus une seconde plus tôt, entraîna Ophélie le plus loin possible de l'Autre, puis lui souleva le menton sans ménagement. Elle pesta en voyant les marques d'ongles qui saignaient à son cou.

– Fallait garder cette crasse enfermée à triple tour, pas se contenter de l'épier du coin de la lorgnette. Vous avez merdoyé, don Janus.

L'air de l'atrium se froissa comme du tissu et un géant mi-homme mi-femme en jaillit, posant le pied à côté des esprits de famille, comme si l'espace ne consistait pour lui qu'en un rideau de théâtre. Ophélie comprenait mieux d'où étaient sortis Archibald, Gaëlle et Andouille. Elle comprenait mieux aussi pourquoi l'Autre n'avait cessé de se transporter d'arche en arche, déjouant ainsi la surveillance sous laquelle il avait été placé.

Avec Janus, la fratrie était enfin au complet. Cet esprit de famille, au sexe indéfinissable, fit résonner ses hauts talons sur le dallage et se planta devant l'Autre, le dominant à distance.

– Vous n'avez pas respecté notre accord. Vous deviez observer une absolue neutralité en échange du pouvoir de mon *Aguja*. Vous prétendez être la seule personne à pouvoir arrêter les effondrements ? D'accord. Mais ne vous ingérez pas dans nos affaires et surtout, articula-t-il avec un geste maniéré en direction d'Ophélie, ne levez plus jamais la main sur l'un de nos enfants.

Dans une grotesque contorsion de jambes, l'Autre se tourna vers Janus. Le son inhumain qui lui sortit de la bouche se réverbéra sur les marbres et les vitres du Mémorial :

– Jusqu'à aujourd'hui, j'ai veillé sur un entrechat dévot... chacun d'entre vous depuis les coulisses. Je vous croyais capables de préserver le monde parfait que j'avais créé pour vous. J'ai été trop permissif. Dès que je délègue, vous vous dévoyez. Les chaussettes ont vengé... les choses vont changer.

Des chuchotis parcoururent les étages du Mémorial, mais personne ne fit entendre clairement sa voix. Ophélie remarqua toutefois un homme, trop éloigné pour être distinct, qui descendait un transcendium au pas de course.

– Je sauverai ce monde pour la seconde fois, déclara l'Autre, puis je créerai de nouvelles règles. Beaucoup de règles. Je payerai verticalement... je veillerai personnellement à ce que chacun les applique. Fini les intermédiaires. Je serai partout, je saurai tout.

Les esprits de famille échangèrent des regards troubles. Farouk éprouvait visiblement de grandes difficultés à rester concentré sur ce qui était en train de se jouer. Le plus désolant, songeait Ophélie, était qu'ils auraient tous bientôt oublié ce qu'ils voyaient et entendaient maintenant. Malléables à volonté, ils n'avaient pas été amputés de leur mémoire pour rien. C'était même certainement la première chose que l'Autre avait faite après avoir pris la place d'Eulalie Dilleux.

Seul Janus paraissait en pleine possession de ses facultés. Ses yeux noirs brillaient, tandis qu'il tirait ironiquement sur la spirale d'une de ses moustaches.

– Et si nous refusons ? ricana-t-il.

Les narines dilatées, l'Autre le flaira animalement. Un troisième bras lui jaillit d'une côte comme un jet d'eau, s'enfonça dans le crâne de Janus à la façon d'une lame, puis poursuivit sa trajectoire sans ralentir, dans un crissement de carcasse, jusqu'à le découper sur toute la longueur. Tout ce qui composait le corps de Janus partit aussitôt en fumée, ne laissant au sol qu'un Livre coupé en deux.

De Janus, il ne subsistait rien. Il n'avait pas fallu plus de trois secondes à l'Autre pour venir à bout de plusieurs siècles d'immortalité.

La stupeur d'Ophélie fut partagée par Archibald, Gaëlle, le Mémorial entier. Andouille plaqua les oreilles en arrière et feula tout bas. Les esprits de famille s'étaient tous ployés avec une expression d'intense souffrance, les bras autour du ventre, comme si la mort de leur frère avait entamé leur propre matérialité.

– Qu'avez-vous fait ?

Elizabeth fit un pas hors de l'ombre de Pollux, qui sanglotait doucement. Longue et pâle comme une bougie, passée inaperçue jusque-là, elle écarquilla ses paupières lourdes sur le Livre déchiré en deux. Elle s'avança vers l'Autre dans un élan qui souleva les basques de sa redingote, claqua des bottes en portant le poing à sa poitrine, où brillait l'insigne de LUX, et dévisagea cette créature protéiforme qui n'avait désormais plus rien d'humain.

– Je… J'ignore qui vous êtes ou ce que vous êtes, mais, au nom du pouvoir qui m'a été conféré, je vous place en état d'arrestation.

Ophélie dut admettre qu'elle était impressionnée. En ce qui la concernait, comme toutes les personnes présentes dans l'atrium, elle n'osait plus remuer d'un cil de peur d'être coupée en deux. Elle voyait enfin Elizabeth telle qu'elle était ou, plus précisément, telle qu'elle-même aurait pu être. Ses cheveux fauves, ses taches de rousseur, sa grande taille, sa bonne vue, même son âge : rien de tout cela ne lui appartenait vraiment. Elizabeth avait pris d'Ophélie comme Ophélie avait pris d'Elizabeth.

À cette différence près qu'Ophélie le savait désormais. C'était elle qu'elle avait vue, à la place de son reflet, dans le miroir de l'Envers.

L'Autre, dont le troisième bras se tortillait à terre avec des spasmes de tentacule, en arriva soudain à la même évidence. Ce qu'il restait du visage d'Eulalie Dilleux sous son nez proéminent se fissura en sourire.

– C'est donc toi.

Elizabeth eut un sursaut quand l'Autre disparut et réapparut juste devant elle, corps difforme contre corps informe, à portée de souffle. Il étudia avidement ses cernes, ses plaies, son absence de relief, se nourrissant de toute la faiblesse qu'il décelait en elle.

– C'est toi.

– Pardon?

Elizabeth semblait complètement perdue. Elle serrait ses genoux pour réduire leur frémissement. Le sourire de l'Autre n'en finissait plus de s'accroître, lui déchirant la peau comme s'il s'agissait d'un masque de tissu.

– Tu es Eulalie Dilleux.

Elizabeth cessa aussitôt de trembler. Ces quatre mots, qui auraient dû lui restituer son identité, produisirent sur elle un effet inverse. Son corps s'atrophia davantage, sa figure se vida de toute substance. C'était comme si son esprit s'était retiré tout au fond d'elle.

– Peu importe qui des deux est la première, n'est-ce pas ? poursuivit l'Autre. Je te suis supérieurement infini... infiniment supérieur. Regarde-toi, pauvre petite chose, tu ne sais même plus qui tu es. Je vais donc te le dire : tu es une traîtresse. Ta place se trouve avec tout ce que l'ancien monde possédait de corrompu. En revenant, tu as mangé le déni... mis en danger ceux que tu prétendais vouloir sauver. C'est mon devoir de te renvoyer dans ce miroir que tu n'aurais jamais dû quitter.

Une troisième jambe saillit de l'Autre pour frapper un grand coup de talon sur le sol. Les dalles de l'atrium explosèrent sous l'effet d'une brutale poussée géologique. La terre trembla. La coupole fit pleuvoir des torrents d'éclats de verre. Les bibliothèques vomirent leurs collections de livres. Ophélie avait été jetée à terre par la secousse ; le fracas et les cris bourdonnèrent dans ses oreilles. Quand ce fut fini, son écharpe se frotta à ses lunettes pour les nettoyer de la poussière.

Elle ne reconnut pas l'atrium. Le sol était un brassage de vitres et de cailloux. Les colonnades s'étaient fissurées, certaines effondrées. Plusieurs esprits de famille tenaient dans leurs bras des hommes et des femmes, brisés à mort, que le séisme avait fait dégringoler des étages. Ophélie ne vit parmi eux aucun membre de sa famille, mais des hurlements continuaient de lui parvenir des quatre coins du Mémorial. Elle espérait qu'ils étaient sains et saufs là-haut. Elle prit soudain conscience qu'elle aurait elle-même fini écrasée sous un bloc de marbre si Artémis ne l'avait retenu grâce à son animisme.

– Merci.

Au milieu des débris, un couple s'étreignait passionnément. L'homme qu'Ophélie avait vu descendre le transcendium en courant, c'était Renard. Sa carabine de chasse en bandoulière, il se cramponnait à Gaëlle aussi fort qu'elle se cramponnait à lui. Il la couvrait de baisers, elle le couvrait d'insultes. Une bulle de bonheur dans un océan de chaos.

Ophélie refoula la vision de Thorn, resté seul dans l'Envers. Elle ne pouvait pas se permettre de faiblir ; pas maintenant.

De son côté, Archibald était couvert de griffures. Il les devait surtout à Andouille, qu'il avait collé contre lui pour le protéger des éclats de verre. Il émit un long sifflement appréciateur.

Ophélie suivit son regard. À l'endroit où le troisième talon de l'Autre avait frappé le sol, un amalgame de roche brute et de pierre taillée formait un escalier qui n'était pas là auparavant. Sa pente escarpée menait au globe flottant du Secretarium, tout là-haut, sous une coupole désormais sans vitres.

Le miroir suspendu, comprit Ophélie. Le miroir où Eulalie et l'Autre avaient échangé leur place le jour de la Déchirure. C'était là que tout allait se jouer.

LA PLACE

Le vide gagnait du terrain. Il avait englouti la statue-automate de l'accueil et continuait de croquer le Mémorial, bouchée après bouchée, comme si l'usage démesuré que l'Autre faisait de ses pouvoirs familiaux contribuait aussi à l'inversion du monde. L'appel du vent, toujours plus fort, donnait à Ophélie la sensation de lutter contre le courant d'une rivière. À cette cadence, il ne resterait plus rien à sauver.

– J'espère que vous avez un plan, madame Thorn, lui souffla Archibald en contemplant l'escalier qui grimpait jusqu'au ciel.

– J'en ai un.

Sauf qu'il reposait entièrement sur Elizabeth. Ophélie fut soulagée de la trouver à peu près indemne. Elle était tombée à genoux devant l'Autre, ses cheveux dégoulinant sur sa figure choquée. Sans elle, tout aurait été fini. Avec elle, peut-être aussi. Tout dépendait à présent de sa volonté d'accepter ou non la vérité. Elle se laissa faire quand l'Autre la prit par la main comme une fillette et la contraignit à gravir l'escalier avec lui, sans plus se préoccuper de personne. À chaque marche, de nouveaux organes – bras, pieds, nez, yeux, bouches, oreilles – lui poussaient sur le corps, lui faisant perdre toute notion de contour. Il devenait de plus en plus massif, de plus en plus instable, à croire que chaque identité qu'il avait volée au cours des siècles passés voulait occuper la première place.

Au fur et à mesure de son ascension, les hommes et les femmes qui se trouvaient aux étages les plus proches avaient un mouvement en arrière sans parvenir à détourner le regard. L'Autre aurait pu se transporter directement à l'intérieur du Secretarium, en toute discrétion, pour renvoyer Elizabeth de l'autre côté du miroir, mais il avait fait le choix de la grande mise en scène. L'escalier, la montée des marches : c'était une condamnation publique.

Dieu avait quitté les coulisses et n'y retournerait plus.

Ophélie fut traversée d'un frisson qui se propagea jusque sous sa peau. Elle pensa à Janus, l'immense, l'insaisissable Janus, tué en un instant, puis elle se dirigea vers l'escalier.

Une main gigantesque la retint doucement par l'épaule. À sa surprise, c'était Farouk. Il lui fit non de la tête. Quelque chose en lui se souvenait-il confusément d'elle ou aurait-il empêché quiconque de faire ce qu'elle s'apprêtait à faire ? Ophélie soutint son regard de glace, malgré la douleur psychique que ce contact visuel provoquait, jusqu'à ce qu'il consentît à la laisser partir.

Gaëlle, qui mordait Renard plus qu'elle ne l'embrassait, le lâcha brusquement.

– N'y va pas. J'ai essayé quarante-trois fois de lui faire la peau et, sans vouloir t'offenser, j'avais tous mes doigts. Cette chose est increvable. Pas toi.

Ses yeux, ciel de jour et ciel de nuit, luisaient d'émotions contradictoires. Ophélie, elle, n'en ressentait qu'une seule. Elle avait peur. Elle monterait cet escalier quand même.

– Eulalie Dilleux ne sait plus qui elle est. Je suis la seule qui puisse l'aider à se le rappeler.

Perplexe, Archibald gratta la barbe qui avait envahi toute sa mâchoire.

– C'est votre plan ?

– Je ne vous demande pas de m'accompagner.

Ophélie avala les marches aussi vite que le permettaient ses sandales. C'était l'escalier le plus raide qu'elle avait jamais monté. Elle dérapait sur des éclats de verre et de pierre, et il n'y avait aucune rampe à laquelle se tenir. Elle cessa de regarder en bas quand le sol fut trop loin et se raccrocha des yeux à Elizabeth, plus haut, toujours plus haut, qui trébuchait pitoyablement à la suite de l'Autre.

– Tu es née dans un pays lointain, il y a très longtemps, lui dit-elle d'une voix forte. Tu as été recrutée par l'armée de Babel. Tu as travaillé sur un projet militaire. Tu as cristallisé ton écho à l'aide d'un combiné téléphonique.

Les mots d'Ophélie semblaient rebondir sur les parois du Mémorial sans atteindre leur destinataire. Entraînée malgré elle de marche en marche, Elizabeth était moins expressive que jamais. On aurait vraiment pu croire, à la voir ainsi, que c'était elle, l'écho.

Ophélie persévéra :

– Tu as créé les esprits de famille avec tes mots et avec ton sang. Tu as fondé pour eux une école ici même.

L'Autre s'immobilisa soudain au sommet de l'escalier, à une hauteur vertigineuse. Face à lui, imposant comme une lune, le Secretarium émit des grincements assourdissants. Sous l'action de ses multiples pouvoirs familiaux, le revêtement d'or rouge craquela comme du papier d'aluminium, puis le globe s'ouvrit dans une déflagration de métal. Ophélie se protégea comme elle put. Une tempête de poutres, de boulons, de cylindres, de rouages, de vases, d'argenterie et de cartes perforées s'abattit sur le Mémorial. Le hurlement des collections d'antiquités.

L'agonie de la plus grande base de données du monde. D'innombrables heures à cataloguer, classifier, coder, perforer balayées en un instant.

Le Secretarium évoquait une planète évidée de ses entrailles. Seul subsistait en son sein un deuxième globe flottant, réplique miniature de son contenant. Sur un simple geste de l'Autre, il s'ouvrit à son tour dans une éclosion de poussière et de toiles d'araignée, révélant la pièce secrète qu'il renfermait et, au milieu de la pièce, le miroir suspendu.

L'escalier s'éleva davantage, poussé par une mécanique souterraine de roches, jusqu'à la chambre d'Eulalie Dilleux.

Elizabeth contemplait les cartes perforées qui virevoltaient autour d'elle. Luttant contre le vertige qui lui nouait l'estomac, Ophélie gravit une à une les dernières marches qui les séparaient.

– Tu as inventé le code des Livres. Tu écrivais des romans sous les initiales « E. D. ». Tu t'es liée d'amitié avec un vieux concierge. Tu souffrais de sinusite chronique.

– Cesse.

Cet impératif émana des bouches de l'Autre. Il en avait une éruption sur le visage, le cou, le dos et le ventre. Dans un déploiement de chair, il empoigna Elizabeth par les cheveux, Ophélie par l'écharpe et les projeta ensemble sur le plancher de la chambre. Double choc, douleur double. La surface du miroir suspendu se troublait déjà ; l'Envers réagissait à l'approche des deux Eulalie, la vraie et la fausse, réclamant celle qui était en trop.

Les planches craquèrent comme un radeau sous le poids de l'Autre, tandis qu'il s'avançait dans une surabondance de jambes et de bras. Les yeux qui bourgeonnaient sur chaque parcelle de sa peau convergeaient tous vers Ophélie. Elle voyait de lui, à travers ses lunettes cassées, une image plus démultipliée encore.

Elle s'appuya sur ses coudes égratignés pour ramper jusqu'à Elizabeth, recroquevillée à côté d'elle, blafarde sous ses taches de rousseur.

– C'était ta chambre. Tu passais des heures sur ta machine à écrire. D'ici tu entendais grandir les enfants que tu avais créés. Tu m'as dit venir d'une famille nombreuse, tu te rappelles ? C'étaient eux, ta famille. Tu n'as pas été abandonnée chez des inconnus. C'est toi qui es partie dans l'Envers. Tu m'as demandé de te délivrer, j'ai créé une faille et tu es ressortie par le miroir de ton choix, à Babel, dans une maison au hasard. C'était ta décision, alors assume-la. Toi seule peux faire entendre raison à ton écho.

Elizabeth la fixa depuis le couvercle de ses paupières violacées.

– Je suis désolée, bredouilla-t-elle. C'est un affreux malentendu.

– Tout ceci est vain, les interrompit l'Autre. Cette traîtresse va retourner dans le miroir. Et toi, pauvre enfant, tu vas mourir ici. Je dénonce la veste… je déteste la violence, mais tu as déjoué par deux fois l'Envers, je ne le permettrai pas une troisième.

Dès qu'une bouche de l'Autre prononçait une phrase, elle était reprise en échos par les autres. Ophélie n'avait plus peur. C'était au-delà de ça ; elle était de la peur à l'état brut. La vieillarde, le monstre, le crayon rouge… Elle leva ses lunettes cassées vers les dizaines de bras qui s'élevaient au-dessus d'elle. Lequel la découperait en morceaux ?

– Contemple-moi. Je représente la théière minute… l'humanité entière.

Une puissante détonation creva l'air ; la boîte crânienne de l'Autre vola en éclats. Sa carabine de chasse à l'épaule, essoufflé par son ascension, Renard le défiait depuis la dernière marche de l'escalier.

– Tu ne représentes personne.

D'un deuxième coup de feu, il ne laissa pas à l'Autre le temps de se recomposer. Il souriait sauvagement entre ses favoris rouges. Gaëlle, qui l'enlaçait par la taille pour l'empêcher de perdre l'équilibre sous l'effet du recul, hissait vers lui un regard débordant d'orgueil.

Elle répéta avec lui :

– Tu ne représentes personne.

Renard envoya une troisième décharge. Archibald mit à profit la diversion pour se glisser entre les nombreuses jambes de l'Autre. Il fit une pirouette jusqu'à Ophélie et Elizabeth.

– Les renforts arrivent, mesdames.

Il ébaucha un sourire de dérision, comme s'il se jugeait lui-même irrémédiablement fou. Ophélie lui fut très reconnaissante de braver la mort pour elles, mais comment envisageait-il de les sortir d'affaire ? La chair de l'Autre se reconstituait au fur et à mesure et Renard n'aurait bientôt plus de cartouches.

Archibald se pencha pour se faire entendre par-dessous le tonnerre des tirs.

– Écoutez-moi bien, vous deux. Surtout vous, Mademoiselle je-ne-sais-plus-qui-je-suis. Je vais essayer, je dis bien *essayer*, d'établir une passerelle entre vous. Je ne peux rien vous imposer, mais vous pouvez, vous, vous servir de moi pour vous rendre transparentes l'une envers l'autre. Nous avons très peu de temps.

Il y eut alors un silence assourdissant. Renard avait épuisé toutes ses cartouches.

– Rectification, dit Archibald. Nous n'avons plus de temps.

Ophélie eut un haut-le-cœur. Dans un jaillissement organique où se mélangeaient langues, dents et viscères, l'Autre perdit toute son homogénéité. Ce ne fut pas une, mais des grappes entières de têtes qui se mirent à en éclore. L'une d'elles s'élança le long d'un cou démesuré, comme une plante frappée d'une croissance fulgurante. Elle atteignit Renard en pleine face, lui défonçant le front et lui brisant le nez ; un bruit atroce qu'Ophélie ressentit jusque dans ses os. Renard perdit l'équilibre. Emportée par son poids, Gaëlle ne put se résoudre à le lâcher. Ils tombèrent ensemble de l'escalier, sans un cri.

Ophélie fut incapable de refermer les paupières. Ils n'étaient pas morts. Pas eux, pas si vite, pas comme ça.

Ratatinée à côté d'elle, Elizabeth répétait en boucle que tout ceci n'était qu'un malentendu. Archibald ne souriait plus.

– Tu ne représentes personne !

C'était la voix de la tante Roseline. À cause des lunettes cassées, Ophélie ne distinguait d'elle qu'une tache de couleur, celle de sa vieille robe vert bouteille, qui gesticulait à la balustrade du dernier étage. Un fossé infranchissable la séparait du petit plancher en apesanteur où se dressait l'Autre, mais elle jetait dans sa direction les livres qui lui tombaient sous la main – elle qui aimait toutes les formes de papier. La mère, le père, le grand-oncle, le frère et les sœurs d'Ophélie joignirent leurs mains et leurs voix à la sienne.

– Tu ne représentes personne ! Tu ne représentes personne ! Tu ne représentes personne !

Les livres prirent leur envol. Propulsés par toutes ces volontés animistes, ils se rassemblèrent en un essaim qui grossissait à vue d'œil. *Tu ne représentes personne !* Les mots de Renard et de Gaëlle se propagèrent d'étages en étages, de lèvres en lèvres. *Tu ne représentes personne !* Les mémorialistes qui essayaient de sauver les collections se mirent à balancer leurs chariots pardessus bord. *Tu ne représentes personne !* L'animisme se communiqua de livres en livres, l'essaim se transforma en tornade. *Tu ne représentes personne !* Des milliers de livres s'abattirent sur l'Autre, recouvrant de papier ses visages, ses yeux, ses bouches, ses oreilles, ses mains. *Tu ne représentes personne !*

Ophélie ne savait pas si elle se sentait fière, furieuse ou terrifiée.

– Ils vont s'attirer sa colère.

Archibald posa une main sur sa joue, une autre sur celle d'Elizabeth. «Ils nous donnent du temps.» Cette pensée s'était imprimée sur toutes celles d'Ophélie. Elle avait déjà fait plusieurs fois l'expérience du pouvoir de la Toile, mais rien d'aussi troublant que cette invitation silencieuse, puissamment intime, qu'elle sentit vibrer en elle. Elle était en train de perdre toute notion d'altérité, toute distinction entre dehors et dedans. La cohue du Mémorial retentissait dans sa tête ; ses battements de cœur emplissaient le monde. Le tissu même de sa propre individualité devenait de plus en plus poreux. Elle avait une conscience suraiguë de la peau d'Archibald sur la sienne et de la peau d'Elizabeth sur celle d'Archibald, comme s'ils étaient tous les trois enveloppés par un seul et même épiderme. Archibald était malade. Elizabeth était vieille. Ophélie était stérile. Elle sut que, à l'instant où elle s'abandonnerait à l'appel de la transparence, il n'y aurait plus rien qu'elle pourrait leur dissimuler. Puisqu'il le fallait. Il y avait cette mémoire en elle cette autre mémoire qu'elle devait restituer une mémoire pleine de couloirs tortueux et de jardins secrets la mémoire d'Eulalie qui voulait sauver son monde mais qui n'avait pas pu sauver sa famille des âmes soudées puis scindées pour que de cette scission naisse une autre altérité cet écho qui a pris la place de sa famille mais qui n'a jamais été sa famille qui faisait partie de moi qui était moi qui me manque elle me manque Thorn me manque je me manque.

Libère-moi.

Deux mots. Deux mots de trop. Dans l'Envers, parler est un acte contre-nature. Il a fallu à Eulalie du temps – beaucoup

de temps – et de l'entraînement – beaucoup d'entraînement – pour réapprendre les rudiments du langage. Elle a
imaginé un nouvel alphabet à six ans, inventé un code de
programmation à huit, achevé son tout premier roman à
onze, et la voilà qui doit déployer des efforts surhumains
pour trois malheureuses syllabes.

Libère-moi.

Au moins a-t-elle enfin obtenu l'attention d'Ophélie qui
s'est traînée hors du lit et qui promène un regard embué
autour d'elle. Ce regard-là glisse au travers d'Eulalie, pourtant debout au milieu de la chambre ; il ne voit ni sa détresse
ni son espoir. C'est la première fois depuis longtemps – très,
très longtemps – qu'un habitant de l'Endroit réagit à son
appel. Eulalie ne dispose que de quelques instants. C'est
le sommeil qui, pour le moment, rend Ophélie réceptive à
l'Envers.

Le sommeil et un miroir.

Libère-moi.

La glace de la chambre frissonne comme un diapason
au contact des mots et inverse leurs vibrations jusqu'à les
rendre presque audibles :

– Libère-moi.

Dans l'autre lit, la jeune Agathe dort profondément, sa
rousseur éparpillée sur l'oreiller. Eulalie s'aperçoit soudain
que quelqu'un d'autre s'est assis sur le matelas. Un garçon
dont toutes les couleurs sont inversées comme le négatif
d'une photographie. Encore lui. Ce jeune Babélien a pris
l'habitude de suivre Eulalie partout comme une ombre – ce
qu'ils sont tous les deux, au fond. Ses yeux sont pleins de
douceur et de curiosité mélangées. Eulalie sait qu'il n'appartient pas à l'ancienne humanité qu'elle a inversée avec elle.
Non, celui-là a été envoyé récemment dans l'Envers, depuis

la Corne d'abondance qu'elle pensait enfouie à jamais, et c'est en partie à cause de lui qu'elle est ici cette nuit.

Eulalie doit rester concentrée sur Ophélie, qui titube de sommeil devant la glace. Ne pas perdre le contact qui s'établit enfin entre elles.

Libère-moi.

– Libère-moi, répète faiblement le miroir en écho.

Ophélie y cherche Eulalie, qui se trouve en réalité juste derrière elle. Derrière derrière.

– Pardon?

Toute la matière inversée dont Eulalie est composée se contracte. Après une éternité de silence, enfin un dialogue.

Libère-moi.

Ophélie se retourne, regarde Eulalie sans la voir. Elle est si jeune! Un pied dans l'enfance, un autre dans l'adolescence, et de jolies mains enveloppées par l'ombre de son animisme.

– Qui es-tu?

À chaque mouvement, chaque parole, Ophélie propage des vibrations d'elle-même qu'Eulalie ressent au fond des siennes. Fournir une réponse lui réclame une énergie considérable.

Je suis qui je suis.
Libère-moi.

– Comment?

Il y a, sur la figure somnolente d'Ophélie, un peu de l'enfance d'Artémis. Dans ses veines coule le même sang; la même encre avec laquelle Eulalie a écrit le début de leur histoire. Frémissante de nostalgie, elle se rappelle le jour où Artémis a traversé son tout premier miroir. C'était dans une autre vie, dans une autre ville. L'époque où ses enfants apprenaient à faire usage de leurs pouvoirs avant de s'en détourner.

Avant d'en être détournés.

L'Autre a arraché leur mémoire sitôt sorti de l'Envers. Eulalie a assisté à la scène depuis les coulisses. Elle a vu son propre écho se faire passer pour elle, parler en son nom et mutiler le Livre de chacun de ses enfants – à l'exception de Janus, qui a eu le bon goût d'être absent ce jour-là. Elle ne s'est jamais sentie aussi trahie. Ce n'était pas ainsi que les choses devaient se passer.

Faux.

En son for intérieur, Eulalie le savait. Elle l'a su dès que l'Autre lui a soufflé à l'oreille d'emporter avec elle dans l'Envers toutes les guerres tandis qu'il ferait contrepoids en basculant dans l'Endroit. Eulalie voulait sauver son monde ; l'Autre voulait quitter le sien. En donnant sa parole à un écho, elle lui a conféré le pouvoir de quitter l'Envers et de prendre sa place. Le pouvoir de créer une trouée, une Corne d'abondance provisoire en somme. Il suffisait d'un simple miroir. Eulalie a tardé à honorer sa promesse, parce qu'elle savait au fond qu'elle n'aurait jamais dû la faire. L'appel de l'Autre était devenu si puissant, là-bas, sur leur île, qu'elle ne pouvait plus s'approcher d'une surface réfléchissante sans se sentir aspirée. Elle avait jeté toutes les cuillères, dévitré toutes les fenêtres, caché jusqu'à ses propres lunettes de peur d'être emportée avant d'avoir terminé d'élever les futurs esprits de famille. Elle n'avait gardé intacte que la glace de sa chambre.

Une glace qu'elle a fini par franchir, le jour où la guerre est revenue menacer la vie de ses enfants.

Une glace semblable à celle où l'expression interrogative d'Ophélie se reflète en ce moment. Elle porte encore sur les lèvres sa question : «Comment?»

Traverse.

– Pourquoi?

Parce que la moitié de l'humanité ignore qu'elle a vécu sur le sacrifice de l'autre. Parce qu'à présent toutes les guerres envoyées dans l'Envers ont cessé. Parce que des millions d'hommes et de femmes ont enfin déposé les armes et sont sortis de leurs conflits en boucle. Parce que Eulalie, seule, ne connaît pas la paix. Parce que l'Autre reste sourd à ses appels. Parce qu'il n'a apporté la réconciliation dans aucun cœur, aucun foyer de l'Endroit. Parce qu'ils ont commis l'erreur, tous les deux, de se prendre pour Dieu. Et parce que – à cette pensée, Eulalie dévisage le jeune homme assis sur le lit d'Agathe – d'autres personnes commettent les mêmes erreurs en ce moment même à Babel.

Parce qu'il le faut.

– Mais pourquoi moi? insiste Ophélie.

Eulalie n'est pas une passe-miroir, elle n'a jamais eu elle-même le moindre pouvoir. Elle a rendu de nombreuses visites aux descendants d'Artémis dans l'espoir de trouver, parmi eux, celui qui serait prêt à lui rouvrir la voie. Elle ignore au fond si Ophélie le peut, mais l'important, c'est de l'en persuader.

Parce que tu es qui tu es.

Ophélie se retient de bâiller. Bientôt, elle se réveillera tout à fait et il sera trop tard.

– Je peux essayer.

Eulalie frémit. Elle échange un dernier regard avec le jeune Babélien qui lui sourit, pouces levés en signe de félicitation. Néanmoins, quelque chose la retient soudain. Elle a le devoir, ici, devant ce miroir plus que n'importe où ailleurs, d'être enfin honnête. Envers Ophélie et envers elle-même.

Si tu me libères, ça nous changera :
toi, moi et le monde.

Eulalie craint d'avoir laissé passer sa chance, mais Ophélie se décide.

– D'accord.

Elles se plongent ensemble dans le miroir. Leurs molécules s'entrechoquent, s'entrecroisent et s'entremêlent. Elles se traversent au sein d'un interminable interstice. La douleur est absolue. Eulalie sent qu'elle se réinverse, atome après atome, mais ce ne sont déjà plus tout à fait les siens. Ses idées se brouillent, son identité se dilue. Elle ressortira bientôt de l'entre-deux. Il lui faut vite choisir sa destination, n'importe quel miroir de n'importe quel Babélien.

Elle ne doit surtout pas oublier.

Oublier quoi?

Elle doit corriger leurs erreurs.

Quelles erreurs?

Elle doit rentrer chez elle.

Rentrer où?

À Babel.

La communion fut rompue. Ophélie, qui peinait à se redéfinir en tant qu'entité distincte, comprit pourquoi en voyant Archibald étendu de tout son long sur le plancher, son haut-de-forme renversé à côté de lui. Il avait fini par perdre connaissance. Elle-même avait été à deux doigts de s'évanouir. Quant à Elizabeth, elle se recroquevillait en gémissant.

Au milieu de la chambre, l'Autre déchirait nonchalamment, de ses centaines de doigts, les dernières feuilles de livres qui le recouvraient.

Autour d'eux, il n'y avait plus ni étages, ni bibliothèques, ni coupole; rien que des nuages grondant d'orage et une étourdissante odeur de sel. Le vent fit claquer l'écharpe et la toge déchirées d'Ophélie, alors qu'elle s'avançait tout au bord du plancher, à la frontière entre solide et vide. Le Mémorial avait disparu?

Ophélie pivota lentement, incrédulement, sur elle-même. Un océan, aussi sombre et tumultueux que le ciel, s'étalait à perte de vue. Une flotte de cuirassés, vieux de plusieurs siècles, y dérivait sans but. Elle baissa la tête et plissa les yeux, gênée par les fissures sur ses lunettes. L'océan s'arrêtait net à l'endroit où s'était trouvée l'arche du Mémorial, décrivant une spirale hurlante autour de ce néant sans y verser une seule goutte, au mépris de toutes les lois de la nature. La mémoire planétaire.

L'Envers avait régurgité un morceau de l'ancien monde et avalé, à la place, le peu qu'il restait encore de Babel. Il avait pris le Mémorial, Farouk, Artémis, sa famille. Toute sa famille.

– Je peux les ramener, murmurèrent les bouches de l'Autre.

Ophélie se tourna vers tous les visages qui lui poussaient sur le corps. Il n'avait plus aucune cohérence moléculaire. Ses bras désarticulés, pareils aux pattes d'un myriapode, désignèrent le miroir suspendu dont la surface, de plus en plus agitée, ne le reflétait pas.

– Tout est votre faute, à Eulalie et à toi. Il n'appartient qu'à vous de la déraper… de la réparer. Et le monde n'appartient qu'à moi.

– Tu ne représentes personne.

À la voix d'Ophélie s'était superposée celle d'Elizabeth. Elle s'était relevée. Ses cheveux s'allongèrent quand elle redressa le menton. Son corps sans formes parut petit à petit prendre de l'épaisseur et asseoir enfin sa présence dans la réalité.

– Pas même moi.

Tous les yeux de l'Autre – et il y en avait une quantité – s'ouvrirent en grand, puis ils se refermèrent presque aussi vite, absorbés les uns après les autres sous la peau. Les visages, les jambes, les bras rentrèrent à leur tour, à croire qu'une force irrésistible les aspirait de l'intérieur. Son corps s'étrécit petit à petit, se dépouilla de sa pluralité, reprit apparence humaine jusqu'à devenir malgré lui la copie conforme d'Elizabeth, redingote d'avant-coureuse incluse.

Il contempla ses mains constellées de taches de rousseur. Des mains dénuées de pouvoir familial.

– Je me rappelle maintenant, lui dit Elizabeth. Je me rappelle pourquoi j'ai rompu notre pacte et quitté l'Envers.

Elle s'exprimait avec une douce lassitude, mais le regard qu'elle posait sur cette autre elle-même était inflexible.

– L'ancienne humanité que j'ai inversée avec moi n'a plus rien à voir avec celle que nous avons connue. Elle s'est apaisée. Bien plus que celle que je t'ai confiée. Sacrifier la moitié du monde pour sauver l'autre n'a plus aucun sens. Et puis, soupira-t-elle avec l'ombre d'un sourire, qui sommes-nous pour décider à leur place ?

Pour la première fois, Ophélie surprit dans la posture de l'Autre un léger vacillement. Ce n'était pas l'expression d'un doute, plutôt celui d'un sentiment d'infériorité, une incomplétude que les mots d'Elizabeth ne comblaient pas. Il luttait déjà pour rejeter ce corps faible qu'elle lui avait imposé.

Pas question de lui octroyer ce temps. Ophélie se lança tête baissée. De toutes les forces de ses mains sans doigts, elle précipita l'Autre dans le miroir derrière lui. Le regard qu'il écarquilla sur elle, tandis qu'il basculait en arrière, fut terrible. L'alliage du verre, de l'étain et du plomb prit à son contact la consistance d'un tourbillon. Le passage vers l'Envers s'était ouvert pour obtenir enfin la contrepartie qui lui faisait défaut. Peu disposé à se laisser aspirer, l'Autre s'agrippa aux bords de la glace. Il se débattait avec férocité, il refaisait surface. Ignorant les coups, Ophélie et Elizabeth s'appuyèrent sur lui de tout leur poids pour l'enfoncer.

Elles n'y arrivaient pas. Elles étaient épuisées. Même diminué, l'Autre leur résistait.

Il allait les tuer, verser le sang et accomplir la prophétie du crayon rouge.

Deux bras surgirent du miroir. Ophélie crut qu'il s'agissait d'une nouvelle métamorphose de l'Autre, mais les bras se refermèrent autour de lui comme des mâchoires pour l'entraîner au fond. Ils étaient striés de cicatrices.

C'étaient les bras de Thorn.

Il avait profité de cette brèche provisoire dans l'entre-deux. Sombrant sous la surface du miroir, le visage de l'Autre se dilata de surprise. Il perdit ses taches de rousseur, ses sourcils, son nez, ses yeux, sa bouche jusqu'à ce qu'il n'y eût plus de visage du tout.

Il se laissa engloutir comme un pantin anonyme. Avec Thorn.

– Pas cette fois.

Ophélie plongea sa main dans le miroir. Elle sentit celle de Thorn attraper la sienne, quelque part dans l'entre-deux, mais elle n'avait plus de doigts pour s'accrocher à lui. L'appel de l'Envers était aussi irrésistible qu'une lame de fond. Si Elizabeth ne l'avait maintenue par l'écharpe, elle aurait été emportée à son tour. Ophélie poussa un cri quand son épaule se déboîta, mais elle tint bon. Elle arracherait Thorn à l'Envers, même si elle devait céder la moitié de son corps en contrepartie.

Il ne devait pas la lâcher.

Il la lâcha.

Déséquilibrée, Ophélie tomba à la renverse sur Elizabeth qui tomba elle-même sur Archibald en train de reprendre conscience. La surface du miroir suspendu se dérida jusqu'à retrouver sa pleine solidité. Le passage vers l'Envers s'était refermé.

Ophélie contempla sa main. Pire qu'une main sans doigts, une main sans Thorn.

Tout autour d'eux, la structure du Mémorial réapparaissait progressivement. Ce ne fut d'abord qu'une image en filigrane sur fond de ciel et d'océan, presque un effet d'optique, puis la pierre, l'acier et le verre se densifièrent. Les débris du Secretarium, le grand escalier minéral, l'entrée principale, le jardin aux mimosas, les transcendium et les étages en anneaux se réinversaient. La famille d'Ophélie fut à nouveau là, au grand complet, échangeant des regards incertains avec les mémorialistes.

– Oh, oh, lâcha Archibald.

Ophélie le vit aussi. Derrière le miroir suspendu, un vieux papier peint se dépouillait lentement de sa transparence. Renvoyer l'Autre dans l'Envers avait brisé le contrat. L'ancien et le nouveau monde se réalignaient sur le même plan. La deuxième moitié de la chambre, demeurée jusque-là dans l'Envers, sortait peu à peu de l'invisible et, avec elle, la deuxième moitié du Mémorial ; une moitié que les constructeurs de Babel avaient entièrement rebâtie, puisqu'ils la croyaient effondrée. Les deux architectures allaient entrer en conflit.

Elizabeth mit ses mains en porte-voix. Pleine d'une autorité nouvelle, elle ordonna :

– Évacuez les lieux ! Tous !

Ophélie s'y refusait. Son bras pendant au bout d'une épaule déboîtée, elle observait autour d'elle la chambre qui se reconstituait meuble après meuble. Le bois craquait, la pierre explosait, l'édifice grondait. Et si Thorn était là, tout proche, sur le point de réapparaître à son tour ? Elle sentit qu'on lui empoignait les épaules. Les yeux d'Archibald cherchaient les siens, tout au fond de ses lunettes cassées. Il lui disait qu'il fallait partir, maintenant.

Il y eut un choc. L'instant suivant, tout était noir.

LES PASSE-MIROIR

Les jardins botaniques de Pollux étaient tels qu'Ophélie s'en souvenait. L'air vibrait de chaleur, de parfums, de couleurs, d'oiseaux et d'insectes, mais il s'y joignait aussi un vent nouveau. Ce vent-là provenait de l'horizon et il sentait le sel. Là où le vide s'était tenu, par-delà les derniers palmiers de l'arboretum, s'étendait aujourd'hui un océan.

Il n'y avait plus d'arches ; tout était terre ou tout était eau.

– Voilà qui augure une paperasse considérable.

Les yeux d'Octavio rougeoyaient depuis l'ombre de sa frange. Ce n'étaient pas les jardins qu'il voyait, mais Seconde. Elle jouait aux cartes sur la pelouse avec Hélène et Pollux, ainsi qu'une foule de plus en plus importante d'étrangers qui se penchaient sur leur partie. Des hommes, des femmes, des enfants de l'ancien monde posaient sur chaque chose un regard curieux. Ils étaient en mouvement perpétuel, affluaient de tout le continent, exprimaient le même émerveillement muet, inconscients du malaise qu'ils inspiraient aux générations actuelles. Le vide avait peut-être disparu, mais un gouffre demeurait.

– Deux humanités différentes pour un seul sol, commenta Octavio comme s'il avait suivi la pensée d'Ophélie. Je serais étonné que la cohabitation se déroule sans accrocs. Tout dépendra du choix de chacun, mais je préfère être ici, à choisir avec eux, plutôt que là-bas, à subir mon propre enfer. *Sorry*, murmura-t-il presque aussitôt. Je n'aurais pas dû te dire ça.

Ophélie lui adressa un sourire qui s'accrut à la vue de l'uniforme qu'il portait : sans dorures, sans insigne, sans prestige. Exception faite des ailes à ses bottes, c'était l'habit d'un citoyen comme les autres.

– Tu as le droit de dire ce que tu penses. Nous sommes à Babel-la-Neuve après tout, et c'est en partie grâce à toi. Lady Septima était difficile à apprécier, ajouta-t-elle après une pause, mais elle vous aimait à sa manière.

Octavio ne détachait plus les yeux du visage de Seconde, où courait la longue cicatrice. Elle riait. Nul besoin d'être un Visionnaire pour constater qu'elle gagnait allègrement contre Hélène et Pollux. Elle avait définitivement rangé ses crayons, sans doute parce qu'il n'y avait plus d'écho d'avance à dessiner. Elle avait empêché l'un d'entre eux, le plus important de tous, de se produire. Si elle n'avait pas poussé Thorn dans la cage, il n'aurait pas pu entraîner l'Autre dans le monde à l'envers ; il n'aurait d'ailleurs pas pu le faire non plus s'il n'avait pas été lui-même un passe-miroir.

Seconde et Thorn avaient sauvé Ophélie du crayon rouge. Non seulement elle, mais bien des vies encore.

– Tu vas rentrer chez tes parents ?

La question d'Octavio était détachée ; Ophélie devina néanmoins le mot qui s'y cachait et cela lui serra le cœur. *Reste.* Elle observa de loin chaque membre de sa famille, occupé à boire le café sous des parasols qui tournoyaient sous l'effet de l'animisme. Ils avaient retardé leur départ jusqu'à sa sortie de clinique. Ils profitaient à présent de leurs dernières heures à

Babel-la-Neuve, peu pressés de reprendre le dirigeable et de retrouver la pluie. Le monde avait changé, mais la météo était fidèle à elle-même.

— Je ne rentre pas encore. Je ne reste pas non plus.

Octavio fronça les sourcils.

— Où vas-tu?

Ophélie lui répondit par un autre sourire qui le déconcerta davantage.

— Et ils le savent?

— Je leur ai déjà dit au revoir.

— Oh. *Well…* fin de ma pause. Tu m'excuseras, mais j'ai du travail jusqu'à la fin de mes jours. Si tu reviens à Babel-la-Neuve, tu as le devoir de frapper à ma porte.

Octavio fit tinter ses ailes d'avant-coureur et leur épargna, à lui comme à Ophélie, tout regard en arrière. Seconde arrêta instantanément sa partie pour s'emparer de la main qu'il lui tendait. Hélène et Pollux contemplèrent les cartes abandonnées sur la pelouse, incapables d'y jouer sans quelqu'un pour leur expliquer les règles.

Ophélie demeura seule sous les arbres. Après son séjour prolongé dans les corridors confinés de la clinique, tout l'éblouissait. Elle pouvait encore sentir une pulsation douloureuse sous son turban. Il avait fallu lui raser les cheveux, mais ils repoussaient déjà. Être tuée par une poutre après avoir survécu au crayon rouge et à l'apocalypse, c'eût été vraiment ironique. Elle s'en sortait bien, d'après les médecins. Une vilaine bosse, une épaule déboîtée, dix doigts en moins, un ventre toujours inféond. Ophélie ignorait si c'étaient ses inversions successives ou la réabsorption de son écho, mais elle avait retrouvé sa bonne vieille maladresse. Oui, elle s'en sortait vraiment bien.

Tout le monde n'avait pas eu sa chance.

— Vous m'abandonnez.

Ophélie baissa la tête. Archibald était allongé sous les hautes fougères, son haut-de-forme penché sur le nez, Andouille roulé contre lui. Sa remarque était d'autant plus singulière qu'il ne lui avait pas rendu une seule fois visite à la clinique. Ophélie ne lui en tenait pas rigueur. Elle lui devait d'être sortie vivante du Mémorial et, depuis leur communion, elle le comprenait plus intimement qu'elle ne l'aurait souhaité. Ils connaissaient désormais leurs secrets mutuels. Elle ne pourrait jamais donner la vie; il ne pourrait pas conserver longtemps la sienne.

– Je sais que ce n'est pas votre philosophie, soupira-t-elle, prenez quand même soin de vous.

Comme chaque jour depuis qu'elle s'était réveillée sur ce lit d'hôpital, Ophélie eut une pensée irrépressible pour les vivants, pour les revenants, mais surtout pour les disparus. Pour Renard. Pour Gaëlle. Pour Ambroise. Pour Janus. Pour Hildegarde.

Pour Thorn.

– Arrêtez, lui ordonna Archibald.

– Quoi donc?

– De réfléchir. Écoutez plutôt.

Ophélie écouta donc. À travers les sons mélangés des perroquets, des cigales et des conversations, elle perçut le babillage sans queue ni tête de Victoire. Près de la volière, elle envoyait à Farouk un ballon qui rebondissait sur son front. Il levait à chaque fois les bras avec un temps de retard. Victoire ne se décourageait pas, lui adressait des recommandations incompréhensibles et trottait derrière le ballon. Chaque fois qu'elle trébuchait, Berenilde se levait impulsivement du banc où elle s'était installée pour la surveiller, mais la tante Roseline lui appuyait doucement sur l'épaule pour l'inviter à se rasseoir.

Elles manquaient déjà à Ophélie. Ils lui manquaient tous. Elle ne pouvait peut-être pas fonder de famille, mais celle

qu'elle s'était composée au fil du temps lui donnait le sentiment qu'elle avait plusieurs chez-elle désormais. Elle adressa
à ses parents, à son frère, à ses sœurs, à son grand-oncle, à
chacun un dernier signe de la main. Si les gants, qu'elle avait
animés pendant sa convalescence, donnaient l'illusion des
doigts, c'était l'écharpe qui les avait réellement remplacés. Elle
aidait Ophélie à s'habiller, se laver, tenir ses couverts, non
parce qu'elle était animée pour le faire, mais parce qu'elle
l'avait décidé par elle-même. L'époque où elles ne formaient
qu'une était achevée. Elles étaient deux, distinctes l'une de
l'autre, ensemble librement. Et c'était bien ainsi.

– Je vous l'ai déjà dit, la prévint Archibald de sous les fougères. Si vous ne revenez pas au Pôle, le Pôle viendra à vous.

– Nous reviendrons.

Archibald releva le bord de son chapeau.

– Nous ?

Elle s'éloigna sans répondre. Il y avait une dernière personne qu'elle devait voir. Celle-ci l'attendait devant le portail,
se raccrochant aux barreaux comme une vieille dame, ses paupières plus alourdies que jamais. Une horloge invisible s'était
remise en marche en même temps que sa mémoire.

– Tu n'as pas très bonne mine, lui dit Ophélie.

– Tu n'es pas très présentable non plus.

– Comment dois-je t'appeler ? Elizabeth ou Eulalie ?

– Elizabeth. Je ne suis plus Eulalie depuis longtemps. Au
fond, mon nom n'est pas très important. Eux le sont.

Elles se tournèrent ensemble vers les jardins botaniques où
les esprits de famille s'ébattaient maladroitement. Hélène et
Pollux essayaient d'attraper les cartes dispersées par le vent.
Farouk ne réceptionnait pas une seule fois le ballon de Victoire. Artémis, visiblement très contente d'elle, avait cassé la
tasse de café que lui avait servie le grand-oncle. Des géants

retombés en enfance. Aucun esprit de famille n'était revenu indemne de l'Envers. Après la grande réinversion, il n'était resté d'eux que des Livres effacés. Elizabeth avait consacré ce qui lui restait d'énergie pour les doter d'un nouveau code ; un code simplifié.

– L'encre que j'ai utilisée cette fois pour les Livres ne durera pas éternellement. Pas d'immortalité, pas de pouvoirs, je veux pour mes enfants le début d'une histoire inédite. À eux d'en inventer la suite sans moi. J'aurais aimé ramener Janus, mais son Livre était trop endommagé.

– Et leurs Livres à eux ? demanda Ophélie. Où sont-ils à présent ?

La figure vieillie d'Elizabeth se fit énigmatique.

– Là où personne ne les trouvera.

« Là où personne n'arrachera leurs pages », comprit Ophélie.

Spontanément, leurs deux regards pivotèrent vers la lointaine tour du Mémorial, au-delà des chantiers de la cité, partiellement démolie sur son île. Les bibliothèques non plus n'étaient pas revenues indemnes de leur inversion. Les pages de plusieurs centaines de milliers de livres avaient été effacées, comme l'avaient été les lettres « PA » sur l'épaule d'Ophélie. L'Envers était un monde où l'écriture n'avait pas sa place.

Quant au miroir suspendu, il avait été brisé en mille morceaux.

– Rien à signaler, répondit Elizabeth en anticipant la question. Je passe la moitié de mes journées à scruter mon reflet, l'Autre ne se manifeste plus.

Ophélie acquiesça. L'ombre d'Ambroise Ier ne lui était pas réapparue non plus. Il n'avait réussi à se manifester que grâce à la collision entre Envers et Endroit, là où le voile entre les mondes était le plus ténu, et probablement en concentrant lui-même autant d'aerargyrum que cela lui était humainement possible. En un sens, ne plus le voir était la preuve que tout était rentré dans l'ordre. Presque tout.

Ophélie observa les cheveux blancs qui se mêlaient à la longue tresse fauve d'Elizabeth. Elles étaient liées l'une à l'autre par un passage de miroir. Leurs routes n'avaient pas cessé de se croiser et de se recroiser, comme deux trajectoires jumelles, mais elles allaient maintenant chacune prendre une direction différente.

Elizabeth grimaça un sourire.

– Tu sais, mon retour dans l'Endroit a vraiment été épouvantable. J'avais perdu la moitié de mon identité et de mon apparence. J'ai terrorisé un couple de Babéliens en débarquant dans leur salon, mais j'ai eu bien plus peur d'eux encore. Je me suis enfuie, j'ai erré dans les rues sans pouvoir me rappeler pourquoi j'étais là. Sans le vouloir aussi, peut-être. Le poids des responsabilités d'Eulalie Dilleux était trop écrasant, je suppose. Et puis tes propres souvenirs, Ophélie, se superposaient aux miens. Une maison animée, une famille nombreuse. Ce n'était pas seulement mon passé avec les esprits de famille ; c'était aussi un peu de ton enfance à toi. Je me suis persuadée avoir été abandonnée. Quand les autorités m'ont demandé mon nom, impossible de me le rappeler non plus. J'ai marmonné quelque chose comme « Euli... Ela... ». Ils ont décidé que ce serait « Elizabeth ». Je regrette de ne pas pouvoir assister à la suite de ton histoire, ajouta-t-elle sans transition. Je ne serai plus là à ton retour de voyage. En fait, je serai morte avant ce soir.

Ophélie la considéra gravement.

– Je plaisante. Je compte bien tenir quelques semaines encore.

Satisfaite de son petit effet, Elizabeth s'en fut rejoindre les esprits de famille d'une démarche claudicante, ricanant comme une vieillarde.

Sans Ophélie, elle serait déjà morte. Si le train de l'observatoire des Déviations avait conduit Ophélie directement au troisième protocole, elle n'aurait pas été livrée à Lady Septima en même temps qu'Elizabeth. Elle ne serait pas montée à bord du long-courrier avec elle. Elle n'aurait pas pu recourir à son animisme pour la sauver du naufrage. Elles n'auraient jamais découvert ensemble la vingt-deuxième arche. Elles ne seraient pas revenues toutes les deux à Babel à bord du lazaroptère. Elizabeth n'aurait jamais été en mesure de reprendre l'ascendant sur l'Autre. L'Envers et l'Endroit auraient été déséquilibrés jusqu'au chaos final.

Bref, l'histoire se serait un peu moins bien terminée.

Ophélie franchit le pont qui surplombait maintenant l'océan et traversa le marché aux épices. Il y avait bien plus de gens ici que dans les jardins. Aux Babéliens d'aujourd'hui se mêlaient les Babéliens d'autrefois. Ils regardaient, reniflaient, goûtaient tout ce qui était à leur portée, à la profonde exaspération des marchands. La garde familiale était sollicitée de toutes parts. Octavio avait raison, la cohabitation ne serait pas simple.

Pas simple, non, mais salutaire. Ophélie se rappela la jeune fille rencontrée sur cette terre lointaine, au village abandonné. Les revenants de l'Envers avaient le même regard. C'était un regard d'acceptation totale, sans étiquetage, qui ne comparait rien, où chaque chose prenait une valeur spéciale. Un regard qui redéfinissait l'altérité. Lazarus avait proféré beaucoup de bêtises, mais il avait eu raison au moins sur un point. *Nous avons tellement à apprendre d'eux.*

Ophélie porta son propre regard aussi loin que le permettaient la foule et la cité, embrassant l'océan d'un côté, le continent de l'autre, le nouveau et l'ancien monde. Sa poitrine battait. Il y avait tant à voir, tant à découvrir!

Elle traversa les rails du tramway et ne s'arrêta pas avant de s'être engouffrée dans la boutique qui portait pour enseigne :

VITRERIE - MIROITERIE

L'écharpe referma discrètement la porte derrière elles. La boutique était pratiquement déserte. Le commerçant était au téléphone avec un client. Sur le comptoir, le poste radiophonique diffusait un vieil air connu dont Ophélie ne se rappelait jamais le nom :

L'oiseau que tu croyais surprendre
Battit de l'aile et s'envola
L'amour est loin, tu peux l'attendre
Tu ne l'attends plus, il est là

Il n'y avait plus d'échos pour briser la mélodie ; le phénomène s'était fait rare. Alors qu'Ophélie longeait une allée de glaces, essayant de ne surtout rien casser, son image se dédoubla à l'infini. L'Envers était le reflet de l'Endroit, mais si son Endroit à elle était l'Envers de quelqu'un d'autre ?

Toujours au téléphone, le commerçant ne l'avait pas remarquée. C'était préférable. Ophélie gagna le fond de la boutique, là où il ne pourrait pas la voir. Elle s'avança alors vers le plus grand miroir, qui faisait presque deux fois sa taille. Elle avait drôle d'allure avec son gros turban sur la tête, son écharpe nerveuse, sa toge recousue par sa sœur et des gants qui pianotaient impatiemment au bout de ses bras, animés par sa fébrilité. Des mains incapables de saisir, incapables de *lire*. Incapables de retenir Thorn.

Ophélie enfonça son regard tout au fond du sien, mais ce qu'elle y cherchait se trouvait bien au-delà. Derrière derrière.

– Tu as lâché ma main exprès, n'est-ce pas ? chuchota-t-elle. Tu ne voulais pas m'entraîner de l'autre côté avec toi.

Thorn, Lazarus, les Généalogistes, Mediana, le chevalier, Ambroise : ils étaient tous restés dans l'Envers, car ils y étaient entrés par la Corne d'abondance. Ceux-là n'appartenaient pas à la contrepartie, ils n'avaient jamais été concernés par le marché entre Eulalie et l'Autre. Ils étaient désormais hors de portée, ni vraiment morts ni tout à fait vivants.

Dès qu'Ophélie avait pu poser un pied hors du lit, elle s'était plongée dans le miroir de la salle de bains. Elle était aussitôt ressortie par celui du corridor. Elle avait alors recommencé, et encore recommencé, cherchant à se glisser dans l'entre-deux sans plus y parvenir. Tout se passait comme si la frontière entre les mondes se dérobait à elle. Les infirmiers avaient fini par l'attacher à son lit pour la contraindre au repos. Sitôt sortie de clinique, Ophélie était retournée dans le sous-sol de l'observatoire des Déviations mais, comme elle s'y était attendue, la Corne d'abondance avait disparu. Son écho l'avait avalée pour lui permettre à elle, et à elle seule, de se réinverser.

Il n'y avait plus de passage vers l'Envers, plus de communication entre les mondes, pour le meilleur et pour le pire.

Thorn avait rendu ses dés à l'humanité, mais qui lui rendrait les siens ?

– Nous, dit Ophélie. Toi et moi.

Ce n'était pas une promesse. C'était une certitude. Jamais elle ne renoncerait. Et s'il lui fallait traverser tous les miroirs du monde, elle le ferait. Il n'y avait plus de passé à comprendre, plus d'avenir à conquérir. C'était dans l'ici et le maintenant qu'elle retrouverait Thorn.

Elle ferma les yeux. Respira. Se vida de toute attente, de tout désir, de toute peur. S'oublia, comme pour une *lecture*. La dernière d'entre toutes.

– Parce que nous sommes des passe-miroir.

Elle se plongea dans son reflet.

Un peu plus que cela, même.

Remerciements

À toi, Thibaut, pour avoir vécu avec moi – parfois même plus fort que moi – toute l'histoire autour de cette histoire, jusqu'au point final; et au-delà. Tu es présent derrière chaque lettre de chaque mot de chaque phrase que j'écris.

À vous, mes précieuses et inspirantes familles, de France et de Belgique, de chair et de plume, d'argent et d'or. Vous faites partie de mes livres plus intimement que leurs propres pages.

À vous, Alice Colin, Célia Rodmacq, Svetlana Kirilina, Stéphanie Barbaras, pour tout ce que vous m'avez appris et apporté à travers vos mots. Grouh.

À toi, Camille Ruzé, qui m'as comblée de tes dessins, de ton humour et sans qui ce dernier tome ne serait pas ce qu'il est. Un peu plus que cela, même.

À vous, Evan et Livia, pour être qui vous êtes. De l'émotion à l'état pur.

À Gallimard Jeunesse, à Gallimard et à tous mes éditeurs interfamiliaux, pour avoir porté la Passe-miroir d'arche en arche.

À toi, Laurent Gapaillard, pour avoir sublimé mes décors.

À toute la Clique de l'écharpe, pour l'incroyable créativité et l'inimitable bonne humeur que vous avez propagées autour de la Passe-miroir.

À vous, Émilie Bulledop, Saefiel, Déborah Danblon, ainsi qu'à chaque libraire, bibliothécaire, documentaliste, professeur, chroniqueur qui a passé et fait passer mon miroir.

À toi, Carole Trébor, pour ton amitié et pour tes livres.

À toi, Honey, pour avoir créé Plume d'Argent et pour avoir cru en moi.

À toi, Laetitia, qui la première m'a poussée à écrire.

À toi, *liseuse,* et à toi, *liseur,* pour avoir traversé mon miroir et partagé cette aventure au fil des pages.

À toi, enfin, Ophélie, pour m'avoir accompagnée si intimement du premier au dernier passage de miroir. Tu me manques déjà.

TABLE

L'AUTEURE

Christelle Dabos est née en 1980 sur la Côte d'Azur. Installée en Belgique, elle se destine à être bibliothécaire quand
la maladie survient. L'écriture devient alors une évasion
hors de la machinerie médicale, puis une lente reconstruction et enfin une seconde nature. Elle bénéficie pendant ce
temps de l'émulation de Plume d'Argent, une communauté
d'auteurs sur Internet. C'est grâce à leurs encouragements
qu'elle décide de relever son tout premier défi littéraire :
s'inscrire au Concours du Premier roman jeunesse (2013),
organisé par Gallimard Jeunesse, Télérama et RTL. Elle en
devient la grande lauréate grâce à *La Passe-miroir, Livre 1 :
Les Fiancés de l'hiver*. Depuis, ont paru le *Livre 2 : Les Disparus du Clairdelune* et le *Livre 3 : La Mémoire de Babel*. La saga
est aujourd'hui devenue un véritable phénomène littéraire.

Retrouvez l'univers de *La Passe-miroir* sur :
www.passe-miroir.com

ON LIT
PLUS
FORT.
COM

**L'ACTUALITÉ DES ROMANS
GALLIMARD JEUNESSE**

Le papier de cet ouvrage est composé de fibres naturelles,
renouvelables, recyclables et fabriquées à partir de bois
provenant de forêts gérées durablement.

Mise en pages : Françoise Pham
Présentation des personnages : Charlène Lefort

Loi n° 49-956 du 16 juillet 1949
sur les publications destinées à la jeunesse
ISBN : 978-2-07-509386-6
Numéro d'édition : 366505
Premier dépôt légal : novembre 2019
Dépôt légal : décembre 2019
Imprimé en France par CPI Firmin Didot - N° 156463